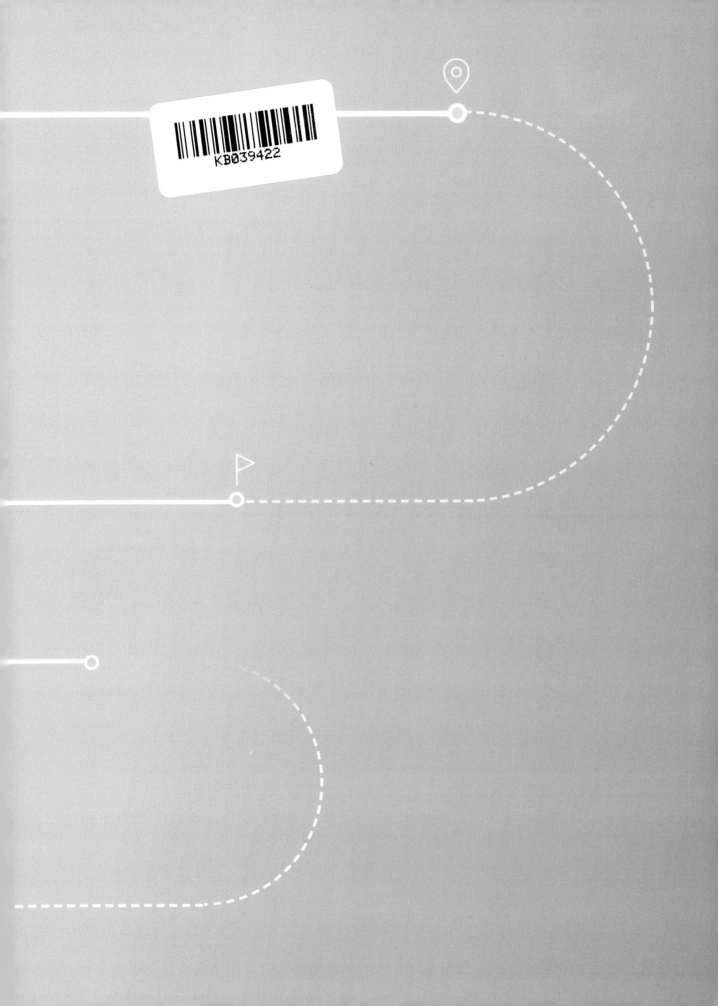

세상이 변해도
배움의 즐거움은
변함없도록

시대는 빠르게 변해도
배움의 즐거움은
변함없어야 하기에

어제의 비상은
남다른 교재부터
결이 다른 콘텐츠
전에 없던 교육 플랫폼까지

변함없는 혁신으로
교육 문화 환경의 새로운 전형을
실현해왔습니다.

비상은 오늘, 다시 한번
새로운 교육 문화 환경을 실현하기 위한
또 하나의 혁신을 시작합니다.

오늘의 내가 어제의 나를 초월하고
오늘의 교육이 어제의 교육을 초월하여
배움의 즐거움을 지속하는 혁신,

바로, 메타인지 기반 완전 학습을.

상상을 실현하는 교육 문화 기업 비상

메타인지 기반 완전 학습
초월을 뜻하는 meta와 생각을 뜻하는 인지가 결합한 메타인지는
자신이 알고 모르는 것을 스스로 구분하고 학습계획을 세우도록 하는
궁극의 학습 능력입니다. 비상의 메타인지 기반 완전 학습 시스템은
잠들어 있는 메타인지를 깨워 공부를 100% 내 것으로 만들도록 합니다.

자율학습시
비상구
완자로 53

세계지리

Structure

이 단원에서 꼭 알아야 하는 핵심 개념을 확인하고, 친절하게 설명된 내용 정리로 세계지리 교과 내용을 이해할 수 있습니다.

이 단원에서 학습해야 할 핵심 개념을 한눈에 파악할 수 있습니다

교과서에서 다루는 내용을 명확하게 정리하고, 어려운 개념이나 용어, 사례 등에는 친절한 설명을 덧붙였습니다.

학교 시험에 자주 출제되는 유형의 문제들을 단계별로 풀어보면서 실력을 향상시킬 수 있습니다. 또한 시험에서 비중이 높아진 서술형 문제도 자신있게 대비할 수 있습니다.

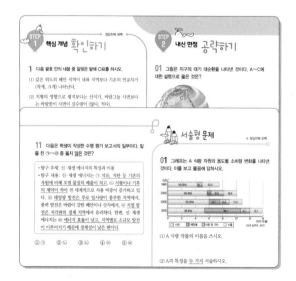

사고력과 변별력을 요구하는 수능 유형의 문제를 풀면서 실력을 향상시키고 난이도 있는 시험 문제에도 자신감을 얻을 수 있습니다.

교과서에서 강조하는 빈출·핵심 자료는 포인트를 확실하게 짚어 주는 자료 설명으로 구성하였습니다.

한눈에 보이는 정리 비법, 간단한 문제로 확인하는 개념, 함께 알아 두어야 할 자료 등을 선생님이 강의하듯 꼼꼼하게 정리하였습니다.

학교 시험은 물론 수능에도 출제될 가능성이 높은 중요 자료를 질문과 답변 형식으로 철저하게 분석하였습니다.

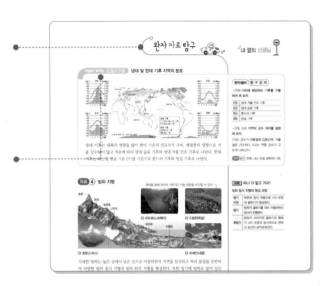

대단원의 핵심 내용을 한눈에 정리하고, 통합형 문제까지 풀어보면서 대단원 학습을 최종 점검할 수 있습니다.

교과 내용에서 강조하는 논술 주제들을 별도 구성하고, 논술 포인트, 자료 분석 등을 통해 입체적인 논술 답안을 제공하였습니다.

Contents

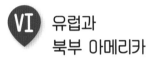
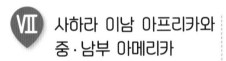

완자와 내 교과서 비교하기

세계화와 지역 이해

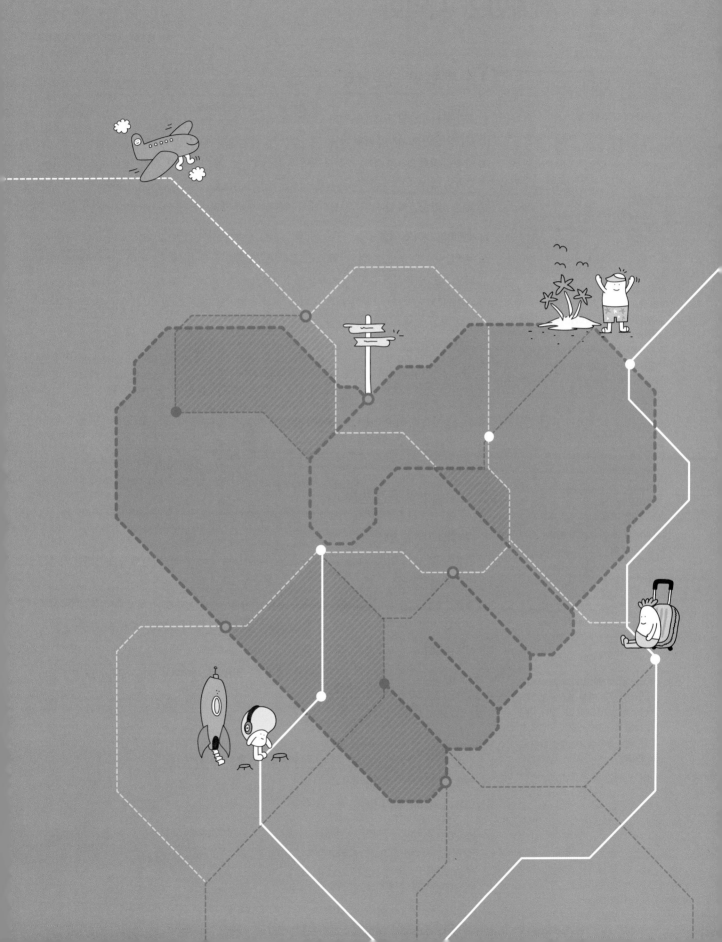

01 세계화와 지역화

학 습 목 표
• 세계화의 의미를 파악하고, 세계화가 지역의 변화에 영향을 준 사례를 설명할 수 있다.
• 지역화의 의미와 지역화에 따른 공간 변화 사례를 설명할 수 있다.

이것이 핵심!

세계화의 의미와 영향

세계화의 의미	모든 부문의 인간 활동 범위가 국경을 넘어 세계로 확대되는 과정
세계화의 영향	• 경제적 측면: 국제적 분업 확대, 국가 간 경쟁 심화 등 • 문화적 측면: 새로운 문화 창조, 문화의 획일화 발생 등

★ 국제적 분업
경영의 효율성을 높이고 이윤을 극대화하기 위해 기업의 기획 및 관리, 연구, 생산, 판매 기능이 세계적인 범위에서 공간적으로 분리되는 현상

1 세계화와 지역 변화

1. 교통·통신의 발달과 세계의 변화

Why? 새로운 교통수단이 등장하고, 교통수단이 대형화·고속화됨에 따라 사람이나 물자의 이동이 더욱 편리해졌기 때문이야.

(1) **시간적·공간적 거리의 단축**: 이동 시간과 비용이 감소하면서 생활 공간이 확대됨

(2) **지역 간 상호 의존성 증가**: 공간적 제약이 감소하면서 지역 간 사람, 물자, 정보 교류가 증가함, 국가의 경계가 약화됨 ┌ 시·공간적 제약을 받지 않는 인터넷의 등장으로 국경의 의미가 약화되었어.

(3) **생산·소비 공간의 확대**: 전자 상거래의 발달로 세계 각국의 상품을 구입하고 배송받음

2. 세계화의 의미와 영향

(1) **세계화**: 정치, 경제, 사회, 문화 등 모든 부문의 인간 활동 범위가 국경을 넘어 세계로 확대되고 상호 연관성이 증가하는 과정

(2) **배경**: 교통·통신의 발달에 따른 시간적·공간적 거리의 단축, 세계 무역 기구(WTO)의 출범, 자유 무역 체제의 확립, 다국적 기업의 등장 등

(3) **영향** 교과서 자료

경제적 측면	• 지역 간 생산의 전문화를 통한 ★국제적 분업과 협력이 확대됨 • 각국은 경제적 이익을 얻기도 하지만 국가 간 경쟁 및 지역 간 격차가 심화되기도 함
문화적 측면	• 전 세계 문화의 교류가 증가하고, 새로운 문화가 창조되기도 함 → 지역 경관이 변화함 • 문화가 획일화되거나 세계 문화와 전통문화 간 갈등이 발생함

┌ 세계화의 흐름 속에서 소외된 소수 문화가 쇠퇴하거나 사라지는 부작용이 나타나 문화의 다양성이 약화되기도 해.

이것이 핵심!

지역화의 의미와 지역화 전략

지역화의 의미	하나의 지역이 세계적인 차원에서 독자적인 가치를 지니게 되는 현상
지역화 전략	• 지리적 표시제 • 장소 마케팅 • 지역 브랜드화

★ 글로컬라이제이션(Glocalization)
'세계화'와 '지역화'를 합성한 용어로, 세방화 또는 현지화라고도 한다. 이는 세계화를 추구하면서도 각 지역의 고유한 의식, 문화, 기호, 행동 양식 등을 존중하는 전략이다.

2 지역화와 공간 변화

1. 지역화와 지역화 전략

(1) **지역화**: 하나의 지역이 자율성과 고유성을 증대함으로써 세계적인 차원에서 독자적인 가치를 지니게 되는 현상

(2) **배경**: 세계화 과정에서 경제적·문화적 교류 증가로 지역 간 경쟁이 치열해짐 → 각 지역은 차별화된 경쟁력 확보 및 지역 경제 활성화를 위해 다양한 지역화 전략을 추진하고 있음

(3) **지역화 전략**

지리적 표시제	특정 지역의 지리적 특성을 반영한 우수한 상품에 그 지역에서 생산·가공되었음을 증명하고 표시하는 제도 자료①
장소 마케팅	지역의 특정 장소를 하나의 상품으로 인식하고, 기업과 관광객에게 매력적으로 보일 수 있도록 이미지와 시설 등을 개발하는 전략
지역 브랜드화	지역이나 지역의 상품과 서비스, 축제 등을 소비자에게 특별한 브랜드로 인식시켜 지역 이미지를 높이고, 지역의 경제를 활성화하는 전략 예 뉴욕의 'I♥NY' 등

(4) **영향**: 문화의 다양화에 이바지, 지역의 잠재력 발굴 ↔ 다른 지역의 성공 사례 모방에 따른 고유한 지역성 훼손 등

2. 세계화와 지역화
세계화 과정에서 서로 다른 지역의 문화가 만나 새로운 문화가 창조됨 → 글로컬라이제이션을 통해 지역과 국가의 경쟁력을 강화해야 함 자료②

┌ 세계화와 지역화는 동시에 진행되는 현상이며, 이로 인해 세계 관광객 수가 빠르게 증가하고 있어.

완자 자료 탐구

수능이 보이는 교과서 자료   **세계화의 영향**

(가) 전 세계에 약 24,400개 지점을 둔 S 커피 전문점은 미국 시애틀에 본사를 둔 다국적 기업이다. 모든 지점에서 동일한 간판, 비슷한 품질의 커피나 음료를 제공하고 다양한 상품을 판매하여 이를 하나의 문화 콘텐츠로 만들어 전 세계로 확산시키고 있다.

(나) ○○대 연구팀은 항공기 여행이 인플루엔자의 확산에 끼치는 영향을 입증했다. 1996~2005년 계절별 인플루엔자 자료를 분석한 뒤 항공기 여행 패턴과 비교해 보니, 외국 여행자 수가 줄면 계절별 인플루엔자 유행 시기도 늦게 찾아왔다. 이는 여행자 수가 적으면 감염병의 확산 시간이 더 오래 걸리기 때문이다.

오늘날에는 사람, 상품, 서비스, 문화 등이 국가의 경계를 넘어 전 세계를 범위로 서로 교류하고 있다. 이러한 세계화 과정에서 전 세계는 단일 시장을 형성하고, 국경을 초월한 세계 문화가 나타나는 등 지역 간 공간적 상호 작용이 증가하고 있다.

완자샘의 탐구 강의

• (가), (나)를 통해 알 수 있는 세계화의 영향을 서술해 보자.

(가)	• 기업은 많은 국가에서 상품을 판매할 수 있고, 소비자는 다양한 상품 구입의 기회가 늘어난다. • 지역 간 비슷한 경관이 나타난다.
(나)	외국 여행자 수의 증가로 감염병의 확산 시간이 빨라졌다.

함께 보기 13쪽, 내신 만점 공략하기 06

자료 ① 지리적 표시제

아일랜드
아이리시 위스키(증류주)

프랑스
샴페인·보르도·보졸레(포도주), 코냑(증류주), 카망베르 드 노르망디(치즈)

독일
미텔라인·라인헤센·모젤(포도주), 뮌헨저 비어바이어리헤스(맥주)

미국
나파밸리 포도주, 아이다호 감자,비달리아 양파, 플로리다 오렌지

에스파냐
히오나(제과), 아사프란데 라만차(사프란)

자메이카
자메이카 블루 마운틴(커피)

일본
반슈(소면)

이탈리아
키안티·토스카나비(포도주),모차렐라 디 부팔라 캄파냐(치즈), 프로스트 드 토스카나비(햄)

그리스
우조(증류주), 엘리아 칼라마타스(올리브 조제품)

오스트레일리아
아들레이드 힐, 랑혼 크릭, 맥라렌 베일, 그레이트 서던(포도주)

인도
다르질링(차), 포참팔리·이카트·칸차푸람실크(옷감) 카슈미르 파시미나(실)

콜롬비아
콜롬비안(커피)

(중앙선데이, 2010)

↑ 세계의 주요 지리적 표시제 특산물

지리적 표시제는 특정 지역의 기후, 지형, 토양 등 지리적 특성을 반영한 우수한 상품에 대해 그 지역에서 생산, 제조, 가공된 상품임을 나타내는 표시를 할 수 있도록 인정하는 제도이다. 프랑스의 샴페인, 인도의 다르질링 차 등이 대표적이다.

자료 하나 더 알고 가자!

장소 마케팅에 따른 공간 변화

일본 삿포로 눈 축제는 1950년 삿포로의 학생들이 눈으로 조각상을 만들어 공원에 전시한 것이 기원이 되었다. 오늘날 세계 곳곳에서 모인 조각가와 지역 주민이 만든 눈이나 얼음 조각이 전시되며 다양한 행사가 함께 펼쳐진다.

장소 마케팅은 지역 정부와 민간이 협력하여 지역의 이미지와 시설 등을 개발하는 것이다. 축제 개최, 랜드마크 개발 등은 지역의 긍정적인 이미지를 구축하는 데 도움을 준다.

자료 ② 햄버거의 세계화와 지역화

↑ 튀르키예의 햄버거   ↑ 인도의 햄버거   ↑ 필리핀의 햄버거   ↑ 한국의 햄버거

미국에서 판매가 시작된 햄버거는 전 세계로 전파되었으며, 각 지역의 고유한 문화와 결합하여 다양한 형태로 발달하였다. 이슬람교를 믿는 지역에서는 화덕에서 구워 낸 얇은 빵인 난에 소고기를, 힌두교도가 많은 인도에서는 닭고기와 향신료를 넣은 햄버거가 판매된다. 쌀을 주식으로 하는 지역에서는 빵 대신 밥으로 만든 햄버거가 판매되기도 한다.

문제 로 확인할까?

사례를 통해 알 수 있는 현상을 쓰시오.

피자는 밀가루 반죽 위에 여러 재료를 얹어 구워 먹는 음식이다. 브라질에서는 열대 기후 지역에서 구할 수 있는 바나나와 초콜릿, 우리나라에서는 불고기와 김치 등의 재료를 사용한다.

문화의 지역화(퓨전화)

STEP 1 핵심 개념 확인하기

1 다음 괄호 안의 내용 중 알맞은 말에 ○표를 하시오.

(1) 교통·통신의 발달로 이동 시간과 비용이 감소하면서 생활 공간이 (축소, 확대)되었다.

(2) 교통과 통신 기술이 발달하면서 지역 간 사람, 물자, 정보 교류가 (감소, 증가)하고, 국가의 경계가 (강화, 약화)되었다.

2 ㉠, ㉡에 들어갈 용어를 각각 쓰시오.

> (㉠)는 모든 부문의 인간 활동 범위가 국경을 넘어 세계로 확대되고 상호 연관성이 증가하는 과정이며, (㉡)는 하나의 지역이 자율성과 고유성을 증대함으로써 세계적인 차원에서 독자적인 가치를 지니게 되는 현상이다.

3 다음 설명이 맞으면 ○표, 틀리면 ×표를 하시오.

(1) 세계화로 지역 간 생산의 전문화를 통한 국제적 분업과 협력이 축소되고 있다. ( )

(2) 세계화의 영향으로 문화적 측면에서는 문화가 획일화되거나 세계 문화와 전통문화 간 갈등이 발생하기도 한다. ( )

4 다음에서 설명하는 지역화 전략을 〈보기〉에서 골라 기호를 쓰시오.

> **보기**
> ㄱ. 장소 마케팅   ㄴ. 지역 브랜드화   ㄷ. 지리적 표시제

(1) 특정 지역의 지리적 특성을 반영한 우수한 상품에 그 지역에서 생산·가공되었음을 증명하고 표시하는 제도이다. ( )

(2) 지역이나 지역의 상품과 서비스, 축제 등을 브랜드로 인식시켜 지역 이미지를 높이고, 지역의 경제를 활성화하는 전략이다. ( )

(3) 지역의 특정 장소를 하나의 상품으로 인식하고, 기업과 관광객에게 매력적으로 보일 수 있도록 이미지와 시설 등을 개발하는 전략이다. ( )

STEP 2 내신 만점 공략하기

01 그래프는 세계 일주의 소요 시간 변화를 나타낸 것이다. 이러한 변화의 영향으로 옳지 않은 것은?

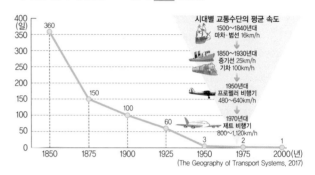

(The Geography of Transport Systems, 2017)

① 일상생활 공간의 범위가 확대된다.
② 사람과 물자의 교류가 보다 활발해진다.
③ 시간적 거리보다 물리적 거리가 중요시된다.
④ 국제 사회에서 상호 의존성이 더욱 강화된다.
⑤ 전 세계의 일일생활권 시대가 현실화되고 있다.

02 밑줄 친 ㉠~㉣에 대한 옳은 설명을 〈보기〉에서 고른 것은?

> 자동차, 비행기와 같은 새로운 교통수단의 등장은 ㉠ 지역 간 이동 시간을 크게 단축시켰다. 또한 ㉡ 초고속 인터넷, 스마트폰 등의 등장으로 많은 양의 정보를 빠르고 정확하게 공유할 수 있게 되었다. 이렇듯 ㉢ 지역 간 교류가 활발해지고 정보 획득이 쉬워짐에 따라 ㉣ 생산과 소비 공간의 범위도 전 세계로 확대되었다.

> **보기**
> ㄱ. ㉠ – 지역 간 접근성이 향상되고 생활 공간의 범위가 좁아졌다.
> ㄴ. ㉡ – 시·공간의 제약을 받지 않아 세계를 하나로 통합하는 데 큰 역할을 한다.
> ㄷ. ㉢ – 국제 사회에서 국경의 의미가 강화되고 있다.
> ㄹ. ㉣ – 전자 상거래를 통해 세계 각국의 상품을 구입하고, 빠르게 배송받을 수 있게 되었다.

① ㄱ, ㄴ   ② ㄱ, ㄷ   ③ ㄴ, ㄷ
④ ㄴ, ㄹ   ⑤ ㄷ, ㄹ

03 밑줄 친 ㉠에 들어갈 내용으로 적절한 것을 〈보기〉에서 고른 것은?

> _____㉠_____ (으)로 인해 사람, 상품, 서비스, 문화, 정보 등이 국가의 경계를 넘어 전 세계를 자유롭게 이동하면서 세계가 하나의 공동체로 통합되는 세계화 과정을 겪고 있다.

보기
ㄱ. 보호 무역주의의 확산
ㄴ. 사회주의 체제의 전 세계적 확산
ㄷ. 다국적 기업의 활동과 영향력 증대
ㄹ. 교통수단과 정보·통신 기술의 발달

① ㄱ, ㄴ   ② ㄱ, ㄷ   ③ ㄴ, ㄷ
④ ㄴ, ㄹ   ⑤ ㄷ, ㄹ

☆중요
04 (가)에 들어갈 내용으로 가장 적절한 것은?

> **수행 평가 보고서**
> • 주제: _____(가)_____
> • 사례 1: ○○대 연구팀은 항공기 여행이 인플루엔자의 확산에 끼치는 영향을 입증하였다. 1996~2005년 계절별 인플루엔자 자료를 분석한 뒤 항공기 여행 패턴과 비교해 보니, 외국 여행자 수가 줄면 계절별 인플루엔자 유행 시기도 늦게 찾아왔다. 이는 여행자 수가 적으면 감염병의 확산 시간이 더 오래 걸리기 때문이다.
> • 사례 2: 한류 열풍을 타고 한국산 제품 수요가 아시아 각국을 중심으로 확대되면서 국내 온라인 쇼핑몰들은 '해외 직판(역직구)'으로 시장 영역을 넓혀 가고 있다.

① 세계화의 긍정적인 영향
② 세계화로 인한 문화적 동질성 확대
③ 지역의 특성을 반영한 지역화 전략
④ 세계화에 따른 지역 간 상호 영향력의 확대
⑤ 국제 협력과 분업 확대로 국가 간 빈부 격차 심화

05 지도는 A 기업의 생산 공장 이동 과정을 나타낸 것이다. 이와 같은 활동이 지속될 경우 나타날 변화 모습으로 적절하지 않은 것은?

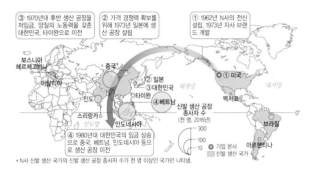

③ 1970년대 후반 생산 공장을 저임금, 양질의 노동력을 갖춘 대한민국, 타이완으로 이전
② 가격 경쟁력 확보를 위해 1973년 일본에 생산 공장 설립
① 1962년 N사의 전신 설립, 1973년 자사 브랜드 개발
보스니아 헤르체고비나
이탈리아
인도
스리랑카
인도양
중국
②일본
④베트남
⑤대한민국
타이완
인도네시아
④ 1980년대 대한민국의 임금 상승으로 중국, 베트남, 인도네시아 등으로 생산 공장 이전
신발 생산 공장 종사자 수 (천 명, 2016년)
태평양
①미국
멕시코
대서양
브라질
아르헨티나
300
100
10
기업 본사
신발 생산 국가

＊N사 신발 생산 국가의 신발 생산 공장 종사자 수가 천 명 이상인 국가만 나타냄.

① 국경의 의미가 점차 약화될 것이다.
② 사람과 물자의 이동 범위가 확대될 것이다.
③ 국가 간 경제적 상호 의존도가 높아질 것이다.
④ 자본, 노동력 등 생산 요소의 이동이 활발해질 것이다.
⑤ 선진국과 개발 도상국 간의 경제적 격차가 없어질 것이다.

06 다음 사례를 통해 알 수 있는 세계화의 영향으로 보기 어려운 것은?

> 전 세계에 약 24,400개 지점을 둔 S 커피 전문점은 미국 워싱턴주 시애틀에 본사를 둔 다국적 기업이다. 모든 지역의 지점에서 비슷한 품질의 커피와 음료뿐만 아니라 일상 생활용품 등 다양한 상품을 판매하며, 이를 하나의 문화 콘텐츠로 만들어 전 세계로 확산시키고 있다.

① 기업은 많은 국가에서 상품을 생산하고 판매할 수 있다.
② 소비자는 다양한 문화와 상품을 접할 수 있는 기회가 줄어든다.
③ 동일한 간판, 서비스 등을 제공하며 지역 간 비슷한 경관을 형성한다.
④ 문화 획일화가 이루어져 개별 국가의 문화적 고유성이 약화되기도 한다.
⑤ 다른 국가의 문화가 전파되어 다양한 문화가 공존하는 모습을 볼 수 있다.

07 다음은 지역화 전략의 사례를 나타낸 것이다. (가), (나)에 대한 설명으로 옳지 <u>않은</u> 것은?

> (가) 'I♥NY'은 1970년대 중반 경기 침체를 겪는 뉴욕을 되살리기 위해 뉴욕시가 개발한 브랜드로, 각종 광고 매체에 소개되며 알려졌다.
> (나) 오늘날 일본 삿포로 눈 축제는 세계 곳곳에서 모인 조각가와 지역 주민이 만든 눈이나 얼음 조각이 전시되며 다양한 행사가 함께 펼쳐진다.

① (가)는 지역이나 지역의 상품을 소비자에게 특별한 브랜드로 인식시키고자 한다.
② (가)는 지역에 대한 긍정적 이미지를 줄 수는 있지만, 지역 경제에 영향을 미치지는 못한다.
③ (나)는 특정 장소를 하나의 상품으로 만들어 관광객을 유치하는 역할을 한다.
④ (나)의 대표적인 사례로 올림픽과 같은 국제 행사 개최, 랜드마크 개발 등이 있다.
⑤ (가)는 지역 브랜드화, (나)는 장소 마케팅의 사례이다.

08 다음 글을 토대로 도출한 결론으로 가장 적절한 것은?

> 미국에서 판매가 시작된 햄버거는 전 세계로 전파되어 다양한 형태로 발달하였다. 그 예로 이슬람교를 믿는 지역에서는 화덕에서 구워 낸 얇은 빵인 난에 돼지고기 대신 소고기를, 힌두교가 많은 인도에서는 소고기 대신 닭고기와 향신료를 넣은 햄버거가 판매된다. 쌀을 주식으로 하는 지역에서는 빵 대신 밥으로 만든 햄버거가 판매되기도 한다.

① 세계화에 의해 전통문화는 사라지고 있다.
② 음식 문화에서 가장 중요한 요인은 종교이다.
③ 문화는 전파 과정에서 현지의 특성이 반영된다.
④ 다국적 기업에 의해 음식 문화가 동질화되고 있다.
⑤ 문화의 세계화에 의해 문화 갈등이 발생하고 있다.

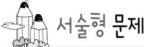 **서술형 문제**

● 정답친해 03쪽

01 다음과 같은 현상들이 지속될 때 나타날 수 있는 문제점을 **두 가지** 서술하시오.

> • 가믈란(Gamelan)은 선율 타악기와 현악기가 어우러지는 인도네시아의 민속 음악이다. 하지만 1980년대부터 가믈란은 서양 음악의 영향과 외국인 관광객의 취향에 맞추어 현대식 악기와 함께 연주되면서 그 고유성을 잃어 가기 시작하였다.
> • 스포츠 용품 기업인 N사는 1980년대 미국 프로 농구 선수 마이클 조던을 홍보에 활용하였다. 그의 모습을 로고로 만든 뒤 다양한 상품을 개발하여 판매하였다. 이후 전 세계 사람이 마이클 조던이 참가하는 미국 프로 농구 경기를 보면서 미국 기업의 햄버거와 콜라를 먹게 되었다.

02 지도를 보고 물음에 답하시오.

(중앙선데이, 2010)

(1) 지도와 관계 깊은 지역화 전략을 쓰시오

(2) (1)로 지정되기 위한 조건과 이를 시행함으로써 얻을 수 있는 효과를 각각 서술하시오.

1 (가), (나) 현상에 대한 설명으로 옳지 <u>않은</u> 것은?

> (가) 오늘날 세계는 정치·경제·사회·문화 등 다양한 분야에서 서로 많은 영향을 주고 받으면서 상호 연관성이 증가하고 있다. 이에 따라 상품이나 사람의 교류를 넘어 세계가 하나로 통합되는 세상으로 변화하고 있다.
>
> (나) 오늘날 세계에서 어느 한 지역이 자율성과 고유성을 증대하고 잠재력을 길러, 각 지역이 경제적·문화적·정치적 측면에서 세계적인 가치를 지니게 되는 현상이 나타나고 있다. 이러한 변화 속에서 세계 각 지역은 다른 지역과 차별화할 수 있는 경쟁력을 갖추고, 지역 경제를 활성화하기 위해 노력하고 있다.

① (가)의 영향으로 국가 간, 지역 간의 문화적 이질성이 심화되고 있다.

② (가)의 사례로 우리나라의 대중음악이 아시아는 물론 세계 전역으로 전파된 것을 들 수 있다.

③ (가)와 (나)의 영향으로 세계 관광객 수가 빠르게 증가하고 있다.

④ (가)와 (나)는 동시에 진행되며, 세계 변화의 주요 요인으로 작용하고 있다.

⑤ (가), (나)는 모두 교통·통신의 발달에 따른 시간 거리 감소의 영향을 받았다.

> 세계화와 지역화

평가원 응용

2 다음은 '세계화' 단원에 대한 학생의 보고서 내용 중 일부이다. 보고서의 주제로 가장 적절한 것은?

> • 사례 1: 미국의 치킨 업체 A사는 중국 매장에서 중국인들의 아침 식사인 요우티아오(기름빵)와 또우장(콩즙)을 판매하고 있다. 한편 미국의 피자 업체인 B사는 밥을 메뉴에 추가하여 중국 소비자들의 마음을 얻었다.
>
> • 사례 2 : 서울에 본사를 둔 자동차 업체 C사는 'S' 발음을 좋아하는 인도 소비자들의 기호에 맞추어 차량의 이름을 지었다. 또한 비포장 도로가 많은 도로 사정과 터번을 쓰는 인도인의 편의에 맞추어 차량을 개발하였다.

① 세계화의 부정적인 영향

② 세계화로 인한 지역 간 상호 의존성 약화

③ 세계화에 따른 다국적 기업의 현지화 전략

④ 생산 시설의 이전에 따른 산업 공동화의 확대

⑤ 교통·통신 발달에 따른 문화 교류 확대의 영향

> 세계화와 지역화
>
> **완자샘의 시험 꿀팁**
>
> 경제적·문화적 측면의 세계화에 따른 지역의 공간 변화를 사례를 통해 묻는 문제가 출제된다.
>
> **| 완자 사전**
>
> • 산업 공동화
> 지역의 기반을 이루던 산업이 다른 지역으로 이전하면서 해당 산업이 쇠퇴하여 산업 구조에 공백이 생기는 현상

지리 정보와 공간 인식 ~ 세계의 지역 구분

학 습 목 표
- 동양과 서양의 지도에 나타난 세계관과 지리 정보의 차이를 비교할 수 있다.
- 권역을 구분하는 다양한 방법과 사례를 설명할 수 있다.

이것이 핵심!

지도

의미	공간 정보를 기호나 문자를 활용해 표현한 것
특징	제작 당시의 시대적 상황이나 세계관이 반영

1 지도와 세계관

1. 지도의 의미와 특징

(1) **지도**: 사람들이 사는 공간의 정보를 기호나 문자 등을 활용해 표현한 것

(2) **지도의 특징**: 문자와 함께 오랫동안 사용된 의사소통 수단으로, 지도 제작 당시의 시대적 상황이나 세계관이 반영되어 있음 【자료①】 ─ vs 우리나라는 태평양을 중심에 둔 세계 지도를 주로 사용하고, 유럽은 대서양을 중심에 둔 세계 지도를 주로 사용해.

2. 지리적 세계 인식의 확대: 지리 정보가 확장되면서 세계에 대한 지리적 인식의 범위도 확대 → 지도 제작자의 지리 인식 정도에 따라 지도에 표현되는 지리 정보가 달라지기도 함 ─ 제작자가 강조하고 싶은 특징 지리 정보를 표현하기 위해 면적, 거리, 방위 등이 왜곡되기도 해.

이것이 핵심!

세계 지도에 나타난 세계관

동양	• 중국: 중화사상 반영 → 화이도, 대명혼일도 등 • 우리나라: 중국 중심 세계관을 기초로 함 → 혼일강리역대국도지도, 천하도 등
서양	• 고대: 바빌로니아 점토판 지도(현존하는 가장 오래된 지도) • 중세: 종교적 세계관 반영 → 티오 지도, 알 이드리시 지도 • 근대: 항해에 사용되는 지도 제작 → 메르카토르 지도

2 동양과 서양의 공간 인식

1. 동양의 세계 지도와 세계관

(1) **중국의 세계 인식**: 일찍부터 지도 제작 기술 발달, 활발한 동서 교류를 통해 많은 지리 정보를 수집하였으나 외부 세계에 대한 관심이 제한적 → 대부분의 지도에 중화사상이 반영

*화이도	송나라 때 제작, 중국 전체가 표현된 가장 오래된 지도로 지도의 중앙에 중국이 위치함
대명혼일도	명나라 때 제작, 중화사상이 반영된 대표적인 세계 지도로 아프리카 서부와 지중해가 표현됨

(2) **우리나라의 세계 인식**: 조선 전기와 중기까지 중국 중심의 세계관에 영향을 받음 【자료②】

혼일강리역대국도지도	조선 전기에 국가 주도로 제작, 현존하는 우리나라에서 가장 오래된 세계 지도
천하도	조선 중기 이후 민간에서 제작, *천원지방 사상과 중화사상, 도교적 세계관이 담겨 있음

─ 중국을 세계의 중심이라고 생각하는 사상

(3) **중국과 우리나라의 세계 인식 범위 확대**

중국	17세기 마테오 리치의 곤여만국전도가 소개되면서 중국인의 세계 인식 범위가 유럽 및 아메리카까지 확대됨 → 서구식 세계 지도 제작
우리나라	18세기 이후 실학자들에 의해 서양의 근대적 지도가 도입되면서 중국 중심의 세계관에서 벗어남 → 지구전후도 제작

★ 화이도(1136)

현존하는 지도 중 중국 전역을 기록한 지도로는 가장 오래되었으며, 중국을 지도의 중심에 두고 오른쪽 위에 한반도, 왼쪽 아래에 아프리카를 표현하였다.

★ 천원지방

하늘은 둥글고 땅은 네모남을 이르는 말로, 고대 중국에서부터 이어져 온 동양인들의 천하관 또는 우주관

2. 서양의 세계 지도와 세계관 【교과서 자료】

(1) **고대의 세계 지도**

① 바빌로니아 점토판 지도(기원전 600년경): 현존하는 가장 오래된 세계 지도

② 프톨레마이오스의 세계 지도(150년경): 최초로 경위선 개념과 투영법 사용 ─ 근대 지도의 기틀을 마련하였어.

(2) **중세의 세계 지도** ─ 꿀! 세계를 원형으로 표현하고, 종교적 세계관을 반영하였다는 공통점이 있어.

티오(TO) 지도(9~13세기)	알 이드리시의 세계 지도(1154)
• 크리스트교 세계관 반영(지도 중심에 예루살렘이 위치) • 지도의 위쪽이 동쪽을 가리킴	• 이슬람교 세계관 반영(지도 중심에 메카가 위치) • 지도의 위쪽이 남쪽을 가리킴

(3) **근대의 세계 지도**

① 15세기 대항해 시대 이후: 세계 인식 범위가 확대되고 지도 제작 기술이 빠르게 발전함 ─ 포르투갈, 에스파냐 등이 동방 무역을 위한 해상 지도를 제작하였어.

② 메르카토르의 세계 지도(1569): 목적지까지의 항로가 직선으로 표현되어 나침반을 이용한 항해에 널리 사용 ─ 경위선이 수직으로 교차해 해당 지점의 각도를 파악할 수 있지만, 고위도 지역이 지나치게 확대·왜곡되는 단점이 있어.

완자 자료 탐구   내 옆의 선생님

자료 ① 다양한 세계관을 반영한 지도

지중해 연안은 비교적 상세하게 표현된 반면, 아메리카, 오세아니아 등은 표현되어 있지 않아. 이를 통해 당시 로마인의 세계 인식 범위를 알 수 있어.

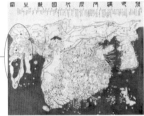

⬆ 바빌로니아 점토판 지도

⬆ 프톨레마이오스의 세계 지도(복원도)

원 밖의 삼각형은 미지의 세계를 표현한 거야.

바빌로니아 점토판 지도는 세계를 평평한 원반으로 묘사하였고, 중심에 수도 바빌론이 그려져 있다. 프톨레마이오스는 지구를 구형으로 인식하고 경위선망을 평면에 투영하는 방식으로 지도를 제작하였다.

자료 ② 우리나라의 세계 인식을 보여 주는 지도

지구전도에는 아시아, 유럽, 아프리카가 표현되어 있어.

 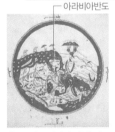

⬆ 혼일강리역대국도지도

⬆ 지구전후도

지구후도에는 아메리카 대륙이 표현되어 있어.

혼일강리역대국도지도는 조선 전기(1402년)에 제작된 세계 지도로, 지도의 중심에 중국이 있고, 우리나라가 상대적으로 크게 표현되어 있다. 지구전후도는 조선 후기(1834년) 최한기가 제작한 세계 지도로, 지구전도와 지구후도로 분리되어 있으며 경위선을 사용하였다.

유럽, 인도, 아라비아반도, 아프리카까지 표현되어 있어.

수능이 보이는 교과서 자료   서양의 세계 지도와 세계관

아라비아반도

⬆ 티오(TO) 지도

⬆ 알 이드리시의 세계 지도

⬆ 메르카토르 세계 지도

중세 유럽에서는 종교적인 영향으로 과학적·실용적 지도 제작이 어려웠다. 이 시기에 사용된 티오(TO) 지도는 크리스트교 세계관을 반영하여 지도의 중심에 예루살렘을 두었다. 반면, 이슬람 세계는 활발한 상업 활동을 펼치며 지리적 지식의 범위를 넓혀 갔다. 이를 바탕으로 알 이드리시는 이슬람교 성지인 메카를 지도 중심에 둔 세계 지도를 제작하였다. 15세기 유럽인은 탐험을 통해 더욱 넓은 세계를 인식하였고, 인쇄술의 발달로 지도 제작 기술이 빠르게 발전하였다. 그중 메르카토르 세계 지도는 목적지까지의 항로가 직선으로 표현되어 항해에 널리 사용되었다.

자료 하나 더 알고 가자!

곤여만국전도(1602)

마테오 리치가 중국에서 제작한 세계 지도로, 아시아, 유럽, 아프리카, 아메리카, 오세아니아, 남극 등이 표현되었으며 중국이 실제와 유사한 크기로 그려졌다. 중국은 이 지도를 통해 유럽의 세계관을 접하게 되었다.

자료 하나 더 알고 가자!

천하도

조선 중기 이후 민간에서 제작된 관념적 세계 지도로, 세계를 하나의 원으로 나타내었으며 안쪽부터 내대륙-내해-외대륙-외해의 구조로 그려져 있다.

완자쌤의 탐구 강의

• 티오 지도와 알 이드리시 세계 지도의 공통점과 차이점을 정리해 보자.

공통점	• 세계를 원형으로 표현 • 종교적 세계관 반영
차이점	• 티오 지도: 크리스트교 세계관, 지도 위쪽이 동쪽 • 알 이드리시 세계 지도: 이슬람교 세계관, 지도 위쪽이 남쪽

• 메르카토르 세계 지도의 특징을 서술해 보자.

경위선이 직선으로 그려져 있어 직선 항로를 따라 수월하게 항해할 수 있다. 그러나 고위도로 갈수록 지역이 확대·왜곡되는 단점이 있다.

함께 보기 23쪽. 1등급 정복하기 1, 2

02~03 지리 정보와 공간 인식 ~ 세계의 지역 구분

이것이 핵심!

지리 정보

수집 방법	현지 답사, 지도나 문헌 조사, 원격 탐사 기술 활용 등
표현	도표, 그래프, 지도 등으로 표현
활용	지리 정보 체계의 발달로 다양한 공간 정보 서비스에 활용

★ 지리 정보의 종류

공간 정보	장소나 현상의 위치와 형태 등을 나타내는 정보
속성 정보	장소의 자연적·인문적 특성을 나타내는 정보
관계 정보	다른 장소나 현상과의 관계를 나타내는 정보

★ 원격 탐사
관측 대상과의 접촉 없이 먼 거리에서 측정을 통해 지리 정보를 수집하는 기술

최근 지리 정보 체계가 스마트폰을 활용한 위치 기반 서비스, 드론, 자율 주행차, 사물 인터넷, 증강 현실 등과 결합하면서 공간 정보 서비스의 범위가 더욱 넓어지고 있어.

③ 지리 정보 기술의 활용

1. 지리 정보의 수집과 표현 〔자료 ③〕

(1) *지리 정보: 지표 공간의 자연 및 인문 현상의 상호 작용에 관한 정보

(2) 지리 정보의 수집 ┌ 인공위성이나 항공기를 이용하며 넓은 지역의 정보를 실시간 주기적으로 수집할 수 있어.

직접 조사	조사 지역을 직접 방문하여 실측, 관찰, 면담 등을 통해 정보 수집
간접 조사	지도나 문헌, 통계 자료 등을 통해 정보 수집, 최근에는 *원격 탐사 기술이나 인터넷 등 다양한 방법을 통해 정보 수집

(3) **지리 정보의 표현**: 지리 정보의 내용을 쉽게 파악하고 지리 정보 간 연관성을 체계적으로 분석하기 위해 도표, 그래프, 지도 등의 방법으로 표현

2. 지리 정보 체계(GIS)

(1) **의미**: 지리 정보를 수치화하여 컴퓨터에 입력·저장하고, 사용자의 요구에 따라 분석·가공·처리하여 필요한 결과물을 얻는 지리 정보 기술

(2) **특징**: 복잡하고 방대한 지리 정보를 빠르고 정확하게 처리할 수 있으며, 다양한 주제도를 이용한 정보 분석을 통해 의사 결정에 필요한 자료를 제공할 수 있음

(3) **활용**: 위성 위치 확인 시스템(GPS)의 발달로 사용 범위가 확대되고 있음 〔자료 ④〕

공공 분야	인구, 자원, 환경, 국방, 재해 관리, 교통 관리, 도시 계획 등의 분야에서 입지 선정, 문제 해결, 미래 예측 등에 활용
일상생활	전자 지도, 길안내기(내비게이션), 교통·관광·날씨 정보 등 다양한 공간 정보 서비스에 활용

└ 인터넷과 연결된 웹 GIS를 통해 편리하게 정보를 얻을 수 있어.

이것이 핵심!

세계의 권역 구분

권역	세계를 큰 규모로 나눈 공간 단위
구분 지표	자연적 요소, 문화적 요소, 기능적 요소, 역사적 요소 등

★ 지역성
지역의 자연환경과 인문 환경이 결합하여 형성된 그 지역만의 독특한 특성으로, 교통·통신이 발달하면서 지역성이 점차 약화되고 있다.

★ 점이 지대
서로 인접한 두 지역의 특성이 함께 섞여서 나타나는 지역

세계에 대한 총체적 정보를 얻기 위해서는 대륙별 구분이 유용하지만 좁은 지역에 대한 구체적 정보를 얻으려면 더 세밀한 지역 구분이 필요해.

④ 세계의 지역 구분

1. 지역과 권역

(1) **지역**: 지리적 특성이 다른 곳과 구별되는 지표상의 공간 범위 ┌ 적도를 기준으로 나눈다면 북반구와 남반구가 각각의 권역이라고 할 수 있어.

(2) **권역**: 지역을 구분하는 기준 중 세계를 큰 규모로 나눈 공간 단위 → 권역을 구분함으로써 지표면에서 이루어지는 자연과 인간의 관계, *지역성 등을 이해할 수 있음

(3) **권역을 구분하는 주요 지표** ┌ 어떤 지표를 중요시하는가에 따라 권역의 경계가 다르며, 각각의 구분 방식마다 장단점이 있어.

자연적 요소	문화적 요소	기능적 요소	역사적 요소
수륙 분포, 지형, 기후, 식생, 토양 등	의식주, 종교, 언어, 사회 제도, 정치 조직, 가치관 등	핵심 지역과 배후 지역을 갖는 다양한 사회 기능들	시간에 따른 변화, 지역을 배경으로 하는 역사 등

(4) **권역의 경계**: 세계의 각 권역은 지역의 자연적·인문적 특징이 어우러져 나타나기 때문에 권역의 경계는 명확한 선보다는 *점이 지대 형태로 나타나는 경우가 많음

2. 다양한 지표에 의한 세계의 권역 구분 〔자료 ⑤〕
┌ 최근에는 지구적 쟁점을 중심으로 권역을 구분하기도 해.

지리적 구분	대륙을 중심으로 아시아, 유럽, 아프리카, 아메리카, 오세아니아 등으로 구분하며, 더 작은 규모인 국가나 도시 등으로 세분화하여 구분할 수 있음
문화적 구분	문화적 특성을 기준으로 유럽, 건조, 아프리카, 동양, 오세아니아, 아메리카, 북극 문화 지역 등으로 구분
자연환경적 구분	기후 특성을 기준으로 열대, 건조, 온대, 냉대, 한대, 고산 기후 지역 등으로 구분

완자 자료 탐구

자료 ③ 정보 통신 기술의 발달과 지리 정보의 표현

지리 정보를 입체적으로 파악할 수 있지만, 등고선이 표현되지 않아 고도를 확인하기는 어려워.

↑ 전자 지도

↑ 위성 사진

인공위성을 활용하여 제작하는 오늘날의 세계 지도는 산지, 하천 등의 위치를 정확하게 표현하며 지도의 확대와 축소가 쉽다. 또한 위도, 경도를 비롯한 다양한 지리 정보를 지도에서 쉽게 확인할 수 있다.

자료 ④ 지리 정보 기술의 활용

스마트폰을 통해 운동한 거리와 시간, 열량 소모량 등의 정보를 제공받을 수 있어.

런던 대도시권 전역에 설치된 버스 도착 정보 안내기는 지역 주민이나 여행객에게 버스 이용 관련 서비스 및 노선에 관한 정보를 제공해.

↑ 스마트폰을 활용한 위치 기반 서비스   ↑ 버스 정보 시스템(런던)

지리 정보 체계는 초기에 공공 기관을 중심으로 지도 제작과 환경 분야 등에서 주로 사용해 왔으나 컴퓨터, 위성 위치 확인 시스템 등의 발달로 사용 범위가 확대되면서 개인의 실생활에서도 다양하게 활용되고 있다.

자료 ⑤ 세계의 다양한 권역 구분

(디르케 세계 지도, 2015)

↑ 문화적 특성을 기준으로 한 권역 구분

(국제 통화 기금, 2017)

| [단위: 달러, 2016년] |
| 30,000 이상 |
| 10,000~30,000 |
| 5,000~10,000 |
| 5,000 미만 |
| 자료 없음 |

↑ 1인당 국내 총생산(GDP)을 기준으로 한 권역 구분

세계 지역은 자연환경, 문화, 사회·경제적 요소 등 다양한 기준으로 구분할 수 있으며, 여러 요소를 종합하여 권역 구분의 지표로 활용할 수도 있다. 세계 문화 지역은 종교, 언어, 민족 등의 특징이 유사하게 나타나는 지역을 하나의 권역으로 묶은 것이다. 또한 인구, 산업, 국내 총생산(GDP), 경제 블록 등 사회·경제적 요소에 따라 권역을 구분하기도 한다.

정리 비법을 알려줄게!

지리 정보의 표현 방법

도표	지리 정보의 내용을 간결하고 명확하게 나타냄
그래프	지리 정보를 시각적으로 제시하며 정보를 쉽게 파악할 수 있음
지도	지리 정보를 위치와 결합하여 나타냄 → 최근 지리 정보를 디지털 방식으로 변환하여 컴퓨터에서 구현한 전자 지도가 활용되고 있음

자료 하나 더 알고 가자!

중첩 분석을 통한 입지 선정

다양한 지리 정보를 제공하는 각각의 데이터 층(layer)을 중첩하여 최적의 조건을 만족하는 지역을 선정할 수 있다.

문제 로 확인할까?

문화적 특성에 따른 지역 구분에 대한 설명으로 옳지 않은 것은?
① 건조 문화 지역은 강수량이 적은 지역이다.
② 아프리카 대륙은 전체가 같은 문화 지역이다.
③ 미국과 캐나다는 앵글로아메리카 문화 지역이다.
④ 한국, 중국, 일본은 문화적으로 유사한 특성이 나타난다.
⑤ 문화 지역을 나누는 기준에는 종교, 언어, 민족 등이 포함된다.

② 답

STEP 1 핵심 개념 확인하기

1 ㉠, ㉡에 들어갈 내용을 각각 쓰시오.

> (㉠   )는 사람들이 사는 공간의 정보를 기호나 문자 등을 활용해 표현한 것이다. 사람들은 자신의 경험과 지식, 자신이 처한 사회적·경제적 환경에 따라 지역이나 장소를 서로 다르게 인식한다. 따라서 (㉠   )에 표현된 내용을 보고 당시 사람들의 (㉡   )과 시대적 상황을 파악할 수 있다.

2 다음에 해당하는 지도를 〈보기〉에서 골라 기호를 쓰시오.

> **보기**
> ㄱ. 곤여만국전도   ㄴ. 바빌로니아 점토판 지도
> ㄷ. 혼일강리역대국도지도   ㄹ. 프톨레마이오스 세계 지도

(1) 현존하는 가장 오래된 세계 지도로 세계를 평평한 원반 모양으로 묘사하였다. ( )

(2) 조선 전기에 제작된 세계 지도로 유럽, 인도, 아라비아 반도, 아프리카까지 표현되어 있다. ( )

(3) 로마 시대에 제작된 지도로 경위선 개념과 투영법을 사용하였으며 근대 세계 지도 제작의 기반이 되었다. ( )

(4) 이탈리아의 마테오 리치가 중국에서 제작한 지도로, 중국인의 세계 인식 범위를 넓히는 역할을 하였다. ( )

3 표는 중세 시대에 제작된 세계 지도를 비교한 것이다. ㉠~㉢에 들어갈 내용을 각각 쓰시오.

구분	(㉠)	알 이드리시 세계 지도
공통점	세계를 (㉡)으로 표현하고 종교적 세계관을 반영함	
차이점	• 크리스트교 세계관 반영 • 지도 중심에 예루살렘이 위치 • 지도 위쪽이 (㉢)을 가리킴	• (㉣) 세계관 반영 • 지도 중심에 메카가 위치 • 지도 위쪽이 남쪽을 가리킴

4 다음 빈칸에 들어갈 내용을 쓰시오.

(1) 지역을 구분하는 기준 중에서 세계를 큰 규모로 나눈 공간 단위를 (   )이라고 한다.

(2) 의식주, 종교, 언어, 사회 제도 등을 기준으로 세계 권역을 구분한 것은 (   ) 요소를 지표로 한 것이다.

(3) (   ) 기술의 발달로 인공위성이나 항공기를 이용하여 넓은 지역의 정보를 주기적으로 수집할 수 있게 되었다.

STEP 2 내신 만점 공략하기

⭐중요
01 (가), (나)에서 설명하는 지도를 옳게 연결한 것은?

> (가) 중국 송나라 때 제작된 지도로, 중화사상이 반영되어 지도의 중심에 중국이 크게 표현되어 있다. 지도 왼쪽 아래에 위치한 아프리카는 중국보다 상대적으로 작게 그려져 있다.
> (나) 15세기 대항해 시대 이후 제작된 세계 지도로 목적지까지의 항로가 직선으로 표현되어 나침반을 이용한 항해에 사용되었다. 고위도 지역이 지나치게 확대·왜곡되었다는 단점이 있다.

	(가)	(나)
①	화이도	메르카토르의 세계 지도
②	화이도	프톨레마이오스의 세계 지도
③	대명혼일도	메르카토르의 세계 지도
④	대명혼일도	프톨레마이오스의 세계 지도
⑤	곤여만국전도	메르카토르의 세계 지도

02 (가)~(라) 지도를 제작된 순서대로 옳게 나열한 것은?

(가)

(나)

(다)

(라)
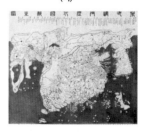

① (가) - (나) - (다) - (라)   ② (가) - (다) - (라) - (나)
③ (나) - (가) - (다) - (라)   ④ (나) - (다) - (가) - (라)
⑤ (다) - (가) - (나) - (라)

03 (가)와 비교한 (나)의 상대적 특징을 그림의 A~E에서 고른 것은?

(가)   (나)

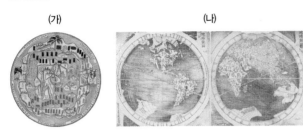

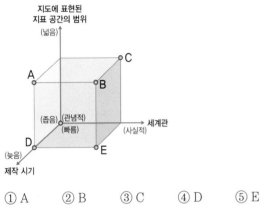

① A   ② B   ③ C   ④ D   ⑤ E

⭐중요
04 (가), (나)에 대한 옳은 설명을 〈보기〉에서 고른 것은?

(가)   (나)

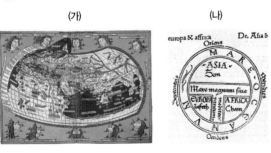

〔보기〕
ㄱ. (가)는 지도 제작에 경위선의 개념을 사용하였다.
ㄴ. (나)는 이슬람교 세계관이 반영되었다.
ㄷ. (가)는 (나)보다 제작 시기가 이르다.
ㄹ. (가)와 (나)는 모두 지도의 위쪽이 북쪽이다.

① ㄱ, ㄴ   ② ㄱ, ㄷ   ③ ㄴ, ㄷ
④ ㄴ, ㄹ   ⑤ ㄷ, ㄹ

05 밑줄 친 ㉠~㉤에 대한 설명으로 옳지 않은 것은?

지표 위의 지리적 현상과 관련된 모든 정보를 ㉠ 지리 정보라고 한다. 지리 정보를 수집하는 방법에는 ㉡ 간접 조사와 ㉢ 직접 조사 등이 있으며, 최근에는 ㉣ 다양한 기술을 활용해 지리 정보를 효율적으로 수집할 수 있게 되었다. 수집된 지리 정보는 디지털화되어 컴퓨터에 저장되고 사용자의 필요에 따라 분석·처리되어 제공되는데, 이러한 정보 처리 체계를 ㉤ 지리 정보 체계(GIS)라고 한다.

① ㉠ – 관계 정보, 공간 정보, 시간 정보로 구분할 수 있다.
② ㉡ – 지도나 통계 자료 등을 통해 정보를 수집한다.
③ ㉢ – 관찰, 실측, 면담 등이 대표적이다.
④ ㉣ – 인공위성이나 항공기를 이용하여 정보를 수집하는 원격 탐사가 대표적이다.
⑤ ㉤ – 위성 위치 확인 시스템(GPS)의 발달로 실생활에서 사용 범위가 확대되고 있다.

06 자료의 내용을 확인할 수 있는 적절한 정보 수집 방법을 발표한 학생을 〈보기〉에서 고른 것은?

캘리포니아 소방국은 지난 8일 발생한 산불로 최소 66명이 사망하고 631명이 실종됐다고 발표했다. 소방 당국은 불길이 급속히 확산한 이유로 210일 동안 이 지역에 비가 오지 않았다는 사실에 주목하고 있다. 기후 변화로 인한 건조한 날씨와 가뭄, 숲 속에 축조된 목조 주택들 때문에 피해가 더욱 커졌다는 설명이다. 캘리포니아에서는 올 한 해만 남한 면적의 약 3분의 1에 해당하는 3,237㎢ 이상의 삼림이 불에 타 사라졌다. – 「뉴시스」, 2018. 11. 17.

〔보기〕
갑: 인터넷 검색을 통해 재해 피해 현황을 자세히 살펴볼 수 있습니다.
을: 지리 정보 체계를 통해 피해 상황에 대한 지역 주민들의 인식을 확인할 수 있습니다.
병: 원격 탐사를 통해 획득한 위성 사진을 이용하면 화재 전과 후를 비교할 수 있습니다.
정: 대규모 화재 현장은 사람이 가까이 갈 수 없어 피해 지역 정보를 수집하는 데 매우 오랜 시간이 걸립니다.

① 갑, 을   ② 갑, 병   ③ 을, 병
④ 을, 정   ⑤ 병, 정

07 ㉠~㉤에 대한 설명으로 옳지 <u>않은</u> 것은?

> ㉠지역은 ㉡대륙이나 국가와 같은 넓은 범위부터 우리 마을과 같이 상대적으로 좁은 범위에 이르기까지 다양한 규모로 표현할 수 있다. 여러 규모에 따른 지역 구분을 통해 사람들은 자신이 사는 지역에 대한 다양한 관점의 지리적 정보를 얻을 수 있으며, 여기에 자연적 기준, 문화적 기준, ㉢사회·경제적 기준을 더하면 더욱 다양하게 지역을 구분할 수 있다. 지역을 구분하는 기준 중에 세계를 큰 규모로 나눈 공간 단위를 ㉣권역이라고 한다. 예를 들어 (㉤)을/를 기준으로 나눈다면 북반구와 남반구가 각각의 권역이라 할 수 있다.

① ㉠은 지리적 특성이 다른 곳과 구별되는 지표상의 공간 범위를 의미한다.
② ㉡을 기준으로 오스트레일리아는 아시아에 속한다.
③ ㉢은 인구, 산업, 소득 수준 등이 해당한다.
④ ㉣의 경계는 명확한 선보다는 점이 지대 형태로 나타나는 경우가 많다.
⑤ ㉤에는 '적도'가 들어가는 것이 적절하다.

08 ^{★중요} 지도에 대한 옳은 설명을 〈보기〉에서 고른 것은?

0 3,000 km

(디르케 세계 지도, 2015)

보기
ㄱ. 대륙을 기준으로 권역을 구분하였다.
ㄴ. A에서는 인접한 두 지역의 특성이 함께 나타난다.
ㄷ. 각 지역은 종교, 언어, 민족 등의 특징이 유사하게 나타난다.
ㄹ. 기능적 요소를 기준으로 구분되어 핵심지와 배후지를 갖는다.

① ㄱ, ㄴ   ② ㄱ, ㄷ   ③ ㄴ, ㄷ
④ ㄴ, ㄹ   ⑤ ㄷ, ㄹ

서술형 문제

● 정답친해 05쪽

01 지도를 보고 물음에 답하시오.

(1) 위 지도의 이름을 쓰시오.

(2) 위 지도의 특징을 제시된 내용을 중심으로 서술하시오.

| • 의의 | • 제작 시기 | • 표현 범위 |

02 자료를 보고 물음에 답하시오

오늘날에는 (㉠)의 발달로 인간 생활에 필요한 지리 정보를 효율적으로 활용할 수 있다. 대표적인 예가 버스 정보 시스템으로, 버스 정류장에 버스 도착 안내 정보기가 설치되어 있어 지역 주민 및 여행객 등에게 버스 이용 관련 서비스 및 노선에 관한 정보를 제공한다. 이는 (㉠)와/과 (㉡)이/가 결합되어 일상생활 속에서 유용하게 이용하는 대표적인 ㉢공간 정보 서비스이다.

(1) ㉠, ㉡에 들어갈 용어를 각각 쓰시오.

(2) ㉢에 해당하는 사례를 <u>두 가지</u> 이상 서술하시오.

STEP 3 1등급 정복하기

1 (가), (나) 지도에 대한 옳은 설명을 〈보기〉에서 고른 것은?

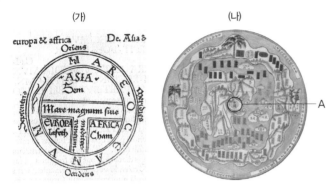

(가)   (나)

┌ **보기** ┐

ㄱ. (가) 지도는 근대 세계 지도 제작의 기반이 되었다.

ㄴ. (나) 지도는 안쪽부터 내대륙, 내해, 외대륙, 외해의 구조로 그려졌다.

ㄷ. (가) 지도는 크리스트교, (나) 지도는 도교의 세계관이 반영되어 있다.

ㄹ. A에는 실재하지 않는 상상의 국가가 위치하고 있다.

① ㄱ, ㄴ   ② ㄱ, ㄹ   ③ ㄴ, ㄷ

④ ㄴ, ㄹ   ⑤ ㄷ, ㄹ

세계 인식의 차이

완자샘의 시험 꿀팁

고지도의 특징을 비교하는 문제가 자주 출제되므로 각 지도의 방위, 표현상의 특징, 세계 인식의 범위 등을 정리해 두어야 한다.

평가원 응용

2 다음은 세계 지리 수업 장면의 일부이다. 교사의 질문에 대한 학생의 대답으로 옳지 **않은** 것은?

(가), (나)는 서양에서 제작된 세계 지도입니다. 두 지도의 특징에 대해 발표해 봅시다.

① 갑: (가)는 지도의 중심에 메카를 두고 있습니다.

② 을: (가) 지도의 위쪽은 남쪽입니다.

③ 병: (나) 지도는 지구가 구체(球體)라는 인식에 기초하여 제작되었습니다.

④ 정: (나) 지도에는 아메리카 대륙이 표현되어 있습니다.

⑤ 무: (가), (나) 지도의 원으로 표시된 부분은 지중해입니다.

서양의 세계 지도와 세계관

완자 사전

• **구체(球體)**
공처럼 둥근 형체나 물체

3 A, B 지도와 관계 깊은 지도 제작자에 대한 설명을 (가)~(다)에서 골라 옳게 연결한 것은?

> 동서양의 세계 지도

A

B

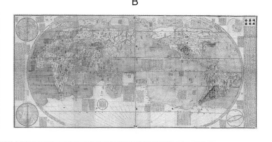

> **|한자 사전|**
> • 투영법
> 구체인 지구의 표면을 면적, 각도, 방위, 거리 등에서 나타나는 오차를 줄이면서 평면으로 나타내는 지도 제작 방법

(가) 그리스·로마 시대에 활동한 그는 투영법과 경위도 개념을 사용하여 지도를 제작하였다. 그의 지도학적 업적은 유럽의 르네상스 시대에 재조명되어 유럽인들의 세계관을 넓혀 주었다.

(나) 16세기 네덜란드에서 태어난 그는 경선과 위선이 수직으로 교차하여 항로의 정확한 각도를 파악할 수 있는 지도 제작법을 고안하였다. 하지만 이 제작법은 고위도 지역이 실제 면적보다 크게 확대된다는 단점이 있다.

(다) 이탈리아의 선교사인 그는 1602년 명나라 학자들과 함께 경위도를 사용한 세계 지도를 제작하였다. 이 지도가 중국에 소개되면서 중국인의 세계 인식 범위가 넓어지게 되었고, 동양에서도 세계를 비교적 사실적으로 표현한 지도가 등장하기 시작하였다.

	A	B			A	B
①	(가)	(다)		②	(나)	(가)
③	(나)	(다)		④	(다)	(가)
⑤	(다)	(나)				

교육청 응용

4 밑줄 친 ㉠~㉤에 대한 설명으로 옳지 <u>않은</u> 것은?

> 지리 정보

> **한자샘의 시험 꿀팁**
> 지리 정보의 종류를 파악하고, 지리 조사 목적에 적합한 정보 수집 방법별 특징을 정리해야 한다.

㉠ <u>북위 18°, 서경 77°</u>에 위치한 자메이카는 ㉡ <u>과거 영국의 식민지</u>였으며, 주민의 대부분은 아프리카계 후손이다. 아프리카계는 식민지 시절 사탕수수 농장의 노동력 부족 문제를 해결하기 위해 강제로 이곳에 유입되었다. 자메이카는 특히 블루마운틴 커피의 생산지로도 유명하다. 블루마운틴 지역은 ㉢ <u>해발 고도가 높은 산악 지대</u>로 안개가 잦고, 배수가 잘되는 토양이 분포한다. 이곳의 커피는 1700년대에 재배되기 시작하였으며, ㉣ <u>지리적 표시제</u>에 등록되어 있다. 현재 자메이카에서 생산된 블루마운틴 커피는 일본이 선점하고 있어 ㉤ <u>수확량의 90%가 일본으로 수출</u>된다.

① ㉠ – 공간 정보에 해당한다.
② ㉡ – 공용어로 영어를 사용하게 된 배경이 된다.
③ ㉢ – 속성 정보에 해당한다.
④ ㉣ – 지역 특산물의 가치를 상승시키기 위한 목적이 있다.
⑤ ㉤ – 원격 탐사 기법을 통해 수집한 정보이다.

5 지도는 규모에 따라 지역을 구분한 것이다. (가)~(다)에 대한 설명으로 옳지 <u>않은</u> 것은?

(가)   (나)   (다)

① (가)는 대륙을 기준으로 지역을 구분한 것이다.

② (나)를 통해 우리나라는 동부 아시아에 속해 있음을 알 수 있다.

③ (다)를 통해 동남아시아 주요 국가들의 위치를 파악할 수 있다.

④ (다)는 (나)보다 세부적인 지리 정보를 얻기에 유리하다.

⑤ (가)에서 (다)로 가면서 표현되는 지리적 범위가 넓어지고 있다.

6 지도는 관점에 따른 아메리카의 지역 구분을 나타낸 것이다. A~D에 대한 옳은 설명만을 〈보기〉에서 있는 대로 고른 것은?

▶ 아메리카의 지역 구분

완자샘의 시험 꿀팁

지역을 구분하는 지표를 이해하고, 어떤 기준과 속성에 따라 지역의 경계를 설정하는지를 묻는 문제가 자주 출제된다.

(디르케 세계 지도, 2015)

보기

ㄱ. A와 B의 경계는 리오그란데강이다.

ㄴ. A는 앵글로아메리카, B는 라틴 아메리카이다.

ㄷ. C는 영어, D는 에스파냐어와 포르투갈어를 주로 사용한다.

ㄹ. 지리적 기준에 따라 멕시코는 C, 콜롬비아는 D로 구분된다.

① ㄱ, ㄹ   ② ㄴ, ㄷ   ③ ㄱ, ㄴ, ㄷ

④ ㄱ, ㄴ, ㄹ   ⑤ ㄴ, ㄷ, ㄹ

대단원 되돌아보기

01 세계화와 지역화

1. 세계화와 지역 변화

세계화	정치, 경제, 사회, 문화 등 모든 부문의 인간 활동 범위가 국경을 넘어 세계로 확대되고 상호 연관성이 증가하는 과정
배경	교통·통신의 발달에 따른 시간적·공간적 거리의 단축, 세계 무역 기구(WTO)의 출범, 다국적 기업의 등장 등
영향	• 경제적 측면: 국가 간 생산의 전문화를 통한 (❶　　　　)과 협력 확대, 국가 간 경쟁 및 지역 간 격차 심화 • 문화적 측면: 세계 문화의 교류 증가, 새로운 문화 창조, 문화의 획일화 및 문화 갈등 발생

2. 지역화와 공간 변화

지역화	하나의 지역이 자율성과 고유성을 증대함으로써 세계적인 차원에서 독자적인 가치를 지니게 되는 현상
배경	세계화 과정에서 경제적·문화적 교류 증가로 지역 간 경쟁이 치열해짐 → 각 지역은 차별화된 경쟁력 확보 및 지역 경제 활성화를 위해 다양한 지역화 전략을 추진하고 있음
지역화 전략	• (❷　　　　): 특정 지역의 지리적 특성을 반영한 우수한 상품에 그 지역에서 생산·가공되었음을 증명하고 표시하는 제도 • 장소 마케팅: 지역의 특정 장소를 하나의 상품으로 인식하고, 기업과 관광객에게 매력적으로 보일 수 있도록 이미지와 시설 등을 개발하는 전략 • 지역 브랜드화: 지역이나 지역의 상품과 서비스 등을 브랜드로 인식시켜 지역 이미지를 높이고, 지역의 경제를 활성화하는 전략
영향	문화의 다양화에 이바지, 지역의 잠재력 발굴 ↔ 다른 지역의 성공 사례 모방에 따른 고유한 지역성 훼손 등

02 지리 정보와 공간 인식

1. 지도의 의미와 특징

의미	사람들이 사는 공간의 정보를 기호·문자 등을 활용해 표현한 것
특징	• 문자와 함께 오랫동안 사용된 의사소통 수단 • 지도 제작 당시의 시대적 상황, (❸　　　　) 등이 반영됨

2. 동양 및 서양의 세계 지도와 세계관

동양	중국	• 대부분의 지도에 중국이 세계의 중심이라는 (❹　　　　)이 반영 → 화이도, 대명혼일도 • 17세기 마테오리치가 제작한 (❺　　　　)가 소개되면서 지리적 세계 인식의 범위가 확대됨
	우리 나라	• 조선 전기와 중기까지 중국 중심 세계관에 영향을 받음 → 혼일강리역대국도지도, 천하도 • 조선 후기 실학자들에 의해 서양의 근대적 지도 도입 → 최한기가 제작한 (❻　　　　)가 대표적임
서양	고대	• 바빌로니아 점토판 지도: 현존하는 가장 오래된 세계 지도 • 프톨레마이오스의 세계 지도: 경위선 개념과 투영법 사용
	중세	• (❼　　　　): 크리스트교 세계관, 지도의 위쪽이 동쪽 • 알 이드리시의 세계 지도: 이슬람교 세계관, 지도의 위쪽이 남쪽
	근대	메르카토르의 세계 지도: 목적지까지의 항로가 직선으로 표현되어 나침반을 이용한 (❽　　　　)에 널리 사용됨

3. 지리 정보 기술의 활용

(1) 지리 정보

종류	공간 정보, (❾　　　　) 정보, 관계 정보
수집 방법	• 직접 조사: 관찰, 실측, 면담 등 • 간접 조사: 지도나 문헌, 최근 (❿　　　　) 기술을 통해 접근하기 어려운 지역의 정보를 주기적으로 수집 가능

(2) **지리 정보 체계(GIS)**: 지리 정보를 컴퓨터에 입력·저장하고, 분석·가공·처리하여 결과물을 얻는 지리 정보 기술

03 세계의 지역 구분

1. 지역과 권역

지역	지리적 특성이 다른 곳과 구별되는 지표상의 공간 범위
권역	지역을 구분하는 기준 중 세계를 큰 규모로 나눈 공간 단위 → 자연적, 문화적, 기능적, 역사적 요소에 따라 다양하게 구분됨

2. 세계의 권역 구분

지리적	아시아, 유럽, 아프리카, 아메리카, 오세아니아 대륙으로 구분
문화적	유럽, 건조, 아프리카, 동양, 오세아니아, 아메리카, 북극 문화 지역으로 구분

●정답● ① 국제적 분업 ② 지리적 표시제 ③ 세계관 ④ 중화사상 ⑤ 곤여만국전도 ⑥ 지구전후도 ⑦ 티오 지도 ⑧ 항해도 ⑨ 속성 ⑩ 원격 탐사

대단원
실력 굳히기

01 그림은 시대별 교통수단의 평균 속도를 나타낸 것이다. (가) 시기와 비교한 (나) 시기의 상대적 특징을 그래프의 A~E에서 고른 것은?

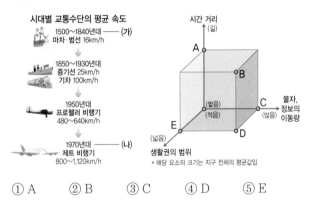

시대별 교통수단의 평균 속도
- 1500~1840년대 ── (가)
  마차·범선 16km/h
- 1850~1930년대
  증기선 25km/h
  기차 100km/h
- 1950년대
  프로펠러 비행기
  480~640km/h
- 1970년대 ── (나)
  제트 비행기
  800~1,120km/h

시간 거리 (길)
물자, 정보의 이동량 (많음)
생활권의 범위 (넓음)
(짧음) (적음)
* 해당 요소의 크기는 지구 전체의 평균값임

① A　　② B　　③ C　　④ D　　⑤ E

02 그림은 미국 A 기업에서 생산되는 비행기의 부품 생산 국가를 나타낸 것이다. 이에 대한 옳은 설명을 〈보기〉에서 고른 것은?

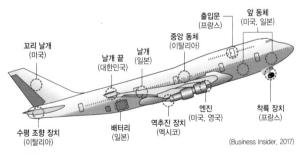

- 출입문 (프랑스)
- 앞 동체 (미국, 일본)
- 중앙 동체 (이탈리아)
- 날개 (일본)
- 날개 끝 (대한민국)
- 꼬리 날개 (미국)
- 엔진 (미국, 영국)
- 착륙 장치 (프랑스)
- 역추진 장치 (멕시코)
- 배터리 (일본)
- 수평 조향 장치 (이탈리아)

(Business Insider, 2017)

┌ 보기 ┐
ㄱ. A 기업을 다국적 기업이라고 한다.
ㄴ. 항공기 제조는 제품의 생산비에서 운송비의 비중이 큰 산업이다.
ㄷ. 항공기 부품을 생산하는 국가들은 주로 인건비가 저렴한 국가들이다.
ㄹ. 여러 국가에서 생산된 부품을 사용하는 이유는 생산 비용을 줄이기 위해서이다.

① ㄱ, ㄴ　② ㄱ, ㄹ　③ ㄴ, ㄷ
④ ㄴ, ㄹ　⑤ ㄷ, ㄹ

03 ㉠~㉤에 대한 설명으로 옳지 <u>않은</u> 것은?

교통·통신의 급속한 발달에 따라 ㉠ 정치, 경제, 사회, 문화 등 모든 면에서 세계가 하나의 공동체로 통합되는 현상을 세계화라고 한다. 특히 ㉡ 경제 분야에서의 세계화가 빠르게 진행되고 있으며, 문화적으로는 ㉢ 국경을 초월한 세계 문화가 나타나기도 한다. 세계화 과정에서 ㉣ 특수한 지역적 요소들이 지역의 수준을 넘어 세계적인 가치를 지니게 된다. 이처럼 하나의 지역이 경제적·문화적·정치적 측면에서 세계적인 가치를 지니게 되는 현상을 (㉤)(이)라고 한다.

① ㉠의 영향으로 국가 간 상호 의존성이 감소한다.
② ㉡의 영향으로 국가 간 경쟁이 심해지고, 지역 간 격차가 커지기도 한다.
③ ㉢의 예로 햄버거, 청바지의 유행이 대표적이다.
④ ㉣은 지역 브랜드화, 장소 마케팅 등의 지역화 전략에 활용되기도 한다.
⑤ ㉤에는 '지역화'가 들어가는 것이 적절하다.

04 (가), (나) 현상에 대한 설명으로 옳지 <u>않은</u> 것은?

(가) 미국에 본점을 둔 S 커피 전문점은 세계 여러 국가에 진출하여 어디에서나 비슷한 품질의 커피와 서비스를 제공하고 있다.
(나) 브라질에서는 열대 기후 지역에서 구할 수 있는 바나나·초콜릿 등 달콤한 재료를, 우리나라에서는 불고기·김치 등의 재료를 사용하여 피자를 만든다.

① (가) 현상으로 전 세계 곳곳에서 유사한 경관을 볼 수 있다.
② (가) 현상으로 현지 커피 유통 업체들의 피해가 발생할 수도 있다.
③ (가) 현상이 지속되면 개별 국가의 문화적 고유성이 강화될 수도 있다.
④ (나) 현상은 새롭게 유입된 문화가 해당 지역의 특성에 맞게 변형되었기 때문이다.
⑤ (가)의 커피, (나)의 피자는 세계화에 따라 확산된 음식 문화이다.

05 다음과 같은 현상이 나타나는 데 영향을 준 공통적인 원인으로 가장 적절한 것은?

> • 미국 뉴욕은 'I♥NY'라는 브랜드를 통해 매력적이고 활기 찬 도시 이미지를 얻게 되었고, 다양한 관광 상품을 개발 하여 관광 수익을 올리고 있다.
> • 프랑스 샹파뉴 지역에서는 해당 지역에서 생산된 포도만을 사용하여 전통 양조법으로 생산한 발포성 와인을 지리적 표시제에 등록하였다. 이것이 우리가 흔히 알고 있는 '샴페 인(Champagne)'이며, 프랑스어로는 '샹파뉴'라고 한다.

① 서로 다른 두 지역의 문화가 충돌하여 갈등이 발생하였 기 때문이다.
② 세계화의 흐름 속에서 전통적인 가치와 지역성이 강해 지고 있기 때문이다.
③ 세계화로 인해 확산된 문화가 지역 고유의 전통문화를 소멸시켰기 때문이다.
④ 국경을 초월한 경제 활동이 증가하면서 지역 간의 경쟁 이 치열해졌기 때문이다.
⑤ 경제적·문화적 측면에서 다른 지역과 비슷한 이미지를 갖는 것이 중요해졌기 때문이다.

06 동·서양의 세계 지도와 그에 대한 설명이 옳게 연결된 것은?

① 지구전후도 – 조선 전기에 제작된 현존하는 우리나라 에서 가장 오래된 세계 지도이다.
② 화이도 – 중국 전체가 표현된 가장 오래된 지도로, 한 반도와 아프리카가 표현되어 있다.
③ 곤여만국전도 – 명나라 초기에 제작되었으며, 중화사 상이 나타나는 대표적인 지도이다.
④ 프톨레마이오스의 세계 지도 – 기원전 600년경에 제작 된 현존하는 가장 오래된 세계 지도이다.
⑤ 바빌로니아 점토판 지도 – 그리스·로마 시대의 지리적 지식과 과학 발달 성과가 집대성된 지도이다.

07 지도에 대한 옳은 설명을 〈보기〉에서 고른 것은?

> **보기**
> ㄱ. 지도의 위쪽이 동쪽을 가리킨다.
> ㄴ. 경위선 개념을 사용하여 제작되었다.
> ㄷ. 구대륙과 신대륙을 동서 양반구로 구분하여 그렸다.
> ㄹ. 이탈리아 출신의 선교사인 마테오 리치가 만든 세계 지도이다.

① ㄱ, ㄴ   ② ㄱ, ㄷ   ③ ㄴ, ㄷ
④ ㄴ, ㄹ   ⑤ ㄷ, ㄹ

08 다음은 세계 지리 수업 시간의 한 장면이다. 교사의 질 문에 옳은 대답을 한 학생을 고른 것은?

> • 교사: 이 지도는 대항해 시대에 서양에서 제작된 세계 지도입니다. 지도의 특징에 대해 발표해 봅시다.

> • 갑: 극지방으로 갈수록 왜곡이 심합니다.
> • 을: 경선과 위선이 직각으로 교차합니다.
> • 병: 항공기 운항을 목적으로 제작되었습니다.
> • 정: 아메리카 대륙은 표현되어 있지 않습니다.

① 갑, 을   ② 갑, 병   ③ 을, 병
④ 을, 정   ⑤ 병, 정

09 (가), (나) 지도에 대한 설명으로 옳은 것은?

(가)

(나)

① (가)는 지도의 위쪽이 북쪽이다.
② (가)는 지도의 중심에 예루살렘이 위치한다.
③ (나)는 도교적 세계관이 반영되어 있다.
④ (나)에 표현된 국가는 모두 상상의 국가들이다.
⑤ (가), (나)는 모두 지구가 구체(球體)라는 인식을 바탕으로 제작되었다.

10 (가), (나) 지도의 특징을 그림의 A~E에서 찾아 옳게 연결한 것은?

(가)
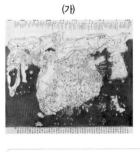

(나)
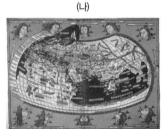

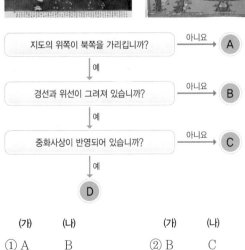

	(가)	(나)		(가)	(나)
①	A	B	②	B	C
③	B	D	④	C	A
⑤	D	C			

11 교사의 질문에 옳은 대답을 한 학생만을 있는 대로 고른 것은?

① 갑, 병 ② 을, 정 ③ 갑, 을, 병
④ 갑, 병, 정 ⑤ 을, 병, 정

12 지도는 세계의 다양한 권역 구분 중 하나이다. 이에 대한 옳은 설명을 〈보기〉에서 고른 것은? (단, A는 돼지고기, 소고기 중 하나이다.)

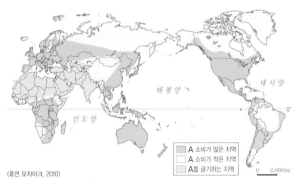

(휴먼 모자이크, 2010)

보기

ㄱ. 역사적 요소를 기준으로 권역을 구분하였다.
ㄴ. A를 소비하지 않는 지역은 주로 건조 기후가 나타난다.
ㄷ. A 소비가 많은 지역은 주로 경제 수준이 높은 선진국이다.
ㄹ. 서남아시아 지역에서 A를 금기하는 이유는 종교와 관련 있다.

① ㄱ, ㄴ ② ㄱ, ㄷ ③ ㄴ, ㄷ
④ ㄴ, ㄹ ⑤ ㄷ, ㄹ

세계의 자연환경과
인간 생활

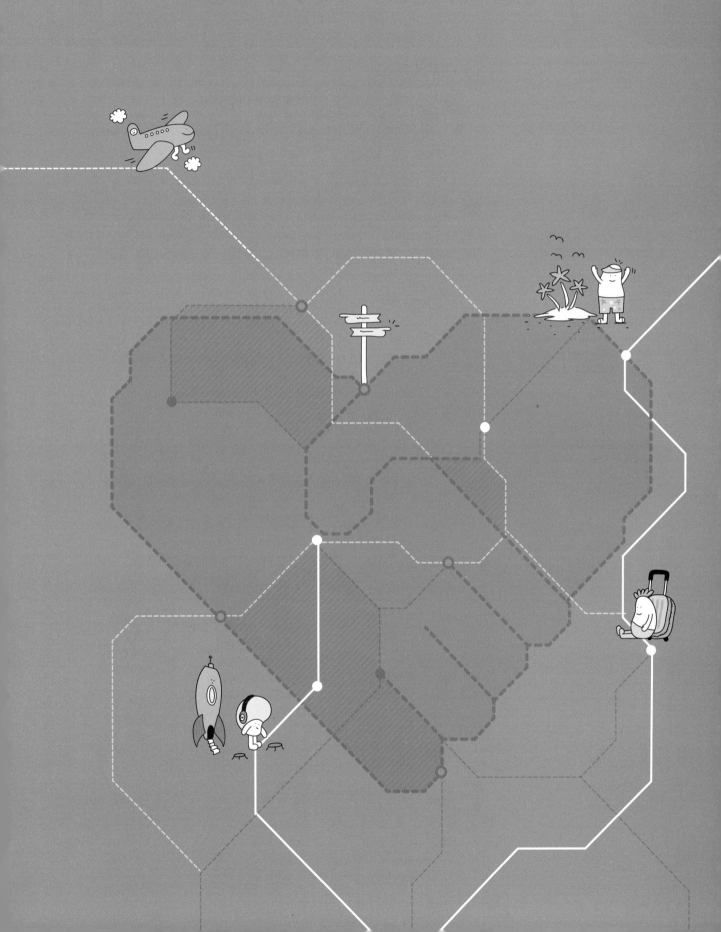

열대 기후 환경 ~ 온대 기후 환경

이것이 핵심!

세계의 기후 구분

수목 기후	• 열대 기후(A): 최한월 평균 기온 18℃ 이상 • 온대 기후(C): 최한월 평균 기온 −3℃~18℃ • 냉대 기후(D): 최한월 평균 기온 −3℃ 미만, 최난월 평균 기온 10℃ 이상
무수목 기후	• 건조 기후(B): 연 강수량 500mm 미만 • 한대 기후(E): 최난월 평균 기온 10℃ 미만

★ **열적도(熱赤道)**
경도마다 기온이 가장 높은 지점을 연결한 선. 지구가 기울어진 채로 공전하기 때문에 계절에 따라 남북으로 이동한다.

★ **기압**
공기의 무게가 지표에 가하는 압력. 공기가 가열되어 상승 기류가 발달하는 지역은 저기압이 나타나고, 공기가 냉각되어 하강 기류가 발달하는 지역은 고기압이 나타난다.

★ **비열**
어떤 물질 1g의 온도를 1℃ 올리는 데 필요한 열량. 비열이 크다는 것은 온도를 올리는 데 열이 많이 필요하다는 의미이다.

물질	비열(Cal/g·℃)
물	1.0
모래	0.2

★ **바람받이와 바람그늘**
산지에서 바람이 불어 올라가는 쪽을 바람받이, 바람이 산을 넘어 불어 내려가는 쪽을 바람그늘이라고 한다.

★ **격해도**
바다와 떨어져 있는 정도

1 기후의 이해

1. 기후의 이해

VS 기상은 바람, 구름, 눈, 비 등 대기 중에서 일어나는 모든 현상으로 날씨의 뜻으로 사용돼.

(1) **기후**: 어떤 지역에서 장기간에 걸쳐 매년 되풀이되는 대기 현상의 종합적인 평균 상태 → 인간 생활에 많은 영향을 끼치며, 지역마다 다른 경관을 만듦

(2) **기후 요소**: 기후를 구성하는 대기 현상 예 기온, 바람, 강수, 서리, 안개, 습도 등

기온	• 지구의 자전에 의해 일변화가 나타나고 공전에 의해 연변화가 나타남 • 태양 복사 에너지의 영향을 크게 받음 → *열적도에서 양극으로 갈수록 기온이 낮아짐
바람	기온 차이에 따른 *기압 차이가 공기를 움직이게 함 → 바람은 기압이 높은 곳에서 낮은 곳으로 붊
강수	강수량은 대체로 저위도 지역과 남·북위 50° 부근에서 많고, 남·북위 30° 부근과 극지방에서 적음

(3) **기후 요인**: 기후 요소의 지역적 차이에 영향을 주는 다양한 원인 예 위도, 수륙 분포, 해발 고도, 해류 등 자료①

왜? 고위도로 갈수록 태양 에너지가 넓은 면적에 분산되므로 단위 면적당 태양 에너지의 양이 감소하기 때문이야.

위도	저위도 지역은 단위 면적당 일사량이 많아서 기온이 높고, 고위도로 갈수록 단위 면적당 일사량이 적어지면서 기온이 낮아짐
수륙 분포	육지와 바다의 *비열 차로 같은 위도의 해안 지역이 내륙 지역보다 강수량이 많고, 기온의 연교차가 작게 나타남
지형	평지보다는 산지가, *바람그늘 사면보다 *바람받이 사면이 강수량이 많음
해발 고도	해발 고도가 높아질수록 기온은 낮아지고, 강수량은 증가하는 경향이 나타남
해류	비슷한 위도에서 난류가 흐르는 해안은 한류가 흐르는 해안에 비해 기온이 높고 강수량이 많음
*격해도	바다와의 거리가 멀어질수록 바다의 영향력이 줄어듦 → 해안 지역에서 내륙 지역으로 갈수록 기온의 연교차와 일교차가 커짐
기단	기온과 수증기량 등의 성질이 비슷한 거대한 공기 덩어리로, 한 지역의 날씨와 기후에 많은 영향을 끼침
전선	기온 차이가 큰 기단 사이에서 주로 발달함, 주로 전선대를 따라 강수가 발생함

2. 세계의 기후 구분 자료②

수목 기후는 나무가 자라는 기후를 말하고, 무수목 기후는 나무가 자라지 못하는 기후를 말해.

1차 구분(기후대)		1차 구분의 기준	2·3차 구분(기후형)	2·3차 구분의 기준
수목 기후	열대 기후(A)	최한월 평균 기온 18℃ 이상	• 열대 우림 기후(Af) • 사바나 기후(Aw) • 열대 몬순 기후(Am)	• f: 연중 습윤 • s: 여름 건조 • w: 겨울 건조 • m: 계절풍(몬순)
	온대 기후(C)	최한월 평균 기온 −3℃~18℃	• 온난 습윤 기후(Cfa) • 서안 해양성 기후(Cfb) • 지중해성 기후(Cs) • 온대 겨울 건조 기후(Cw)	• a: 최난월 평균 기온 22℃ 이상 • b: 최난월 평균 기온 22℃ 미만, 월평균 기온 10℃ 이상인 달이 4개월 이상
	냉대 기후(D)	최한월 평균 기온 −3℃ 미만, 최난월 평균 기온 10℃ 이상	• 냉대 습윤 기후(Df) • 냉대 겨울 건조 기후(Dw)	
무수목 기후	건조 기후(B)	연 강수량 500mm 미만	• 스텝 기후(BS) • 사막 기후(BW)	• S: 연 강수량 250mm~500mm • W: 연 강수량 250mm 미만
	한대 기후(E)	최난월 평균 기온 10℃ 미만	• 툰드라 기후(ET) • 빙설 기후(EF)	• T: 최난월 평균 기온 0℃~10℃ • F: 최난월 평균 기온 0℃ 미만

한대 기후는 연 강수량 500mm 미만인 지역이 많지만, 기온이 낮아 강수량이 증발량보다 많아 건조 기후로 구분하지 않아.

완자 자료 탐구

내 옆의 선생님

자료 ① 대기 대순환에 따른 위도대별 탁월풍과 강수 분포

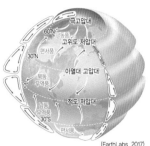

↑ 대기 대순환 (EarthLabs, 2017)

위도	기압대	대기 상태	강수 분포
90°N 부근	극 고압대	하강 기류	소우지
		극동풍	
60°N 부근	고위도 저압대	한대 전선	다우지(전선성 강수)
		편서풍	
30°N 부근	아열대 고압대	하강 기류	소우지
		북동 무역풍	
0° 부근	적도 저압대	상승 기류	다우지(대류성 강수)

↑ 위도에 따른 탁월풍과 강수 분포

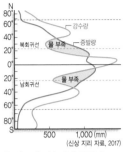

↑ 위도별 강수량과 증발량 (신상 지리 자료, 2017)

기온이 높은 적도 부근에서는 대기가 상승하는 적도 저압대가 형성되고, 적도 부근에서 상승한 기류는 남·북위 30° 부근에서 하강하여 아열대 고압대를 이룬다. 기온이 낮은 극 부근에서는 대기가 하강하는 극고압대가 형성된다. 남·북위 30° 부근에서 적도 쪽으로는 무역풍이 불고, 고위도 쪽으로는 편서풍이 분다. 그리고 양극 지방에서 남·북위 60° 부근으로는 극동풍이 분다. 대기 대순환에 따라 북동 무역풍과 남동 무역풍이 수렴하는 적도 저압대에서는 강수량이 많다. 반면, 남·북위 30° 부근의 아열대 고압대는 하강 기류가 발달하여 강수량이 적기 때문에 세계적인 사막들이 분포한다. 극동풍과 편서풍이 만나 한대 전선대를 형성하는 고위도 저압대는 강수량이 많은 편이다.

└ 한대 기단과 열대 기단이 만나 형성되는 전선대로, 고위도 저압대를 따라 분포해.

자료 ② 세계의 기후 구분과 식생

세계의 기후와 식생	
열대 기후	열대 우림 기후(Af)
	사바나 기후(Aw)
	열대 몬순 기후(Am)
건조 기후	스텝 기후(BS)
	사막 기후(BW)
온대 기후	지중해성 기후(Cs)
	온대 겨울 건조 기후(Cw)
	온난 습윤 기후(Cfa) 온대습윤기후(Cf)
	서안 해양성 기후(Cfb)
냉대 기후	냉대 겨울 건조 기후(Dw)
	냉대 습윤 기후(Df)
한대 기후	툰드라 기후(ET)
	빙설 기후(EF)
고산 기후	고산 기후(H)

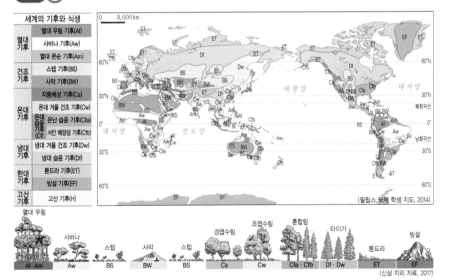

(필립스 국제 학생 지도, 2014)

(신상 지리 자료, 2017)

독일의 기후학자인 쾨펜(Köppen)은 식생 분포에 영향을 주는 기온과 강수량을 기준으로 세계의 기후 지역을 구분하였다. 쾨펜의 기후 구분은 식생과 토양의 특징을 반영하고 있어 각 지역의 산업, 문화 등을 파악하는 데 유리하다. 이후 미국의 지리학자인 트레와다(Trewartha)는 쾨펜의 기후 구분에 해발 고도가 높은 지역에서 나타나는 고산 기후(H)를 추가하였다.

자료 하나 더 알고 가자!

위도별 기온의 연교차와 일교차

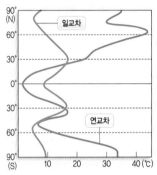

기온의 연교차는 연중 기온이 높은 적도 부근에서 가장 작고, 대체로 고위도로 갈수록 커진다. 기온의 일교차는 아열대 고압대의 영향으로 건조 기후가 나타나는 남·북위 30° 부근에서 가장 크게 나타난다.

문제 로 확인할까?

남·북위 30° 부근의 아열대 고압대에서 남·북위 60° 부근의 고위도 저압대로 부는 탁월풍은?

① 계절풍　　② 극동풍
③ 편서풍　　④ 남동 무역풍
⑤ 북동 무역풍

③ 답

정리 비법을 알려줄게!

쾨펜의 기후 구분

1차 구분	• 수목 기후: 열대(A), 온대(C), 냉대(D) 기후 • 무수목 기후: 한대(E), 건조(B) 기후
2차 구분	• 수목 기후는 강수의 계절적 분포에 따라 구분 → 연중 습윤(f), 여름 건조(s), 겨울 건조(w), 계절풍(m) 기후 • 한대 기후는 한랭 정도에 따라 구분 → 툰드라(T), 빙설(F) 기후 • 건조 기후는 건조 정도에 따라 구분 → 스텝(S), 사막(W) 기후

이것이 핵심!

열대 기후의 구분

열대 우림 기후 (Af)	• 연중 적도 수렴대의 영향을 받아 비가 많이 내림 • 콩고 분지, 아마존 분지 등에 분포
사바나 기후 (Aw)	• 건기와 우기가 뚜렷하게 구분됨 • 열대 우림 기후 주변 지역 등에 분포
열대 몬순 기후 (Am)	• 계절풍의 영향으로 긴 우기와 짧은 건기가 나타남 • 동남아시아 일대, 남아메리카 북동부 지역 등에 분포

★ 라테라이트
열대 기후 지역에 분포하는 토양. 영양분이 대부분 빗물에 씻겨 나가 척박하며, 토양에 남아 있는 철분이 산화되면서 붉은색을 띤다.

★ 적도 수렴대
북동 무역풍과 남동 무역풍이 수렴하는 곳. 적도 수렴대는 북반구가 겨울일 때는 적도의 남쪽에 위치하고, 북반구가 여름일 때는 적도의 북쪽에 위치한다.

★ 관목
키가 작고 원줄기와 가지의 구별이 분명하지 않은 나무

★ 이동식 화전 농업
밀림의 나무를 자르고 태운 뒤 경지를 만들어 농작물을 재배하고 여러 해 농사를 짓고 나면 땅이 척박해지기 때문에 다른 장소로 이동하여 농사를 짓는 방식

★ 플랜테이션
과거에는 상품성이 높은 단일 작물을 재배하는 기업화된 농업 방식이었으나, 최근에는 다양한 작물을 재배하는 농업 방식으로 변모하고 있다. 열대 우림 기후 지역에서는 카카오, 천연고무, 바나나 등이, 사바나 기후 지역에서는 커피, 목화 등이 주로 재배된다.

② 열대 기후 환경

1. 열대 기후의 특징과 분포 자료③

(1) **특징**: 최한월 평균 기온 18℃ 이상, 연중 기온이 높아 기온의 연교차와 일교차가 작음, 붉은색의 *라테라이트가 분포함
└ 기온의 연교차보다는 기온의 일교차가 커.

(2) **분포**: 적도를 중심으로 남·북위 20° 사이에 주로 분포함

(3) **열대 기후의 구분** 교과서 자료 자료④

구분	특징	분포
열대 우림 기후(Af)	• 연중 적도 수렴대의 영향을 받아 일 년 내내 비가 많이 내림 • 연 강수량이 보통 2,000mm 이상, 연중 월 강수량이 60mm 이상 • 강한 일사로 상승 기류가 발달하여 스콜이 자주 내림	아프리카의 콩고 분지, 남아메리카의 아마존 분지, 동남아시아의 여러 섬 등
사바나 기후(Aw)	• 건기와 우기가 뚜렷하게 구분됨 • 건기: 아열대 고압대의 영향으로 하강 기류가 발달하여 맑고 건조한 날씨가 지속됨 • 우기: 적도 수렴대의 영향으로 많은 비가 내림 • 연 강수량이 900~1,800mm 정도로 열대 우림 기후보다 적음	열대 우림 기후 지역의 주변 예 중앙아프리카, 중앙 및 남아메리카, 남부 아시아 등
열대 몬순 기후(Am)	• 계절풍의 영향으로 긴 우기와 짧은 건기가 번갈아 나타남 • 우기의 강수량은 같은 기간의 열대 우림 기후보다 많은 편	인도 남서 해안 및 동북부 해안, 동남아시아 일대, 남아메리카 북동부 등
열대 고산 기후(AH)	• 일 년 내내 월평균 기온이 15℃ 내외 정도 → 우리나라의 봄과 같은 날씨가 나타남	저위도의 고산 지역 예 남아메리카 안데스 산지 등

2. 열대 기후 지역의 식생
─ 열대 우림과 가까운 지역일수록 나무가 많이 자라고, 스텝과 가까운 지역일수록 나무의 키가 작아지고 그 수도 줄어들어.

열대 우림	• 분포: 열대 우림 기후 지역, 열대 몬순 기후 지역 • 특징: 다양한 종류의 상록 활엽수가 울창한 숲을 이룸, 키가 크고 작은 나무들이 다층의 숲을 형성함 — Q왜? 햇빛을 확보하기 위해 나무들 간에 치열하게 경쟁한 결과야.
사바나	• 분포: 사바나 기후 지역 • 특징: 키가 큰 풀이 자라는 초원에 키가 작고 가지가 많은 *관목이 드문드문 분포하며 우기에는 풀이 무성하게 자람, 야생 동물이 서식하기 유리함

3. 열대 기후 지역의 주민 생활

(1) **의복**: 기후가 덥고 습하기 때문에 피부 노출이 많고 개방적인 옷차림 발달

(2) **가옥 구조**

열대 우림 및 몬순 기후 지역	• 주변에서 쉽게 구할 수 있는 나무, 풀, 진흙 등을 가옥의 재료로 이용 • 바람이 잘 통하도록 문과 창문을 크게 만들고, 빗물이 잘 흘러내리도록 지붕의 경사를 급하게 함 • 지표면에서 전달되는 열기와 습기를 차단하고 해충의 침입을 막기 위한 고상 가옥 발달
사바나 기후 지역	• 기둥은 나무를, 벽은 진흙을 이용하여 집을 짓고 동물의 가죽으로 지붕을 덮음 • 유목 지역에서는 이동식 가옥이 나타남

(3) **산업**

과거	수렵과 채집, *이동식 화전 농업을 통해 카사바, 얌, 타로 등의 식량 작물 재배
근대 이후	원주민의 노동력과 선진국의 자본 및 기술을 결합하여 커피, 카카오, 차, 사탕수수 등의 상품 작물을 대규모로 재배하여 수출하는 *플랜테이션 발달
최근	열대 우림 트레킹, 사파리 관광, 전통 부족 생활 체험 등 관광 산업 발달

완자 자료 탐구

내 옆의 선생님

자료 3 열대 기후 지역의 분포 ─ 열대 기후 지역은 기온의 지역적 차이보다 강수의 지역적 차이가 훨씬 뚜렷한 곳이야.

열대 기후는 최한월 평균 기온이 18℃ 이상인 지역으로 적도를 중심으로 남·북회귀선 사이의 저위도 지역에 주로 분포한다. 열대 기후는 강수량과 강수의 계절적 분포에 따라 열대 우림 기후, 사바나 기후, 열대 몬순 기후로 구분된다.

자료 하나 더 알고 가자!

스콜의 특징

스콜은 열대 기후 지역에서 내리는 대류성 강수로, 짧은 시간에 집중적으로 쏟아지는 소나기이다. 강풍, 천둥, 번개 등을 동반하기도 하며, 지표면 기온이 높은 오후 시간대에 주로 발생한다.

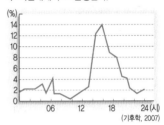

↑ 시간대별 강수 비중(말레이시아)

수능이 보이는 교과서 자료 **적도 수렴대의 이동과 열대 기후**

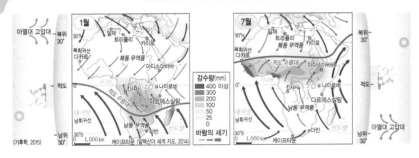

적도 주변에 위치한 열대 우림 기후 지역은 연중 무역풍이 수렴하는 적도 수렴대의 영향권에 포함되기 때문에 일 년 내내 강수량이 많다. 그러나 사바나 기후 지역은 계절에 따라 이동하는 적도 수렴대와 아열대 고압대의 영향을 번갈아 받아 우기와 건기가 교대로 나타난다.

완자샘의 탐구 강의

• 사바나 기후 지역에서 우기와 건기가 번갈아 나타나는 이유를 써 보자.
  태양의 회귀에 따른 적도 수렴대의 이동

• 다르에스살람의 1월과 7월 강수 변화와 그 원인을 정리해 보자.

시기	구분	원인
1월	우기	적도 수렴대의 영향권에 포함되기 때문
7월	건기	아열대 고압대의 영향을 받기 때문

함께 보기 40쪽, 내신 만점 공략하기 08

자료 4 열대 고산 기후의 특징

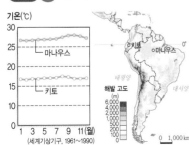

해발 고도가 높아질수록 기온이 떨어지기 때문에 열대 기후가 나타나는 저위도의 고산 지역에서는 일년 내내 온화한 날씨가 나타난다. 에콰도르의 키토와 브라질의 마나우스는 비슷한 위도에 위치하지만 적도 부근 저지대의 마나우스는 연중 기온이 높고, 해발 고도가 높은 키토는 연중 봄과 같은 날씨가 나타난다.

문제로 확인할까?

고산 기후 지역에 대한 설명으로 옳은 것은?
① 기온의 연교차가 큰 편이다.
② 연 강수량이 500mm 미만이다.
③ 연중 봄처럼 온화한 날씨가 나타난다.
④ 벼농사에 유리하여 인구 밀도가 높다.
⑤ 북반구 중위도 지역에 주로 분포한다.

ⓒ

이것이 핵심!

온대 기후 환경

온대 서안 기후	• 서안 해양성 기후: 기온의 연교차가 작고 연중 고른 강수 분포 • 지중해성 기후: 여름에 고온 건조, 겨울에 온난 습윤
온대 동안 기후	• 온난 습윤 기후: 연중 습윤하나 특히 여름에 덥고 비가 많이 내림 • 온대 겨울 건조 기후: 여름에 고온 다습, 겨울에 한랭 건조

★ 계절풍
대륙과 해양의 비열 차로 발생하며 계절에 따라 주기적으로 방향이 바뀌는 바람

★ 혼합 농업
여름철이 서늘하고 습윤한 지역은 곡물 농업에 불리하므로, 가축 사육과 함께 여름철 저온에서도 잘 자라는 밀, 감자 등을 재배하는 농업 방식

★ 이목
건조한 여름철에는 산지의 초지에서 염소나 양을 방목하고, 겨울철에는 저지대로 이동하여 가축을 사육하는 방식

3 온대 기후 환경

1. 온대 기후의 특징과 분포 자료⑤

(1) **특징:** 최한월 평균 기온 −3℃ 이상 18℃ 미만, 대체로 연 강수량이 500mm 이상, 계절에 따라 태양의 고도가 달라져 계절별 기온 변화가 큰 편

(2) **분포:** 편서풍이 부는 중위도에 걸쳐 분포함

(3) **대륙 서안과 대륙 동안**

대륙 서안	바다에서 불어오는 편서풍의 영향을 받음, 해양의 영향으로 기온의 연교차가 작음
대륙 동안	*계절풍의 영향을 받음, 대륙의 영향으로 기온의 연교차가 큼

2. 온대 서안 기후 자료⑥

(1) 서안 해양성 기후(Cfb)

특징	편서풍과 난류의 영향으로 여름이 서늘하고 겨울이 온화하여 기온의 연교차가 작음, 연중 강수량이 고름
분포	위도 40~60° 부근의 대륙 서안 지역 예 서부 유럽, 북아메리카 북서 해안, 칠레 남부 등

(2) 지중해성 기후(Cs)

특징	• 여름철: 아열대 고압대의 영향으로 기온이 높고 건조함 • 겨울철: 편서풍 및 전선대의 영향으로 기온이 온난하고 습윤함
분포	위도 20~30° 부근의 대륙 서안 지역 예 지중해 연안, 미국 캘리포니아 일대, 칠레 중부 등

3. 온대 동안 기후 자료⑥
— 온대 동안 기후 지역에서는 상록 활엽수와 낙엽 활엽수, 침엽수 등의 혼합림이 주로 나타나.

(1) 온난 습윤 기후(Cfa)

특징	온난 다습한 해양성 열대 기단과 난류의 영향으로 연중 습윤함, 특히 여름철에 덥고 비가 많이 내리며 건기는 뚜렷하게 나타나지 않음
분포	위도 30~40° 부근의 대륙 동안 지역 예 중국 남동부, 미국 남동부, 남아메리카 남동부 등

(2) 온대 겨울 건조 기후(Cw) — 온난 습윤 기후에 비해 겨울철에 더욱 건조해.

특징	여름에는 고온 다습하고 겨울에는 한랭 건조하여 기온의 연교차와 강수의 계절 차가 매우 큼
분포	위도 20~30° 부근의 대륙 동안 지역 예 중국 남부, 인도차이나반도 북부 등

4. 온대 기후 지역의 주민 생활

(1) 온대 서안 기후 지역의 주민 생활

서안 해양성 기후 지역	농·목축업	• 연중 강수량이 고르고 겨울이 온화하여 목초지 조성에 유리함 → *혼합 농업 발달 • 대도시 주변 지역을 중심으로 낙농업과 화훼 농업 발달
	의복	흐린 날이 많고 비가 자주 오기 때문에 외출 시 비옷과 우산 준비
지중해성 기후 지역	농·목축업	• 고온 건조한 여름을 견딜 수 있는 올리브, 포도 등을 재배하는 수목 농업 발달 • 비교적 온난하고 강수량이 많은 겨울에는 밀, 보리 등의 곡물 재배 • 알프스 산지와 메세타고원 등지에서는 *이목이 이루어짐
	가옥	가옥의 외부를 흰색으로 칠하며, 벽이 두껍고 창문이 작음

Q&A? 여름에 강한 태양빛을 차단하는 효과를 얻을 수 있기 때문이야.

(2) 온대 동안 기후 지역의 주민 생활

농·목축업	• 동아시아와 동남아시아: 여름에 고온 다습하여 벼농사 발달, 경사지에서는 차 재배 • 북아메리카 남동부: 목화, 콩 등을 대규모로 재배하는 기업적 농업 발달 • 남아메리카 남동부: 아르헨티나 일대에서 기업적 목축과 밀 농사가 이루어짐
교통 및 댐 건설	내륙 수운 발달에 불리, 홍수와 가뭄에 대비하고 안정적인 용수를 확보하기 위해 다목적 댐 건설

VS 서안 해양성 기후 지역은 연중 강수량이 고르고 하천의 유량 변화가 적어 내륙 수운 교통이 발달하였어.

완자 자료 탐구

내 옆의 선생님

자료 5 온대 기후 지역의 분포

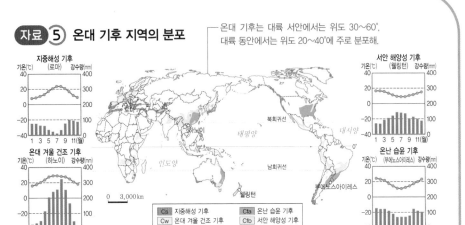

온대 기후는 대륙 서안에서는 위도 30~60°, 대륙 동안에서는 위도 20~40°에 주로 분포해.

(디르케 세계 지도, 이과 연표. 2016)

- Cs 지중해성 기후
- Cw 온대 겨울 건조 기후
- Cfa 온난 습윤 기후
- Cfb 서안 해양성 기후

온대 기후 지역은 계절별 강수량과 여름철 기온에 따라 대륙 서안의 서안 해양성 기후와 지중해성 기후 지역, 대륙 동안의 온난 습윤 기후와 온대 겨울 건조 기후 지역으로 구분된다.

자료 6 온대 서안 기후와 온대 동안 기후

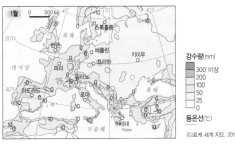

↑ 유럽의 계절별 기온 및 강수량 분포

(디르케 세계 지도, 2015)

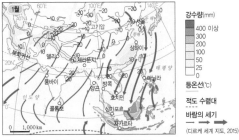
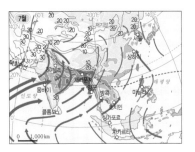

↑ 아시아의 계절별 기온 및 강수량 분포

(디르케 세계 지도, 2015)

- **온대 서안 기후**: 유럽의 온대 서안 기후 지역은 겨울인 1월에 서안 해양성 기후 지역과 지중해성 기후 지역 모두 편서풍의 영향으로 강수량이 많은 편이다. 반면 여름인 7월에는 아열대 고압대가 북상하면서 아열대 고압대의 영향을 받는 지중해성 기후 지역은 고온 건조한 기후가 나타난다.
- **온대 동안 기후**: 아시아의 온대 동안 기후 지역은 계절풍의 영향을 받으며, 계절풍은 계절에 따라 바람의 방향이 바뀐다. 1월에는 대륙에서 바다 쪽으로 계절풍이 불어 한랭 건조한 기후가, 7월에는 바다에서 대륙 쪽으로 계절풍이 불어 고온 다습한 기후가 나타난다.

자료 하나 더 알고 가자!

대륙 서안과 대륙 동안의 기후 특성

대륙 서안	비열이 큰 해양의 영향으로 기온의 연교차가 작은 편임
대륙 동안	• 비열이 작은 대륙의 영향으로 기온의 연교차가 큰 편임 • 계절풍의 영향으로 여름이 다습하고 겨울이 건조함

정리 비법을 알려줄게!

서안 해양성 기후 지역과 지중해성 기후 지역의 상대적 기후 차이

구분	서안 해양성 기후 지역	지중해성 기후 지역
여름 평균 기온	낮음	높음
여름 강수량	많음	적음
겨울 강수 집중률	낮음	높음

문제 로 확인할까?

중위도 대륙 동안의 기후 특징에 대한 설명으로 옳은 것은?
① 연중 무역풍의 영향을 받는다.
② 아열대 고압대의 영향으로 여름이 건조하다.
③ 중위도 대륙 서안에 비해 기온의 연교차가 작다.
④ 강수량이 고르고 겨울이 온화하여 목초지 조성에 유리하다.
⑤ 여름에는 해양에서 대륙으로 부는 계절풍의 영향을 받는다.

⑤ 답

STEP 1 핵심 개념 확인하기

● 정답친해 09쪽 ●

1 다음 괄호 안의 내용 중 알맞은 말에 ○표를 하시오.

(1) 같은 위도의 해안 지역이 내륙 지역보다 기온의 연교차가 (작게, 크게) 나타난다.

(2) 지형의 영향으로 평지보다는 산지가, 바람그늘 사면보다는 바람받이 사면이 강수량이 (많다, 적다).

2 ㉠, ㉡에 들어갈 용어를 각각 쓰시오.

> 남·북위 30° 부근에서 적도 쪽으로 부는 바람을 (㉠   )이라고 하고, 남·북위 30° 부근에서 남·북위 60° 부근 쪽으로 부는 바람을 (㉡   )이라고 한다.

3 다음 빈칸에 들어갈 내용을 쓰시오.

(1) 연중 적도 수렴대의 영향을 받는 (   ) 기후 지역은 일 년 내내 비가 많이 내린다.

(2) (   ) 기후는 적도 수렴대와 아열대 고압대의 영향을 받아 우기와 건기가 뚜렷하게 구분된다.

4 온대 기후에 대한 설명이 맞으면 ○표, 틀리면 ✕표를 하시오.

(1) 적도를 중심으로 저위도 지역에 분포한다. (   )

(2) 최한월 평균 기온이 −3℃ 이상 18℃ 미만이다. (   )

(3) 계절에 따라 태양의 고도가 달라져 계절별 기온의 변화가 큰 편이다. (   )

5 다음에서 설명하는 기후를 〈보기〉에서 골라 기호를 쓰시오.

> **보기**
> ㄱ. 지중해성 기후   ㄴ. 온난 습윤 기후
> ㄷ. 서안 해양성 기후   ㄹ. 온대 겨울 건조 기후

(1) 기온의 연교차가 작고 연중 강수량이 고르게 나타난다. (   )

(2) 여름에는 기온이 높고 건조하며, 겨울에는 기온이 온화하고 습윤하다. (   )

(3) 여름에는 고온 다습하고, 겨울에는 한랭 건조하여 기온의 연교차와 강수량의 계절 차가 매우 크다. (   )

STEP 2 내신 만점 공략하기

01 그림은 지구의 대기 대순환을 나타낸 것이다. A~C에 대한 설명으로 옳은 것은?

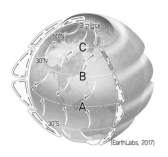

(EarthLabs, 2017)

① A에는 저압대가 형성된다.
② C에는 하강 기류가 발생하여 강수량이 적다.
③ B에서 A로 부는 바람은 편서풍이다.
④ B에서 C로 부는 바람은 무역풍이다.
⑤ 연평균 기온은 C 〉 B 〉 A 순으로 높다.

02 교사의 질문에 옳은 답변을 한 학생을 고른 것은?

> • 교사: 세계의 연평균 기온과 연 강수량 분포 지도를 보고 기후 차이에 영향을 주는 기후 요인을 발표해 볼까요?
>
>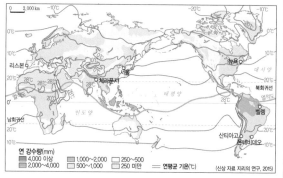
>
> • 갑: 위도의 영향으로 인도의 체라푼지는 연 강수량이 많습니다.
> • 을: 지형의 영향으로 브라질의 벨렝은 미국의 뉴욕보다 연평균 기온이 높습니다.
> • 병: 해류의 영향으로 칠레의 산티아고는 우루과이의 몬테비데오보다 연 강수량이 적습니다.
> • 정: 수륙 분포의 차이로 포르투갈의 리스본은 우리나라의 서울보다 연평균 기온이 높습니다.

① 갑, 을   ② 갑, 병   ③ 을, 병
④ 을, 정   ⑤ 병, 정

03 다음은 어느 기후 지역에 대한 스무고개 대화 내용을 나타낸 것이다. 이와 관련된 지역의 기후 그래프로 옳은 것은?

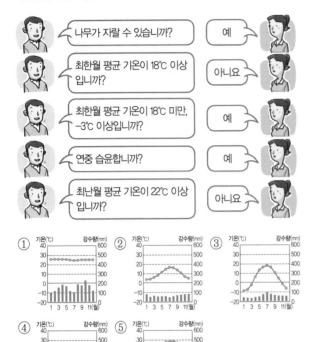

04 ★_{중요} 지도는 열대 기후의 분포를 나타낸 것이다. A~C 지역에 대한 옳은 설명을 〈보기〉에서 고른 것은?

〈보기〉
ㄱ. A는 연중 월 강수량이 60mm 이상이다.
ㄴ. C는 연중 적도 수렴대의 영향을 받는다.
ㄷ. B는 C보다 계절풍의 영향을 탁월하게 받는다.
ㄹ. C는 A보다 일 년 중 아열대 고압대의 영향을 받는 기간이 짧다.

① ㄱ, ㄴ   ② ㄱ, ㄷ   ③ ㄴ, ㄷ
④ ㄴ, ㄹ   ⑤ ㄷ, ㄹ

05 그래프는 두 지역의 월평균 기온과 누적 강수량을 나타낸 것이다. (가), (나) 지역에 대한 옳은 설명을 〈보기〉에서 고른 것은?

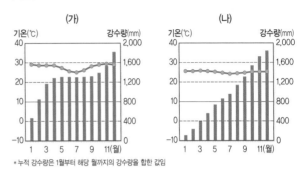

* 누적 강수량은 1월부터 해당 월까지의 강수량을 합한 값임

〈보기〉
ㄱ. (가)는 6~8월에 대류성 강수가 거의 매일 내린다.
ㄴ. (가)는 (나)보다 단위 면적당 수목 밀도가 높다.
ㄷ. (나)는 (가)보다 적도 수렴대의 영향을 받는 기간이 길다.
ㄹ. (가), (나) 모두 기온의 일교차가 기온의 연교차보다 크다.

① ㄱ, ㄴ   ② ㄱ, ㄷ   ③ ㄴ, ㄷ
④ ㄴ, ㄹ   ⑤ ㄷ, ㄹ

06 자료는 어느 지역의 시간대별 강수 비중과 전통 가옥을 나타낸 것이다. 이 지역에 대한 추론으로 적절하지 <u>않은</u> 것은?

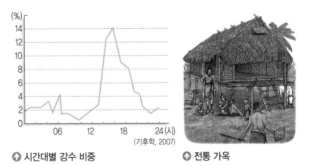

⬆ 시간대별 강수 비중 (기후학, 2007)   ⬆ 전통 가옥

① 연중 아열대 고압대의 영향을 받을 것이다.
② 남·북회귀선 사이의 저위도 지역에 위치할 것이다.
③ 다층의 숲을 이루며 다양한 종의 식물이 섞여 분포할 것이다.
④ 전통적으로 주민들은 수렵과 채집을 하면서 생활하였을 것이다.
⑤ 강풍, 천둥, 번개 등을 동반한 소나기가 거의 매일 오후에 내릴 것이다.

07 (가), (나) 지역에 대한 설명 및 추론으로 옳지 **않은** 것은?

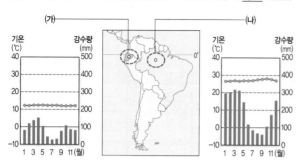

① (가) 지역은 연중 우리나라의 봄과 같이 온화한 기후가 나타난다.
② (나) 지역은 편서풍의 영향으로 여름에 강수가 집중된다.
③ (가) 지역은 (나) 지역보다 연 강수량이 적다.
④ (가) 지역은 (나) 지역보다 해발 고도가 높은 곳에 위치해 있을 것이다.
⑤ (나) 지역은 (가) 지역보다 전 세계적으로 분포 면적이 더 넓다.

09 ㉠, ㉡ 농업에 대한 설명으로 옳지 **않은** 것은?

> 과거 열대 기후 지역의 원주민은 전통적으로 수렵과 채집을 하거나 (㉠)을/를 통해 카사바, 얌, 타로 등의 작물을 재배하였다. 근래에는 원주민의 노동력과 선진국의 자본 및 기술을 결합하여 커피, 카카오, 차, 사탕수수, 고무 등을 재배하는 (㉡)이/가 이루어지고 있다.

① ㉠은 3~4년 정도 농사를 지은 후 다른 경작지로 이동하는 방식이다.
② ㉠은 ㉡보다 식량 작물의 재배 비중이 낮다.
③ ㉠은 ㉡보다 기계화율이 낮고, 가족 노동력에 대한 의존도가 높다.
④ ㉡은 ㉠보다 경작지의 규모가 크다.
⑤ 상대적으로 ㉠은 자급적, ㉡은 상업적 농업 방식이다.

08 지도는 두 시기의 적도 수렴대 이동을 나타낸 것이다. A, B 지역에 대한 옳은 설명을 〈보기〉에서 고른 것은? (단, (가), (나) 시기는 1월과 7월 중 하나이다.)

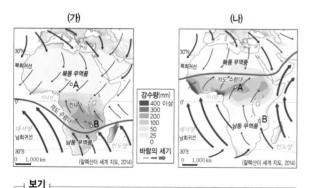

보기
ㄱ. A는 (가)보다 (나) 시기에 강수량이 많다.
ㄴ. A는 (나)보다 (가) 시기에 평균 기온이 높다.
ㄷ. B는 (가)보다 (나) 시기에 밤의 길이가 길다.
ㄹ. B는 (가) 시기에 건기, (나) 시기에 우기이다.

① ㄱ, ㄴ　　② ㄱ, ㄷ　　③ ㄴ, ㄷ
④ ㄴ, ㄹ　　⑤ ㄷ, ㄹ

10 (가) 기후 지역과 비교한 (나) 기후 지역의 상대적 특징을 그림의 A~E에서 고른 것은?

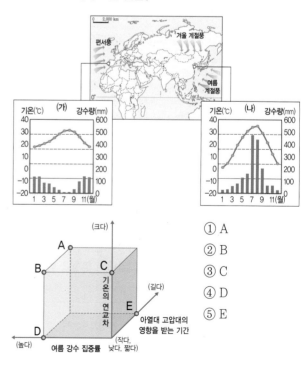

① A
② B
③ C
④ D
⑤ E

11

☆중요 지도의 A~D 지역은 모두 온대 기후에 속한다. 이에 대한 옳은 설명을 〈보기〉에서 고른 것은?

 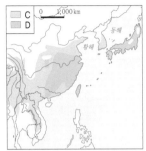

보기
ㄱ. A 지역은 아열대 고압대의 영향으로 여름철에 고온 건조하다.
ㄴ. B 지역은 연중 해양에서 불어오는 편서풍의 영향을 받아 강수량이 고르게 나타난다.
ㄷ. C 지역은 기온의 연교차와 강수의 계절 차가 매우 크다.
ㄹ. D 지역은 일 년 내내 강수가 비교적 고르게 분포한다.

① ㄱ, ㄴ　　　② ㄱ, ㄷ　　　③ ㄴ, ㄷ
④ ㄴ, ㄹ　　　⑤ ㄷ, ㄹ

12

그래프는 세 지역의 시기별 평균 기온과 강수량을 나타낸 것이다. (가)~(다) 지역에 대한 설명으로 옳은 것은?

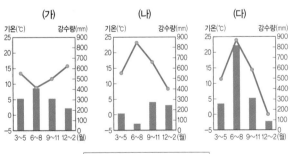

① (가)는 (나)보다 북회귀선과의 최단 거리가 멀다.
② (나)는 (다)보다 계절풍의 영향을 많이 받는다.
③ (다)는 (가)보다 기온의 연교차가 작다.
④ (나)는 대륙 동안, (다)는 대륙 서안에 위치한다.
⑤ (가)~(다) 중에서 연 강수량은 (가)가 가장 많다.

13

지도는 서로 다른 시기의 강수 분포를 나타낸 것이다. A, B 지역에 대한 설명으로 옳지 <u>않은</u> 것은? (단, (가), (나)는 1월과 7월 중 하나이다.)

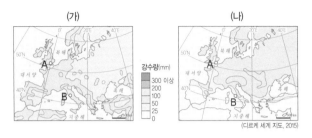

(디르케 세계 지도, 2015)

① A는 B보다 연평균 기온이 낮다.
② B는 A보다 여름 강수 집중률이 낮다.
③ B는 A보다 연중 편서풍의 영향을 적게 받는다.
④ (가) 시기에 A는 B보다 낮의 길이가 짧다.
⑤ (나) 시기에 B는 A보다 아열대 고압대의 영향을 적게 받는다.

14

자료는 두 기후 지역의 식생에 대한 것이다. (가), (나) 지역에 대한 옳은 설명을 〈보기〉에서 고른 것은?

(가)	(나)
우기가 되면 키가 큰 풀이 자라 초원을 이루며, 관목이 드문드문 분포한다.	여름철의 가뭄을 이길 수 있도록 잎이 작고 단단한 경엽수림이 주로 분포한다.

보기
ㄱ. (가)의 식생은 대부분 침엽수로 이루어져 있다.
ㄴ. (나)는 중위도 대륙 동안에 주로 분포한다.
ㄷ. (가)는 (나)보다 최한월 평균 기온이 높다.
ㄹ. (가), (나)는 모두 건기와 우기의 구분이 뚜렷하다.

① ㄱ, ㄴ　　　② ㄱ, ㄷ　　　③ ㄴ, ㄷ
④ ㄴ, ㄹ　　　⑤ ㄷ, ㄹ

15 지도는 아시아 일대의 풍향을 나타낸 것이다. A 지역의 (가) 시기와 비교한 (나) 시기의 상대적 특징만을 〈보기〉에서 있는 대로 고른 것은? (단, (가), (나) 시기는 1월과 7월 중 하나이다.)

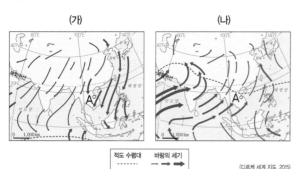

(디르케 세계 지도, 2015)

적도 수렴대	바람의 세기

보기

ㄱ. 강수량이 많다.
ㄴ. 월평균 기온이 낮다.
ㄷ. 홍수 발생 가능성이 높다.
ㄹ. 남서 계절풍의 영향을 받는다.

① ㄱ, ㄷ   ② ㄴ, ㄷ   ③ ㄴ, ㄹ
④ ㄱ, ㄴ, ㄹ   ⑤ ㄱ, ㄷ, ㄹ

16 표는 북반구에 위치한 어느 지역의 기후 값을 나타낸 것이다. 이 지역에서 쉽게 볼 수 있는 경관으로 가장 적절한 것은?

월	1	2	3	4	5	6
평균 기온(℃)	8.4	9.0	10.9	13.2	17.2	21.0
강수량(mm)	74.0	73.9	60.7	60.0	33.5	21.4
월	7	8	9	10	11	12
평균 기온(℃)	23.9	24.0	21.1	16.9	12.1	9.4
강수량(mm)	8.5	32.7	74.4	98.2	93.3	86.3

(1981~2010년 평균값임, 지리 데이터 파일, 2016)

① 플랜테이션 농장에서 커피를 수확하는 모습
② 올리브와 포도를 수확하여 기름을 짜는 모습
③ 오아시스 주변 농장에서 대추 야자를 수확하는 모습
④ 키가 큰 풀이 자라는 초원에서 야생 동물이 뛰노는 모습
⑤ 한쪽 논에서는 추수를 하고, 다른 논에서는 모내기를 하는 모습

서술형 문제

● 정답친해 11쪽

01 지도는 두 시기의 강수량 분포를 나타낸 것이다. 이를 보고 물음에 답하시오.

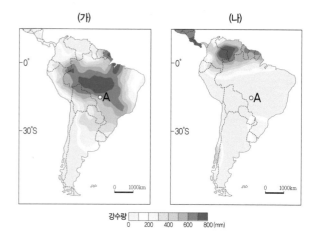

강수량
0   200   400   600   800(mm)

(1) (가), (나)에 해당하는 시기를 각각 쓰시오. (단, (가), (나) 시기는 12~2월, 6~8월 중 하나이다.)

(2) A 지역에서 나타나는 (가), (나) 시기의 기후 특성을 제시어를 사용하여 서술하시오.

• 건기	• 우기
• 적도 수렴대	• 아열대 고압대

02 사진과 같은 가옥 경관을 볼 수 있는 기후 지역을 쓰고, 이러한 가옥 경관이 발달하게 된 이유를 이 지역의 기후 특색과 관련하여 서술하시오.

STEP 3 1등급 정복하기

1 그래프는 어느 세 지역의 기후 값을 나타낸 것이다. (가)~(다) 지역에 대한 설명으로 옳은 것은?

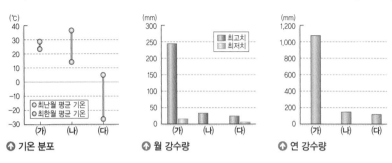

↑ 기온 분포   ↑ 월 강수량   ↑ 연 강수량

① (가)는 온대 기후로 주로 중위도 지역에서 나타난다.
② (나) 지역에는 주로 상록 활엽수림이 분포한다.
③ (다) 지역은 강수량이 증발량보다 많다.
④ (가) 지역은 (나) 지역보다 기온의 연교차가 크다.
⑤ (가), (다)는 무수목 기후에 해당한다.

> 쾨펜의 기후 구분

평가원 응용

2 그래프는 지도에 표시된 세 지역의 월평균 기온과 월 강수량을 나타낸 것이다. (가)~(다) 지역에 대한 설명으로 옳은 것은? (단, (가)~(다)는 지도에 표시된 지역 중 하나이다.)

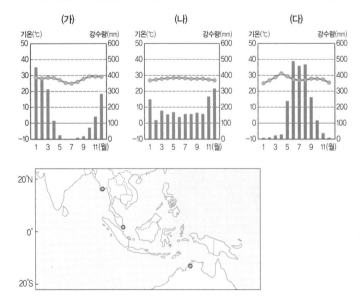

① (가)는 (나)보다 북회귀선으로부터의 거리가 가깝다.
② (나)는 (다)보다 강수의 계절적 편차가 크다.
③ (다)는 (가)보다 벼의 2기작이 활발하게 이루어진다.
④ 1월의 밤 길이는 (가) 〉 (나) 〉 (다) 순으로 길다.
⑤ (가)~(다) 중에서 춘분 때에 태양의 남중 고도는 (가)가 가장 높다.

> 열대 기후 지역의 특성

완자쌤의 시험 꿀팁

기후 그래프에 나타난 기온과 강수량 특성을 통해 열대 기후를 구분하고, 해당 지역의 기후 환경 특징을 파악하는 문제가 자주 출제된다.

완자 사전

• 태양의 남중 고도
하루 중 태양의 고도가 가장 높을 때의 고도

3 그래프는 학생의 여행지 중 출발지와 도착지의 월평균 기온과 월 강수량을 나타낸 것이다. 출발지와 도착지를 옳게 연결한 선을 지도의 A~E에서 고른 것은?

> 열대 기후 지역의 특성

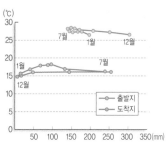

① A ② B ③ C ④ D ⑤ E

4 다음은 수업 시간의 한 장면이다. 교사의 질문에 옳게 답변한 학생을 〈보기〉에서 고른 것은?

> 온대 기후의 특징

완자쌤의 시험 꿀팁

연 강수량과 여름철 강수량 수치를 통해 온대 기후 지역을 구분하고, 각 지역의 상대적 특징을 비교하는 문제가 자주 출제된다.

구분	기온의 연교차 (℃)	최난월 평균 기온 (℃)	연 강수량 (mm)	1월 강수량 (mm)	7월 강수량 (mm)
(가)	13.0	18.7	640.3	55.0	46.8
(나)	15.6	24.0	716.9	74.0	8.5
(다)	28.1	25.7	1,450.5	20.8	394.7

*1981~2010년 평균값임

(지리 통계 연감, 2018)

표는 유라시아 대륙에 위치한 (가)~(다) 지역의 기후 값을 나타낸 것입니다. 이에 대해 설명해 볼까요?

보기

갑: (가)는 (나)보다 최한월 평균 기온이 높습니다.
을: (나)는 (가)보다 강수량의 계절 차가 큽니다.
병: (나)는 대륙 동안, (다)는 대륙 서안에 위치합니다.
정: (가)~(다)는 모두 최한월 평균 기온이 −3℃~18℃입니다.

① 갑, 을 ② 갑, 병 ③ 을, 병
④ 을, 정 ⑤ 병, 정

5 미술 작품 속에 표현된 (가)~(다) 기후 지역에 대한 설명으로 옳지 <u>않은</u> 것은?

(가)	(나)	(다)

영국 서퍽 지방의 풍경을 담은 컨 스터블의 「건초마차」	일본 장마철의 모습을 담은 우타 가와 히로시게의 「쇼노(庄野)」	프랑스 남부 지방의 풍경을 담은 고흐의 「올리브 나무들」

① (가)는 편서풍의 영향으로 한겨울에도 목초지가 조성되어 낙농업이 발달하였다.
② (나)는 계절풍의 영향으로 벼농사가 활발하다.
③ (다)는 가축 사육과 곡물 재배가 유기적으로 결합된 혼합 농업이 발달하였다.
④ (나)는 (가)보다 계절별 강수량의 차이가 크다.
⑤ (다)는 (나)보다 고온 건조한 여름 날씨를 견딜 수 있는 오렌지, 포도 재배에 유리하다.

온대 기후 지역의 특성

완자샘의 시험 꿀팁

미술 작품이나 문학 작품에 구체적
으로 표현된 기후 특징을 통해 해
당 지역의 주민 생활 모습을 묻는
문제가 자주 출제된다.

수능 응용

6 그래프는 지도에 표시된 세 지역의 시기별 기온 편차를 나타낸 것이다. A~C 지역에 대한 옳은 설명을 〈보기〉에서 고른 것은?

온대 지역의 기후 특성

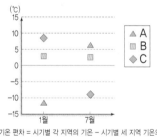 

*기온 편차 = 시기별 각 지역의 기온 − 시기별 세 지역 기온의 평균

보기

ㄱ. A는 B보다 여름 강수 집중률이 낮다.
ㄴ. B는 C보다 7월에 아열대 고압대의 영향을 많이 받는다.
ㄷ. A~C 중 1월의 낮 길이는 C가 가장 길다.
ㄹ. A~C 중 연중 강수 분포는 A가 가장 고르다.

① ㄱ, ㄴ   ② ㄱ, ㄷ   ③ ㄴ, ㄷ
④ ㄴ, ㄹ   ⑤ ㄷ, ㄹ

03 건조 기후 환경과 냉대 및 한대 기후 환경

학 습 목 표
• 건조 기후의 특징과 주요 지형의 형성 과정을 설명할 수 있다.
• 냉대 및 한대 기후의 특징과 주요 지형의 형성 과정을 설명할 수 있다.

이것이 핵심!

건조 기후 지역의 특징

사막 기후 (BW)	• 연 강수량 250mm 미만 • 식생 성장이 거의 불가능 • 유목, 오아시스 농업, 관개 농업 등이 이루어짐
스텝 기후 (BS)	• 연 강수량 250mm~500mm • 짧은 우기 → 초원 형성 • 유목, 기업적 농목업 등이 이루어짐

★ **탁월풍**
편서풍이나 무역풍과 같이 어느 한 지역에서 일정 기간 가장 우세하게 부는 바람

★ **풍화 작용**

물리적 풍화 작용	암석의 성분은 변화하지 않고, 암석의 팽창과 수축으로 암석이 잘게 부서지는 작용
화학적 풍화 작용	암석의 성분과 상태가 모두 변화하여 분해되는 작용

★ **포상홍수**
일시적인 폭우로 인해 일정한 유로없이 지표면을 덮듯이 넓게 퍼져 흐르는 유수의 작용

★ **외래 하천**
주로 습윤한 기후 지역에서 발원하여 건조 기후 지역을 통과해 흐르는 하천

❶ 건조 기후 환경과 지형

1. 건조 기후 지역의 특징

Q왜? 습도가 낮아 낮에는 지표면이 빠르게 가열되지만 밤에는 기온이 급격히 낮아지기 때문이야.

(1) **특징**: 연 강수량 500mm 미만, 강수량보다 증발량이 많고 기온의 일교차가 큼

(2) **건조 기후의 구분** 자료①

사막 기후 (BW)	• 특징: 연 강수량 250mm 미만 • 식생: 오아시스나 외래 하천 주변을 제외하고 식생 성장이 거의 불가능 • 분포: 남·북회귀선 부근의 아열대 고압대 지역, 중위도 대륙 내부 지역, 중위도 한류가 흐르는 대륙 서안 지역, *탁월풍의 바람그늘 지역 등
스텝 기후 (BS)	• 특징: 연 강수량 250mm~500mm • 식생: 건기가 길어 나무가 자라기 어렵지만 짧은 우기 동안 키가 작은 풀이 자라 초원을 이룸 • 토양: 강수에 의한 유기물의 손실이 적어 비옥한 흑색토가 분포함 • 분포: 사막 기후 지역의 주변 예 아프리카 사헬 지대, 몽골, 중앙아시아 등

(3) **사막의 형성 원인** 자료②

아열대 고압대 지역	대기 대순환에 따라 연중 하강 기류가 발달함 예 사하라 사막, 룹알할리 사막
대륙 내부 지역	바다와 멀리 떨어져 있어 수분 공급이 어려움 예 고비 사막, 타커라마간 사막
대륙 서안의 한류 연안 지역	대기가 안정되어 있어 상승 기류가 형성되지 못함 예 아타카마 사막, 나미브 사막
탁월풍의 바람그늘 지역	지형성 강수 발생 이후 건조한 공기가 산지를 넘어옴 예 파타고니아 사막

2. 건조 기후 지역의 지형 자료③

(1) **지형 형성 작용**: 강수량이 적고 기온의 일교차가 커 물리적 *풍화 작용이 활발함

(2) **바람에 의해 형성되는 지형** ┌ 형태를 통해 탁월풍의 대략적인 방향을 파악할 수 있어.

사구	바람에 날려 온 모래가 쌓여 형성된 모래 언덕, 탁월풍이 부는 지역에서는 초승달 모양의 바르한 형성
버섯바위	모래가 바람에 날려 암석의 아랫부분을 집중적으로 깎아 만든 버섯 모양의 바위
삼릉석	바람에 날린 모래가 암석에 부딪히면서 여러 개의 평평한 면과 모서리가 생긴 돌
사막 포도	바람에 의해 모래가 제거되고 굵은 자갈만 넓게 깔린 지표면

(3) **유수에 의해 형성되는 지형** ┌ 평상시에는 물이 흐르지 않기 때문에 교통로 등으로 이용돼.

와디	비가 내릴 때만 일시적으로 물이 흐르는 하천(건천) ┘
플라야	건조 분지 저지대에 퇴적층이 두껍게 쌓여 이루어진 평평한 땅, 비가 내릴 때 일시적으로 물이 고여 염호(플라야호) 발달 ┌ 염분이 많아 관개용수, 식수 등으로 사용할 수 없어.
선상지	급경사의 좁은 골짜기 입구에 하천 운반 물질(자갈과 모래)이 부채 모양으로 퇴적된 지형
바하다	여러 개의 선상지가 연속적으로 발달하여 형성된 복합 선상지
페디먼트	*포상홍수 침식에 의해 형성된 완경사의 침식면

(4) **메사와 뷰트**: 경암층과 연암층이 차별 침식을 받아 꼭대기는 평탄하고 주변부는 급사면을 이루는 탁자 모양의 지형, 뷰트는 메사가 침식·풍화되면서 비석 모양으로 남은 지형

3. 건조 기후 지역의 농업

사막 기후 지역	유목을 하거나 오아시스, *외래 하천 주변에서 오아시스 농업과 관개 농업을 함
스텝 기후 지역	유목 및 대규모로 밀·옥수수 등을 재배하거나 소·양 등을 사육하는 기업적 농목업이 이루어짐

완자 자료 탐구　내 옆의 선생님

자료 ① 건조 기후 지역의 분포

사막 기후 (카이로)

스텝 기후 (샌디에이고)

(디르케 세계 지도, 이과 연표, 2016)

건조 기후는 강수량보다 증발량이 많으며, 연 강수량을 기준으로 250mm 미만의 사막 기후와 250mm~500mm의 스텝 기후로 구분한다. 사막 기후 지역은 바위나 자갈, 모래로 덮인 곳이 많으며, 스텝 기후 지역은 짧은 우기 동안 초원을 이룬다.

자료 ② 사막의 형성 원인

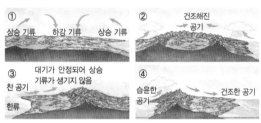

① 상승 기류 / 하강 기류 / 상승 기류
② 건조해진 공기
③ 대기가 안정되어 상승 기류가 생기지 않음 / 찬 공기 / 한류
④ 습윤한 공기 / 건조한 공기

① 아열대 고압대 지역 ② 중위도 대륙 내부 지역
③ 중위도 대륙 서안의 한류 연안 지역 ④ 탁월풍의 바람그늘 지역

사막은 아열대 고압대에 발달하는 아열대 사막과 중위도 지역에 발달하는 온대 사막으로 구분된다. 아열대 사막은 대부분 남·북위 15°~25° 사이에 분포하며, 온대 사막은 대륙 내부 혹은 분지 지역, 한류 연안 지역에서 발달한다.

자료 ③ 건조 기후 지역의 지형

메사 / 뷰트

↑ 사구(니제르)

↑ 메사와 뷰트(미국)

↑ 선상지(미국)

사구 / 바르한 / 버섯바위 / 메사와 뷰트 / 선상지 / 오아시스 / 플라야 / 와디

↑ 플라야(칠레)

건조 기후 지역은 식생이 빈약하여 바람에 의한 지형 형성 작용이 활발하며, 일시적인 폭우로 포상홍수가 일어나거나 하천이 형성되면 유수에 의해 다양한 지형이 형성된다.

정리 비법을 알려줄게!

사막 기후와 스텝 기후의 특징

사막 기후	• 연 강수량: 250mm 미만 • 식생: 거의 없음 • 분포: 아열대 고압대 지역, 중위도 대륙 서안의 한류 연안 지역, 중위도 대륙 내부 지역, 탁월풍의 바람 그늘 지역
스텝 기후	• 연 강수량: 250mm 이상 500mm 미만 • 식생: 짧은 우기 동안 키가 작은 풀로 이루어진 초원 • 분포: 사막 주변 지역

자료 하나 더 알고 가자!

나미브 사막

한류인 벵겔라 해류의 영향으로 형성된 사막으로, 강수량이 적지만 바다와 가깝기 때문에 이곳에는 안개가 자주 낀다.

자료 하나 더 알고 가자!

삼릉석의 형성 과정

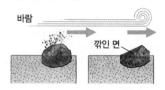

바람 / 깎인 면

모래바람이 불어오는 쪽이 평평하게 깎인다. 암석의 위치나 바람의 방향이 바뀌면 다른 면이 깎여 다양한 면을 가지게 된다.

03 건조 기후 환경과 냉대 및 한대 기후 환경

이것이 **핵심!**

냉대 및 한대 기후 지역의 특징

냉대 기후	• 최한월 평균 기온 −3℃ 미만, 최난월 평균 기온 10℃ 이상 • 기온의 연교차가 큼
한대 기후	• 최난월 평균 기온 10℃ 미만 • 무수목 기후, 강수량이 적은 편

★ 포드졸
냉대 기후의 한랭 습윤한 환경으로 형성된 산성의 토양. 회백색을 띠고 있으며 척박하여 농업에는 적합하지 않다.

★ 분급
물질이 퇴적될 때 입자의 크기에 따라 나누어지는 현상. 일반적으로 하천에 의해 퇴적된 지형은 분급이 양호한 편이나 빙하에 의해 운반된 물질이 퇴적된 지형은 분급이 불량하다.

★ 영구 동토층
일 년 내내 얼어 있는 토양층. 영구 동토층 위에는 짧은 여름에만 녹는 토양층인 활동층이 있다.

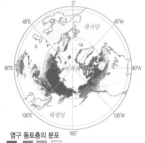

영구 동토층의 분포
연속적 ──────→ 불연속적
(국제 빙하권 관찰 기구, 2016)

★ 구조토

구조토는 토양 속의 수분이 동결과 융해를 반복하면서 지표면에서 물질의 분급이 일어나 큰 자갈은 바깥쪽으로 밀려 나가고, 작은 자갈과 모래는 안쪽에 쌓이면서 형성된다.

2 냉대 및 한대 기후 환경과 지형

1. 냉대 및 한대 기후 지역의 특징 〔교과서 자료〕

(1) 냉대 기후 ─ 냉대 습윤 기후 지역은 유라시아 대륙 서안, 냉대 겨울 건조 기후는 유라시아 대륙 동안에서 주로 나타나는데 냉대 겨울 건조 기후는 냉대 습윤 기후보다 기온의 연교차가 큰 편이야.

① 특징: 최한월 평균 기온 −3℃ 미만, 최난월 평균 기온 10℃ 이상, 기온의 연교차가 큼

냉대 습윤 기후 (Df)	• 특징: 연중 강수가 고르며, 겨울이 춥고 긺 • 분포: 동부 유럽, 시베리아 서부, 캐나다 등
냉대 겨울 건조 기후 (Dw)	• 특징: 계절풍의 영향으로 여름에 강수가 집중되고 겨울이 건조함 • 분포: 유라시아 대륙 동북부 지역 등

② 식생: 침엽수림(타이가)이 넓게 분포, 남부 일부 지역에서는 혼합림이 분포

③ 토양: 척박한 산성 토양인 ★포드졸이 분포

(2) 한대 기후: 최난월 평균 기온 10℃ 미만, 무수목 기후, 강수량이 적은 편임 ─ 지표면이 녹는 여름에 작은 풀과 이끼류 등이 자라.

툰드라 기후 (ET)	• 특징: 최난월 평균 기온 0℃ 이상 10℃ 미만, 여름은 짧고 냉량하며 겨울이 길고 매우 추움 • 분포: 북극해 연안, 그린란드 해안, 일부 고산 지대 등
빙설 기후 (EF)	• 특징: 연중 월평균 기온 0℃ 미만, 연중 지표면이 눈과 얼음으로 덮여 있음 • 분포: 남극 대륙, 그린란드 내륙 등

2. 빙하 지형과 주빙하 지형

(1) 빙하 지형: 극지방, 고산 지역, 과거 빙기 때 빙하로 덮여 있던 지역에 분포 〔자료④〕

	권곡	빙식곡의 상류에 형성되는 반원 모양의 와지 → 안쪽에 빙하호가 형성되기도 함
빙하 침식 지형	호른	빙하의 침식을 받아 산 정상부에 형성된 뾰족한 봉우리
	빙식곡(U자곡)	빙하의 침식으로 형성된 U자 모양의 골짜기 → 해안의 빙식곡이 해수면 상승으로 침수되면 피오르가 형성됨
	피오르	빙식곡이 해수면 상승으로 바닷물에 잠겨 형성된 좁고 긴 만
	현곡	본류 빙식곡으로 합류하는 지류 빙식곡 → 폭포가 잘 발달함
빙하 퇴적 지형	빙퇴석(모레인)	빙하가 운반한 많은 양의 자갈, 모래 등이 빙하의 말단부나 측면에 퇴적된 지형 → ★분급이 불량함
	드럼린	빙하가 운반한 토사가 퇴적되어 형성된 지형으로 숟가락을 엎어 놓은 것과 비슷한 모양의 언덕 ─ 빙하가 녹은 물
	에스커	융빙수가 빙하 밑을 흐르면서 좁고 길게 제방 모양으로 토사를 퇴적시켜 형성된 지형
	빙력토 평원	빙하가 후퇴하고 남은 자갈, 모래 등이 퇴적되어 형성된 평야

(2) 주빙하 지형: 빙하 주변의 한랭한 기후에 의해 만들어지는 지형 → ★영구 동토층이 나타나는 빙하 주변 지역이나 고산 지대에 주로 분포 ─ 주빙하 지형은 영구 동토층 위의 활동층이 동결과 융해를 반복하는 과정에서 형성돼.

★구조토	토양 속의 수분이 동결과 융해를 반복함에 따라 형성된 다각형의 지형
애추	절벽에서 떨어져 나온 암석이 쌓여 형성된 지형

3. 냉대 및 한대 기후 지역의 주민 생활

냉대 기후 지역		• 농목업 및 임업: 남부 지역은 밭농사(보리, 호밀, 귀리 등), 북부 지역은 임업(침엽수림) 발달 • 빙하 지형 활용: 수력 발전(낙차가 큰 빙식곡), 관광 산업(피오르, 빙하호 등)
한대 기후 지역	툰드라 〔자료⑤〕	• 농목업: 농사는 거의 불가능하여 순록 유목이나 수렵 및 어업 생활을 함 • 가옥 구조: 고상 가옥 발달 ─ Qw? 토양층의 융해로 가옥이 붕괴되는 것을 막기 위해서야.
	빙설	최근 자원 채굴, 북극 항로 개통, 과학 및 군사 기지 건설 등 극지방 개발을 위한 관심이 높아짐 ─ Qw? 지구 온난화로 북극해의 얼음이 녹아 항해가 가능한 기간이 늘어났기 때문이야.

완자 자료 탐구

내 옆의 선생님

수능이 보이는 교과서 자료 **냉대 및 한대 기후 지역의 분포**

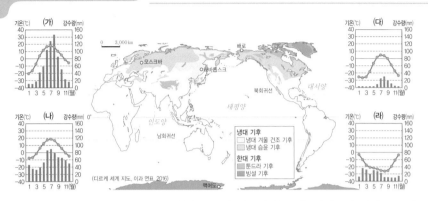

(디르케 세계 지도, 이과 연표. 2016)

냉대 기후는 대륙의 영향을 많이 받아 기온의 연교차가 크며, 계절풍의 영향으로 겨울 강수량이 많고 적음에 따라 냉대 습윤 기후와 냉대 겨울 건조 기후로 나뉜다. 한대 기후는 최난월 평균 기온 0℃를 기준으로 툰드라 기후와 빙설 기후로 나뉜다.

완자샘의 탐 구 강 의

• (가)~(라)에 해당하는 기후를 구별하여 써 보자.

(가)	냉대 겨울 건조 기후
(나)	냉대 습윤 기후
(다)	툰드라 기후
(라)	빙설 기후

• (가), (나) 지역의 강수 차이를 설명해 보자.

(가)는 강수가 여름철에 집중되며, 겨울철은 건조하다. (나)는 연중 강수가 고르게 나타난다.

함께 보기 51쪽, 내신 만점 공략하기 05

자료 ④ 빙하 지형

형태를 통해 빙하의 대략적인 이동 방향을 파악할 수 있어.

↑ 피오르(노르웨이)   ↑ 드럼린(독일)

↑ 호른(스위스)   ↑ 모레인(네팔)

거대한 빙하는 높은 곳에서 낮은 곳으로 이동하면서 지면을 침식하고 여러 물질을 운반하여 다양한 빙하 침식 지형과 빙하 퇴적 지형을 형성한다. 또한 빙기에 빙하로 덮여 있던 지역에는 빙하가 후퇴한 후 빙력토 평원, 빙하호 등의 다양한 지형이 형성되기도 한다.

자료 하나 더 알고 가자!

빙하 침식 지형의 형성 과정

빙기 이전	하천의 침식 작용으로 V자 모양의 골짜기가 형성된다.
빙기	빙하가 골짜기를 따라 이동하면서 침식이 진행된다.
후빙기	빙하가 사라지면 골짜기의 형태가 U자 모양의 빙식곡으로 변하고 능선이 날카로워진다.

자료 ⑤ 툰드라 기후 지역의 가옥 구조

↑ 고상 가옥(그린란드)

툰드라 기후 지역은 여름철에 기온이 상승하거나 가옥에서 방출되는 인공 열 때문에 토양층이 녹아 가옥이 붕괴되기도 한다. 따라서 영구 동토층까지 깊숙이 기둥을 박고 지표면에서 띄워서 집을 짓는다. 집 바닥에 단열을 위해 자갈이나 콘크리트를 깔기도 한다.

정리 비법을 알려줄게!

냉대 및 툰드라 기후 지역의 비교

구분	냉대 기후	툰드라 기후
식생	침엽수림	이끼류, 지의류
산업	임업, 농업	순록 유목, 수렵·어업 등
가옥	통나무집	고상 가옥

STEP 1 핵심 개념 확인하기

1 ㉠, ㉡에 들어갈 용어를 각각 쓰시오.

건조 기후는 연 강수량 250mm 미만의 (㉠   ) 기후
와 연 강수량 250mm~500mm의 (㉡   ) 기후로 구분
한다.

2 사막의 주요 분포 지역과 대표적인 사막을 연결하시오.

(1) 대륙 내부 지역   •   • ㉠ 고비 사막

(2) 아열대 고압대 지역   •   • ㉡ 사하라 사막

(3) 탁월풍의 바람그늘 지역   •   • ㉢ 나미브 사막

(4) 대륙 서안의 한류 연안 지역 •   • ㉣ 파타고니아 사막

3 다음에서 설명하는 지형을 쓰시오.

(1) 포상홍수 침식에 의해 형성된 완경사의 침식면

(   )

(2) 급경사의 좁은 골짜기 입구에 자갈과 모래가 부채 모양으
로 퇴적된 지형   (   )

(3) 바람에 날린 모래가 암석에 부딪히면서 여러 개의 평평한
면과 모서리가 생긴 돌   (   )

4 냉대 및 한대 기후에 대한 설명이 맞으면 ○표, 틀리면 ×표를
하시오.

(1) 빙설 기후는 최난월 평균 기온이 0℃ 미만으로 연중 눈과
얼음으로 뒤덮여 있다.   (   )

(2) 툰드라 기후는 최난월 평균 기온이 0℃ 이상 10℃ 미만으
로 짧은 여름이 나타난다.   (   )

(3) 냉대 겨울 건조 기후는 연중 강수량이 고르며 동유럽에서
시베리아 서부, 캐나다 등지에서 주로 나타난다. (   )

5 빙하 침식 지형과 빙하 퇴적 지형을 〈보기〉에서 골라 기호를
쓰시오.

보기
ㄱ. 권곡   ㄴ. 호른   ㄷ. 드럼린
ㄹ. 모레인   ㅁ. 빙식곡   ㅂ. 에스커

(1) 빙하 침식 지형 (   )

(2) 빙하 퇴적 지형 (   )

STEP 2 내신 만점 공략하기

01 (가), (나) 기후 지역에 대한 옳은 설명을 〈보기〉에서 고
른 것은?

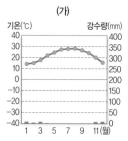

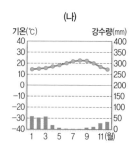

보기
ㄱ. (가)는 건기와 우기가 뚜렷하게 구분된다.
ㄴ. (나)의 토양은 강수에 의한 유기물의 손실이 적어 비옥
한 흑색토이다.
ㄷ. (가)는 (나)보다 연 강수량이 적다.
ㄹ. (나)는 (가)보다 자연 상태에서 식생이 자라기에 불리
하다.

① ㄱ, ㄴ   ② ㄱ, ㄷ   ③ ㄴ, ㄷ

④ ㄴ, ㄹ   ⑤ ㄷ, ㄹ

02 (가), (나)와 같은 원리로 형성된 사막을 지도의 A~E에서
골라 옳게 연결한 것은?

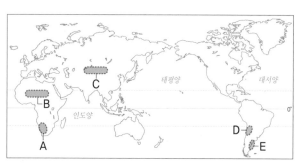

	(가)	(나)		(가)	(나)		(가)	(나)
①	A	B	②	B	C	③	C	E
④	D	B	⑤	D	C			

03 그림은 건조 지형을 모식적으로 나타낸 것이다. A~E 지형에 대한 설명으로 옳지 <u>않은</u> 것은? (단, A~E는 메사, 사구, 와디, 선상지, 플라야 중 하나이다.)

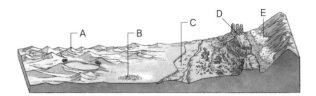

① A는 바람에 날린 모래가 쌓여 만들어진 모래 언덕이다.
② B의 물은 주로 관개용수로 이용된다.
③ C는 비가 올 때만 일시적으로 흐르는 하천으로, 평상시에는 교통로로 이용되기도 한다.
④ D는 경암층과 연암층의 차별 침식으로 형성된다.
⑤ E가 연속적으로 발달하여 이어지면 바하다가 된다.

04 (가)~(라) 지형에 대한 설명으로 옳은 것은?

① (가)는 유수의 침식 작용으로 형성되었다.
② (나)는 빙하의 이동으로 형성되었다.
③ (다)는 토양층이 동결과 융해를 반복하여 형성된 다각형의 지형이다.
④ (라)는 바람의 퇴적 작용으로 형성되었다.
⑤ (가)와 (나)는 화학적 풍화 작용이, (다)와 (라)는 물리적 풍화 작용이 활발한 지역에서 잘 나타난다.

05 그래프는 세 지역의 월평균 기온과 월 강수량을 나타낸 것이다. (가)~(다) 지역에 대한 설명으로 옳은 것은?

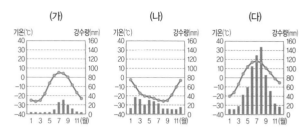

① (가)는 강수량보다 증발량이 많다.
② (나)에는 척박한 산성 토양인 포드졸이 주로 분포한다.
③ (다)에서는 벼의 2기작이 활발하게 이루어진다.
④ (가)는 (나)보다 7월의 낮 길이가 길다.
⑤ (가)~(다) 중에서 기온의 연교차는 (나)가 가장 크다.

06 그림은 빙하 지형을 모식적으로 나타낸 것이다. A~E 지형에 대한 설명으로 옳지 <u>않은</u> 것은? (단, A~E는 권곡, 호른, 드럼린, 모레인, 에스커 중 하나이다.)

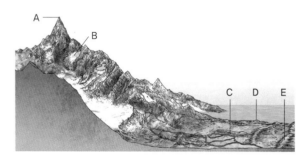

① A는 빙하가 여러 방향에서 깎아 만든 뾰족한 봉우리이다.
② B는 빙하가 산지를 깎아 만든 반원 모양의 와지이다.
③ C는 빙하 밑을 흐르는 융빙수에 의해 형성된 제방 모양의 지형이다.
④ D는 빙하가 이동하면서 운반해 온 토사가 숟가락을 엎어 놓은 것과 비슷한 모양으로 퇴적된 지형이다.
⑤ E는 크기가 비슷한 모래 퇴적물로 이루어져 있다.

07 지도의 A~D 지역에 대한 옳은 설명을 〈보기〉에서 고른 것은?

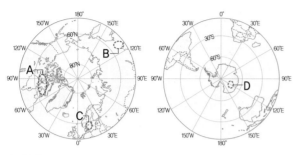

보기

ㄱ. A에서는 7월에 활동층이 경사면을 따라 흘러내린다.
ㄴ. B에는 침엽수림이 분포하며 포드졸이 나타난다.
ㄷ. C의 지표면은 연중 눈과 얼음으로 덮여 있다.
ㄹ. D에는 넓은 빙력토 평원 곳곳에 모레인이 분포한다.

① ㄱ, ㄴ ② ㄱ, ㄷ ③ ㄴ, ㄷ
④ ㄴ, ㄹ ⑤ ㄷ, ㄹ

08 사진과 같은 시설물을 볼 수 있는 기후 지역에 대한 설명으로 옳은 것은?

① 식생은 낙엽활엽수림이 가장 넓게 분포한다.
② 지하 수로를 이용한 관개 농업이 이루어지고 있다.
③ 유기물이 빨리 제거되어 척박한 라테라이트가 형성된다.
④ 화학적 풍화 작용보다 물리적(기계적) 풍화 작용이 활발하다.
⑤ 가축 사육과 작물 재배가 함께 이루어지는 혼합 농업이 발달하였다.

🚀 서술형 문제

● 정답친해 15쪽

01 (가), (나)는 서로 다른 기후 지역에서 볼 수 있는 경관이다. 이를 보고 물음에 답하시오.

(가)   (나)

(1) (가), (나)와 같은 경관이 나타나는 기후 지역을 각각 쓰시오.

(2) (가)와 (나)를 구분하는 기준과 이들 지역의 농업 특징을 각각 서술하시오.

02 자료는 한대 기후 지역의 (가) 지형 단면의 모식도와 땅속 온도 변화를 나타낸 것이다. 이를 보고 물음에 답하시오.

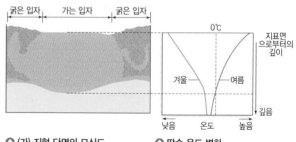

⬆ (가) 지형 단면의 모식도   ⬆ 땅속 온도 변화

(1) (가)에 들어갈 지형 명칭을 쓰시오.

(2) (1)의 형성 원인을 서술하시오.

STEP 3 1등급 정복하기

1 밑줄 친 ㉠~㉣에 대한 설명으로 옳지 <u>않은</u> 것은?

미국 서부 지형 답사 노트

2019년 ○○월 □□일		2019년 ◇◇월 △△일	
㉠ 모래로 이루어진 높은 언덕	㉡ 펼쳐진 부채를 닮은 지형	㉢ 탁자와 탑 모양의 지형	㉣ 움직이는 돌이 있어 유명한 플라야

① ㉠은 바람의 방향에 따라 모양이 쉽게 바뀔 수 있다.
② ㉡은 경사가 완만한 고기 습곡 산지 주변에서 주로 발달한다.
③ ㉢에는 메사와 뷰트가 있다.
④ ㉣은 분지 내부에 만들어지고 염분이 함유되어 있다.
⑤ ㉠은 ㉡보다 구성 물질의 평균 입자가 작다.

> ▶ 건조 지형의 특징
>
> **완자샘의 시험 꿀팁**
> 건조 기후 지역에서 발달하는 독특한 지형들의 형성 원인과 특징을 묻는 문제가 자주 출제된다.
>
> **완자 사전**
> • 고기 습곡 산지
> 고생대 이후 오랜 침식을 받아 대체로 낮고 완만한 산지

(수능 응용)

2 지도에 표시된 (가)~(라) 지역의 상대적 기후 특성을 그래프의 A~D에서 골라 옳게 연결한 것은?

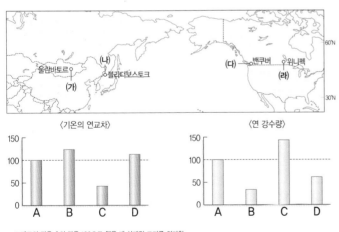

〈기온의 연교차〉　　　　〈연 강수량〉

* 그래프의 값은 A의 값을 100으로 했을 때 상대적 크기를 의미함

	(가)	(나)	(다)	(라)
①	A	B	C	D
②	A	C	D	B
③	B	A	C	D
④	B	C	D	A
⑤	B	D	C	A

> ▶ 다양한 기후 지역의 특징
>
> **완자샘의 시험 꿀팁**
> 지도에서의 위치를 보고 해당 지역의 기후를 알아낸 뒤 서로 다른 기후의 연교차와 연 강수량의 상대적 특징을 비교하는 문제가 출제된다.

04~05 세계의 주요 대지형 ~ 독특하고 특수한 지형들

이것이 핵심!

세계의 대지형

안정 육괴	• 시·원생대에 형성 • 순상지, 구조 평야
고기 습곡 산지	• 고생대에 형성 • 해발 고도가 낮고 경사가 완만함
신기 습곡 산지	• 중생대 말~신생대에 형성 • 해발 고도가 높고 험준하며 지진과 화산 활동이 활발함

★ 지형 형성 작용

내적 작용은 지구 내부 맨틀의 움직임에 의해 발생하며, 외적 작용은 지구 외부의 태양 에너지에 의해 물과 대기가 순환하면서 발생한다.

★ 구조 평야

오랜 지질 시대를 거치면서 지각 변동을 거의 받지 않아 수평층 상태로 남아 있는 지형 예 유럽-러시아 대평원, 북아메리카 평원 등

---

1 세계의 주요 대지형

1. 대지형의 형성

VS 지구 외부 에너지(태양 에너지)에 의한 침식·운반·퇴적 작용, 풍화 작용 등에 의해서는 소지형이 형성돼.

(1) **★지형 형성 작용**: 지구 내부 에너지에 의한 조륙 운동(융기, 침강), 조산 운동(습곡, 단층), 화산 활동 등 → 대규모의 지형이 형성됨 예 대산맥, 대평원, 고원 등

(2) **판 구조 운동** (자료①)

두 개의 판이 어긋나는 경계	판과 판이 서로 미끄러질 때의 마찰로 지진이 발생 예 샌안드레아스 단층
두 개의 판이 서로 갈라지는 경계	• 해양판이 갈라지는 경우 판 사이로 마그마가 흘러나와 해령을 형성하고 지각을 확장시킴 예 대서양 중앙 해령(아이슬란드) • 대륙 내부에서 판이 갈라지는 경우 대규모 지구대 형성 예 동아프리카 지구대
두 개의 판이 충돌하는 경계	• 대륙판이 서로 충돌하는 경우 대규모의 습곡 산맥 형성 예 히말라야산맥 • 해양판과 대륙판이 충돌하는 경우 밀도가 큰 해양판이 대륙판 아래로 밀려 들어가면서 해구 및 습곡 산지 형성 예 안데스산맥

└ 대륙사면과 심해저의 경계를 따라 형성된 수심이 깊은 V자형의 골짜기

2. 세계의 주요 대지형 (자료②)

┌ 순상지는 방패 모양의 완만한 지형으로 대부분 고원이나 평원을 이루고 있어.

안정육괴	• 시·원생대에 조산 운동을 받은 이후 오랜 기간 침식 작용을 받아 형성됨 • 기복이 작고 안정된 순상지, ★구조 평야 등이 있으며 주로 대륙 내부에 넓게 분포함 예 발트 순상지, 시베리아(안가라) 순상지, 로렌시아 순상지, 아프리카 순상지 등
고기 습곡 산지	• 고생대에 조산 운동으로 형성됨 ┤ 주로 안정육괴 주변에 위치해. • 오랜 기간 침식을 받아 신기 습곡 산지에 비해 해발 고도가 낮고 경사가 완만하며 산지의 연속성이 약함 예 스칸디나비아산맥, 우랄산맥, 애팔래치아산맥, 그레이트디바이딩산맥 등
신기 습곡 산지	• 중생대 말~신생대에 조산 운동으로 형성됨 • 해발 고도가 높고 험준하며 산지의 연속성이 뚜렷함, 지각이 불안정하여 지진과 화산 활동이 활발함 예 환태평양 조산대, 알프스-히말라야 조산대

└ 태평양을 둘러싸고 신기 습곡 산지가 연속적으로 분포하는 지역으로 지진과 화산 활동이 활발하여 '불의 고리'라고도 불러.

이것이 핵심!

화산 지형과 카르스트 지형

화산 지형	• 주요 지형: 순상·종상·성층 화산, 칼데라, 용암 대지 • 이용: 화산회토를 이용한 농업, 관광 자원, 지열 발전
카르스트 지형	• 주요 지형: 돌리네, 우발라, 탑카르스트, 카렌, 석회동굴 등 • 이용: 관광 자원, 시멘트 공업

★ 열하 분출

지각의 갈라진 틈새를 따라 대량의 용암이 흘러나와 넓게 퍼지는 형태

---

2 화산 지형과 카르스트 지형

1. 화산 지형의 형성과 주민 생활

(1) **주요 화산 지형** ┐ 꼭! 화산 분출 양상이나 흘러나온 용암의 특성에 따라 화산 지형의 형태가 달라져.

순상 화산	점성이 작아 유동성이 큰 현무암질 용암이 주변에 퍼져 흐르면서 형성된 경사가 완만한 화산
종상 화산	점성이 커 유동성이 작은 유문암이나 안산암질 용암이 돔 모양으로 쌓여 형성된 경사가 가파른 화산
성층 화산	화산 쇄설물과 용암류가 여러 층으로 누적되면서 성장한 원추 모양의 화산
칼데라	화산 폭발 후 화구의 함몰이 이루어지면서 형성된 큰 분지 — 일부는 물이 고여 칼데라호를 이루기도 해.
용암 대지	유동성이 큰 현무암질 용암이 ★열하 분출하여 형성된 평탄한 지형

(2) **화산 활동으로 인한 피해**: 화산이 폭발할 때 발생하는 용암류, 화쇄류, 화산 이류, 화산 가스, 화산재 등이 인간 생활에 피해를 유발함 (자료③)

(3) **화산 지역의 주민 생활**

┌ 온천수와 수증기가 압력에 의해 주기적으로 솟아오르는 온천

농업	광업	관광 산업	전력 생산
화산재가 토양을 비옥하게 하여 농업 활동에 유리	구리, 주석, 유황 등 광물 자원이 풍부하여 광업 발달	독특한 경관, 온천과 간헐천을 관광 자원으로 활용	땅속 열에너지를 이용한 지열 발전으로 전기 생산

뜨거운 지하수의 증기를 추출하여 전기를 생산하는 방식으로 미국, 아이슬란드, 뉴질랜드 등 신기 조산대에 위치한 국가에서 발전량이 많아.

완자 자료 탐구 · 내 옆의 선생님

자료 ① 판의 경계 유형

— 판 경계선 ▶ 판의 이동 방향 ● 지진 발생 지역 (1900년 이후 진도 6.5 이상) ▲ 화산 폭발 지역 (1900년 이후)

①두 개의 판이 갈라지는 경계
동아프리카 지구대
킬리만자로 산 단층 지괴
아프리카판 마그마

마그마의 상승으로 지각판이 반대 방향으로 이동해.

②두 대륙판이 충돌하는 경계
히말라야산맥 시짱(티베트) 고원
인도·오스트레일리아판 유라시아판

지진이 자주 발생하지만 지각이 두꺼워 화산 활동은 미약한 편이야.

③두 개의 판이 어긋나는 경계
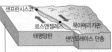
샌프란시스코
로스앤젤레스 북아메리카판
태평양판 샌안드레이스 단층

판과 판이 미끄러질 때의 마찰로 지진이 자주 발생해.

④해양판과 대륙판이 만나는 경계
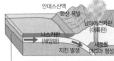
안데스산맥 화산 폭발
나스카판 (해양판) 남아메리카판 (대륙판)
지진 발생 해구 형성

지진과 함께 지각이 녹아 형성된 마그마가 분출하여 화산 활동이 활발해.

지구 표면을 이루는 지각판은 내적 작용을 받아 이동하면서 서로 부딪히거나 갈라지며 대지형을 형성하는데, 이를 판 구조 운동이라 한다. 판과 판이 만나는 곳에서는 조산 운동이 일어나 대규모의 산맥이 형성되고, 판이 서로 벌어지는 곳에서는 새로운 지각이 형성된다. 지각이 불안정한 판의 경계에서는 지진과 화산 활동이 활발해 자연재해가 빈번하다.

자료 ② 세계의 주요 대지형

안정육괴는 판의 경계에서 멀리 떨어져 위치하며, 대부분 고원상의 대지나 대평원을 이루고 있어.

신기 조산대 순상지 고기 조산대 탁상지 — 산맥
(디르케 세계 지도, 하크 세계 지도, 2015)

🔺 세계의 대지형 분포

안정육괴는 시·원생대 조산 운동 이후 오랜 기간 침식을 받아 형성되며 순상지가 대표적이다. 조산대는 고생대 조산 운동으로 형성된 고기 조산대와 중생대 말~신생대 조산 운동으로 형성된 신기 조산대로 나눌 수 있다.

자료 ③ 화산 활동에 의한 피해

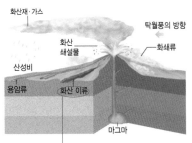

화산재·가스 탁월풍의 방향 화산 쇄설물 화쇄류 산성비 용암류 화산 이류 마그마

사면에 퇴적된 화산재가 물에 섞여 아래쪽으로 쓸려 내려가는 것을 말해.

용암류는 느린 속도로 이동하기 때문에 인명 피해는 크지 않지만 농경지와 인공 구조물 등에 큰 피해를 준다. 화쇄류는 화산 쇄설물, 화산 가스 등이 섞인 혼합물이 사면을 따라 빠르게 흘러내리는 현상으로 화재, 화상 등의 피해를 유발한다. 화산재가 대기권으로 상승하여 햇빛을 차단하면 기온이 내려가고 항공기 운항이 어려워지기도 한다.

자료 하나 더 알고 가자!

동아프리카 지구대

에티오피아 고원 콩고 분지 빅토리아호
구릉, 대지 평야, 분지 화산 지형 ▲ 화산 ㅡㅡㅡ 지구대

동아프리카 지구대는 판이 서로 갈라지는 경계로 킬리만자로산(5,895m)과 같은 높은 산들이 많으며, 지구대 내부에는 단층으로 형성된 저지대에 물이 고여 형성된 호수인 단층호가 많다.

문제 로 확인할까?

중생대 말~신생대에 조산 운동을 받아 형성된 조산대에 위치하는 산맥이 아닌 것은?
① 로키산맥
② 안데스산맥
③ 알프스산맥
④ 히말라야산맥
⑤ 그레이트디바이딩산맥

⑤ 📖

정리 비법을 알려줄게!

화산 활동의 영향

부정적 영향	용암, 화산재 분출로 시설물, 농경지, 삼림 파괴 및 인명 피해 발생
긍정적 영향	화산회토를 이용한 농업, 독특한 지형과 온천을 이용한 관광 산업, 뜨거운 지하수를 이용한 지열 발전 등

★ **용식 작용**
암석의 물질이 물과 화학적으로 반응하여 녹는 과정

★ **석회화 단구(튀르키예 파묵칼레)**

탄산칼슘을 함유한 온천수가 오랜 세월 경사면을 흐르면서 계단 모양의 독특한 경관을 형성하여 세계적인 관광 명소가 되었다.

2. 카르스트 지형의 형성과 특징

(1) **카르스트 지형**: 석회암이 빗물이나 지하수에 의해 ★용식 작용을 받아 형성된 지형

(2) **주요 카르스트 지형** 자료④ ┌ 카르스트 지형 주변에서는 석회암이 용식된 후 남은 철분이
산화되어 붉은색을 띠는 풍화토인 테라로사가 나타나.

돌리네	석회암이 용식 작용을 받아 움푹 파인 웅덩이 모양의 땅
우발라	여러 개의 돌리네가 성장하여 결합된 지형
카렌	지표에 노출된 석회암이 차별적 용식을 받은 후 용식에 강한 암석이 뾰족한 형태로 남은 지형
탑 카르스트	고온 다습한 지역에서 석회암이 물의 차별적인 용식 작용을 받아 거의 수직에 가까운 절벽을 이루게 된 봉우리 ⓔ 중국 구이린, 베트남 할롱 베이
★석회화 단구	석회암의 탄산칼슘 성분이 침전되면서 만들어진 계단 모양의 지형 ⓔ 튀르키예 파묵칼레
석회동굴	빗물이나 지표수가 땅속으로 흘러들면서 석회암층이 용식되어 만들어진 동굴

└ 탄산칼슘이 동굴 내부에 침전되어 종유석, 석순, 석주 등이 만들어져.

(3) **카르스트 지형의 이용 및 문제점**

① **이용**: 세계적인 관광지로 이용, 석회암을 공업 원료로 활용

② **문제점**: 지나치게 많은 관광객의 방문으로 인한 생태계 파괴, 석회암의 과도한 채굴로 인한 카르스트 지형의 훼손 등
└ 주로 시멘트 공업과 비료 공업의 원료로 이용해.

다양한 해안 지형

암석 해안	파랑의 침식 작용이 활발한 곳에 발달 → 해식애, 파식대, 시 스택, 해식동굴, 해안 단구 등
모래 해안	파랑의 퇴적 작용이 활발한 곳에 발달 → 사빈, 해안 사구, 사주, 석호 등
갯벌 해안	조차가 큰 지역에서 조류의 퇴적 작용으로 형성

★ **파랑의 지형 형성 작용**

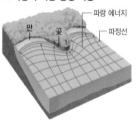

파랑 에너지가 집중되는 곳에서는 침식 작용이 활발하고, 파랑 에너지가 분산되는 만에서는 퇴적 작용이 활발하다.

석호는 바다와 완전히 차단된 것이 아니므로 바닷물이 유입되기도 해. 따라서 석호의 물은 담수호의 물보다 염도가 높아 농업용수로 이용할 수 없어.

③ 해안 지형의 형성과 특징

1. 해안 지형의 형성 요인

★파랑	해수면 위에 부는 바람의 영향으로 형성
연안류	해안을 따라 한 방향으로 이동하는 바닷물의 흐름
조류	태양과 달의 인력에 의해 발생하는 바닷물의 흐름
바람	파랑의 형성에 영향을 끼치며 해안의 모래를 육지 쪽으로 이동시켜 해안 사구를 형성
해수면 변동	• 해수면 하강 또는 지반 융기: 단조로운 해안선 형성 • 해수면 상승 또는 지반 침강: 복잡한 해안선 형성 → 리아스 해안, 피오르 해안 자료⑤

VS 리아스 해안은 섬, 반도 만 등이 많아 해안선이 복잡하며, 피오르 해안은 좁고 긴 형태의 만이 많고 수심이 깊어.

2. 다양한 해안 지형 교과서 자료

암석 해안	해식애	해안의 산지나 구릉이 파랑의 침식을 받아 형성된 해안 절벽
	파식대	파랑의 침식 작용으로 해식애가 후퇴하면서 앞쪽에 형성된 완경사의 평탄면
	시 스택	파랑의 차별 침식의 결과로 단단한 부분이 남아 형성된 돌기둥
	해식동굴	해식애의 약한 부분이 파랑에 의해 침식되어 형성된 동굴
	해안 단구	파식대가 해수면 하강이나 지반 융기로 현재 해수면보다 높은 곳에 형성된 계단 모양의 지형
모래 해안	사빈	하천이나 배후의 기반암으로부터 공급된 모래가 파랑이나 연안류에 의해 퇴적된 지형
	해안 사구	사빈의 모래가 바람에 의해 내륙 쪽으로 이동하여 퇴적된 모래 언덕
	사주	파랑과 연안류에 의해 운반된 모래가 둑처럼 길게 퇴적된 지형
	석호	후빙기 해수면 상승으로 형성된 만의 입구를 사주가 가로막아 형성된 호수
갯벌 해안		조수 간만의 차가 큰 지역에서 조류의 퇴적 작용으로 형성됨
산호초 해안		수심이 깊지 않은 열대·아열대의 해안에서 석회질의 산호충 유해가 퇴적되어 형성됨

└ 오스트레일리아 북동부의 산호초 해안이 관광지로 유명해.
캐나다의 펀디만, 북해 연안, 아마존강 하구, 미국 조지아주 해안, 우리나라 서해안 등지에 대규모로 발달해 있어.

3. 해안 지형의 이용과 보존

(1) **해안의 이용**: 어업 및 농경에 유리, 해상 및 육상 교통의 결절점, 관광지로 이용

(2) **해안 지형의 변화**: 항만과 방조제 건설, 간척 사업 등 개발로 인한 환경 훼손, 지구 온난화에 따른 해수면 상승으로 해안 침식 가속화, 생태계 파괴 → 지속 가능한 개발 필요
└ 그로인, 방파제 등의 인공 구조물 설치가 늘고 있지만 해안 침식 해결을 위한 근본적인 대책이라고 볼 수는 없어.

완자 자료 탐구

자료 4 다양한 카르스트 지형

돌리네의 가운데에는 싱크 홀이라고 불리는 빗물이 빠지는 배수구가 발달하는 경우가 많아.

우발라

돌리네

↑ 카렌(마다가스카르 그랑 칭기)

석회암 절리를 따라 용식이 진행되다가, 침식에 강한 부분이 남아 탑 모양을 이루게 된 거야.

↑ 석회동굴(멕시코 툴룸)

↑ 탑 카르스트(중국 구이린)

석회암 지대에서는 탄산칼슘이 빗물이나 지하수의 용식 작용을 받아 돌리네, 우발라, 카렌, 탑 카르스트, 석회화 단구, 석회동굴 등과 같은 다양한 카르스트 지형이 형성된다.

자료 5 해수면 변동에 따른 해안 지형의 변화

리아스 해안

피오르 해안

뉴질랜드 남섬의 남서 해안, 칠레 남부 해안, 캐나다 서부 해안 등에서도 피오르 해안을 볼 수 있어.

리아스 해안은 하천의 침식을 받던 골짜기(V자곡)가 해수면 상승으로 침수되면서 형성되며, 에스파냐 북서 해안에서 잘 나타난다. 피오르 해안은 빙하의 침식을 받은 골짜기(U자곡)가 해수면 상승으로 침수되면서 형성되며, 노르웨이 서부 해안에서 잘 나타난다.

수능이 보이는 교과서 자료 다양한 해안 지형

해안 사구

석호

사빈

사주

해식애

해안 단구

육계 사주

파식대

육계도

해식동굴

시 스택

곶에서는 해식애, 시 스택, 해식동굴 등 파랑에 의한 침식 지형이 발달하며, 만에서는 사빈, 사주, 석호 등 파랑과 연안류에 의한 퇴적 지형이 발달한다.

문제 로 확인할까?

석회암이 물의 용식 작용을 받아 수직에 가까운 절벽을 이루게 된 봉우리를 가리키는 말로 옳은 것은?

① 카렌 　　　　② 돌리네
③ 우발라 　　　④ 석회동굴
⑤ 탑 카르스트

⑤ 🔒

자료 하나 더 알고 가자!

해안 단구의 형성

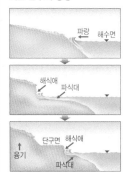

파랑　해수면

해식애　파식대

단구면　해식애
융기　파식대

해안 단구는 지반 융기나 해수면 하강으로 과거의 파식대가 육지로 드러나게 된 지형이다. 단구면은 비교적 평탄하여 취락이 입지하거나 농경지 및 교통로로 이용된다.

완자샘의 탐구 강의

• 곶과 비교한 만의 상대적 특징을 서술하고, 만에서 잘 발달하는 해안 지형을 써 보자.

곶에 비해 만에서는 파랑 에너지가 분산되므로 파랑의 퇴적 작용이 활발하며, 이로 인해 모래 해안이 형성되고 사빈, 사주, 석호 등이 잘 발달한다.

함께 보기 60쪽, 내신 만점 공략하기 10

1 다음 설명이 안정육괴에 대한 것이면 '안', 고기 습곡 산지에 대한 것이면 '고', 신기 습곡 산지에 대한 것이면 '신'이라고 쓰시오.

(1) 지각이 불안정하여 지진과 화산 활동이 활발하다. (   )

(2) 순상지, 구조 평야가 있으며 주로 대륙 내부에 위치한다.
(   )

(3) 고생대에 조산 운동으로 형성되었으며 해발 고도가 낮고 경사가 완만한 편이다.   (   )

2 판의 경계 유형과 이에 해당하는 사례를 옳게 연결하시오.

(1) 두 대륙판이 충돌하는 경계 •   • ㉠ 안데스산맥

(2) 두 개의 판이 어긋나는 경계 •   • ㉡ 히말라야산맥

(3) 해양판과 대륙판이 충돌하 •   • ㉢ 샌안드레아스
    는 경계   단층

3 다음에서 설명하는 지형을 〈보기〉에서 골라 기호를 쓰시오.

〈보기〉
ㄱ. 돌리네   ㄴ. 칼데라   ㄷ. 용암 대지

(1) 화산 폭발 후 화구 부근의 함몰로 형성된 분지   (   )

(2) 석회암이 용식되면서 움푹 파인 웅덩이 모양의 땅 (   )

(3) 유동성이 큰 현무암질 용암이 열하 분출하여 형성된 평탄한 지형   (   )

4 ㉠, ㉡에 들어갈 내용을 각각 쓰시오.

해수면 상승으로 하천의 침식을 받던 골짜기가 바닷물에 침수되면 (㉠   ) 해안이 형성되고, 빙하의 침식을 받던 골짜기가 침수되면 (㉡   ) 해안이 형성된다.

5 다음에서 설명하는 지형을 쓰시오.

(1) 해안의 산지나 구릉이 파랑의 침식을 받아 형성된 해안 절벽
(   )

(2) 후빙기 해수면 상승으로 형성된 만의 입구를 사주가 가로막아 형성된 호수   (   )

(3) 과거의 파식대가 해수면 하강이나 지반 융기로 현재 해수면보다 높은 곳에 형성된 계단 모양의 지형 (   )

[01~02] 지도는 세계의 대지형을 나타낸 것이다. 이를 보고 물음에 답하시오.

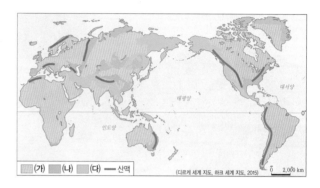

(다르케 세계 지도, 하크 세계 지도, 2015)

01 (가)~(다)에 해당하는 지형을 옳게 연결한 것은?

	(가)	(나)	(다)
①	안정육괴	고기 조산대	신기 조산대
②	안정육괴	신기 조산대	고기 조산대
③	고기 조산대	안정육괴	신기 조산대
④	고기 조산대	신기 조산대	안정육괴
⑤	신기 조산대	고기 조산대	안정육괴

02 (가)~(다) 지형에 대한 옳은 설명을 〈보기〉에서 고른 것은?

〈보기〉
ㄱ. (가)는 대부분 판의 경계에 위치한다.
ㄴ. (다)는 중생대 말~신생대에 조산 운동을 받았다.
ㄷ. (나)의 산지는 (다)의 산지보다 평균 해발 고도가 낮다.
ㄹ. (가)~(다) 중에서 지진 발생 빈도가 가장 높은 곳은 (가)이다.

① ㄱ, ㄴ   ② ㄱ, ㄷ   ③ ㄴ, ㄷ
④ ㄴ, ㄹ   ⑤ ㄷ, ㄹ

03 지도는 판의 명칭과 경계 및 이동 방향을 나타낸 것이다. A~C 지역에 대한 설명으로 옳은 것은?

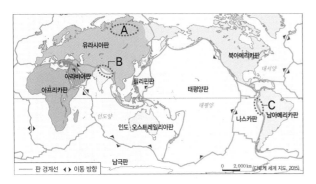

① C는 동아프리카 지구대와 동일한 판의 경계 유형에 속한다.
② A는 B보다 평균 해발 고도가 높다.
③ B는 C보다 화산 폭발이 발생할 가능성이 낮다.
④ B, C는 모두 '불의 고리'라고 불리는 신기 조산대에 속한다.
⑤ A~C 중에서 조산 운동을 받은 시기가 가장 이른 것은 C이다.

04 (가), (나)의 사례 지역을 지도의 A~E에서 골라 옳게 연결한 것은?

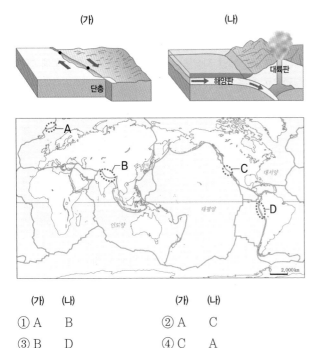

	(가)	(나)		(가)	(나)
①	A	B	②	A	C
③	B	D	④	C	A
⑤	C	D			

05 지도의 (가) 산지와 비교한 (나) 산지의 상대적 특징을 그림의 A~E에서 고른 것은?

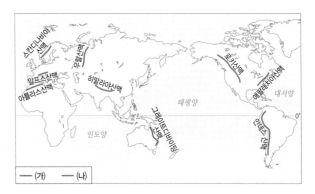

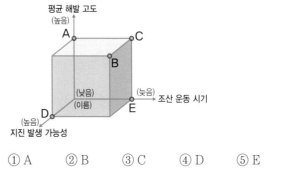

① A　② B　③ C　④ D　⑤ E

06 밑줄 친 ㉠~㉤에 대한 설명으로 옳지 않은 것은?

화산의 분출 양상이나 흘러나온 용암의 특성에 따라 다양한 화산 지형이 만들어진다. 화산 지형은 ㉠ 순상 화산, 종상 화산, 성층 화산, ㉡ 용암 대지 등으로 나눌 수 있으며, 화산의 분화구는 화구와 ㉢ 칼데라로 구분한다. 화산 지대는 독특한 자연 경관과 온천이 분포하여 관광지로 주목받고 있다. 또한 광업이나 ㉣ 농업 활동에도 유리하며, 뜨거운 지하수를 이용해 전기를 생산하는 ㉤ 지열 발전도 이루어지고 있다.

① ㉠ – 점성이 큰 용암이 돔 모양으로 쌓여서 형성된다.
② ㉡ – 지각의 갈라진 틈새를 따라 용암이 흘러나와 형성된 평탄한 지형이다.
③ ㉢ – 화산 폭발 후 화구의 함몰로 형성된 분지이다.
④ ㉣ – 화산재가 쌓여 형성된 토양이 비옥하기 때문이다.
⑤ ㉤ – 일본, 뉴질랜드, 아이슬란드 등지에서 많이 이루어진다.

07 그림의 ㉠~㉣에 대한 옳은 설명만을 〈보기〉에서 있는 대로 고른 것은?

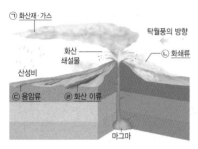

보기

ㄱ. ㉠ – 햇빛을 차단하여 지구 기온을 하강시키며 항공기 운항을 어렵게 만들기도 한다.

ㄴ. ㉡ – 화산 쇄설물과 화산 가스 등이 섞인 혼합물이 사면을 따라 빠르게 흘러내리는 현상이다.

ㄷ. ㉢ – 빠른 속도로 이동하기 때문에 인명 피해가 매우 크다.

ㄹ. ㉣ – 사면에 퇴적된 화산재가 물에 섞여 아래쪽으로 쓸려 내려가는 현상이다.

① ㄱ, ㄴ 　② ㄷ, ㄹ 　③ ㄱ, ㄴ, ㄷ

④ ㄱ, ㄴ, ㄹ 　⑤ ㄴ, ㄷ, ㄹ

08 그림은 어느 지형의 형성 과정을 모식적으로 나타낸 것이다. A~C 지형에 대한 설명으로 옳지 <u>않은</u> 것은?

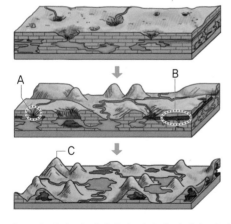

① A가 여러 개 성장하여 결합된 지형을 카렌이라고 한다.

② B에는 종유석, 석순, 석주 등의 지형이 발달해 있다.

③ C는 중국의 구이린, 베트남의 할롱 베이가 유명하다.

④ A는 돌리네, B는 석회동굴, C는 탑 카르스트이다.

⑤ A~C는 모두 기반암이 석회암인 지역에서 잘 발달한다.

09 (가), (나) 해안에 대한 옳은 설명을 〈보기〉에서 고른 것은?

(가)

(나)

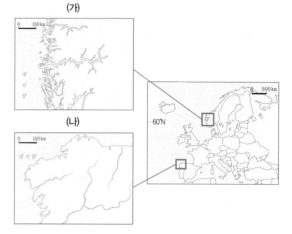

보기

ㄱ. (가)는 하천의 침식을 받던 골짜기가 침수되어 형성되었다.

ㄴ. (나)와 같은 해안은 뉴질랜드 남섬의 남서 해안에서도 볼 수 있다.

ㄷ. (가)는 (나)보다 빙하의 영향을 많이 받았다.

ㄹ. (가), (나)는 모두 해수면 상승으로 형성된 지형이다.

① ㄱ, ㄴ 　② ㄱ, ㄷ 　③ ㄴ, ㄷ

④ ㄴ, ㄹ 　⑤ ㄷ, ㄹ

10 그림은 해안 지형을 나타낸 것이다. A~E 지형에 대한 설명으로 옳은 것은?

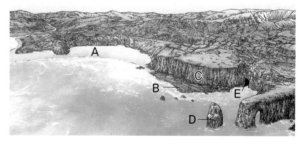

① A는 주로 파랑의 침식 작용에 의해 형성된다.

② B는 파랑 에너지가 분산되는 곳에 잘 형성된다.

③ C는 곶보다 만에서 잘 발달한다.

④ D는 조류의 퇴적 작용에 의해 형성된 바위섬이다.

⑤ E는 C와 같은 지형이 파랑의 침식 작용을 받아 형성된 동굴이다.

11 지도의 A~D에 대한 설명으로 옳지 <u>않은</u> 것은?

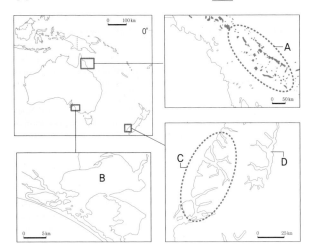

① A에는 대규모 산호초 군락지가 분포한다.
② B의 면적은 시간이 흐를수록 점차 확대된다.
③ C는 후빙기 해수면 상승으로 형성되었다.
④ B의 물은 D의 물보다 염도가 높다.
⑤ C, D는 모두 과거에 빙하의 영향을 받았다.

12 사진의 A~C 지형에 대한 옳은 설명을 〈보기〉에서 고른 것은?

보기
ㄱ. A는 기반암이 빗물에 의해 용식을 받아 형성되었다.
ㄴ. B는 시간이 흐를수록 파랑의 침식에 의해 육지 쪽으로 후퇴한다.
ㄷ. C는 주로 조류의 퇴적 작용으로 형성된다.
ㄹ. A, B는 만보다 곶에서 잘 형성된다.

① ㄱ, ㄴ   ② ㄱ, ㄷ   ③ ㄴ, ㄷ
④ ㄴ, ㄹ   ⑤ ㄷ, ㄹ

01 다음은 학생이 세계지리 수업 시간에 정리한 노트의 내용이다. 이를 보고 물음에 답하시오.

세계의 대지형	
지형	특징
(가)	고생대에 조산 운동으로 형성 예 우랄산맥, 애팔래치아산맥 등
(나)	중생대 말에서 신생대에 조산 운동으로 형성 예 알프스산맥, 히말라야산맥, 로키산맥 등

(1) (가), (나)에 들어갈 지형을 각각 쓰시오.

(2) (가)와 비교한 (나)의 상대적 특징을 평균 해발 고도, 지진 발생 가능성 측면에서 서술하시오.

02 그림은 지도에 표시된 채널 제도의 해안에서 볼 수 있는 A 지형의 단면을 나타낸 것이다. 이를 보고 물음에 답하시오.

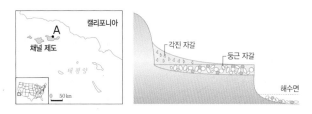

(1) A 지형의 명칭을 쓰시오.

(2) A 지형의 형성 과정을 서술하시오.

1 표의 (가)~(라) 국가에 대한 옳은 설명을 〈보기〉에서 고른 것은? (단, (가)~(라)는 일본, 네팔, 뉴질랜드, 아이슬란드 중 하나이다.)

국가	수도의 위치	인구(만 명)	면적(천 km²)
(가)	27°42′N, 85°20′E	2,962	147
(나)	64°08′N, 21°55′W	34	103
(다)	35°41′N, 139°41′E	12,719	388
(라)	41°18′S, 174°46′E	471	268

> **보기**
> ㄱ. (다)에는 세계에서 해발 고도가 가장 높은 산이 위치한다.
> ㄴ. (라)에서 화산 폭발 시 화산재는 주로 무역풍을 타고 확산된다.
> ㄷ. (가)는 (나)보다 활화산의 수가 적다.
> ㄹ. (가)는 알프스-히말라야 조산대, (나)는 대서양 중앙 해령, (다)와 (라)는 환태평양 조산대에 속한다.

① ㄱ, ㄴ   ② ㄱ, ㄷ   ③ ㄴ, ㄷ
④ ㄴ, ㄹ   ⑤ ㄷ, ㄹ

> **세계의 대지형**
>
> **완자쌤의 시험 꿀팁**
> 위도·경도 값과 인구, 면적만 제시되어 있을 경우 다른 문항에 제시되어 있는 세계 지도를 보면서 국가의 위치를 대략적으로 찾아보면 해당 국가가 어디인지 파악할 수 있다.

평가원 응용

2 자료는 세계의 대지형 중 일부를 나타낸 것이다. (가)~(라)에 대한 설명으로 옳은 것은?

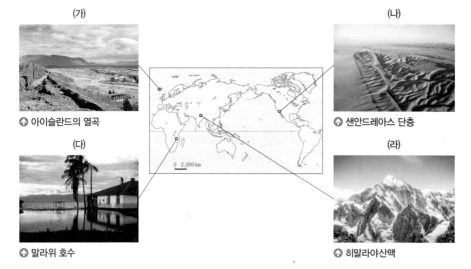

(가) ↑ 아이슬란드의 열곡

(나) ↑ 샌안드레아스 단층

(다) ↑ 말라위 호수

(라) ↑ 히말라야산맥

0 2,000 km

① (나)는 대륙판과 대륙판이 충돌하는 경계에 발달한다.
② (다)의 물은 염도가 높아 농업용수로 이용이 불가능하다.
③ (라)는 고생대에 조산 운동을 받아 형성되었다.
④ (가)와 (나)는 '불의 고리'라고 불리는 조산대에 위치해 있다.
⑤ (가) 주변 지역은 (라) 주변 지역보다 화산 활동이 활발하다.

> **세계의 대지형**

3 (가)~(라) 지형에 대한 옳은 설명만을 〈보기〉에서 있는 대로 고른 것은? (단, (가)~(라)는 카렌, 석회동굴, 탑 카르스트, 석회화 단구 중 하나이다.)

카르스트 지형

(가)	(나)

(다)	(라)

|완자 사전|

• 절리
암석에 힘이 가해져서 생긴 갈라진 틈

┌─ **보기** ┐
ㄱ. (가)는 용암동굴보다 지형 형성에 기반암의 절리 밀도가 큰 영향을 끼친다.
ㄴ. (나)는 탄산칼슘이 함유된 물이 내려오면서 형성된 계단 모양의 지형이다.
ㄷ. (다)는 튀르키예의 파묵칼레, (라)는 중국의 구이린이 유명하다.
ㄹ. (가)~(라)의 공통적인 기반암은 시멘트 공업의 원료로 이용되기도 한다.
└─────────────────────────────────┘

① ㄱ, ㄴ   ② ㄷ, ㄹ   ③ ㄱ, ㄴ, ㄷ

④ ㄱ, ㄷ, ㄹ   ⑤ ㄴ, ㄷ, ㄹ

4 지도의 A~F에 대한 설명으로 옳은 것은?

세계의 주요 해안 지형

완자샘의 시험 꿀팁

다양한 해안 지형의 특징을 복합적으로 묻는 문제가 자주 출제된다. 세계 주요 해안 지형의 위치와 특징을 지도와 함께 정리해 두어야 한다.

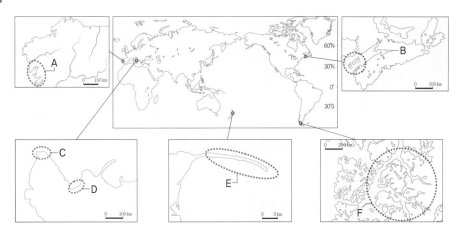

① B는 조차가 작아 대규모 항구 발달에 유리하다.
② E는 주로 조류의 퇴적 작용으로 형성된다.
③ F와 같은 해안은 우리나라의 남서 해안에서도 잘 나타난다.
④ A는 F보다 빙하의 영향을 많이 받았다.
⑤ C는 D에 비해 파랑의 침식 작용이 우세하다.

01 열대 기후 환경

1. 세계의 기후 구분

수목 기후	• 열대 기후(A): 최한월 평균 기온 18℃ 이상 • 온대 기후(C): 최한월 평균 기온 −3℃~18℃ • 냉대 기후(D): 최한월 평균 기온 −3℃ 미만, 최난월 평균 기온 10℃ 이상
무수목 기후	• 건조 기후(B): 연 강수량 500mm 미만 • 한대 기후(E): 최난월 평균 기온 10℃ 미만

2. 열대 기후 지역

(1) **특징**: 최한월 평균 기온 18℃ 이상, 연중 기온이 높아 기온의 연교차와 일교차가 작음

(2) **열대 기후의 구분**

열대 우림 기후(Af)	• 특징: 연중 적도 수렴대의 영향을 받아 일 년 내내 비가 많이 내림, 거의 매일 오후에 (❶)이 발생함 • 분포: 아프리카의 콩고 분지, 남아메리카의 아마존 분지, 동남아시아의 여러 섬 등
사바나 기후(Aw)	• 특징: 건기와 우기가 뚜렷하게 구분됨, 연 강수량이 열대 우림 기후보다 적음 • 분포: 중앙아프리카, 남부 아시아 등
열대 몬순 기후(Am)	• 특징: 계절풍의 영향으로 긴 우기와 짧은 건기가 번갈아 나타남 • 분포: 인도 남서 해안 및 동북부 해안, 동남아시아 일대, 남아메리카 북동부 등
열대 고산 기후(AH)	• 특징: 일 년 내내 월평균 기온이 15℃ 내외 정도 • 분포: 저위도의 고산 지역 🄰 안데스 산지 등

3. 열대 기후 지역의 주민 생활

가옥 구조	• 열대 우림 및 열대 몬순 기후 지역: 고상 가옥 발달, 경사가 급한 지붕 • 사바나 기후 지역: 기둥은 나무를, 벽은 진흙을 이용하여 집을 짓고 동물의 가죽으로 지붕을 덮음
산업	• 과거: 수렵과 채집, (❷)을 통해 카사바, 얌, 타로 등의 식량 작물 재배 • 근대 이후: 원주민의 노동력과 선진국의 자본 및 기술을 결합하여 커피 등의 상품 작물을 재배하는 플랜테이션 발달

02 온대 기후 환경

1. 온대 기후 지역

(1) **특징**: 최한월 평균 기온 −3℃ 이상 18℃ 미만

(2) **대륙 서안과 대륙 동안**

대륙 서안	바다에서 불어오는 편서풍의 영향을 받음, 해양의 영향으로 기온의 연교차가 작음
대륙 동안	계절풍의 영향을 받음, 대륙의 영향으로 기온의 연교차가 큼

2. 온대 서안 기후

서안 해양성 기후(Cfb)	• 특징: (❸)과 난류의 영향으로 기온의 연교차가 작고, 연중 고른 강수 분포 • 분포: 위도 40~60° 부근의 대륙 서안 지역 🄰 서부 유럽, 북아메리카 북서 해안, 칠레 남부 등
지중해성 기후(Cs)	• 특징: 여름철에 아열대 고압대의 영향으로 고온 건조함, 겨울철에 편서풍 및 전선대의 영향으로 온난 습윤함 • 분포: 위도 20~30° 부근의 대륙 서안 지역 🄰 지중해 연안, 미국 캘리포니아 일대, 칠레 중부 등

3. 온대 동안 기후

온난 습윤 기후(Cfa)	• 특징: 연중 습윤하며 특히 (❹)에 덥고 비가 많이 내림, 건기는 뚜렷하게 나타나지 않음 • 분포: 위도 30~40° 부근의 대륙 동안 지역 🄰 중국 남동부, 미국 남동부, 남아메리카 남동부 등
온대 겨울 건조 기후(Cw)	• 특징: 온난 습윤 기후에 비해 겨울철에 더욱 건조함, 기온의 연교차와 강수의 계절 차가 매우 큼 • 분포: 위도 20~30° 부근의 대륙 동안 지역 🄰 중국 남부, 인도차이나반도 북부 등

4. 온대 기후 지역의 주민 생활

온대 서안 기후 지역	• 서안 해양성 기후: 목초지 조성에 유리하여 (❺) 발달, 낙농업과 화훼 농업 발달 • 지중해성 기후: 수목 농업 발달, 겨울에는 밀, 보리 등의 곡물 재배, 가옥의 외부를 흰색으로 칠하고 벽을 두껍게 함
온대 동안 기후 지역	• 동아시아와 동남아시아: 여름에 고온 다습하여 벼농사 발달, 경사지에서는 차 재배 • 남아메리카 남동부: 아르헨티나 일대에서 기업적 목축과 밀 농사가 이루어짐

03 건조 기후 환경과 냉대 및 한대 기후 환경

1. 건조 기후 지역

(1) 특징: 연 강수량 500mm 미만, 강수량보다 증발량이 많고 기온의 일교차가 큼

(2) 건조 기후의 구분

사막 기후 (BW)	・특징: 연 강수량 250mm 미만
	・분포: 아열대 고압대 지역, 중위도 대륙 내부 지역, 중위도 (**⑥**)가 흐르는 대륙 서안 지역, 탁월풍의 바람 그늘 지역 등
스텝 기후 (BS)	・특징: 연 강수량 250mm 이상~500mm 미만
	・분포: 아프리카 사헬 지대, 몽골, 중앙아시아 등

2. 건조 기후 지역의 지형

| 바람에 의해 형성되는 지형 | 사구, 버섯바위, 삼릉석, 사막 포도 등 |
| 유수에 의해 형성되는 지형 | 와디, 플라야, 선상지, 페디먼트 등 |

3. 냉대 및 한대 기후 지역

(1) 냉대 기후: 최한월 평균 기온 −3℃ 미만, 최난월 평균 기온 10℃ 이상, 기온의 연교차가 큼

냉대 습윤 기후(Df)	・특징: 연중 강수가 고르며, 겨울이 춥고 긺
	・분포: 동부 유럽, 시베리아 서부, 캐나다 등
냉대 겨울 건조 기후 (Dw)	・특징: (**⑦**)의 영향으로 여름에 강수가 집중되고 겨울이 건조함
	・분포: 유라시아 대륙 동북부 지역 등

(2) 한대 기후: 최난월 평균 기온 10℃ 미만, 강수량이 적은 편

툰드라 기후 (ET)	・특징: 최난월 평균 기온 0℃ 이상 10℃ 미만, 여름은 짧고 냉량하며 겨울이 길고 매우 추움
	・분포: 북극해 연안, 그린란드 해안 등
빙설 기후 (EF)	・특징: 최난월 평균 기온 0℃ 미만, 연중 지표면이 눈과 얼음으로 덮여 있음
	・분포: 남극 대륙, 그린란드 내륙 등

4. 빙하 지형

| 빙하 침식 지형 | 권곡, 호른, 빙식곡, 현곡, 피오르 등 |
| 빙하 퇴적 지형 | 빙퇴석(모레인), 드럼린, 에스커, 빙력토 평원 등 |

04 세계의 대지형

1. 대지형의 형성

(1) 지형 형성 작용: 지구 내부 에너지에 의한 조륙·조산 운동

(2) 판 구조 운동: 지각판이 서로 충돌하거나 갈라지면서 대지형 형성, 판의 (**⑧**)는 지진과 화산 활동 활발

2. 세계의 주요 대지형

안정육괴	시·원생대에 형성, 순상지와 구조 평야 등이 있음
고기 습곡 산지	고생대에 형성, 해발 고도가 낮고 경사가 완만함
신기 습곡 산지	중생대 말~신생대에 형성, 해발 고도가 높고 험준함

05 독특하고 특수한 지형들

1. 화산 지형과 카르스트 지형

화산 지형	・순상 화산, 종상 화산, 성층 화산으로 구분
	・칼데라: 화구 함몰로 형성된 분지
	・용암 대지: 용암의 열하 분출로 형성된 평탄한 지형
카르스트 지형	・돌리네: 석회암이 용식을 받아 움푹 파인 웅덩이 모양의 땅
	・카렌: 지표에 노출된 석회암이 차별적으로 용식된 후 뾰족하게 남은 암석
	・(**⑨**): 석회암이 물의 용식 작용을 받아 형성된 급경사의 봉우리
	・석회동굴: 석회암층이 빗물이나 지하수에 용식되어 만들어진 동굴

2. 다양한 해안 지형

암석 해안	・해식애: 파랑의 침식 작용으로 형성된 해안 절벽
	・파식대: 파랑의 침식 작용으로 해식애가 후퇴하면서 앞쪽에 형성된 완경사의 평탄면
	・(**⑩**): 파랑의 차별 침식 결과 형성된 돌기둥
	・해안 단구: 과거의 파식대가 해수면 하강이나 지반 융기로 해수면보다 높은 곳에 형성된 계단 모양의 지형
모래 해안	・사빈: 토사가 파랑이나 연안류에 의해 퇴적된 지형
	・해안 사구: 사빈의 모래가 바람에 날려 퇴적된 모래 언덕
	・석호: 후빙기 해수면 상승으로 형성된 만의 입구를 사주가 가로막아 형성된 호수

01 그래프는 세 지역의 1월과 7월의 평균 기온과 강수량을 나타낸 것이다. (가)~(다) 지역에 대한 설명으로 옳은 것은?

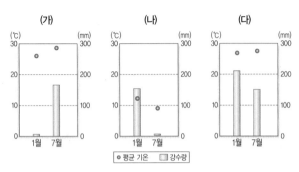

① (가)에서는 6~8월에 적도 수렴대의 영향을 받는다.
② (나)는 (가)보다 연평균 기온이 높다.
③ (다)는 (나)보다 해발 고도가 높다.
④ (가)와 (다)는 기온의 연교차보다는 기온의 일교차가 작다.
⑤ (가)~(다) 중 연 강수량이 가장 많은 곳은 (가)이다.

02 (가) 지역과 비교한 (나) 지역의 상대적 기후 특징으로 옳은 것을 〈보기〉에서 고른 것은?

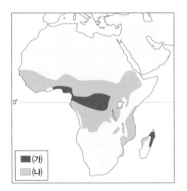

보기
ㄱ. 수목의 밀도가 높다.
ㄴ. 강수량의 계절 차가 크다.
ㄷ. 대류성 강수의 발생 빈도가 높다.
ㄹ. 아열대 고압대의 영향을 받는 기간이 길다.

① ㄱ, ㄴ   ② ㄱ, ㄷ   ③ ㄴ, ㄷ
④ ㄴ, ㄹ   ⑤ ㄷ, ㄹ

03 그래프는 지도에 표시된 세 지역의 기후 특징을 나타낸 것이다. (가)~(다) 지역에 대한 옳은 설명을 〈보기〉에서 고른 것은?

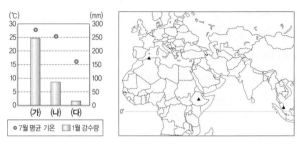

보기
ㄱ. (가)는 (나)보다 1월의 낮 길이가 길다.
ㄴ. (나)는 (다)보다 해발 고도가 높다.
ㄷ. (다)는 (가)보다 연평균 기온이 낮다.
ㄹ. (가)~(다) 중에서 기온의 연교차는 (나)가 가장 작다.

① ㄱ, ㄴ   ② ㄱ, ㄷ   ③ ㄴ, ㄷ
④ ㄴ, ㄹ   ⑤ ㄷ, ㄹ

04 자료의 (가), (나)에 해당하는 지역을 지도의 A~E에서 골라 옳게 연결한 것은?

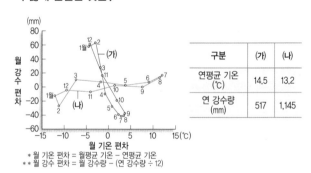

* 월 기온 편차 = 월평균 기온 - 연평균 기온
** 월 강수 편차 = 월 강수량 - (연 강수량 ÷ 12)

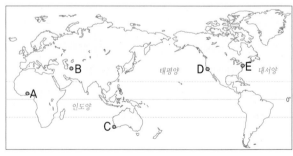

	(가)	(나)
연평균 기온 (℃)	14.5	13.2
연 강수량 (mm)	517	1,145

	(가)	(나)		(가)	(나)		(가)	(나)
①	A	D	②	B	C	③	C	A
④	D	B	⑤	D	E			

05 지도의 A~E 지역에 나타나는 사막의 형성 원인으로 가장 적절한 것은?

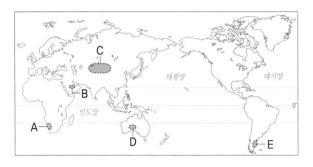

① A – 해발 고도가 높아 수분의 공급이 어렵기 때문이다.
② B – 바다로부터 멀리 떨어져 있기 때문이다.
③ C – 아열대 고압대에 해당되기 때문이다.
④ D – 한류의 영향으로 상승 기류가 발생하지 않아 대기가 안정적이기 때문이다.
⑤ E – 주변에 높은 산지가 있어 탁월풍의 바람그늘이 되기 때문이다.

06 밑줄 친 ㉠~㉤에 대한 설명으로 옳지 <u>않은</u> 것은?

연 강수량 250mm 미만인 ㉠ 사막 기후 지역에서는 건조하여 식물이 자라기 매우 어렵고, ㉡ 바람에 의한 침식 작용과 ㉢ 퇴적 작용이 활발하게 일어난다. 평소 지표수를 보기 힘든 이 지역에서는 ㉣ 비가 내리면 일시적으로 물이 고이는 호수가 나타난다. 주민들은 기온의 일교차가 크고 건조한 기후 특성에 적응하며 ㉤ 독특한 농업 방식을 만들어냈다.

① ㉠ – 화학적 풍화 작용보다 물리적 풍화 작용이 활발하다.
② ㉡ – 사막 포도의 주요 형성 요인이 된다.
③ ㉢ – 바르한의 주요 형성 요인이 된다.
④ ㉣ – '플라야'라고 하며 지하 관개 수로의 주요 물 공급원이다.
⑤ ㉤ – 물을 구할 수 있는 오아시스나 외래 하천 주변에서 관개 농업을 한다.

07 (가)~(라) 지형에 대한 설명으로 옳은 것은?

① (가)는 주로 유수의 침식 작용으로 형성되었다.
② (나)가 연속적으로 분포하는 지형을 바하다라고 한다.
③ (다)는 바람에 날린 모래의 침식 작용을 받아 형성되었다.
④ (라)는 평상시에도 물이 흘러 주민들의 식수원이 된다.
⑤ (가)~(라)는 모두 증발량보다 강수량이 많은 기후 환경에서 잘 형성된다.

08 그래프는 두 지역의 월평균 기온과 누적 강수량을 나타낸 것이다. (가), (나) 지역에 대한 설명으로 옳은 것은?

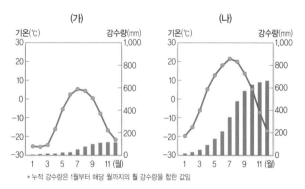

* 누적 강수량은 1월부터 해당 월까지의 월 강수량을 합한 값임

① (가)의 지표면은 연중 눈과 얼음으로 덮여 있다.
② (나)는 기온의 일교차가 연교차보다 크다.
③ (가)는 (나)보다 연 강수량이 많다.
④ (나)는 (가)보다 수목의 밀도가 높다.
⑤ (가), (나)는 모두 1월의 낮 길이보다 7월의 낮 길이가 짧다.

09 그림은 빙하 지형을 모식적으로 나타낸 것이다. A~E 지형에 대한 설명으로 옳은 것은? (단, A~E는 모레인, 에스커, 빙하호, 드럼린, 빙력토 평원 중 하나이다.)

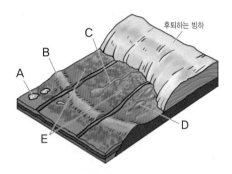

① A는 평상시에는 말라 있는 염호의 일종이다.
② C는 빙하 침식 지형에 해당한다.
③ D의 형태를 통해 대략적인 빙하의 이동 방향을 알 수 있다.
④ E는 토양이 비옥하여 밀 재배가 활발하게 이루어진다.
⑤ B는 C보다 구성 물질의 분급이 양호하다.

10 자료는 어느 기후 지역의 가옥 건축 방식을 나타낸 것이다. 이 기후 지역의 특징에 대한 설명으로 옳은 것은?

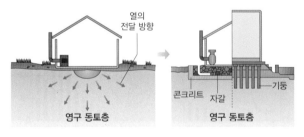

① 강수량보다 증발량이 많다.
② 여름철에는 토양층이 사면을 따라 흘러내린다.
③ 상록 활엽수로 이루어진 울창한 숲이 형성되어 있다.
④ 유기물이 빨리 제거되어 척박한 라테라이트가 형성된다.
⑤ 올리브, 오렌지, 포도 등을 재배하는 수목 농업이 발달하였다.

11 지도의 A~E 지역에 대한 설명으로 옳은 것은?

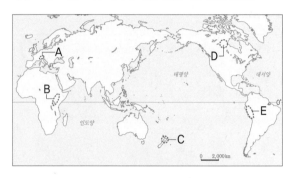

① A는 판이 갈라지는 경계에 해당한다.
② B의 호수들은 대부분 빙하의 영향으로 형성되었다.
③ C에서 화산 폭발 시 발생하는 화산재는 주로 무역풍을 타고 확산된다.
④ D는 판의 경계부에 해당하여 지진과 화산 활동이 활발하다.
⑤ E에서는 대륙판과 해양판의 충돌로 산맥이 형성된다.

12 그림은 판의 경계 유형을 나타낸 것이다. (가), (나) 유형에 대한 옳은 설명을 〈보기〉에서 고른 것은?

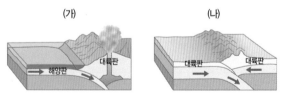

보기
ㄱ. (가)의 사례로는 안데스산맥 일대를 들 수 있다.
ㄴ. (나)의 사례로는 동아프리카 지구대를 들 수 있다.
ㄷ. (가)는 (나)보다 화산 폭발 가능성이 높다.
ㄹ. (가), (나)에서는 모두 대규모 해구가 형성된다.

① ㄱ, ㄴ   ② ㄱ, ㄷ   ③ ㄴ, ㄷ
④ ㄴ, ㄹ   ⑤ ㄷ, ㄹ

13 지도는 아메리카의 대지형을 나타낸 것이다. A~C 지역에 대한 설명으로 옳은 것은?

① A는 고생대에 조산 운동을 받았다.
② B는 '불의 고리'라고 불리는 조산대에 속한다.
③ C는 주로 판의 내부에 위치해 있다.
④ B는 C보다 산지 형성 이후 침식을 받은 기간이 짧다.
⑤ C는 A보다 지진 발생 가능성이 높다.

14 ㉠~㉣에 들어갈 지형을 옳게 연결한 것은?

지표에서 빗물에 의해 석회암이 용식되면 움푹 파인 웅덩이 모양의 (㉠)이/가 형성되며, 이 지형이 성장하여 결합되면 이를 (㉡)(이)라고 부른다. (㉢)은/는 석회암이 지표에 노출된 경사지에서 차별적으로 용식을 받아 용식에 강한 부분이 울퉁불퉁한 바위나 뾰족한 기둥의 형태로 남게 된 지형으로 마다가스카르의 그랑 칭기가 유명하다. (㉣)은/는 석회암이 흐르는 물의 용식 작용을 받아 수직에 가까운 절벽을 이루는 봉우리들로, 중국의 구이린, 베트남의 할롱 베이 등이 유명하다.

	㉠	㉡	㉢	㉣
①	돌리네	우발라	카렌	탑 카르스트
②	돌리네	우발라	탑 카르스트	카렌
③	우발라	돌리네	카렌	탑 카르스트
④	우발라	돌리네	탑 카르스트	카렌
⑤	탑 카르스트	카렌	돌리네	우발라

15 다음은 세계지리 수업의 한 장면이다. 교사의 질문에 대한 학생의 대답으로 옳은 것은?

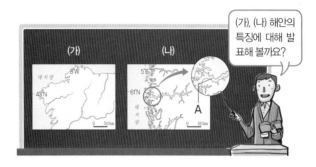

① 갑: (가)는 하천의 침식을 받던 골짜기가 침수되어 형성되었습니다.
② 을: (나)는 주로 저위도 지역의 해안에서 나타납니다.
③ 병: (가)는 (나)보다 빙하의 영향을 많이 받았습니다.
④ 정: (나)의 A의 물은 주민들의 식수원으로 이용됩니다.
⑤ 무: (가)는 해수면 상승, (나)는 해수면 하강으로 형성되었습니다.

16 그림은 해안 지형을 모식적으로 나타낸 것이다. A~E 지형에 대한 설명으로 옳은 것은?

① A의 물은 주변 농경지에 농업용수로 공급된다.
② B는 주로 조류의 퇴적 작용으로 형성되었다.
③ C는 대부분 자갈로 이루어진 경우가 많다.
④ D는 시간이 지날수록 육지 쪽으로 후퇴한다.
⑤ E는 해안이 육지 쪽으로 들어가 파랑 에너지가 분산되는 지역에 형성된다.

세계의 인문 환경과
인문 경관

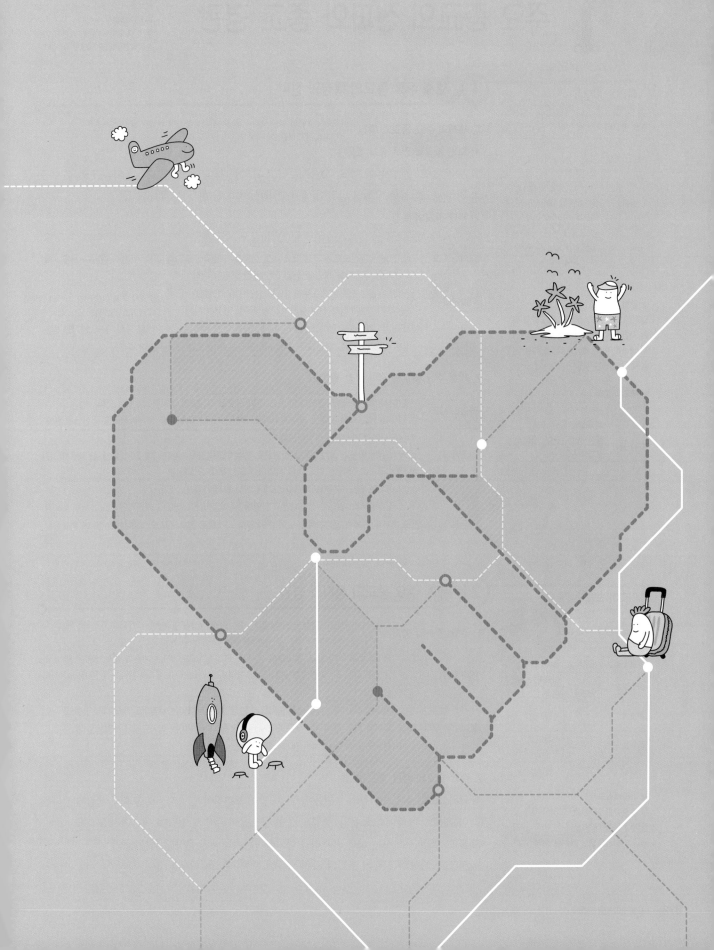

01 주요 종교의 전파와 종교 경관

학습목표
• 세계의 주요 종교별 특징과 전파 과정을 설명할 수 있다.
• 주요 종교의 성지와 경관이 지닌 상징적인 의미를 설명할 수 있다.

이것이 핵심!

주요 종교의 기원과 전파

크리스트교	서남아시아의 팔레스타인에서 발생하여 세계 각지로 전파
이슬람교	서남아시아의 메카에서 발생하여 아시아 및 북부 아프리카 등지로 전파
불교	인도 북동부 지역에서 발생하여 동남 및 동아시아 일대로 전파

★ **윤회 사상**
일정한 깨달음의 경지에 도달하지 못한 사람이 깨달음 상태에 도달할 때까지 계속하여 이 세상에 태어난다는 내용을 담고 있는 사상

★ **불교의 종파**

소승 불교	동남아시아로 전파, 개인의 해탈을 중시
대승 불교	동아시아로 전파, 중생의 구제를 지향

1 세계 주요 종교의 특징과 전파

1. 세계의 주요 종교와 특징 ┌ 종교는 인간의 행동 규범, 가치관 등 사회 전반에 큰 영향을 끼치며, 문화권을 형성하는 기준이 되기도 해.

(1) **보편 종교와 민족 종교** 자료①

① 보편 종교: 전 인류를 포교 대상으로 삼고 교리를 전파 예 크리스트교, 이슬람교, 불교 등

② 민족 종교: 일부 민족의 범위 내에서 교리를 전파 예 힌두교, 유대교 등

(2) **주요 종교의 특징**

크리스트교	• 유일신교로 세계에서 신자 수가 가장 많음 • 하느님을 유일신으로 섬기고 그의 아들 예수를 구원자로 믿으며 이웃 사랑을 실천 → 서구 사회의 생활 양식과 사회 제도 등 생활 전반에 큰 영향을 끼침
이슬람교	• 알라를 유일신으로 섬기고 무함마드를 성인으로 추앙함 • 쿠란의 가르침에 따라 신앙 실천의 5대 의무를 엄격히 지킴 ┌ 신앙 고백, 기도(하루 5회), 재산의 일부를 기부, 라마단 기간 동안 금식, 성지 순례
불교	석가모니의 가르침을 전하고 실천하며, 깨달음을 얻기 위한 수행과 자비를 중시, ★윤회 사상을 믿음
힌두교	수많은 신을 인정하는 다신교로, 윤회 사상을 믿으며 선행과 고행을 통한 수련을 중시함

2. 세계 주요 종교의 전파 과정 자료②

크리스트교	• 서남아시아의 팔레스타인에서 발생, 로마의 국교로 지정되면서 지중해 일대로 전파 • 유럽의 신항로 개척 시대를 거치며 세계로 확산 → 유럽, 아메리카, 오세아니아를 중심으로 분포
이슬람교	• 서남아시아의 메카에서 무함마드에 의해 창시 • 군사적 정복 활동과 상업 활동을 바탕으로 북부 아프리카와 서남아시아 전역, 동남 및 남부 아시아 일대에 급속히 전파 → 건조 기후 지역의 중요한 문화 요소가 됨
불교	• 남부 아시아 인도 북동부에서 석가모니에 의해 창시(기원전 6세기) • 동남 및 동아시아 일대로 전파되면서 다양한 ★종파로 발전하였으나 기원지인 인도에서는 쇠퇴함
힌두교	인도 북부 지역에서 발생하여 인도 주변의 일부 지역으로 전파, 신자의 대부분이 인도에 분포

이것이 핵심!

주요 종교의 성지와 경관

종교	성지	경관
크리스트교	예루살렘	십자가, 종탑
이슬람교	메카, 메디나	아라베스크 문양, 모스크
불교	룸비니, 부다가야	불당, 불탑
힌두교	바라나시	신들이 조각된 사원

★ **아라베스크**
우상 숭배를 금지하는 교리에 따라 사람이나 동물 대신 꽃, 나무 덩굴, 문자 등을 기하학적으로 배치한 문양

2 세계 주요 종교의 성지와 경관

1. 주요 종교의 성지 ┌ 성지는 종교의 가장 성스러운 공간으로, 대체로 종교의 발원지인 경우가 많으며, 신자들은 성지 순례를 통해 신앙심을 고취해.

예루살렘	크리스트교, 이슬람교, 유대교의 성지 → 크리스트교도에게는 예수가 십자가에 못 박혀 죽은 성스러운 곳, 이슬람교도에게는 무함마드가 다녀간 곳, 유대인들에게는 민족의식이 형성된 원천
메카와 메디나	이슬람교의 성지, 메카는 무함마드가 탄생한 곳, 메디나는 무함마드의 묘지가 있는 곳
룸비니와 부다가야	불교의 성지, 룸비니는 석가모니가 탄생한 곳, 부다가야는 석가모니가 깨달음을 얻은 곳
바라나시	힌두교도가 신성시하는 갠지스 강가에 있음

┌ 힌두교도는 갠지스강에서 몸을 닦으면 죄를 씻을 수 있다고 믿었어.

2. 주요 종교의 경관 교과서 자료

(1) **크리스트교**: 십자가(인류의 구원을 상징), 종탑이 보편적이며, 종파별로 교회의 생김새가 다름

(2) **이슬람교**: ★아라베스크 문양, 중앙의 돔형 구조물과 주변의 첨탑이 어우러진 모스크

(3) **불교**: 불상을 모시는 불당과 사리를 안치한 탑, 수레바퀴 문양(윤회를 상징) ┌ 돔형 지붕은 평화를, 위에 얹힌 초승달은 진리의 시작을 상징해.

(4) **힌두교**: 다양한 신들이 조각된 사원(신들이 땅에 내려와 머무는 곳을 상징)

완자 자료 탐구

🚗 내 옆의 선생님 🚏

자료 1 세계의 종교 인구 구성과 주요 종교의 지역별 신도 수 비율

┌ 힌두교는 민족 종교지만 불교보다 세계 신자 수가 많아.

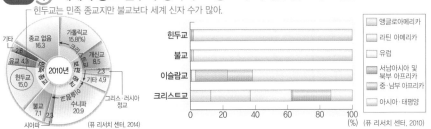

⬆ 종교별 인구 구성 비율   ⬆ 주요 종교 신자의 지역별 분포 비율

세계의 종교는 보편 종교와 민족 종교로 구분하며, 세계 인구 절반 정도가 보편 종교를 믿는다. 크리스트교는 주로 아메리카와 유럽에서, 이슬람교는 서남아시아와 북부 아프리카에서 신자 수의 비중이 높다. 불교와 힌두교는 아시아에서 신자 수의 비중이 매우 높다.

자료 2 세계 주요 종교의 전파 과정과 분포

┌ 이슬람교는 쿠란에 대한 해석의 차이로 두 종파로 나뉘어.

(휴먼 지오그래피, 2012/디르케 세계 지도, 2015)

크리스트교는 팔레스타인 지역에서 발원하여 유럽으로 전파되었으며, 신항로 개척 이후 세계로 확산되었다. 사우디아라비아에서 발원한 이슬람교는 북부 아프리카와 서남아시아 일대로 전파되었으며, 인도에서 발원한 불교는 동남 및 동아시아 일대로 전파되었다.

수능이 보이는 교과서 자료 **주요 종교의 경관**

┌ 가톨릭 교회는 장식이 정교하고 화려한 반면, 개신교 교회는 형태가 단순하고 규모가 작은 편이야.

크리스트교

이슬람교

불교

힌두교

크리스트교는 종파별로 예배 건물의 규모와 형태가 다양하다. 이슬람교는 중앙의 돔형 구조물과 주변의 첨탑이 어우러진 모스크가 대표적 종교 경관이다. 불교 사원은 전파된 지역에 따라 건축 재료와 형태가 다양하게 나타나며, 힌두교 사원은 다양한 신들이 조각되어 있어 독특한 경관을 형성한다.

정리 비법을 알려줄게!

종교별 신자 수와 국가별 신자 수

세계 신자 수	크리스트교 > 이슬람교 > 힌두교 > 불교
국가별 신자 수	크리스트교는 미국, 이슬람교는 인도네시아, 불교는 중국이 신자 수가 가장 많음

종교의 글자 수가 많은 순으로 신자 수도 많다고 기억하면 쉽게 외울 수 있어.

자료 하나 더 알고 가자!

이슬람교의 세력 확장

이슬람교는 무함마드의 후계자들이 조직한 군대가 북부 아프리카를 정복하고, 중앙아시아에서 이베리아반도에 이르는 광대한 제국을 건설하면서 널리 전파되었다. 또한, 육상 및 해상 교통로를 따라 중계 무역을 하는 이슬람 상인을 통해 인도 북부와 동남아시아까지 전파되었다.

완자쌤의 탐구강의

• 주요 종교의 경관 특징을 정리해 보자.

크리스트교	십자가와 종탑. 종파에 따라 생김새가 다양한 교회
이슬람교	아라베스크 문양, 돔과 첨탑이 어우러진 모스크
불교	불상을 모시는 불당과 사리를 안치한 불탑
힌두교	다양한 신들이 조각된 사원

함께 보기 76쪽, 내신 만점 공략하기 08

STEP 1 핵심 개념 확인하기

1 ㉠, ㉡에 들어갈 용어를 각각 쓰시오.

> 크리스트교, 이슬람교, 불교 등은 국경과 민족을 넘어 전 세계로 전파된 (㉠)이고, 유대교, 힌두교 등은 같은 문화를 공유하는 민족과 국가에 국한되어 교리를 전파하는 (㉡)에 해당한다.

2 다음에서 설명하는 종교를 〈보기〉에서 골라 기호를 쓰시오.

> **보기**
> ㄱ. 불교 ㄴ. 힌두교 ㄷ. 이슬람교 ㄹ. 크리스트교

(1) 주요 성지로는 룸비니와 부다가야가 있다. (   )

(2) 알라를 섬기고 무함마드를 성인으로 추앙한다. (   )

(3) 인도 북부에서 발생해 인도 전역으로 확산된 민족 종교이다. (   )

(4) 로마의 국교로 지정되면서 지중해 일대로 전파되었고, 유럽의 신항로 개척 이후 세계로 확산되었다. (   )

3 ㉠~㉣ 종교를 신자 수가 많은 순으로 나열하시오.

> ㉠ 불교 ㉡ 힌두교 ㉢ 이슬람교 ㉣ 크리스트교

4 빈칸에 들어갈 내용을 쓰시오.

(1) 힌두교도들은 (   )강에서 몸을 닦으면 죄를 씻을 수 있다고 믿는다.

(2) 크리스트교와 이슬람교는 모두 (   )아시아, 불교와 힌두교는 모두 (   ) 아시아에서 기원하였다.

(3) 아라베스크 문양, 중앙의 돔형 구조물과 주변의 첨탑이 어우러진 모스크를 볼 수 있는 종교는 (   )이다.

5 다음에서 설명하는 지역을 쓰시오.

> 유대교, 크리스트교, 이슬람교의 성지로 숭배된다. 크리스트교도에게는 예수가 십자가에 못 박혀 죽은 성스러운 곳이고, 이슬람교도에게는 무함마드가 다녀간 곳이며, 유대인들에게는 민족의식이 형성된 원천이다.

STEP 2 내신 만점 공략하기

01 그래프는 세계의 종교 인구 구성을 나타낸 것이다. 이에 대한 설명으로 옳은 것은?

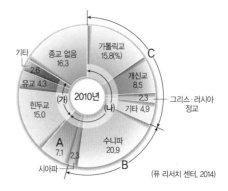

(퓨 리서치 센터, 2014)

① (가)는 전 세계로 널리 전파된 종교이다.
② (나)는 일부 민족의 범위 내에서 교리를 전파한다.
③ B의 신자들은 하루에 다섯 번 성지를 향해 기도한다.
④ C는 소를 신성시하여 소고기를 먹지 않는다.
⑤ A와 B의 교리에는 윤회 사상이 나타난다.

02 그래프는 지역별 종교 비중을 나타낸 것이다. 이에 대한 옳은 설명에 모두 'V' 표시를 한 학생을 고른 것은?

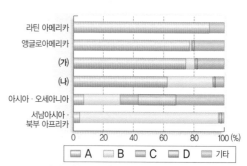

*그래프는 해당 지역의 총인구에서 각 종교의 신자 수가 차지하는 비중을 나타낸 것임. (퓨 리서치 센터, 2014)

문항＼학생	갑	을	병	정	무
(1) (가)는 유럽, (나)는 중·남부 아프리카이다.	V	V		V	
(2) D는 군사적 정복 활동과 상업 활동을 바탕으로 전파되었다.	V		V		V
(3) A는 B보다 아메리카로의 전파 시기가 이르다.		V		V	V
(4) A, B, C는 모두 보편 종교이다.		V	V	V	

① 갑 ② 을 ③ 병 ④ 정 ⑤ 무

03 지도는 A~C 종교의 기원지와 전파 경로를 나타낸 것이다. 이에 대한 옳은 설명을 〈보기〉에서 고른 것은?

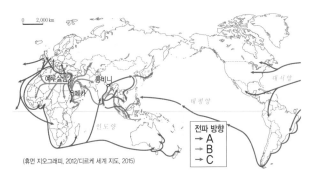
(휴먼 지오그래피, 2012/디르케 세계 지도, 2015)

보기

ㄱ. A는 예수를 구원자로 믿으며 이웃 사랑을 중시한다.
ㄴ. B의 종교 경관은 아라베스크 무늬가 있는 모스크가 대표적이다.
ㄷ. C의 신자들은 쿠란의 가르침에 따라 엄격한 계율을 지키며 생활한다.
ㄹ. C는 B보다 세계 신자 수가 많다.

① ㄱ, ㄴ   ② ㄱ, ㄷ   ③ ㄴ, ㄷ
④ ㄴ, ㄹ   ⑤ ㄷ, ㄹ

04 다음 글의 ㉠~㉢에 들어갈 종교를 옳게 연결한 것은?

무함마드가 아랍의 원시 신앙과 유대교를 바탕으로 메카에서 창시한 (㉠)는 군사적 정복 활동과 상업 활동을 통해 다른 지역으로 전파되었다. 현재의 팔레스타인 지역에서 기원한 (㉡)는 신항로 개척 이후 적극적인 선교 활동과 식민지 지배를 통해 아메리카, 아프리카, 오세아니아 등 세계 각 지역으로 확산되었다. 인도 북부 지역에서 발생한 (㉢)는 수많은 신을 인정하는 다신교로 인간의 영혼이 끊임없이 윤회한다고 믿으며, 선행과 고행을 통한 수련을 중시한다.

	㉠	㉡	㉢
①	불교	이슬람교	힌두교
②	불교	크리스트교	이슬람교
③	이슬람교	힌두교	불교
④	이슬람교	크리스트교	힌두교
⑤	크리스트교	이슬람교	불교

05 다음 글은 주요 종교의 포교 활동을 가상으로 나타낸 것이다. (가), (나) 종교의 신자 수 비율이 가장 높은 국가를 지도의 A~D에서 찾아 옳게 연결한 것은?

(가) 여러분! 자비와 평등을 실천하며, 욕심을 버리고 꾸준히 수행하면 누구라도 해탈의 경지에 도달할 수 있습니다. 나무아미타불 관세음보살.
(나) 여러분! 온 우주에 하나밖에 없는 신, 알라를 믿으세요. 알라의 말씀은 이 세상의 마지막 예언자인 무함마드가 정리한 쿠란에 담겨 있습니다. 우리 다 같이 메카를 향해 기도합시다.

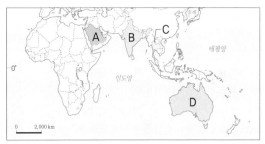

	(가)	(나)		(가)	(나)
①	A	B	②	A	D
③	B	C	④	C	A
⑤	C	D			

06 사진은 어느 종교의 성지를 나타낸 것이다. (가), (나) 종교에 대한 설명으로 옳은 것은?

(가)   (나)

↑ 부다가야 사원에 모인 신도들   ↑ 메카의 카바 신전에 모인 순례자들

① (가)의 신자들은 쿠란의 가르침에 따라 생활하며 다섯 가지 의무를 실천한다.
② (나)의 사원에는 다양한 모습의 신들이 조각되어 있다.
③ (가)는 (나)보다 발생 시기가 늦다.
④ (나)는 (가)보다 세계 신자 수가 적다.
⑤ (가)의 기원지는 남부 아시아, (나)의 기원지는 서남아시아에 위치한다.

07 자료의 ㉠~㉣ 중 답이 옳게 표시된 것을 고른 것은?

형성 평가

자료는 어느 지역을 여행하면서 기록한 답사기의 일부이다. (가), (나) 종교에 대한 설명이 옳으면 '예', 틀리면 '아니요.'에 ✔ 표를 하시오.

(가)	(나)

갠지스강 물이 영혼을 정화한다고 믿어 이곳에서 몸을 씻는 신도들을 볼 수 있었다.	모스크는 아라베스크 무늬로 장식되어 있었으며 예배 시간을 알리는 첨탑이 있었다.

• (가)는 보편 종교에 해당한다. 예( ) 아니요(✔) …… ㉠
• (나)의 사원은 다양한 신들이 땅에 내려와 머무는 곳을 상징한다. 예(✔) 아니요( ) …… ㉡
• (나)의 신자들은 라마단 기간에 단식의 의무가 있다. 예(✔) 아니요( ) …… ㉢
• (가)는 (나)보다 유럽에서 신자 수 비율이 낮다. 예( ) 아니요(✔) …… ㉣

① ㉠, ㉡ ② ㉠, ㉢ ③ ㉡, ㉢
④ ㉡, ㉣ ⑤ ㉢, ㉣

08 표는 (가), (나) 종교의 주요 특징을 정리한 것이다. 밑줄 친 ㉠~㉢ 중 옳지 않은 것은?

구분	(가)	(나)
분포	유럽, ㉠ 아메리카 등	동남아시아 등
특징	그리스 정교, 가톨릭교, 개신교로 분파됨	㉡ 수니파와 시아파로 분파됨
성지	㉢ 예루살렘	㉣ 룸비니와 부다가야
종교 경관	십자가와 종탑 등이 보편적으로 나타남	㉤ 불당과 사리를 안치한 탑을 볼 수 있음

① ㉠ ② ㉡ ③ ㉢ ④ ㉣ ⑤ ㉤

01 지도는 세계 주요 종교의 전파 과정을 나타낸 것이다. 이를 보고 물음에 답하시오.

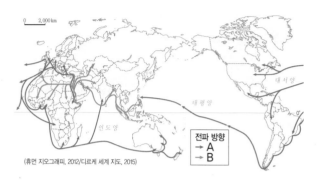

(휴먼 지오그래피, 2012/디르케 세계 지도, 2015)

전파 방향
→ A
→ B

(1) A, B 종교의 명칭을 각각 쓰시오.

(2) A, B 종교의 발상지를 쓰고, 각 종교의 전파 과정을 서술하시오.

02 다음은 두 종교의 음식 금기에 대한 대화이다. 이를 보고 물음에 답하시오.

(㉠)에서는 쿠란의 교리에 따라 술과 돼지고기 먹는 것을 금기시하고 있어.

(㉡)에서는 전통적으로 소를 신성시하기 때문에 소고기를 먹지 않아.

(1) ㉠, ㉡ 종교의 명칭을 각각 쓰시오.

(2) ㉠, ㉡ 종교의 특징을 제시된 용어를 사용해 서술하시오.

• 신자 수   • 민족 종교   • 보편 종교

STEP 3 1등급 정복하기

1 그래프는 (가)~(라) 지역의 A~D 종교 신자 수를 나타낸 것이다. 이에 대한 설명으로 옳은 것은? (단, (가)~(라)는 유럽, 라틴 아메리카, 서남아시아·북부 아프리카, 아시아·오세아니아 중 하나이고, A~D는 불교, 이슬람교, 크리스트교, 힌두교 중 하나이다.)

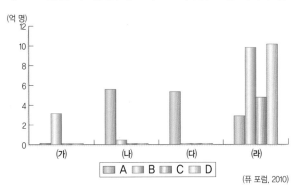

(퓨 포럼, 2010)

① A, B의 기원지는 모두 (다)에 위치한다.
② A의 신자 수 1위 국가는 (라)에 위치한다.
③ B의 종교 경관에는 아라베스크 무늬가 있는 모스크가 있다.
④ (가)는 (나)보다 1인당 돼지고기 소비량이 많다.
⑤ A는 보편 종교, C는 민족 종교로 분류된다.

> 지역(대륙)별 종교 분포 및 특징

> **완자쌤의 시험 꿀팁**
> 대륙별 신자 수를 바탕으로 각 종교의 특징을 묻는 문제가 주로 출제된다. 특정 국가나 대륙에서 비율이 높은 종교를 먼저 찾아낼 수 있어야 한다.

평가원 응용

2 그래프는 세 국가의 종교별 신자 수 비율을 나타낸 것이다. A~C 종교에 대한 설명으로 옳은 것은?

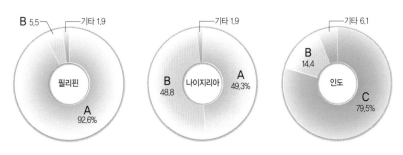

① A는 건조 기후 지역의 중요한 문화 요소가 된다.
② B의 여성 신도들은 부르카, 히잡 등을 착용하여 얼굴을 가린다.
③ C의 성지로는 룸비니, 부다가야가 있다.
④ A는 유일신을 섬기며, B는 다양한 신을 인정하고 숭배한다.
⑤ 전 세계의 신자 수는 A > C > B 순으로 많다.

> 국가별 주요 종교 분포

02~03 세계의 인구 변천과 인구 이주 ~ 세계 도시와 세계 도시 체계

이것이 핵심!

세계의 인구 변천

인구 성장	산업 혁명 이후 인구 급증
지역별 인구 변천	• 아프리카: 높은 자연 증가율 • 아시아: 최근 자연 증가율이 낮아지고 있음 • 유럽: 인구의 자연적 감소

★ 인구 부양력

한 국가의 인구가 그 국가의 자원으로 생활할 수 있는 능력을 말한다. 이는 국가가 얼마만큼의 인구를 수용할 수 있는지를 나타내는 척도가 된다.

★ 경제 수준에 따른 인구 변천 특성 비교

구분	선진국	개발 도상국
인구 변천 단계	4, 5단계	2, 3단계
인구 증가율	낮음	높음
노년층 인구 비율	높음	낮음
유소년층 인구 비율	낮음	높음

① 세계의 인구 성장과 변천

1. 세계의 인구 성장과 인구 분포

(1) **세계 인구의 변화**: 산업 혁명 이후 빠르게 증가 ← 의료 기술의 발달, 공공 위생 시설의 개선에 따른 사망률 감소, 생활 수준 향상에 따른 인구 부양 능력의 향상 등이 요인

(2) **세계 인구 분포** ┌ 산업화 이전에는 기후, 지형 등 자연적 요인의 영향을 많이 받았지만, 최근에는 교통, 일자리 등 사회·경제적 요인의 영향을 더 많이 받아.

① 인구 밀집 지역: 기후가 온화하고 농업에 유리하거나 공업이 발달한 지역(유럽, 동아시아 및 남부 아시아, 북아메리카 동부 등) ┌ 너무 건조하거나 추운 지역, 산악 지역 등

② 인구 희박 지역: 기후·지형 조건이 불리하거나 경제 활동, 교통 발달 등이 미약한 지역

2. 인구 변천 모형 〔자료①〕 ┌ 출생률과 사망률의 변화에 따라 인구 성장을 단계별로 나타낸 것으로, 국가별 경제 발전 수준에 따른 인구 성장 과정을 파악하는 데 이용해.

1단계	높은 출생률, 높은 사망률 → 인구 증가율이 낮음
2단계	높은 출생률, *인구 부양력 상승, 사망률이 빠르게 감소(의료 기술 발달, 생활 수준 향상) → 인구 급성장
3단계	출산율 감소(가족계획, 여성의 사회 활동 증가) → 인구 증가율 둔화
4단계	낮은 출생률, 낮은 사망률 → 인구 증가율이 낮음(주로 선진국에서 나타남)
5단계	저출산으로 인한 인구의 자연적 감소 → 고령화(일부 선진국에서 나타남)

3. *지역별 인구 변천 특성 〔자료②〕 ┌ 일정한 기간에 출생과 사망에 의해 증가하거나 감소한 인구의 비율로, '출생률 − 사망률'로 계산해.

아프리카	인구의 자연 증가율이 세계 평균보다 높음 → 인구 과잉, 기반 시설 부족 등의 문제가 나타남
아시아와 라틴 아메리카	1950년대에는 인구의 자연 증가율이 높았지만, 이후 경제 발전 및 산아 제한 정책 등이 시행되면서 출생률이 감소하여 인구의 자연 증가율도 낮아짐
유럽과 앵글로아메리카	출생률의 지속적인 감소로 인구의 자연 증가율이 낮음, 유럽의 일부 국가는 인구의 자연적 감소를 보임 → 인구 고령화, 노동력 부족 등의 문제가 나타남

이것이 핵심!

인구 이주 유형

동기에 따라	자발적·강제적 이주
기간에 따라	일시적·영구적 이주
원인에 따라	정치적·경제적·종교적·환경적 이주

★ 인구의 국제 이주

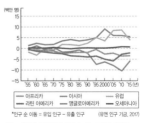

↑ 지역(대륙)별 인구 순 이동 변화

*인구 순 이동 = 유입 인구 − 유출 인구 (유엔 인구 기금, 2017)

② 세계의 인구 이주

1. 인구 이주의 요인과 유형 〔교과서 자료〕
• 인구 유출 요인: 자연재해, 불안한 일자리와 낮은 임금, 정치적·종교적 박해 등
• 인구 유입 요인: 더 나은 삶의 질, 안정적 일자리와 높은 임금, 안정된 국가 체제 등

구분	유형	특징
이주 동기	자발적 이주	더 나은 환경을 찾아 스스로 이주
	강제적 이주	정치적·종교적·사회적 억압에 따른 이주
이주 기간	일시적 이주	단기 거주를 목적으로 이주 ⑩ 여행, 연수 등
	영구적 이주	영구 거주를 목적으로 이주 ⑩ 이민
이주 원인	정치적 이주	정치적 억압이나 전쟁을 피해 이주 ⑩ 시리아 난민의 이동
	경제적 이주	소득 수준이 낮고 고용 기회가 적은 개발 도상국에서 소득 수준이 높고 고용 기회가 많은 선진국으로 이주 ⑩ 멕시코인의 미국으로의 이동
	종교적 이주	종교적 자유를 찾아 이동, 성지 순례를 위한 이주 ⑩ 영국 청교도들의 아메리카로의 이동
	환경적 이주	기후 변화나 지진 등과 같은 자연재해를 피해 이주 ⑩ 투발루 난민의 이동

Q왜? 지구 온난화에 따른 해수면 상승으로 국토가 침수 위기에 처했기 때문이야.

2. 최근 *인구의 국제 이주 특징: 경제적 요인에 의한 국제 이주 증가, 내전과 테러 등으로 인한 난민의 이동 증가
┌ 교통·통신의 발달, 경제적 세계화의 확대, 선진국의 노동력 부족 등으로 개발 도상국에서 선진국으로의 국제 이주가 활발해.

완자 자료 탐구

내 옆의 선생님

자료 1 인구 변천 모형

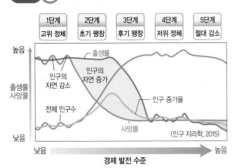

경제 발전 수준이 낮은 시기에는 출생률과 사망률이 모두 높아 인구 증가율이 낮게 나타나며, 산업화가 진전되면서 인구 증가율이 높아진다. 경제 발전 수준이 높아지면 출생률과 사망률이 모두 낮아져 인구 증가율이 다시 낮아지고, 이후에는 저출산으로 인해 인구의 자연적 감소가 나타난다.

자료 2 지역(대륙)별 인구 및 자연 증가율 변화

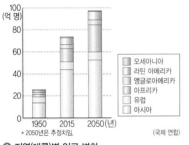

↑ 지역(대륙)별 인구 변화

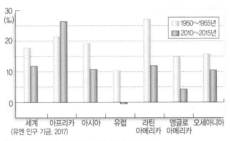

↑ 지역(대륙)별 인구의 자연 증가율 변화

2015년 기준 총인구는 아시아가 가장 많으며, 그 다음으로 아프리카, 유럽, 라틴 아메리카, 앵글로아메리카 순으로 많다. 인구의 자연 증가율은 2010~2015년 기준 아프리카가 가장 높으며, 유럽은 출생률보다 사망률이 높아 인구의 자연 증가율이 '−'이다.

자료 하나 더 알고 가자!

경제적 수준에 따른 인구 구조

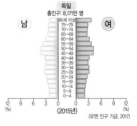

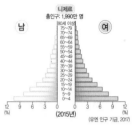

선진국인 독일은 개발 도상국인 니제르보다 노년층 인구 비율이 높고 유소년층 인구 비율이 낮으며, 유소년층 인구에 대한 노년층 인구의 비율인 노령화 지수가 높다.

문제 로 확인할까?

2010~2015년 인구의 자연 증가율이 가장 높은 지역(대륙)은 (   )이고, 가장 낮은 지역(대륙)은 (   )이다.

답 ❶ 아프리카, 유럽

수능이 보이는 교과서 자료 — 세계의 인구 이주

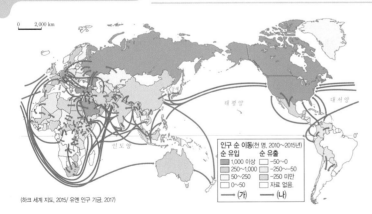

유럽, 앵글로아메리카, 오세아니아는 인구 순 유입이, 아프리카, 라틴 아메리카, 아시아는 인구 순 유출이 나타나고 있다. 이는 소득 수준이 낮고 고용 기회가 적은 개발 도상국에서 소득 수준이 높고 고용 기회가 많은 선진국으로의 경제적 이주가 많았기 때문이다.

완자쌤의 탐구 강의

• (가), (나)는 이주 동기에 따라 각각 어떠한 인구 이주 유형인지 써 보자.
(가)는 경제적 이주, (나)는 정치적 이주에 해당한다.

• (나)와 같은 인구 이주가 주로 발생하는 지역의 특징을 서술해 보자.
정치적 억압이나 내전 등으로 인해 발생하는 정치적 이주는 아프리카와 서남아시아에 위치한 국가에서 주로 발생하는데, 이곳은 종교·민족·자원 등과 관련된 갈등이 자주 발생하는 곳이다.

함께 보기 84쪽, 내신 만점 공략하기 07

③ 세계의 도시화와 세계 도시

1. 세계의 도시화 (자료③)

(1) **도시화**: 도시에 거주하는 인구가 증가하는 현상, 도시의 수가 증가하고 촌락에 도시적 생활 양식이 확대됨

(2) **세계의 도시화** ┌ 세계의 도시화 수준은 전체적으로 증가하는 추세인데, 산업 및 경제 발전 수준에 따라 지역별로 차이가 나타나.

선진국	산업 혁명 이후 점진적으로 도시화가 진행됨 → 도시화의 종착 단계
개발 도상국	제2차 세계 대전 이후 산업화와 함께 급속한 도시화가 진행됨 → 도시화의 가속화 단계

2. 세계 도시의 의미와 선정 기준 (자료④)

┌ 세계 도시는 전 세계의 지역과 국가의 경제를 하나로 통합하는 세계 경제의 중심지 기능을 수행해.

(1) *세계 도시: 세계화 시대에 국가의 경계를 넘어 세계적인 중심지 역할을 하는 대도시

(2) **세계 도시의 역할**: 세계 경제의 중요한 의사 결정이 이루어지며, 세계 자본이 집중·축적되는 중심지, 세계의 다양한 정보·문화가 생산되고 전달되는 핵심적인 결절지

(3) **세계 도시의 선정 기준**: 세계적인 경제 활동, 연구·개발, 문화 교류, 정보 교류, 접근성, 거주 환경 등 → 세계 도시를 선정하는 기준에 따라 세계 도시로서의 영향력을 나타내는 순위가 다르게 나타남

④ 세계 도시의 특징과 세계 도시 체계

1. 세계 도시의 특징

(1) **세계 도시의 특징과 변화**

특징	• *다국적 기업의 본사 및 관련 업무 기능이 집중됨 • 고도의 정보 통신 네트워크와 최신의 교통 체계가 발달함 • 세계 여러 분쟁을 조정·통제하는 다양한 국제기구의 본부가 입지하여 국제회의 및 행사가 많이 개최됨 → 국제 정치의 중심지 역할을 함
변화	*생산자 서비스업의 성장, 고급 소비자 서비스업 증가, 첨단 산업 발달

(2) **세계 도시의 문제**

① 중산층 성장 둔화: 새로운 고차 산업 중심으로 산업 구조가 변화함에 따라 기존 중산층은 성장이 둔화하거나 해체됨

② 도시 내 양극화 현상: 고소득 전문 관리 계층이 증가하고, 저임금 단순 서비스업에 종사하는 저소득층의 구성비가 커지면서 사회 계층 간 양극화 현상이 나타남
└ 개발 도상국 출신의 이민자들인 경우가 많아.

2. 세계 도시 체계와 도시 간 상호 작용 (자료⑤)

(1) **세계 도시 체계**: 서로 다른 계층의 세계 도시들이 기능적으로 연결된 체계

(2) **세계의 도시 체계의 계층과 상호 작용** ┌ 세계 도시의 계층 체계는 도시 간 생산품 교환, 인구 이동, 정보와 자본의 흐름 등의 상호 작용을 통해 형성되며, 일정한 위계 질서를 갖고 있어.

최상위 세계 도시	다국적 기업의 본사가 입지하여 국제적 사업 서비스의 중심지 역할을 수행함 → 런던, 뉴욕, 도쿄 등 주로 선진국에 위치	최상위 세계 도시로 갈수록 도시 수는 적어지나, 기능이 많아지고 영향력은 향상되며, 도시 간 거리는 멀어짐
상위 세계 도시	파리, 로스앤젤레스, 브뤼셀, 싱가포르 등	
하위 세계 도시	국제 금융 기관이나 다국적 기업의 기능 분담 등 최상위 세계 도시와의 연계 기능을 수행함 → 토론토, 시드니, 홍콩, 서울 등	

완자 자료 탐구

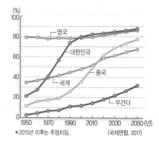

내 옆의 선생님

자료 하나 더 알고 가자!

세계 주요 국가의 도시화율 변화

*2015년 이후는 추정치임. (국제연합, 2017)

도시화 과정은 S자 형태의 도시화 곡선으로 표현된다. 도시화의 진행은 경제 발전 수준과 밀접한 관계를 보이므로 도시화 곡선에서도 선진국과 개발 도상국 간에 뚜렷한 차이가 나타난다.

자료 3 국가 및 지역(대륙)별 도시화율

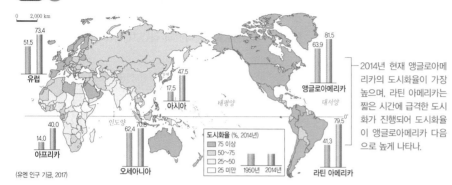

2014년 현재 앵글로아메리카의 도시화율이 가장 높으며, 라틴 아메리카는 짧은 시간에 급격한 도시화가 진행되어 도시화율이 앵글로아메리카 다음으로 높게 나타나.

(유엔 인구 기금, 2017)

경제 발전 수준이 높은 선진국의 분포 비율이 높은 유럽과 앵글로아메리카는 도시화율이 높게 나타난다. 반면, 상대적으로 경제 발전 수준이 낮은 개발 도상국의 분포 비율이 높은 아프리카와 아시아는 도시화율이 낮게 나타난다.

자료 4 세계 도시의 선정 기준

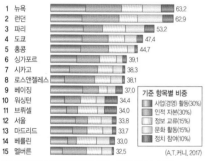

1 뉴욕 63.2
2 런던 62.9
3 파리 53.2
4 도쿄 47.4
5 홍콩 44.7
6 싱가포르 39.1
7 시카고 38.3
8 로스앤젤레스 38.1
9 베이징 37.0
10 워싱턴 34.4
11 브뤼셀 34.0
12 서울 33.8
13 마드리드 33.7
14 베를린 33.0
15 멜버른 32.5

기준 항목별 비중
- 사업(경영) 활동(30%)
- 인적 자본(30%)
- 정보 교류(15%)
- 문화 활동(15%)
- 정치 참여(10%)

(A.T.커니, 2017)

⬆ 세계에서 가장 영향력 있는 세계 도시 순위

세계 도시는 각 도시의 경제, 정치, 문화, 기반 시설 등의 수준을 고려하여 구체적인 지표에 따라 다양하게 선정된다. 세계 도시 선정 기준으로는 세계적인 경제 활동, 연구·개발, 문화 교류, 정보 교류, 접근성, 거주 환경 등 다양한 요소가 활용되고 있으며, 이를 종합적으로 적용하면 뉴욕, 런던, 파리, 도쿄 등이 대표적인 세계 도시에 해당한다.

자료 하나 더 알고 가자!

세계 도시의 종합 경쟁력 순위

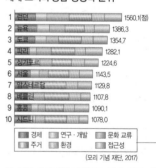

1 런던 1560.1(점)
2 뉴욕 1386.3
3 도쿄 1354.7
4 파리 1282.1
5 싱가포르 1224.6
6 서울 1143.5
7 암스테르담 1129.8
8 베를린 1107.8
9 홍콩 1090.1
10 시드니 1078.0

- 경제   연구·개발   문화 교류
- 주거   환경   접근성

(모리 기념 재단, 2017)

약 40여 개 도시를 대상으로 경제, 연구·개발, 문화 교류, 주거 적합성, 생태 환경, 교통 접근성의 6개 범주에서 각 도시의 약점과 강점을 분석한 결과이다.

경제 활동 측면에서는 뉴욕과 런던, 주거 측면에서는 베를린과 암스테르담이 경쟁력이 높아.

자료 5 세계의 도시 체계

세계 도시의 계층 체계는 교통·통신 기술이 발달함에 따라 그 계층성이 더욱 강화되고 있어.

- □ 최상위 세계 도시
- ● 상위 세계 도시
- ○ 하위 세계 도시

(도시의 이해, 2016/휴먼 지오그래피, 2012)

최상위 세계 도시들은 다국적 기업의 생산 및 소비, 국제 금융 중심지, 생산자 서비스 기능이 집적하여 세계 경제를 통제하고 조절한다. 하위 세계 도시들은 다국적 기업과 국제 은행의 지사들이 주로 입지하며, 지역이나 국내에서 저차의 도시를 포섭하고 있다.

문제로 확인할까?

하위 세계 도시와 비교한 상위 세계 도시의 상대적 특성으로 옳지 않은 것은?

① 도시의 수가 적다.
② 국제 금융 영향력이 크다.
③ 다국적 기업의 본사 수가 많다.
④ 동일 계층 도시와의 거리가 가깝다.
⑤ 생산자 서비스업 종사자 비중이 높다.

STEP 1 핵심 개념 확인하기

1 다음에서 설명하는 인구 변천 모형의 단계를 쓰시오.

(1) 출생률이 높으나 의료 기술 발달로 사망률이 감소하면서 인구가 급증하는 단계이다. ( )

(2) 저출산으로 인한 인구의 자연적 감소가 나타나는 단계로 일부 선진국이 이에 해당한다. ( )

(3) 가족계획, 여성의 사회적 활동 증가 등으로 출산율이 감소하면서 인구 증가율이 둔화되는 단계이다. ( )

2 인구 이주의 요인과 사례를 옳게 연결하시오.

(1) 경제적 요인 •   • ㉠ 시리아 난민의 이동

(2) 환경적 요인 •   • ㉡ 멕시코 노동자의 미국으로의 이동

(3) 정치적 요인 •   • ㉢ 기후 변화로 인한 투발루 난민의 이동

3 다음 괄호 안의 내용 중 알맞은 말에 ○표를 하시오.

(1) 오늘날 인구의 자연 증가율이 가장 높은 대륙은 (아프리카, 유럽)이다.

(2) 유럽과 앵글로아메리카는 공통적으로 인구 (유출, 유입) 지역에 해당한다.

4 다음 빈칸에 들어갈 내용을 쓰시오.

(1) 런던, 뉴욕, 도쿄는 공통적으로 (   ) 세계 도시에 해당한다.

(2) (   )는 도시 인구가 증가하고 도시적 생활 양식이 확대되는 현상을 말한다.

(3) 세계 도시들이 기능적으로 연결된 (   )는 도시 간 상호 작용을 통해 형성되며, 일정한 계층 질서를 갖는다.

5 ㉠, ㉡에 들어갈 용어를 각각 쓰시오.

(㉠   )는 세계의 자본이 집중되고 다양한 정보와 문화가 생산·전달되는 중심지 역할을 한다. 또한 전 세계적인 관리와 통제 기능을 수행하기 위해 금융, 법률, 광고, 회계 등의 (㉡   ) 서비스업이 성장하고 있다.

STEP 2 내신 만점 공략하기

01 그래프는 세계의 지역(대륙)별 인구 비율 변화를 나타낸 것이다. (가)~(라) 지역에 대한 설명으로 옳지 <u>않은</u> 것은? (단, 아메리카는 앵글로아메리카와 라틴 아메리카로 구분한다.)

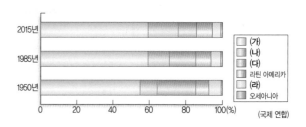

① 세계에서 인구가 가장 많은 국가는 (가)에 위치한다.

② (나)는 (다)보다 인구의 자연 증가율이 높다.

③ (다)는 (가)보다 노년층 인구 비율이 높다.

④ (라)는 (나)보다 도시화율이 높다.

⑤ (가)는 아시아, (나)는 유럽, (다)는 아프리카, (라)는 앵글로아메리카이다.

02 지도는 세계의 인구 분포를 나타낸 것이다. 이에 대한 옳은 설명만을 〈보기〉에서 있는 대로 고른 것은?

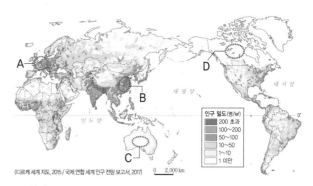

(디르케 세계 지도, 2015 / 국제 연합 세계 인구 전망 보고서, 2017)

보기

ㄱ. 세계 인구는 북반구보다 남반구에 밀집해 있다.

ㄴ. A는 일찍부터 도시가 발달하여 도시를 중심으로 인구가 밀집해 있다.

ㄷ. B는 벼농사에 유리하여 인구가 밀집해 있다.

ㄹ. C, D는 공통적으로 기후 조건이 불리해 인구 밀도가 낮다.

① ㄱ, ㄴ   ② ㄴ, ㄷ   ③ ㄷ, ㄹ

④ ㄱ, ㄴ, ㄷ   ⑤ ㄴ, ㄷ, ㄹ

03 그래프는 인구 변천 모형을 나타낸 것이다. (가)~(라) 단계에 대한 설명으로 옳은 것은?

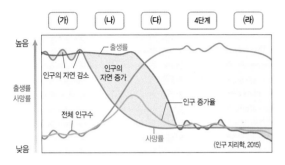

(인구 지리학, 2015)

① (가)는 인구 증가율이 가장 높은 단계이다.
② (나)는 여성의 사회 활동 확대가 인구 변화에 끼치는 영향이 가장 큰 단계이다.
③ (다)는 출생률 감소로 인구의 자연적 감소가 나타나는 단계이다.
④ (가) 단계의 국가는 (라) 단계의 국가보다 경제 발전 수준이 낮다.
⑤ (가)에서 (라)로 갈수록 노년층의 인구 비율이 감소한다.

04 그림은 두 국가의 인구 구조를 나타낸 것이다. (가) 국가와 비교한 (나) 국가의 상대적 특성을 A~E에서 고른 것은?

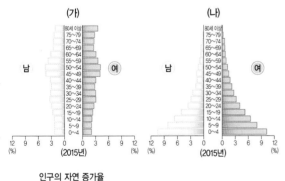

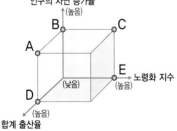

① A ② B ③ C ④ D ⑤ E

05 그래프는 지역(대륙)별 인구의 자연 증가율 변화를 나타낸 것이다. (가)~(다) 지역을 옳게 연결한 것은?

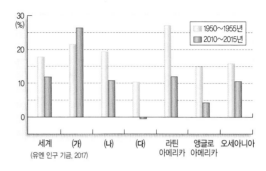

(유엔 인구 기금, 2017)

	(가)	(나)	(다)
①	유럽	아시아	아프리카
②	유럽	아프리카	아시아
③	아시아	아프리카	유럽
④	아프리카	유럽	아시아
⑤	아프리카	아시아	유럽

06 다음은 서술형 평가와 학생 답안이다. 밑줄 친 ㉠~㉤ 중 옳지 않은 것은?

서술형 평가

• 문제: 다음 글의 (가)~(다)에 들어갈 인구 이주 유형을 쓰고, 해당 인구 이주 유형의 사례를 서술하시오.

> (가) 이주는 소득 수준이 낮고 고용 기회가 적은 개발 도상국에서 소득 수준이 높고 고용 기회가 많은 선진국으로 이동하는 것이며, (나) 이주는 종교의 자유를 찾아 이동하거나 성지 순례를 위해 이동하는 것을 말한다. 한편, (다) 이주는 기후 변화나 지진 등과 같은 자연재해를 피해 이동하는 것을 말한다.

• 답안: (가)는 ㉠ 경제적, (나)는 종교적, (다)는 ㉡ 환경적 이주에 해당한다. (가)의 사례로는 ㉢ 멕시코 노동자들의 미국으로의 이주가 대표적이고, (나)의 사례로는 ㉣ 이슬람교도들의 아메리카로의 이주가 대표적이다. 한편, (다)의 사례로는 기후 변화에 따른 해수면 상승 과정에서 발생한 ㉤ 투발루 난민의 이동 등을 들 수 있다.

① ㉠ ② ㉡ ③ ㉢ ④ ㉣ ⑤ ㉤

07 지도는 세계의 인구 이주를 나타낸 것이다. 이에 대한 설명으로 옳은 것은?

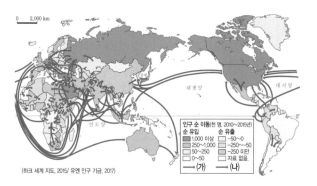

① 총인구가 많은 국가일수록 인구 순 유입이 많다.
② 아프리카, 아시아, 라틴 아메리카는 공통적으로 노동력의 순 유입 경향이 강하다.
③ (가)는 내전, 경제난 등을 겪는 국가에서 주로 발생한다.
④ (가)와 같은 이유로 유출이 발생하는 지역은 유입이 발생하는 지역보다 인구의 자연 증가율이 높다.
⑤ (나)는 소득 수준이 낮은 지역에서 소득 수준이 높은 지역으로 주로 이동한다.

08 그래프는 지도에 표시된 네 국가의 인구 특성을 나타낸 것이다. (가)~(라) 국가를 A~D에서 골라 옳게 연결한 것은?

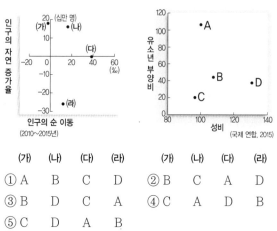

	(가)	(나)	(다)	(라)		(가)	(나)	(다)	(라)
①	A	B	C	D	②	B	C	A	D
③	B	D	C	A	④	C	A	D	B
⑤	C	D	A	B					

09 지도는 국가별 도시화율과 대도시 분포를 나타낸 것이다. 이에 대한 분석으로 옳은 것은?

① 유럽은 도시 인구보다 촌락 인구가 많다.
② 아시아는 오세아니아보다 도시 인구가 적다.
③ 아프리카는 라틴 아메리카보다 도시화율이 높다.
④ 앵글로아메리카는 아시아보다 국가별 도시화율 차이가 작다.
⑤ 경제 발전 수준이 높은 국가일수록 인구 규모 천만 명 이상의 도시 수가 많다.

10 그래프는 지역(대륙)별 도시화율과 도시 인구 증가율을 나타낸 것이다. (가)~(다)에 대한 옳은 설명을 〈보기〉에서 고른 것은? (단, 아메리카는 앵글로아메리카와 라틴 아메리카로 구분한다.)

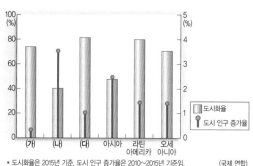

* 도시화율은 2015년 기준, 도시 인구 증가율은 2010~2015년 기준임. (국제 연합)

보기
ㄱ. (가)는 (다)보다 도시 인구가 많다.
ㄴ. (나)는 (가)보다 도시화의 가속화 단계에 진입한 시기가 이르다.
ㄷ. (다)는 (나)보다 3차 산업 종사자 비율이 높다.
ㄹ. (가)는 앵글로아메리카, (나)는 아프리카, (다)는 유럽이다.

① ㄱ, ㄴ   ② ㄱ, ㄷ   ③ ㄴ, ㄷ
④ ㄴ, ㄹ   ⑤ ㄷ, ㄹ

11 그래프는 세계에서 가장 영향력 있는 세계 도시 순위를 나타낸 것이다. 이에 대한 옳은 분석을 〈보기〉에서 고른 것은?

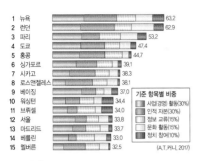

순위	도시	점수
1	뉴욕	63.2
2	런던	62.9
3	파리	53.2
4	도쿄	47.4
5	홍콩	44.7
6	싱가포르	39.1
7	시카고	38.3
8	로스앤젤레스	38.1
9	베이징	37.0
10	워싱턴	34.4
11	브뤼셀	34.0
12	서울	33.8
13	마드리드	33.7
14	베를린	33.0
15	멜버른	32.5

기준 항목별 비중
- 사업(경영) 활동(30%)
- 인적 자본(30%)
- 정보 교류(15%)
- 문화 활동(15%)
- 정치 참여(10%)

(A.T.커니, 2017)

┌ 보기 ┐
- ㄱ. 사업 활동 점수가 높은 도시일수록 순위가 높다.
- ㄴ. 문화 활동에서 가장 높은 점수를 받은 도시는 런던이다.
- ㄷ. 1~15위 내에 포함된 세계 도시의 수는 유럽이 아시아보다 많다.
- ㄹ. 파리는 인적 자본, 정보 교류, 문화 활동 기능이 골고루 발달해 있다.

① ㄱ, ㄴ   ② ㄱ, ㄷ   ③ ㄴ, ㄷ
④ ㄴ, ㄹ   ⑤ ㄷ, ㄹ

12 그림은 세계 도시의 계층 체계를 나타낸 것이다. (가)와 비교한 (나)의 상대적 특징으로 옳지 <u>않은</u> 것은?

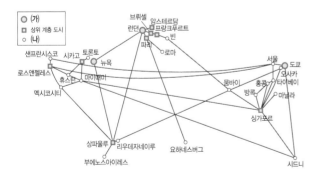

① 자본과 정보의 집중도가 낮다.
② 선진국에 분포하는 비율이 낮다.
③ 국제 금융에 미치는 영향력이 작다.
④ 생산자 서비스업의 종사자 비율이 낮다.
⑤ 가장 인접한 동일 계층 세계 도시와의 거리가 멀다.

서술형 문제

● 정답친해 26쪽

01 그래프는 지역(대륙)별 인구 순 이동을 나타낸 것이다. 이를 보고 물음에 답하시오.

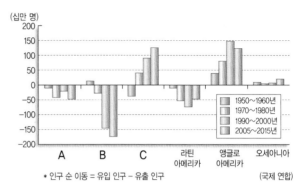

* 인구 순 이동 = 유입 인구 − 유출 인구

(국제 연합)

(1) A~C 지역(대륙)의 이름을 각각 쓰시오.

(2) 그래프를 통해 유추할 수 있는 오늘날 국제적 인구 이주의 특징을 서술하시오.

02 지도는 세계 도시 간 인터넷 통신 정보량을 나타낸 것이다. 이를 세계 도시 체계와 관련지어 서술하시오.

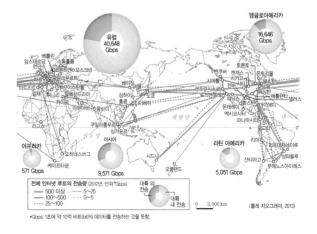

전체 인터넷 루트의 전송량 (2012년, 단위*Gbps)
- 500 이상
- 100~500
- 25~100
- 25~25
- 0~5
- 대륙 외 전송
- 대륙 내 전송

0   2,000 km

(클레 지오그래미, 2013)

*Gbps: 1초에 약 10억 비트(bit)의 데이터를 전송하는 것을 뜻함.

STEP 3 1등급 정복하기

1 그래프는 지역(대륙)별 인구 특성을 나타낸 것이다. (가)~(마)에 대한 옳은 설명만을 〈보기〉에서 있는 대로 고른 것은? (단, 아메리카는 앵글로아메리카와 라틴 아메리카로 구분한다.)

> 지역(대륙)별 인구 특성

완자쌤의 시험 꿀팁

다양한 인구 지표를 통해 대륙을 구분하는 문제는 인구 단원에서 가장 많이 출제되는 유형이다. 대륙별 인구 특성과 함께 자연적·인문적 특징을 구분해서 정리해 두어야 한다.

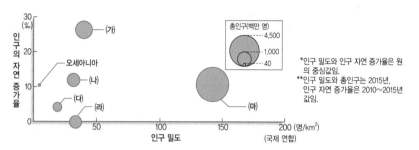

┌─ 보기 ─────────────────────────────────────┐
ㄱ. (가)는 (다)보다 도시화율이 높다.
ㄴ. (나)는 (마)보다 주민 중 크리스트교 신자의 비율이 높다.
ㄷ. (라)는 (가)보다 노년층 인구 비율이 높다.
ㄹ. (다)는 최근 (가)보다 (나)로부터의 인구 유입이 활발하다.
└──┘

① ㄱ, ㄴ   ② ㄱ, ㄹ   ③ ㄷ, ㄹ
④ ㄱ, ㄴ, ㄷ   ⑤ ㄴ, ㄷ, ㄹ

2 그래프는 (가), (나) 국가에서 해외로 이주한 인구의 국가별 분포를 나타낸 것이다. 이에 대한 설명으로 옳은 것은? (단, (가), (나)는 지도에 표시된 세 국가 중 하나이다.)

> 국가별 인구 이주 현황

완자쌤의 시험 꿀팁

그래프를 통해 인구 이주의 유형을 파악하는 문제이다. 인구 이동 지도를 제시하는 문제에 비해 익숙하지 않은 형태이지만 최근에 출제 비중이 높아지고 있으므로, 표나 그래프 등의 통계 자료를 해석하는 능력을 키워야 한다.

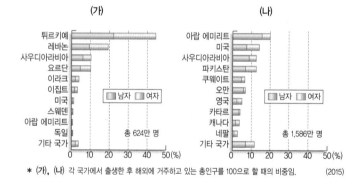

* (가), (나) 각 국가에서 출생한 후 해외에 거주하고 있는 총인구를 100으로 할 때의 비중임.   (2015)

① (가)는 경제적 요인에 의한 인구 이주가 많다.
② (나)는 비자발적 요인에 의한 인구 이주가 많다.
③ (가)는 (나)보다 선진국으로 이주한 인구가 많다.
④ (나)는 (가)보다 해외로 이주한 인구의 성비가 높다.
⑤ (가), (나) 모두 인구 순 유입이 나타난다.

3 표는 지역(대륙)별 도시화율과 촌락 인구의 변화를 나타낸 것이다. (가)~(마)에 대한 설명으로 옳은 것은? (단, 아메리카는 앵글로아메리카와 라틴 아메리카로 구분한다.)

▶ 지역(대륙)별 도시화율과 인구 변화

대륙	도시화율(%)		촌락 인구(백만 명)	
	1970년	2015년	1970년	2015년
(가)	22.6	40.4	284	695
(나)	23.7	48.2	1,624	2,272
(다)	63.0	73.6	243	196
(라)	57.1	79.8	124	127
(마)	73.8	81.6	61	66
오세아니아	71.3	70.8	6	12

① (가)에는 최상위 계층에 해당하는 세계 도시가 있다.

② (나)는 (마)보다 2015년 도시 인구가 많다.

③ (다)는 (라)보다 산업화의 시작 시기가 늦다.

④ (라)는 (가)보다 1970~2015년의 촌락 인구 증가율이 높다.

⑤ (마)는 (나)보다 대륙에 속한 국가의 수가 많다.

완자쌤의 시험 꿀팁

대륙별 도시화율을 자료로 제시하는 문제가 자주 출제되므로, 현재 대륙별 도시화율 순위를 파악해 두어야 한다.

4 (가), (나) 계층 도시의 상대적 특성을 옳게 나타낸 것은?

▶ 세계 도시 계층 구조

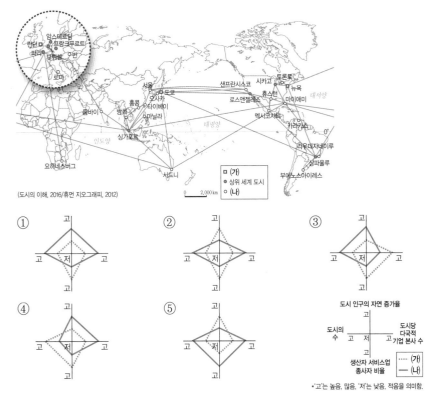

(도시의 이해, 2016/휴먼 지오그래피, 2012)

•'고'는 높음, 많음, '저'는 낮음, 적음을 의미함.

04~05 주요 식량 자원과 국제 이동 ~ 주요 에너지 자원과 국제 이동

학습목표
• 세계 주요 식량 자원의 특성과 분포 특징을 설명할 수 있다.
• 에너지 자원의 분포와 소비 특성을 파악할 수 있다.

이것이 핵심!

주요 식량 작물의 특징

쌀	아시아 계절풍 기후 지역의 충적 평야에서 주로 재배 → 국제 이동량이 적음
밀	전 세계 여러 지역에서 재배 → 국제 이동량이 많음
옥수수	다양한 기후 지역에서 생산 → 가축 사료, 바이오 에탄올의 원료로 이용

★ **옥수수 생산국과 수출국**

옥수수 생산량(9억 9,973만 톤/년, 2012~2016년)
미국 34.3 중국 21.9 7.6 기타 30.4(%)
브라질 8.5 우크라이나 2.6
아르헨티나 3.2

옥수수 수출량(1억 1,273만 톤/년, 2012~2016년)
미국 35.5 14.2 브라질 8.9 5.7 기타(22.5%)
13.2
아르헨티나 우크라이나 프랑스
(국제 연합 식량 농업 기구, 2018)

아메리카에서는 전 세계 옥수수 생산량의 절반 정도를 생산하고 수출한다.

1 세계의 주요 식량 자원

1. 세계의 주요 식량 작물 〔교과서 자료〕

> 꼭! 단위 면적당 생산량은 옥수수〉쌀〉밀 순으로 많고, 생산량 대비 수출량 비중은 밀〉옥수수〉쌀 순으로 높아.

쌀	• 재배 조건: 성장기에 고온 다습하고 수확기에 건조한 기후 환경이 재배에 유리함 • 주요 재배지: 동아시아의 온대 계절풍 기후 지역과 동남 및 남부 아시아의 열대 몬순 기후 지역의 충적 평야 • 특징: 단위 면적당 생산량이 많아 인구 부양력이 높음 • 이동: 생산지와 소비지가 거의 일치하여 국제 이동량이 적음
밀	• 재배 조건: 기온이 낮고 건조한 지역에서도 생육 가능 → 전 세계 여러 지역에서 재배됨 • 특징: 미국, 캐나다, 오스트레일리아 등은 기계화된 영농 방식으로 대량 생산하여 수출함 • 이동: 국제 이동량이 많음 → 신대륙에서 구대륙으로 이동 활발
*옥수수	• 재배 조건: 기후 적응력이 커서 다양한 기후 지역에서 재배됨 • 특징: 육류 소비 증가로 가축의 사료로 많이 사용되며, 최근 바이오 에탄올의 원료로 이용되면서 수요 급증

└ 기원지는 아메리카로 알려져 있어.

중·남부 아메리카와 사하라 이남 아프리카에서는 주식으로, 미국과 유럽 등 선진국에서는 가축 사료로 주로 소비해. ─ 옥수수, 사탕수수 등의 작물에서 포도당을 추출한 후 이를 발효하여 생산한 에너지 자원

2. 세계의 주요 가축 〔자료①〕

소	• 고기와 우유, 치즈, 버터 등과 같은 유제품을 제공, 농경 사회에서 노동력을 대신하기도 함 • 미국, 브라질, 오스트레일리아 등에서는 대규모 목장에서 기업적인 목축 형태로 사육함
양	• 고기와 젖을 제공, 양털의 수요 증가로 공업 원료로서의 가치 상승 • 구대륙의 건조 기후 지역에서는 유목의 형태로, 신대륙에서는 기업적인 목축 형태로 사육함
돼지	• 번식력이 강하고, 유목 활동에는 적합하지 않아 정착 생활을 하는 지역에서 사육함 • 돼지고기를 금기시하는 이슬람교 신자의 비중이 높은 서남아시아에서는 거의 사육하지 않음

VS 강수량이 비교적 풍부한 지역에서는 주로 소를 사육하고, 강수량이 적은 건조 기후 지역에서는 양을 기르는 경우가 많아.

이것이 핵심!

식량 자원의 이동과 교역 증가

식량 자원의 생산과 소비는 세계 여러 지역의 자연환경, 경제 발전 수준 등에 따라 다름
↓
식량 자원의 국제 이동 발생
↓
세계화와 자유 무역의 확대로 식량 자원의 교역 증가

★ **상업적 농업**
시장에 판매할 목적으로 작물을 재배하거나 가축을 기르는 농업

★ **자급적 농업**
생산물을 판매하기 위해서가 아닌, 주로 가족을 포함한 생산자 스스로가 소비하기 위한 농업

2 식량 자원의 이동과 교역 증가

1. 식량 자원의 생산과 수요 〔자료②〕

(1) **식량 자원의 국제 이동**: 식량 자원의 생산과 소비는 세계 여러 지역의 자연환경과 경제 발전 수준, 사회 조건 등의 차이에 따라 다름 → 식량 자원의 국제 이동 발생

(2) **식량 생산 및 수요의 지역적 차이** ─ VS • 주요 곡물 수출국: 미국, 프랑스, 브라질, 아르헨티나 등
• 주요 곡물 수입국: 일본, 사우디아라비아, 중국 등

곡물 순 수입 지역	아시아	많은 인구와 경제 성장의 영향 등으로 곡물 수요가 많음
	아프리카	가뭄, 내전, 낮은 농업 기술력, 특정 작물 집중 생산에 따른 토양 비옥도 저하 등으로 곡물 수입량이 수출량보다 많음
곡물 순 수출 지역	아메리카, 오세아니아	대규모의 기계화된*상업적 농업으로 그 지역의 수요보다 많은 양의 곡물을 생산하여 수출함

└ 곡물의 국제 가격이 상승할 경우 식량 부족 문제가 발생할 수 있어.

2. 식량 자원의 교역 증가

(1) **세계 무역 환경의 변화**: 세계화와 자유 무역의 확대로 식량 자원의 국가 간 교역이 증가함 →*자급적 농업에서 상업적 농업 형태로 변화

(2) **세계 곡물 시장의 특징**: 곡물 생산량 변화에 따른 가격 변동이 큼 → 안정적인 식량 확보를 위한 노력 필요

> Q워? 소수의 다국적 기업이 세계 곡물 시장의 80%를 장악하고 식량 시장을 투기화하는 등의 불안정한 상황이 존재하기 때문이야.

완자 자료 탐구

내 옆의 선생님

수능이 보이는 교과서 자료 **쌀과 밀의 생산과 이동**

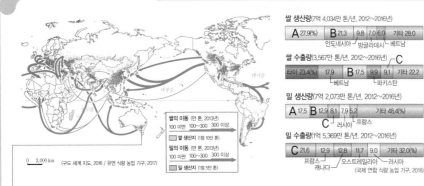

쌀 생산량(7억 4,034만 톤/년, 2012~2016년)

| A 27.9(%) | B 21.3 | 9.8 | 7.0 | 6.0 | 기타 28.0 |

인도네시아 └ 방글라데시 └ 베트남

쌀 수출량(3,567만 톤/년, 2012~2016년) ─ C

| 타이 23.4(%) | 17.9 | B 17.5 | 9.9 | 9.1 | 기타 22.2 |

└ 베트남 └ 파키스탄

밀 생산량(7억 2,073만 톤/년, 2012~2016년)

| A 17.5 | B 12.9 | 8.1 | 7.9 | 5.2 | 기타 48.4(%) |

C └ 러시아 └ 프랑스

밀 수출량(1억 5,369만 톤/년, 2012~2016년)

| C 21.6 | 12.9 | 12.8 | 11.7 | 9.0 | 기타 32.0(%) |

프랑스 └ 오스트레일리아 └ 러시아
└ 캐나다
(국제 연합 식량 농업 기구, 2018)

쌀은 아시아의 계절풍 기후 지역에서 주로 재배된다. 밀은 기온이 낮고 건조한 지역에서도 잘 자라기 때문에 식량 작물 중에서 재배 면적이 가장 넓다.

└ 남반구에서 재배하는 밀은 북반구와 수확 시기가 달라 높은 가격에 수출돼.

> **완자샘의 탐구 강의**
>
> • 지도를 참고하여 그래프의 A~C에 해당하는 국가를 써 보자.
>
> A - 중국, B - 인도, C - 미국
>
> • 지도를 보고 밀의 이동 특징을 서술해 보자.
>
> 밀은 아메리카와 오세아니아의 상업적 농업 지역에서 인구가 밀집한 아시아와 유럽으로 수출되는 비중이 높다.
>
> **함께 보기** 92쪽, 내신 만점 공략하기 02

자료 ① 주요 가축의 국가별 사육 두수 비중

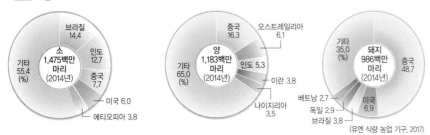

소는 경제적 가치가 높아 세계 각지에서 사육하고 있다. 양은 건조한 기후에서도 잘 견디므로 구대륙의 건조 기후 지역에서 유목 형태로, 신대륙에서는 기업적 목축 형태로 사육하고 있다. 돼지는 정착 생활에 적합하여 중국, 미국, 브라질 등지에서 많이 사육한다.

자료 ② 식량 작물의 수출과 수입

↑ 지역별 인구 분포, 곡물 생산 현황

↑ 식량 작물의 수출과 수입

아프리카는 인구 규모 대비 곡물 생산량의 비중이 매우 낮아 곡물 수입량이 수출량보다 많다. 반면 아메리카에서는 그 지역의 수요보다 많은 양의 곡물을 생산하여 수출하고 있다.

자료 하나 더 알고 가자!

자급적 농목업과 상업적 농목업

자급적 농목업
자급자족을 위해 작물을 재배하거나 가축을 사육하는 것으로, 농장의 규모가 작은 편 **예** 유목, 집약적 벼농사 등

상업적 농목업
판매를 목적으로 작물을 재배하거나 가축을 사육하는 것으로, 농장 규모가 큰 편 **예** 기업적 방목, 낙농업 등

자료 하나 더 알고 가자!

세계 곡물 생산 및 수출 변화

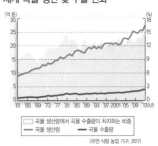

전 세계 곡물 수출량은 1960년대 이후 꾸준히 증가하고 있으며, 곡물 생산량의 14% 정도가 국제적으로 이동한다.

이것이 핵심!

에너지 자원의 의미와 소비 특성

에너지 자원	인간 생활과 경제 활동에 필요한 동력을 생산할 수 있는 자원
세계 에너지 소비 비중	석유 > 석탄 > 천연가스 순으로 높음

★ 신·재생 에너지
기존의 화석 연료를 변환하여 이용하거나 햇빛·물·바람 등 재생 가능한 자원을 변환하여 이용하는 에너지

3 에너지 자원의 특성과 지역별 생산과 소비

1. 에너지 자원의 의미와 특성 — 전 세계 에너지 소비의 80% 이상을 화석 에너지가 차지하고 있으며, 최근 선진국을 중심으로 신·재생 에너지에 대한 관심과 수요가 증가하고 있어.

(1) **에너지 자원**: 인간 생활과 경제 활동에 필요한 동력을 생산할 수 있는 자원 예 석유, 석탄, 천연가스 등의 화석 에너지와 수력, 태양광, 풍력 등의 *신·재생 에너지

(2) **세계 에너지 자원의 소비 비중**: 석유 〉 석탄 〉 천연가스 순으로 높음 자료③ — 전 세계 에너지 소비의 80% 이상을 차지해.

(3) **지역별 화석 에너지의 생산과 소비** — 인구가 많고 공업이 발달하고 있는 중국, 일본 등이 속해 있어 에너지 자원 생산량보다 소비량이 많아.

선진국, 동아시아 등	화석 에너지 생산량 〈 화석 에너지 소비량
개발 도상국, 서남아시아 등	화석 에너지 생산량 〉 화석 에너지 소비량

2. 에너지 자원의 이동 및 문제

(1) **자원의 국제 이동**: 지역별 화석 에너지의 생산량과 소비량 차이로 자원의 국제 이동 발생 → 주로 개발 도상국에서 경제 발전 수준이 높거나 공업이 발달한 선진국으로 이동

(2) **자원 이용과 관련된 문제**: 자원 수송로 확보 및 수송관 설치 등을 둘러싼 갈등 확대

이것이 핵심!

에너지 자원의 특징

석유	오늘날 가장 많이 사용하는 자원
석탄	제철 공업의 원료와 발전용 연료로 이용
천연가스	냉동 액화 기술의 발달로 소비량 급증

★ 에너지 자원별 비교

대기 오염 물질 배출량	석탄 > 석유 > 천연가스
매장 지층의 형성 시기	석탄 > 석유 > 천연가스
상용화된 시기	석탄 > 석유 > 천연가스

★ 배사 구조
볼록한 모양으로 구부러진 습곡 지층. 지층 밀도의 차이에 따라 천연가스, 석유, 물이 순서대로 층이 나뉘어 분포한다.

★ 냉동 액화 기술
기체 상태의 천연가스를 냉각하여 액체로 응축하는 기술

4 주요 에너지 자원의 특징

1. 주요 *에너지 자원의 특징과 이동 자료④

석유	• 특징: 19세기 이후 내연 기관의 발명과 자동차 보급의 확산으로 수요 급증, 오늘날 가장 많이 사용하는 자원, 수송용 및 화학 공업의 원료로 이용 • 분포: 신생대 제3기층의 *배사 구조에 주로 매장 — 전 세계 매장량의 약 절반 가량이 서남아시아의 페르시아만 연안에 분포하기 때문에 다른 자원에 비해 편재성이 커. • 이동: 사우디아라비아, 러시아, 이라크 등이 수출 → 미국, 중국, 인도 등이 수입
석탄	• 특징: 18세기 산업 혁명 시기에 증기 기관의 연료로 이용되기 시작, 제철 공업의 원료와 발전용 연료로 이용 — 미국의 애팔래치아산맥, 오스트레일리아의 그레이트디바이딩산맥, 중국의 푸순 등에 주로 분포해. • 분포: 고기 조산대에 주로 매장, 석유에 비해 비교적 넓은 지역에 분포 • 이동: 오스트레일리아, 인도네시아, 러시아 등이 수출 → 중국, 인도, 일본, 우리나라 등이 수입
천연가스	• 특징: 1970년대 초반 석유 파동 이후 본격적으로 사용되기 시작, 연소 시 대기 오염 물질의 배출이 적어 가정용으로 이용, *냉동 액화 기술의 발달과 대형 수송관 건설로 소비량 급증 • 분포: 신생대 제3기층의 배사 구조에 매장, 주로 석유와 함께 산출됨 • 이동: 러시아, 카타르, 노르웨이 등이 수출 → 일본, 독일, 이탈리아 등이 수입
원자력 발전	• 특징: 우라늄, 플루토늄의 핵분열 시 발생하는 열에너지를 이용하여 전력을 생산 • 장단점: 에너지 효율이 높지만, 방사능 유출 사고 위험과 방사성 폐기물의 처리 문제 발생

— 천연가스의 경우 육상 구간에서는 주로 송유관을, 해상 구간에서는 주로 액화 가스 수송선을 이용해.

2. 신·재생 에너지의 개발과 이용

(1) **신·재생 에너지의 특징**: 대기 오염 물질 배출이 적고, 대부분 재생이 가능하며 고갈될 염려가 적음 ↔ 경제성과 에너지 효율이 낮고, 자연환경의 제약이 커 지역적 편재가 큼

(2) **주요 신·재생 에너지의 이용과 분포** 자료⑤

수력	• 연 강수량이 많아 유량이 풍부한 지역에서 유리함 예 브라질 등 • 빙하 지형과 높은 산지가 있어 큰 낙차를 확보할 수 있는 지역에서 유리함 예 캐나다, 노르웨이 등
풍력	산지나 해안 지역과 같이 강한 바람이 많이 부는 지역에서 유리함 예 중국, 미국, 독일 등
태양광(열)	비가 적고 일사량이 풍부한 지역에서 유리함 예 미국, 이탈리아, 에스파냐 등
지열	신기 조산대, 지각판의 경계 지역에서 유리함 예 뉴질랜드, 아이슬란드 등

— 신·재생 에너지 중 수력이 세계 전력 생산에서 차지하는 비중이 가장 높아.

완자 자료 탐구

자료 3 세계 1차 에너지 소비 구조

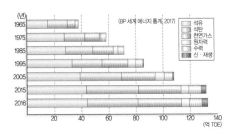

1960년대 이전에는 석탄의 소비 비중이 높았으나, 이후에는 석유, 천연가스 이용이 급증하면서 석탄 소비 비중이 낮아졌다. 2016년 전 세계의 에너지 소비 비중은 석유 > 석탄 > 천연가스 > 수력 순으로 높다.

자료 4 주요 에너지 자원의 생산과 이동

↑ 석유와 천연가스의 이동

↑ 석탄의 이동

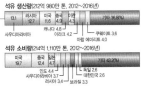

↑ 석유의 주요 생산국과 소비국

↑ 천연가스의 주요 생산국과 소비국

↑ 석탄의 주요 생산국과 소비국

석유는 다른 자원보다 매장 지역의 편재성이 크고, 경제 발전 수준이 높거나 공업이 발달한 지역에서 많이 소비되기 때문에 국제 이동량이 많은 편이다. 석탄은 비교적 세계 여러 지역에 고르게 매장되어 있어 석유에 비해 국제 이동량이 적은 편이다. 석탄은 중국, 석유는 사우디아라비아, 천연가스는 미국의 생산량이 가장 많다.

└ 일부 석유 생산 국가는 석유 수출국 기구(OPEC)를 결성하여 자국의 이익을 위해 석유의 생산량 및 가격을 조절하기도 해.

자료 5 국가별 신·재생 에너지 이용 현황

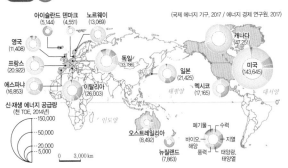

지열 발전은 신기 조산대에 위치한 지역에서, 수력 발전은 큰 낙차를 얻을 수 있는 지역에서 유리하다. 태양광 발전은 일사량이 풍부한 지역에서, 풍력 발전은 바람이 강한 해안이나 고원 지대에서 많이 이루어진다.

자료 하나 더 알고 가자!

지역별 1차 에너지 소비 구조

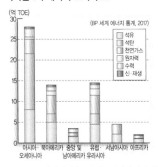

아시아·오세아니아는 석탄, 북아메리카와 유럽·유라시아는 천연가스, 서남아시아는 석유의 소비량 비중이 높게 나타난다.

자료 하나 더 알고 가자!

석유와 석탄의 용도별 소비 비중

(단위: %)

구분	석유	석탄
산업용	8.0	73.4
수송용	64.7	0.2
가정용	5.9	7.1
기타	21.4	19.3

* 기타는 농업·수산업, 상업 및 공공 서비스용 등임

(국제 에너지 기구, 2017)

석유는 수송용 및 화학 공업 등 여러 분야에서 이용되며, 석탄은 제철 공업 등 공업의 원료나 발전용 연료로 이용된다.

정리 비법을 알려줄게!

신·재생 에너지의 개발 조건

수력	연 강수량이 많아 유량이 풍부하고 낙차가 큰 지역
풍력	산지, 해안처럼 강한 바람이 지속적으로 부는 지역
태양광(열)	일사량이 풍부한 지역
지열	화산 활동이 활발한 지역

STEP 1 핵심 개념 확인하기

1 다음에서 설명하는 식량 자원을 쓰시오.

(1) 아시아 계절풍 기후 지역에서 주로 재배되며 인구 부양력이 높다. ( )

(2) 최근 바이오 에탄올의 원료로 이용되면서 수요가 증가하고 있다. ( )

(3) 기온이 낮고 건조한 지역에서도 잘 자라기 때문에 전 세계적으로 재배된다. ( )

2 다음에서 설명하는 가축을 〈보기〉에서 골라 기호를 쓰시오.

〈보기〉
ㄱ. 소   ㄴ. 양   ㄷ. 돼지

(1) 이슬람교 신자의 비중이 높은 서남아시아에서는 거의 사육하지 않는다. ( )

(2) 아시아에서는 유목의 형태로, 미국·브라질·오스트레일리아 등에서는 방목의 형태로 사육된다. ( )

3 다음 설명이 맞으면 ○표, 틀리면 ✕표를 하시오.

(1) 세계화와 자유 무역의 확대로 식량 자원의 국가 간 교역이 점차 감소하고 있다. ( )

(2) 식량 자원의 생산과 소비는 세계 여러 지역의 자연환경과 경제 발전 수준, 사회 조건 등의 차이에 따라 다르다. ( )

4 다음 괄호 안의 내용 중 알맞은 말에 ○표를 하시오.

(1) 석유는 석탄보다 국제 이동량이 (많다, 적다).

(2) 천연가스는 냉동 액화 기술의 발달 등으로 소비량이 빠르게 (증가, 감소)하고 있다.

(3) 오늘날 세계 1차 에너지 소비 구조에서 가장 높은 비중을 차지하는 자원은 (석유, 석탄)이다.

5 ㉠, ㉡에 들어갈 신·재생 에너지를 각각 쓰시오.

지각판의 경계에 위치한 아이슬란드는 (㉠) 발전에 유리하며, 일사량이 풍부한 이탈리아는 (㉡) 발전에 유리하다.

STEP 2 내신 만점 공략하기

01 그래프는 세 작물의 국가별 생산량 비중을 나타낸 것이다. (가)~(다)에 대한 설명으로 옳은 것은? (단, (가)~(다)는 밀, 쌀, 옥수수 중 하나이다.)

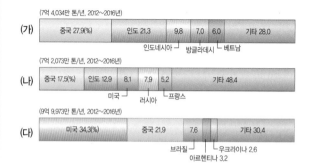

(7억 4,034만 톤/년, 2012~2016년)
(가) 중국 27.9(%) / 인도 21.3 / 9.8 / 7.0 / 6.0 / 기타 28.0
인도네시아 / 방글라데시 / 베트남

(7억 2,073만 톤/년, 2012~2016년)
(나) 중국 17.5(%) / 인도 12.9 / 8.1 / 7.9 / 5.2 / 기타 48.4
미국 / 러시아 / 프랑스

(9억 9,973만 톤/년, 2012~2016년)
(다) 미국 34.3(%) / 중국 21.9 / 7.6 / 기타 30.4
브라질 / 우크라이나 2.6
아르헨티나 3.2

① (가)는 재배 범위가 넓어 세계 각지에서 연중 수확된다.
② (나)는 아시아의 계절풍 기후 지역에서 주로 재배된다.
③ (다)는 바이오 에탄올의 원료로 이용되면서 수요가 급증하고 있다.
④ (가)는 (나)보다 단위 면적당 생산량이 적다.
⑤ (가)는 밀, (나)는 쌀, (다)는 옥수수이다.

02 중요 지도는 두 식량 작물의 생산과 이동을 나타낸 것이다. A, B에 대한 옳은 설명만을 〈보기〉에서 있는 대로 고른 것은?

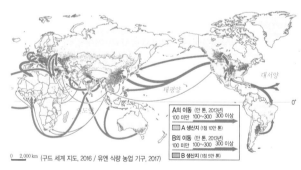

A의 이동 (만 톤, 2013년)
100 미만 / 100~300 / 300 이상
A 생산지 (1점 10만 톤)

B의 이동 (만 톤, 2013년)
100 미만 / 100~300 / 300 이상
B 생산지 (1점 5만 톤)

0 2,000 km (구드 세계 지도, 2016 / 유엔 식량 농업 기구, 2017)

〈보기〉
ㄱ. A는 남반구보다 북반구에서 생산량이 많다.
ㄴ. B는 주로 신대륙에서 자급적 영농 방식으로 재배된다.
ㄷ. A는 B보다 생산량 대비 수출량 비중이 낮다.
ㄹ. A와 B의 세계 최대 생산국은 모두 아시아에 위치한다.

① ㄱ, ㄴ   ② ㄱ, ㄷ   ③ ㄴ, ㄹ
④ ㄱ, ㄷ, ㄹ   ⑤ ㄴ, ㄷ, ㄹ

03 표는 (가), (나) 식량 작물의 수출량 비중 상위 5개국을 나타낸 것이다. 이에 대한 설명으로 옳지 <u>않은</u> 것은? (단, (가), (나)는 밀과 옥수수 중 하나이다.)

구분	(가)		(나)	
	지역	비중(%)	지역	비중(%)
1	미국	35.5	미국	21.6
2	아르헨티나	14.2	프랑스	12.9
3	브라질	13.2	캐나다	12.8
4	우크라이나	8.9	오스트레일리아	11.7
5	프랑스	5.7	러시아	9.0

(국제 연합 식량 농업 기구, 2018)

① (가)의 원산지는 아메리카이다.
② (나)는 식량 작물 중에서 국제 이동량이 가장 많다.
③ (나)는 신대륙에서 주로 기계화된 농업 방식으로 재배된다.
④ (가)는 (나)보다 식용 이외의 소비 비중이 높다.
⑤ (나)는 (가)보다 인구 부양력이 높다.

☆중요
04 그래프는 주요 가축의 국가별 사육 두수 비중을 나타낸 것이다. (가)~(다)에 해당하는 가축을 옳게 연결한 것은?

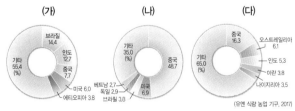

(유엔 식량 농업 기구, 2017)

	(가)	(나)	(다)
①	소	양	돼지
②	소	돼지	양
③	양	소	돼지
④	양	돼지	소
⑤	돼지	양	소

05 지도는 (가), (나) 가축의 분포와 이동을 나타낸 것이다. 이에 대한 설명으로 옳은 것은? (단, (가), (나)는 소와 돼지 중 하나이다.)

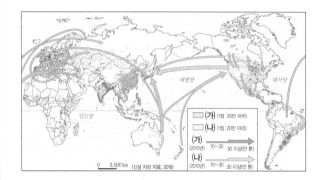

① (가)는 이슬람 문화권에서 사육 및 식용을 금기시한다.
② 힌두교도는 (가)를 사육하지만 종교적인 이유로 먹지 않는다.
③ (나)는 유럽보다 북부 아프리카에서 많이 사육된다.
④ (나)는 치즈, 버터 등과 같은 유제품을 제공해 준다.
⑤ (가), (나)의 사육 두수가 가장 많은 국가는 모두 아시아에 위치한다.

06 지도는 곡물 자원의 국가별 수출입 현황을 나타낸 것이다. 이에 대한 설명 및 추론으로 옳지 <u>않은</u> 것은?

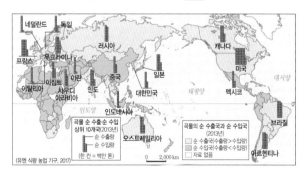

(유엔 식량 농업 기구, 2017)

① 일본은 인도네시아보다 곡물 순 수입량이 많다.
② 서남아시아는 곡물 생산량보다 곡물 수입량이 많다.
③ 곡물 순 수출량이 가장 많은 국가는 아시아에 위치한다.
④ 독일, 프랑스, 우크라이나는 공통적으로 곡물 순 수출국이다.
⑤ 곡물의 국제 가격이 상승할 경우 아프리카는 식량 부족 문제가 발생할 가능성이 높을 것이다.

07 그래프는 세계 1차 에너지 소비 구조 변화를 나타낸 것이다. A~E에 대한 설명으로 옳은 것은? (단, A~E는 석유, 석탄, 수력, 원자력, 천연가스 중 하나이다.)

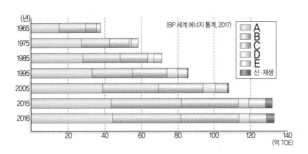

① A는 냉동 액화 기술의 발달로 소비량이 급증하였다.
② B는 오늘날 주로 수송용 연료로 이용된다.
③ C는 산업 혁명 당시 주요 에너지원이었다.
④ D는 에너지 효율이 높지만 방사능 유출의 위험이 있다.
⑤ E는 재생이 불가능한 에너지이다.

08 지도는 (가), (나) 화석 에너지의 분포와 이동을 나타낸 것이다. 이에 대한 설명으로 옳지 <u>않은</u> 것은?

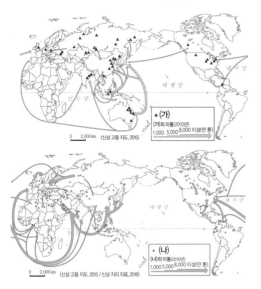

① (가)는 제철 공업용, 발전용으로 주로 이용된다.
② (나)는 주로 수송용 및 화학 공업의 원료로 이용된다.
③ (나)의 주요 생산국들은 공동으로 국제 기구를 결성해 생산량을 결정하기도 한다.
④ (가)는 (나)보다 국제 이동량이 많다.
⑤ (가)는 고생대, (나)는 신생대 지층에 주로 매장되어 있다.

09 그래프는 화석 에너지의 지역별 생산 및 소비 비중을 나타낸 것이다. (가)~(다)에 대한 옳은 설명을 〈보기〉에서 고른 것은? (단, (가)~(다)는 석유, 석탄, 천연가스 중 하나이다.)

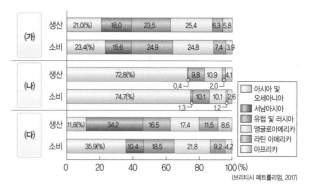

보기
ㄱ. (가)의 최대 생산국은 서남아시아에 위치한다.
ㄴ. (가)는 (나)보다 연소 시 대기 오염 물질 배출량이 적다.
ㄷ. (나)는 (다)보다 상용화된 시기가 이르다.
ㄹ. 오늘날 세계 1차 에너지 소비량은 (가) > (나) > (다) 순으로 많다.

① ㄱ, ㄴ ② ㄱ, ㄷ ③ ㄴ, ㄷ
④ ㄴ, ㄹ ⑤ ㄷ, ㄹ

10 그래프는 두 화석 에너지의 용도별 소비 비중을 나타낸 것이다. (나)와 비교한 (가)의 상대적 특징을 그림의 A~E에서 고른 것은?

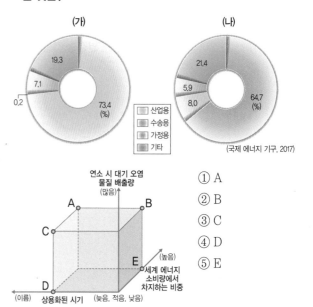

① A ② B ③ C ④ D ⑤ E

11 다음은 학생이 작성한 수행 평가 보고서의 일부이다. 밑줄 친 ㉠~㉤ 중 옳지 <u>않은</u> 것은?

> • 탐구 주제: 신·재생 에너지의 특성과 이용
> • 탐구 내용: 신·재생 에너지는 ㉠ <u>석유, 석탄 등 기존의 자원에 비해 오염 물질의 배출이 적고</u>, ㉡ <u>지형이나 기후의 제약이 작아</u> 전 세계적으로 사용 비중이 증가하고 있다. ㉢ <u>태양광 발전은 주로 일사량이 풍부한 지역에서,</u> 풍력 발전은 바람이 강한 해안이나 산지에서, ㉣ <u>지열 발전은 지각판의 경계 지역에서</u> 유리하다. 한편, 신·재생 에너지는 ㉤ <u>에너지 효율이 낮고, 지역별로 소규모 발전이 이루어지기 때문에</u> 경제성이 낮은 편이다.

① ㉠   ② ㉡   ③ ㉢   ④ ㉣   ⑤ ㉤

12 표는 (가)~(다) 에너지의 생산 비중 상위 6개국을 나타낸 것이다. 이에 대한 설명으로 옳은 것은? (단, (가)~(다)는 수력, 지열, 태양광(열) 중 하나이다.)

(BP, 2017년, %)

구분	(가)		(나)		(다)	
	지역	비중	지역	비중	지역	비중
1	중국	28.9	중국	19.9	미국	26.8
2	캐나다	9.7	미국	17.1	필리핀	14.4
3	브라질	9.6	일본	14.9	인도네시아	11.8
4	미국	6.5	독일	11.5	뉴질랜드	7.2
5	러시아	4.6	이탈리아	6.9	이탈리아	6.8
6	노르웨이	3.6	에스파냐	4.1	멕시코	6.7

* 수력과 태양광(열)은 소비 기준, 지열은 발전 용량 기준임

① (가)는 일사량이 풍부한 지역에서 유리하다.
② (나)는 유량이 풍부하고 낙차가 큰 지역에서 유리하다.
③ (다)는 빙하 지형과 산지가 발달한 지역이 발전소 입지에 유리하다.
④ (나)는 (다)보다 발전소 입지 시 기후의 영향을 많이 받는다.
⑤ (가)~(다) 중에서 세계의 신·재생 에너지 생산 비중이 가장 높은 것은 (다)이다.

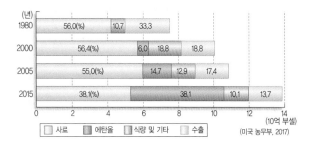
서술형 문제

● 정답친해 30쪽

01 그래프는 A 식량 자원의 용도별 소비량 변화를 나타낸 것이다. 이를 보고 물음에 답하시오.

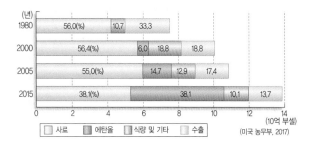

(1) A 식량 작물의 이름을 쓰시오.

(2) A의 특징을 <u>두 가지</u> 서술하시오.

02 그래프는 두 화석 에너지의 국가별 생산 비중을 나타낸 것이다. 이를 보고 물음에 답하시오.

(1) (가), (나)에 해당하는 화석 에너지를 각각 쓰시오.

(2) (가), (나) 화석 에너지의 특성을 제시어를 활용하여 비교하시오.

> • 상용화 시기
> • 세계 에너지 소비량
> • 연소 시 대기 오염 물질 배출량

수능 응용

1 그래프는 식량 작물 (가), (나)의 대륙별 생산량과 수출량 비중을 나타낸 것이다. 이에 대한 설명으로 옳은 것은? (단, (가), (나)는 쌀, 밀, 옥수수 중 하나이다.)

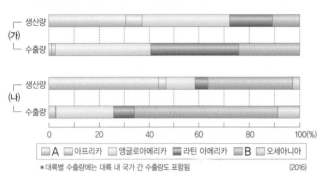

* 대륙별 수출량에는 대륙 내 국가 간 수출량도 포함됨 (2016)

① (가)는 주로 A의 계절풍 기후 지역에서 재배된다.
② (나)는 내한성·내건성이 강해 재배 범위가 좁다.
③ (나)를 주로 수확하는 달은 B와 오세아니아가 서로 같다.
④ (가)는 (나)보다 가축의 사료로 이용되는 비중이 높다.
⑤ (나)는 (가)보다 바이오 에탄올의 원료로 많이 이용된다.

▶ 세계 주요 식량 작물의 특징

완자쌤의 시험 꿀팁
지역(대륙)별 생산량과 수출량 비중을 통해 주요 식량 작물을 구분하고, 각 식량 작물의 특징을 묻는 문제가 출제된다.

완자 사전
• 내한성
추위를 견디어 내는 성질

• 내건성
가뭄을 타지 않고 견디어 내는 성질

2 그래프는 주요 가축의 국가별 사육 두수 변화를 나타낸 것이다. (가)~(다)에 대한 설명으로 옳은 것은? (단, (가)~(다)는 소, 양, 돼지 중 하나이다.)

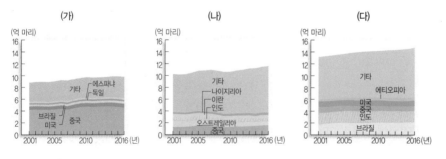

① 오스트레일리아에서는 (가)를 주로 기업적인 목축 형태로 사육하고 있다.
② 이슬람 문화권에서는 (나)를 기르는 것과 먹는 것을 금기시한다.
③ (나)는 (다)보다 강수량이 적은 곳에서 주로 사육된다.
④ (다)는 (나)보다 털을 모직 공업의 원료로 이용하는 비중이 높다.
⑤ (가), (나)는 서남아시아와 북부 아프리카에서 유목 형태로 사육된다.

▶ 주요 가축의 사육 현황 및 특성

3 그래프는 (가), (나) 화석 에너지의 지역별 생산량과 소비량 비중을 나타낸 것이다. 이에 대한 옳은 설명을 〈보기〉에서 고른 것은? (단, A, B는 서남아시아, 아시아·태평양 중 하나이다.)

> 주요 화석 에너지의 특성

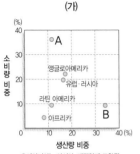
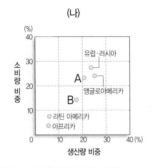

(가)

(나)

＊오세아니아는 아시아·태평양에 포함됨
＊＊구소련 중 중앙아시아 국가는 아시아·태평양에 포함되며, 그 밖의 국가는 유럽·러시아에 포함됨 (2016)

보기
ㄱ. (가)는 산업 혁명 시기에 주요 동력 자원으로 이용되었다.
ㄴ. (나)는 냉동 액화 기술의 발달과 수송관 건설로 운반과 사용이 편리해졌다.
ㄷ. A는 서남아시아에 해당한다.
ㄹ. (가)의 소비량 대비 생산량 비중이 가장 높은 지역은 B이다.

① ㄱ, ㄴ   ② ㄱ, ㄷ   ③ ㄴ, ㄷ
④ ㄴ, ㄹ   ⑤ ㄷ, ㄹ

수능 응용

4 그래프는 지도에 표시된 네 국가의 에너지원별 공급량 비중을 나타낸 것이다. (가)~(라) 에너지에 대한 설명으로 옳지 <u>않은</u> 것은? (단, (가)~(라)는 수력, 지열, 풍력, 태양광(열) 중 하나이다.)

> 유럽 주요 국가의 신·재생 에너지 이용 특성

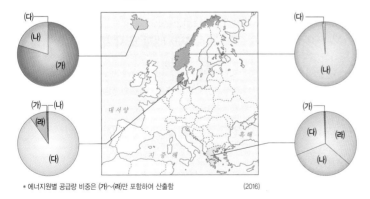

＊에너지원별 공급량 비중은 (가)~(라)만 포함하여 산출함   (2016)

① (가)는 지각판의 경계 부근에서 개발 잠재력이 크다.
② (나)는 낙차가 크고 수량이 풍부한 지역이 개발에 유리하다.
③ (다)는 바람이 많이 부는 산지나 해안 지역이 생산에 유리하다.
④ (라)는 연간 일사량이 많은 지역이 생산에 유리하다.
⑤ (가)는 (나)보다 세계 전체 에너지 공급량에서 차지하는 비중이 높다.

01 주요 종교의 전파와 종교 경관

1. 세계 주요 종교의 특징과 전파

크리스트교	• 특징: 세계에서 신자 수가 가장 많음, 서구 사회의 생활 양식과 사회 제도에 영향 • 전파: 유럽의 신항로 개척 이후 세계로 확산	보편 종교
(❶)	• 특징: 알라를 유일신으로 섬김, 쿠란의 가르침에 따라 신앙 실천 • 전파: 서남아시아의 메카에서 발생 → 군사적 정복 활동과 상업 활동을 바탕으로 확산	
불교	• 특징: 석가모니의 가르침을 실천, 깨달음을 얻기 위한 수행과 자비 강조 • 전파: 인도 북동부 지역에서 발생하여 동남 및 동아시아 일대로 전파	
힌두교	인도 북부 지역에서 발생하여 인도 전역 및 인도 주변의 일부 지역으로 전파	민족 종교

2. 세계 주요 종교의 성지와 경관

종교	주요 성지	종교 경관과 상징
크리스트교	(❷)	종탑, 십자가 등
이슬람교	메카, 메디나	아라베스크 문양, 모스크 등
불교	룸비니, 부다가야	불상, 사리를 안치한 탑 등
힌두교	바라나시	다양한 신들이 조각된 사원

02 세계의 인구 변천과 인구 이주

1. 인구 변천 모형

1단계	높은 출생률과 사망률 → 인구 증가율이 낮음
2단계	의료 기술 발달 및 생활 수준 향상으로 (❸)이 빠르게 감소 → 인구 급성장
3단계	출산율 감소(가족계획, 여성의 사회 활동 증가) → 인구 증가율 둔화
4단계	낮은 출생률과 사망률 → 인구 증가율이 낮음(주로 선진국)
5단계	저출산으로 인한 인구의 자연적 감소(유럽의 일부 선진국)

2. 세계의 인구 이주

구분		유형	이동 특성
이주 동기	자발적		더 나은 환경을 찾아 스스로 이주
	강제적		정치·종교·사회적 억압 등에 의한 이주
이주 원인		정치적	정치적 억압이나 전쟁을 피해 이주
		(❹)	개발 도상국에서 소득 수준이 높고 고용 기회가 많은 선진국으로의 이주
		종교적	종교의 자유를 찾아 이동, 성지 순례
		(❺)	기후 변화나 자연재해를 피해 이주

03 세계 도시와 세계 도시 체계

1. 세계의 도시화와 세계 도시

(1) 선진국과 개발 도상국의 도시화

선진국	개발 도상국
산업 혁명 이후 점진적 진행, 도시화의 종착 단계	제2차 세계 대전 후 산업화와 함께 급속히 진행, 도시화의 가속화 단계

(2) 세계 도시

의미	세계화 시대에 국가의 경계를 넘어 중심지 역할을 하는 대도시
역할	세계 자본이 집중·축적되는 중심지, 세계의 다양한 정보·문화가 생산되고 전달되는 핵심적인 결절지
선정 기준	세계적인 경제 활동, 연구·개발, 문화 교류, 정보 교류, 접근성, 거주 환경 등

2. 세계 도시의 특징과 세계 도시 체계

(1) 세계 도시의 특징과 변화

특징	다국적 기업의 본사 집중, 고도의 정보 통신 네트워크와 교통 체계 발달, 분쟁을 조정·통제하는 국제기구의 본부가 입지
변화	생산자 서비스업의 성장, 고급 소비자 서비스업 증가, 첨단 산업 발달

(2) (❻   ): 서로 다른 계층의 세계 도시들이 기능적으로 연결된 체계, 최상위 세계 도시는 주로 선진국에 위치

최상위 세계 도시	런던, 뉴욕, 도쿄 등
상위 세계 도시	파리, 로스앤젤레스, 브뤼셀, 싱가포르 등
하위 세계 도시	토론토, 시드니, 홍콩, 서울 등

098 III. 세계의 인문 환경과 인문 경관

04 주요 식량 자원과 국제 이동

1. 세계의 주요 식량 작물

쌀	• 재배 조건: 성장기에 고온 다습하고 수확기에 건조한 기후 환경이 재배에 유리함 • 주요 재배지: 동아시아의 온대 (❼) 기후 지역과 동남 및 남부 아시아의 열대 몬순 기후 지역의 충적 평야 • 특징: 단위 면적당 생산량이 많아 인구 부양력이 높음 • 이동: 생산지와 소비지가 거의 일치하여 국제 이동량이 적음
밀	• 재배 조건: 기온이 낮고 건조한 지역에서도 생육 가능 → 전 세계 여러 지역에서 재배됨 • 특징: 미국, 캐나다, 오스트레일리아 등은 기계화된 영농 방식으로 대량 생산하여 수출함 • 이동: 국제 이동량이 많음 → 신대륙에서 구대륙으로 이동 활발
옥수수	• 재배 조건: 기후 적응력이 커 다양한 기후 지역에서 재배됨 • 특징: 가축의 사료로 많이 사용되며, 바이오 에탄올의 원료로 이용되면서 수요 급증

2. 세계의 주요 가축

소	• 고기와 유제품(우유, 치즈, 버터)을 제공, 농경 사회에서 노동력을 대신하기도 함 • 미국, 브라질, 오스트레일리아 등에서는 대규모 목장에서 기업적인 목축 형태로 사육함
양	• 고기와 젖을 제공, 양털의 수요 증가로 공업 원료로서의 가치 상승 • 구대륙의 건조 기후 지역에서는 유목의 형태로, 신대륙에서는 기업적인 목축 형태로 사육함
돼지	• 번식력이 강하고 유목 생활에는 적합하지 않아 정착 생활을 하는 지역에서 사육함 • 돼지고기를 금기시하는 (❽) 신자의 비중이 높은 서남아시아에서는 거의 사육하지 않음

3. 식량 자원의 이동과 교역 증가

식량 자원의 국제 이동	식량 자원의 생산과 소비는 세계 여러 지역의 자연환경, 경제 발전 수준 등 차이에 따라 다름 → 식량 자원의 국제 이동 발생
식량 자원의 교역 증가	• 세계 무역 환경의 변화: 세계화와 자유 무역의 확대로 식량 자원의 국가 간 교역 확대 → 자급적 농업에서 상업적 농업 형태로 변화 • 세계 곡물 시장의 특징: 곡물 생산량 변화에 따른 가격 변동이 큼

05 주요 에너지 자원과 국제 이동

1. 에너지 자원의 의미와 이동

에너지 자원	인간 생활과 경제 활동에 필요한 동력을 생산할 수 있는 자원 ⑳ 석유, 석탄, 천연가스 등의 화석 에너지와 수력, 태양광 등의 신·재생 에너지
에너지 자원의 이동 및 문제	• 자원의 국제 이동: 주로 개발 도상국에서 경제 발전 수준이 높거나 공업이 발달한 선진국으로 이동 • 자원 이용과 관련된 문제: 자원 수송로 확보 및 수송관 설치 등을 둘러싼 갈등 확대

2. 주요 에너지 자원의 특징과 이동

석유	• 특징: 오늘날 가장 많이 사용하는 자원, 수송용 및 화학 공업의 원료로 이용 • 분포: 신생대 제3기층의 배사 구조에 주로 매장 • 이동: 사우디아라비아, 러시아, 이라크 등이 수출 → 미국, 중국, 인도 등이 수입
석탄	• 특징: 18세기 산업 혁명 시기에 증기 기관의 연료로 이용되기 시작, 제철 공업의 원료와 발전용 연료로 이용 • 분포: (❾)에 주로 매장 • 이동: 오스트레일리아, 인도네시아, 러시아 등이 수출 → 중국, 인도, 일본, 우리나라 등이 수입
천연 가스	• 특징: 연소 시 대기 오염 물질의 배출이 적어 가정용으로 이용, 냉동 액화 기술의 발달과 대형 수송관 건설로 소비량 급증 • 분포: 신생대 제3기층의 배사 구조에 매장 • 이동: 러시아, 카타르, 노르웨이 등이 수출 → 일본, 독일, 이탈리아 등이 수입
원자력 발전	• 특징: 우라늄, 플루토늄의 핵분열 시 발생하는 열에너지를 이용하여 전력을 생산 • 장단점: 에너지 효율이 높지만, 방사능 유출 사고 위험과 방사성 폐기물의 처리 문제 발생

3. 신·재생 에너지의 이용과 분포

수력	연 강수량이 많아 유량이 풍부하거나 큰 낙차를 확보할 수 있는 지역에서 유리함 ⑳ 브라질, 캐나다 등
(❿)	산지나 해안 지역과 같이 강한 바람이 많이 부는 지역에서 유리함 ⑳ 중국, 미국, 독일 등
태양광(열)	비가 적고 일사량이 풍부한 지역에서 유리함 ⑳ 미국, 이탈리아, 에스파냐 등
지열	신기 조산대, 지각판의 경계 지역에서 유리함 ⑳ 뉴질랜드, 아이슬란드 등

01 지도는 세계의 종교 분포를 나타낸 것이다. A~D 종교에 대한 설명으로 옳은 것은?

(휴먼 지오그래피, 2012 / 디르케 세계 지도, 2015)

① A는 인도에서 발생한 민족 종교이다.
② B는 로마 제국의 국교가 되면서 지중해와 유럽 전역으로 확산되었다.
③ C는 수많은 신을 인정하는 다신교이다.
④ D의 신자들은 쿠란에 담겨 있는 율법을 중시하며 생활한다.
⑤ D는 C보다 세계 신자 수가 많다.

02 사진은 어느 종교의 여성 신자들이 착용하는 의복을 나타낸 것이다. 이 종교에 대한 옳은 설명을 〈보기〉에서 고른 것은?

↑ 부르카   ↑ 니캅   ↑ 히잡

〈보기〉
ㄱ. 성지로는 룸비니와 부다가야가 있다.
ㄴ. 무역과 군사적 정복 활동을 통해 전파되었다.
ㄷ. 기원전 6세기경 남부 아시아에서 발생하였다.
ㄹ. 아라베스크 문양이 있는 모스크가 대표적 종교 경관이다.

① ㄱ, ㄴ   ② ㄱ, ㄷ   ③ ㄴ, ㄷ
④ ㄴ, ㄹ   ⑤ ㄷ, ㄹ

03 그래프는 주요 종교의 지역(대륙)별 신자 수 비율을 나타낸 것이다. 이에 대한 설명으로 옳은 것은? (단, (가)~(다)는 힌두교, 이슬람교, 크리스트교 중 하나이며, A~C는 유럽, 아시아, 아메리카 중 하나이다.)

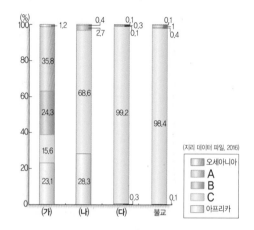

(지리 데이터 파일, 2016)

오세아니아
A
B
C
아프리카

① (가)는 민족 종교에 해당한다.
② (나)는 성지로 여기는 강가에서 목욕과 기도를 하는 의식이 있다.
③ (다)의 신자들은 메카로의 성지 순례가 종교적 의무이다.
④ (가)의 신자 수가 가장 많은 국가는 C에 위치한다.
⑤ A는 B보다 (가)의 전파 시기가 늦다.

04 자료의 ㉠, ㉡에 들어갈 종교를 옳게 연결한 것은?

타이의 국기에서 중앙의 파란색 부분은 국왕을 의미하며, 흰색 부분은 (㉠), 제일 바깥쪽의 빨간 색은 국민의 피를 나타낸다.
사우디아라비아 국기에는 (㉡)와 관련해 '알라 외에는 신이 없고 무함마드는 알라의 사도'라고 적혀 있으며, 문자 밑의 칼은 정의를 상징한다.

	㉠	㉡
①	불교	힌두교
②	불교	이슬람교
③	힌두교	이슬람교
④	힌두교	크리스트교
⑤	크리스트교	이슬람교

05 그래프는 지역(대륙)별 인구 구조를 나타낸 것이다. A~D 지역(대륙)에 대한 설명으로 옳지 <u>않은</u> 것은? (단, 아메리카는 앵글로아메리카와 라틴 아메리카로 구분한다.)

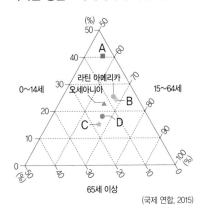

(국제 연합, 2015)

① A는 C보다 열대 기후 지역이 넓게 분포한다.
② B는 D보다 총인구가 많다.
③ C는 A보다 인구 부양비가 높다.
④ D는 B보다 3차 산업 종사자 비율이 높다.
⑤ 노령화 지수는 C가 가장 높고 A가 가장 낮다.

06 그래프는 두 국가의 출생률과 사망률 변화를 나타낸 것이다. (가)와 비교한 (나) 국가의 상대적 특성으로 옳은 것을 〈보기〉에서 고른 것은?

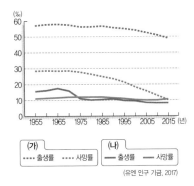

(유엔 인구 기금, 2017)

보기
ㄱ. 중위 연령이 높다.
ㄴ. 유소년 부양비가 높다.
ㄷ. 인구의 자연 증가율이 낮다.
ㄹ. 1인당 국내 총생산(GDP)이 적다.

① ㄱ, ㄴ   ② ㄱ, ㄷ   ③ ㄴ, ㄷ
④ ㄴ, ㄹ   ⑤ ㄷ, ㄹ

07 그래프는 지도에 표시된 세 국가의 인구 순 이동과 청장년층 인구 성비를 나타낸 것이다. (가)~(다)를 지도의 A~C에서 골라 옳게 연결한 것은?

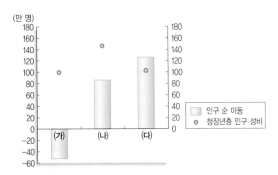

* 인구 순 이동은 유입 인구에서 유출 인구를 뺀 값임.
** 인구 순 이동은 2010~2015년 기준, 성비는 2015년 기준임.

(국제 연합)

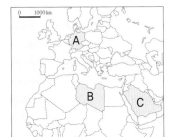

	(가)	(나)	(다)
①	A	C	B
②	B	A	C
③	B	C	A
④	C	A	B
⑤	C	B	A

08 다음 글의 ㉠에 대한 설명으로 옳지 <u>않은</u> 것은?

세계화는 정치, 경제, 사회, 문화 등 여러 측면에서 공간적 통합을 이루고 있다. 특히 경제의 세계화로 자본의 자유로운 국제 이동이 가능해졌고, 세계적 금융 시장이 형성되었다. 이처럼 경제의 세계화가 확대됨에 따라 각 지역의 대도시들은 도시 간 연계와 경제적 통합이 강화되면서 세계적 영향력을 가진 (㉠)(으)로 성장하였다.

① 다국적 기업의 생산 공장이 밀집해 있다.
② 생산자 서비스업 기능이 집중되어 있다.
③ 세계 자본이 집중·축적되는 경제 중심지이다.
④ 세계 경제의 중요한 의사 결정이 이루어진다.
⑤ 세계의 다양한 정보와 문화가 생산되고 전달되는 핵심적인 결절지이다.

09 그래프는 지역(대륙)별 도시화율과 도시 인구 증가율을 나타낸 것이다. 이에 대한 설명으로 옳은 것은? (단, 아메리카는 앵글로아메리카와 라틴 아메리카로 구분한다.)

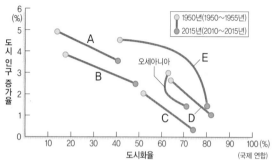

* 도시화율은 1950년과 2015년 기준, 도시 인구 증가율은 1950~1955년과 2010~2015년 기준임

① B는 D보다 국가의 수가 적다.
② C는 A보다 3차 산업 종사자 비율이 낮다.
③ D는 E보다 에스파냐어를 쓰는 주민의 비율이 높다.
④ 라틴 아메리카는 아시아보다 1950~2015년에 도시화율이 크게 증가하였다.
⑤ 2010~2015년에 도시 인구 증가율은 아프리카가 가장 높고, 앵글로아메리카가 가장 낮다.

10 다음 글의 ㉠~㉢에 들어갈 도시에 대한 옳은 설명을 〈보기〉에서 고른 것은?

(㉠)은/는 맨해튼에 형성된 대규모 금융가를 비롯해 세계적인 기업의 본사, 국제 연합 본부 등이 자리하고 있어 세계 경제·문화·정치의 중심지 기능을 한다. (㉡)은/는 금융 중심지 더 시티를 중심으로 많은 다국적 기업과 금융 기업 본사가 입지하며, (㉠)와/과 함께 세계 금융 시장의 양대 축을 이룬다. (㉢)은/는 역사적 건축물과 루브르 박물관을 비롯한 유명 미술관, 박물관이 많아 세계 문화·예술의 중심지로 불린다.

〈보기〉
ㄱ. ㉠은 세계 도시 체계의 최상위 계층을 차지한다.
ㄴ. ㉡은 ㉠보다 우리나라와의 시차가 크다.
ㄷ. ㉠, ㉢은 유럽, ㉡은 앵글로아메리카에 위치한다.
ㄹ. ㉠~㉢은 모두 고도의 정보 통신 네트워크와 최신의 교통 체계가 발달해 있다.

① ㄱ, ㄴ   ② ㄱ, ㄹ   ③ ㄴ, ㄷ
④ ㄴ, ㄹ   ⑤ ㄷ, ㄹ

11 사진은 주요 식량 작물별 전통 음식을 나타낸 것이다. A~C에 대한 설명으로 옳지 않은 것은?

⬆ A로 만든 바게트

⬆ B로 만든 국수

⬆ C로 만든 타말레스

① A는 신대륙에서 구대륙으로의 국제 이동량이 많다.
② B는 A보다 기후 적응력이 커 재배 면적이 넓다.
③ B는 C보다 국제 이동량이 적다.
④ C는 A보다 가축 사료로 이용되는 비중이 높다.
⑤ C는 B보다 단위 면적당 생산량이 많다.

12 다음은 세계지리 수업 장면의 일부이다. 교사의 질문에 옳게 답한 학생을 〈보기〉에서 고른 것은?

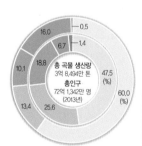

그래프는 대륙별 인구 분포 및 곡물 생산 현황을 나타낸 것입니다. 이에 대해 분석한 내용을 발표해 볼까요?

*안쪽 원은 곡물 생산, 바깥쪽 원은 인구를 나타냄
**러시아는 유럽에 포함함
(유엔 식량 농업 기구, 2017/유엔 인구 기금, 2017)

〈보기〉
갑: 아시아, 아프리카는 인구 규모에 비해 곡물 생산 비중이 낮습니다.
을: 인구 규모 대비 곡물 생산 비중이 가장 높은 대륙은 오세아니아입니다.
병: 유럽은 국제 곡물 가격의 변동으로 식량 부족 문제가 발생할 수 있을 것입니다.
정: 곡물의 국제 이동은 주로 아시아, 아프리카에서 아메리카, 오세아니아로 이동하는 경향이 나타날 것입니다.

① 갑, 을   ② 갑, 병   ③ 을, 병
④ 을, 정   ⑤ 병, 정

13 그래프는 (가)~(다) 가축의 사육 두수 상위 3개국을 나타낸 것이다. 이에 대한 설명으로 옳은 것은? (단, (가)~(다)는 소, 양, 돼지 중 하나이다.)

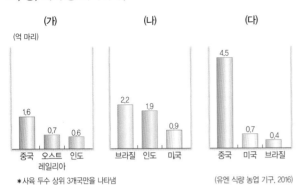

＊사육 두수 상위 3개국만을 나타냄

(유엔 식량 농업 기구, 2016)

① (가)는 파키스탄에서 식용이 금기시된다.
② (나)는 주로 유목의 형태로 사육된다.
③ (다)는 전통적인 농경 사회에서 노동력을 대신하는 가축이다.
④ (가)는 (나)보다 강수량이 많은 곳에서 사육된다.
⑤ (나)는 (다)보다 세계 총 사육 두수가 많다.

14 그래프는 지역별 1차 에너지 소비 구조를 나타낸 것이다. A~C에 대한 설명으로 옳지 <u>않은</u> 것은? (단, A~C는 석유, 석탄, 천연가스 중 하나이다.)

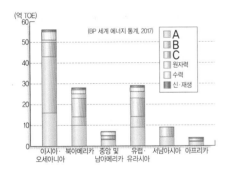

① A는 B보다 국제 이동량이 많다.
② C는 B보다 연소 시 대기 오염 물질의 배출량이 적다.
③ A~C 중에서 상용화된 시기가 가장 빠른 것은 B이다.
④ A~C 중에서 운송용 연료로 사용되는 비중이 가장 높은 것은 C이다.
⑤ 오늘날 세계 1차 에너지 소비량에서 차지하는 비중은 A > B > C 순이다.

15 지도는 어느 에너지 자원의 분포와 이동을 나타낸 것이다. 이에 대한 옳은 설명을 〈보기〉에서 고른 것은?

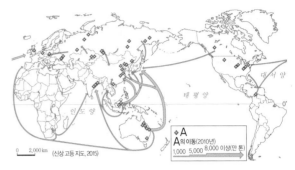

(신상 고등 지도, 2015)

보기
ㄱ. 고기 조산대 주변에 주로 매장되어 있다.
ㄴ. 주요 수입국은 오스트레일리아, 인도네시아 등이다.
ㄷ. 철광석과 함께 산업 혁명 시기의 주요 에너지 자원이 되었다.
ㄹ. 냉동 액화 기술의 발달과 수송관 건설로 소비량이 급증하였다.

① ㄱ, ㄴ   ② ㄱ, ㄷ   ③ ㄴ, ㄷ
④ ㄴ, ㄹ   ⑤ ㄷ, ㄹ

16 지도는 국가별 신·재생 에너지 이용 현황을 나타낸 것이다. 이에 대한 설명으로 옳은 것은? (단, A~C는 수력, 지열, 태양광(열) 중 하나이다.)

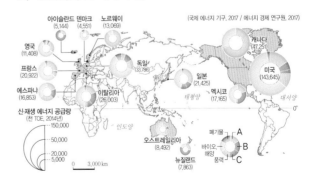

(국제 에너지 기구, 2017 / 에너지 경제 연구원, 2017)

① A는 일사량이 풍부한 지역에서 주로 이용된다.
② B는 화산 활동이 활발한 지역에서 이용 비중이 높다.
③ C는 유량이 풍부하고 낙차가 큰 지역에서 주로 이용된다.
④ B는 C보다 발전소 입지에 기후 조건의 영향을 많이 받는다.
⑤ A는 상용화된 시기가 B, C보다 늦다.

몬순 아시아와
오세아니아

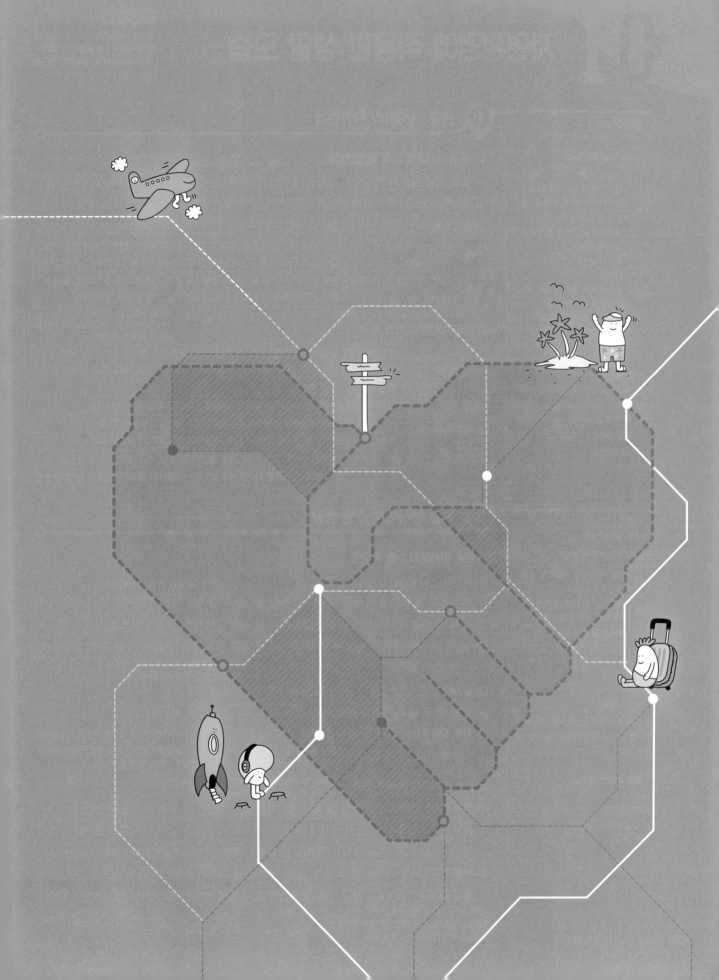

01 자연환경에 적응한 생활 모습

이것이 핵심!

몬순 아시아의 자연환경

기후	• 계절풍 기후가 나타나 계절에 따라 풍향과 강수 차이가 뚜렷 • 여름에는 해양에서 대륙으로 고온 다습한 바람, 겨울에는 대륙에서 해양으로 한랭 건조한 바람이 붐
지형	• 히말라야산맥, 티베트고원, 데칸고원 • 인도네시아, 필리핀, 일본에는 다양한 화산 지형 발달 • 대하천과 충적 평야 발달 • 내륙 지역에 건조 지형 발달

★ 몬순 아시아
'몬순(monsoon)'은 계절이라는 뜻의 아랍어 '마우심(mausim)'에서 유래하였다. 몬순 아시아는 계절풍의 영향을 받는 동부 아시아, 동남아시아, 남부 아시아를 말한다.

---

1 몬순 아시아의 자연환경

1. 몬순 아시아의 기후 〔교과서 자료〕

(1) **특징**: 공통적으로 계절풍의 영향을 받지만 열대·온대·냉대·건조·고산 기후 등이 나타남 ┌ 해발 고도가 높은 지역에서 나타나.

(2) **계절풍(monsoon)**: 대륙과 해양의 비열 차에 의해 계절에 따라 풍향이 바뀌는 바람

계절	풍향	영향
여름	해양 → 대륙, 남풍 계열 (고온 다습)	많은 비를 동반하여 홍수 발생, 풍부한 강수량을 이용하여 벼농사 발달 ⑳ 인도의 아삼 지방 └ 계절풍이 산지와 만나는 바람받이 지역에서 많은 비가 내려.
겨울	대륙 → 해양, 북풍 계열 (한랭 건조)	동부 아시아는 강한 북서풍의 영향으로 한랭 건조한 기후가 나타남, 일본 서북부 지역은 북서 계절풍과 지형의 영향으로 겨울철 눈이 많이 내림

└ 이 시기 동남 및 남부 아시아는 건기야.

2. 몬순 아시아의 지형 〔자료①〕

┌ • 인도: 인더스강, 갠지스강
├ • 인도차이나반도: 짜오프라야강, 메콩강
└ • 중국: 황허강, 창장강

산맥과 고원	• 히말라야산맥: 유라시아판과 인도·오스트레일리아판의 충돌로 형성된 신기 습곡 산지 • 고원: 티베트고원(대규모 습곡 작용으로 형성), 데칸고원(인도 중남부에 넓게 펼쳐져 있는 용암 대지)
화산 지형	지각판 경계에 위치한 인도네시아, 필리핀, 일본에는 다양한 화산 지형이 나타남
하천과 평야 지형	• 몬순 아시아는 여름 계절풍의 영향으로 강수량이 많아 대하천이 발달해 있음 • 대하천 유역에는 여름철 홍수로 하천이 자주 범람하여 충적 평야가 발달해 있음
건조 지형	대륙 내부에 타커라마간 사막, 고비 사막, 몽골 초원 지대 등에 건조 지형이 발달해 있음

└ 베트남의 메콩강, 타이의 짜오프라야강, 미얀마의 이라와디강, 인도의 갠지스강 주변

이것이 핵심!

몬순 아시아의 주민 생활

농업	여름 계절풍의 영향으로 벼농사가 주로 이루어짐
의복	여름에는 통풍이 잘 되는 옷, 겨울에는 보온이 잘 되는 옷
음식	쌀로 만든 음식 문화가 발달
가옥	고상 가옥, 수상 가옥, 합장 가옥 등

★ 인구 부양력
한 지역에서 주어진 자원을 이용하여 인구를 얼마나 부양할 수 있는가를 나타낸 지표

★ 쌀을 이용한 음식
• 일본: 스시
• 타이: 카오팟
• 인도네시아: 나시고렝
• 베트남: 퍼

---

2 몬순 아시아의 주민 생활

1. 몬순 아시아의 농업 〔자료②〕

(1) **벼농사** ┌ 인도네시아, 필리핀 ┌ 벼의 2기작 또는 3기작이 이루어져.

① 계절풍의 영향으로 여름 강수량이 풍부한 곳, 충적 평야가 발달한 곳에서 주로 이루어짐

② 신기 조산대 지역은 비옥한 화산회토를 바탕으로 경사지를 계단식 논으로 개간

③ 쌀은 ★인구 부양력이 높으며 경작 과정에서 많은 노동력을 필요로 해 몬순 아시아는 인구 밀도가 높음 ┌ 중국 내륙과 몽골 지역 주민들은 주로 유목, 오아시스 농업, 관개 농업을 해.

(2) **밀농사**: 강수량이 적고 기온이 낮은 지역에서 주로 이루어짐

(3) **유목**: 중국 내륙 지역과 몽골 등의 건조 기후 지역에서 주로 이루어짐

(4) **기호 작물 재배**: 차(중국 창장강 이남, 인도 북동부, 스리랑카), 목화(인도 데칸고원), 커피(베트남과 인도네시아 등지) ┌ 동남 및 남부아시아는 열대 기후가 나타나고 노동력이 풍부해 상품 작물 재배에 유리해. 이를 바탕으로 플랜테이션 농업이 발달해 커피, 카카오, 차 등을 생산해.

2. 몬순 아시아의 의식주 문화 ┌ 베트남의 아오자이, 필리핀의 바롱, 미얀마의 론지 등 지역에 따라 다양한 전통 의복이 나타나.

(1) **의복 문화**: 여름에는 통풍이 잘 되는 옷, 겨울에는 보온이 잘 되는 두꺼운 옷을 입음

(2) **음식 문화**: ★쌀로 만든 음식 문화가 발달, 북쪽으로 갈수록 기온이 낮아지고 강수량이 적어 밀이나 잡곡으로 만든 음식을 먹기도 함 ┌ 열대 기후 지역의 가옥으로 호우에 대비한 급경사 지붕이 나타나.

(3) **전통 가옥**: 고상 가옥(지면의 열기, 습기, 해충 등을 피하기 위함), 수상 가옥(교통 편리, 어업 생활을 하는 데 유리), 합장 가옥(갓쇼즈쿠리, 폭설에 대비한 삼각형 형태의 급경사 지붕)

└ 고위도 지역은 패쇄적인 구조, 저위도 지역은 개방적인 구조가 나타나며, 온대 기후 지역은 더위와 추위에 대비한 시설이 공존해. └ 일본 서북부 └ 열대 기후 지역의 호수나 하천 주변

수능이 보이는 교과서 자료   몬순 아시아의 계절풍

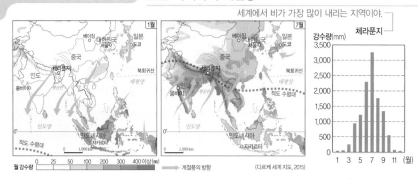

세계에서 비가 가장 많이 내리는 지역이야.

월 강수량(m)   0   25   50   100   200   300   400 이상(m)   → 계절풍의 방향   (디르케 세계 지도, 2015)

완자쌤의 탐 구 강 의

• 자료를 보고 체라푼지의 1월과 7월의 기후 특징을 서술해 보자.

1월에는 겨울 계절풍의 영향을 받아 한랭 건조하다. 7월에는 여름 계절풍의 영향을 받아 고온 다습하며, 히말라야산맥의 영향으로 지형성 강수가 내려 강수량이 매우 많다.

함께 보기 108쪽. 내신 만점 공략하기 01

몬순 아시아는 겨울에 고위도 대륙에서 해양으로 북풍 계열의 계절풍이 불고 한랭 건조하다. 여름에는 저위도 바다에서 대륙으로 남풍 계열의 계절풍이 불고 고온 다습하다. 인도의 체라푼지는 여름철에 인도양에서 내륙 쪽으로 수증기를 많이 머금은 바람이 불어 오는데, 이 바람이 히말라야산맥을 만나 지형성 강수를 형성한다.

해안에서 육지로 부는 다습한 바람이 높고 험준한 산맥을 만나면 습기를 머금은 공기가 산의 경사면을 타고 올라가면서 비나 눈이 되어 내려.

자료 ① 몬순 아시아의 지형

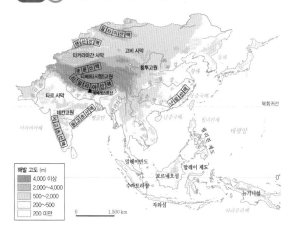

동남아시아에는 산맥들이 남북으로 뻗어 있어 산지가 많으며, 하천은 산맥을 따라 북에서 남으로 흐르는 경향이 있다. 중국은 북서부 지역에 고원과 산지가 분포하며, 남동부 해안 지역은 저평한 지대가 나타난다. 일본, 필리핀 등은 지각판의 경계에 위치해 지진과 화산 활동이 활발하다.

문제 로 확인할까?

중국에서 발원하여 인도차이나반도를 흐르며 하구에 충적 평야가 발달한 하천은?

① 메콩강   ② 황허강
③ 창장강   ④ 갠지스강
⑤ 인더스강

① 답

자료 ② 몬순 아시아의 토지 이용

범례:
□ 유목
□ 벼농사
■ 플랜테이션
■ 소규모 농업   □ 자급 농업
□ 화전   □ 기타

0   800 km (세계 지역 지리, 2009)

동남 및 남부 아시아의 넓고 비옥한 충적 평야 지역에서는 높은 기온과 풍부한 강수량을 바탕으로 벼농사가 이루어지며, 티베트고원과 몽골 초원 지역은 주로 가축을 기르며 이동하는 유목이 이루어진다. 그리고 동남 및 남부 아시아 열대 기후 지역은 플랜테이션 농업이 발달해 기호 작물을 생산한다. 동남아시아의 일부 열대 우림 지역에서는 토양이 비옥하지 않아 이동식 화전 농업이 이루어진다.

정리 비법을 알려줄게!

몬순 아시아의 농업

벼농사	• 여름 강수량이 풍부하고 충적 평야가 발달한 곳 • 신기 조산대 지역은 경사지를 계단식 논으로 개간
밀농사	강수량이 적고 기온이 낮은 지역
유목	건조 기후가 나타나는 중국 내륙 지역과 몽골 등
기호 작물 재배	차, 목화, 커피 등을 재배함, 열대 기후 지역은 플랜테이션 농업 발달

STEP 1 핵심 개념 확인하기

정답친해 34쪽

1 빈칸에 공통으로 들어갈 용어를 쓰시오.

( )이 발생하는 주요 원인은 대륙과 해양의 비열 차이 때문이다. 여름에는 해양에서 대륙으로 남풍 계열의 ( )이 불고, 겨울에는 대륙에서 해양으로 북풍 계열 의 ( )이 분다.

2 다음 빈칸에 들어갈 지형을 쓰시오.

(1) 인도 중남부에는 용암 대지인 ( )이 넓게 펼쳐져 있다.

(2) 몬순 아시아의 대하천 유역에서는 여름철 홍수로 하천이 자주 범람하여 ( )가 발달하였다.

(3) 인도와 중국의 접경 지대에는 대규모 습곡 작용으로 형성 된 신기 습곡 산지인 ( )이 분포하고 있다.

3 다음 지역에서 주로 이루어지는 농업을 〈보기〉에서 골라 기호 를 쓰시오.

보기
ㄱ. 유목   ㄴ. 벼농사
ㄷ. 플랜테이션   ㄹ. 계단식 벼농사

(1) 타이의 짜오프라야강 주변의 충적 평야 지역   (   )

(2) 건조 기후가 나타나는 몽골 초원과 티베트고원 지역
(   )

(3) 경사가 급하고 화산회토가 나타나는 인도네시아의 섬 지역
(   )

4 쌀은 단위 면적당 생산량이 많아 ( )이 높은 작물로, 경작 과정에서 많은 노동력이 필요하기 때문에 몬순 아시아는 인 구 밀도가 높게 나타난다.

5 다음과 관련 있는 가옥 문화를 〈보기〉에서 골라 기호를 쓰시오.

보기
ㄱ. 고상 가옥   ㄴ. 합장 가옥   ㄷ. 수상 가옥

(1) 지면의 열과 해충 피해를 막기 위해 바닥에서 띄워서 지음
(   )

(2) 일본에서 폭설을 대비하기 위해 삼각형 형태의 급경사로 지붕을 만듦   (   )

STEP 2 내신 만점 공략하기

01 지도는 (가), (나) 시기 몬순 아시아의 주요 풍향을 나타 낸 것이다. 이에 대한 옳은 설명을 〈보기〉에서 고른 것은? (단, (가), (나)는 1월과 7월 중 하나이다.)

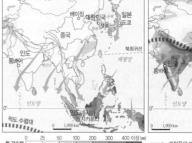

보기
ㄱ. (가) 시기에는 고위도 대륙에서 한랭 건조한 바람이 분다.
ㄴ. 동남아시아는 (나) 시기의 고온 다습한 기후를 이용해 벼농사가 활발하다.
ㄷ. (가) 시기는 여름, (나) 시기는 겨울이다.
ㄹ. (가) 시기는 (나) 시기보다 홍수 위험이 크다.

① ㄱ, ㄴ   ② ㄱ, ㄷ   ③ ㄴ, ㄷ
④ ㄴ, ㄹ   ⑤ ㄷ, ㄹ

02 다음과 같이 여름 계절풍이 불 때 지도에 표시된 A 지 역의 강수량이 많은 이유를 〈보기〉에서 고른 것은?

보기
ㄱ. 열대 저기압이 자주 형성되기 때문에
ㄴ. 주변 지역보다 해발 고도가 높기 때문에
ㄷ. 해양에서 대륙으로 고온 다습한 계절풍이 불기 때문에
ㄹ. 계절풍이 히말라야산맥을 만나 지형성 강수를 형성하 기 때문에

① ㄱ, ㄴ   ② ㄱ, ㄷ   ③ ㄴ, ㄷ
④ ㄴ, ㄹ   ⑤ ㄷ, ㄹ

03 A~E 지형에 대한 설명으로 옳지 <u>않은</u> 것은?

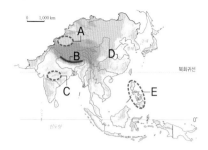

① A는 대륙 내부에 위치해 수증기를 공급받기 어려워 형성된 사막이다.

② B는 대륙판과 대륙판이 충돌해 형성된 신기 습곡 산맥으로 지진이 자주 발생한다.

③ C는 용암이 지표를 덮어 형성된 넓고 평탄한 지형이다.

④ D는 히말라야산맥에서 발원하여 흐르는 하천으로 세계 4대 문명의 발상지이다.

⑤ E는 환태평양 조산대에 위치한 나라로 지진과 화산 활동이 활발하다.

04 A~D 지역에서 주로 이루어지는 토지 이용에 대한 옳은 설명을 〈보기〉에서 고른 것은?

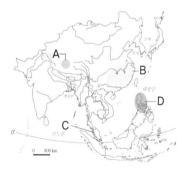

보기

ㄱ. A – 전통적인 화전 농업을 통해 식량 작물을 재배한다.

ㄴ. B – 충적 평야가 발달하여 비옥한 곡창 지대를 이루고 있다.

ㄷ. C – 연 강수량이 적고 기온이 낮아 밀을 주로 재배하고 있다.

ㄹ. D – 산지가 많아 경사지를 계단식 논으로 개간하여 벼농사를 짓는다.

① ㄱ, ㄴ   ② ㄱ, ㄷ   ③ ㄴ, ㄷ

④ ㄴ, ㄹ   ⑤ ㄷ, ㄹ

05 다음과 같은 생활이 이루어지는 곳을 지도의 A~E에서 고른 것은?

> 물과 풀을 찾아 가축의 무리와 함께 이동하며 가축으로부터 우유와 고기, 가죽 등을 얻는다.

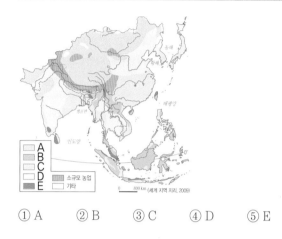

① A   ② B   ③ C   ④ D   ⑤ E

06 (가), (나)에 대한 옳은 설명을 〈보기〉에서 고른 것은?

(가) 베트남의 전통 의복	(나) 필리핀의 전통 의복
• 이름: 아오자이	• 이름: 바롱
• 주재료: 비단	• 주재료: 파인애플, 바나나, 마닐라삼 등에서 얻은 섬유
• 특징: 중국의 치파오에서 유래하였으며 얇은 비단을 사용한다. '농'이라고 불리는 모자는 햇빛을 가리는 데 유용하다.	• 특징: 남성은 주로 긴소매의 매우 얇은 상의를 입는데 안에 흰 티셔츠를 입어야 한다.

보기

ㄱ. (가)는 외부로부터 유입된 문화의 영향을 받았으나, 기후에 맞추어 변형되었다.

ㄴ. (가)의 모자는 여름철의 뜨거운 햇빛과 겨울철의 많은 눈에 대비할 수 있다.

ㄷ. (나)는 주변 환경에서 쉽게 구할 수 있는 것을 의복의 재료로 사용한다.

ㄹ. (가), (나)는 모두 여름철의 더위보다 겨울철의 추위를 극복하기 위해 발달한 의복이다.

① ㄱ, ㄴ   ② ㄱ, ㄷ   ③ ㄴ, ㄷ

④ ㄴ, ㄹ   ⑤ ㄷ, ㄹ

07 (가)~(다)에서 설명하는 전통 가옥 구조를 주로 볼 수 있는 지역을 지도의 A~C에서 골라 옳게 연결한 것은?

> (가) 지붕에 쌓인 눈이 쉽게 흘러내리도록 지붕의 경사가 가파른 집을 짓는다.
> (나) 나무로 된 뼈대에 동물의 가죽으로 짠 천이나 가죽을 덮어서 만든 이동식 천막에서 주로 생활한다.
> (다) 지면에서 올라오는 열기를 피하고 호우 때의 침수를 방지하며 해충의 침입을 막기 위해 지면으로부터 바닥을 띄워 짓는다.

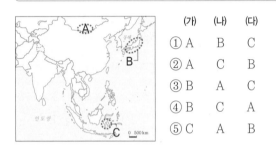

	(가)	(나)	(다)
①	A	B	C
②	A	C	B
③	B	A	C
④	B	C	A
⑤	C	A	B

08 (나) 지역과 비교한 (가) 지역의 상대적인 기후 특징을 그림의 A~E에서 고른 것은?

(가)	(나)
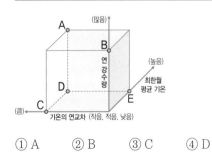 티베트고원 주민들은 야크, 양, 소의 젖을 끓인 후 식혔을 때 생겨난 지방 덩어리인 수유와 차를 함께 넣고 끓인 수유차를 마신다.	'나시'는 밥, '고렝'은 볶는 것을 의미한다. 나시고렝은 다양한 재료와 향신료를 넣은 볶음밥으로 동남아시아에서 즐겨 먹는다.

① A   ② B   ③ C   ④ D   ⑤ E

서술형 문제

● 정답친해 35쪽

01 지도는 캄보디아의 톤레사프호의 호수 면의 변화를 나타낸 것이다. 이러한 변화가 나타나는 이유를 몬순 아시아의 기후 특성과 관련하여 서술하시오.

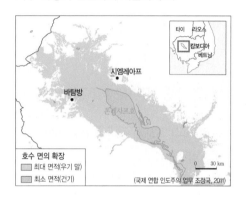

02 다음은 우리나라 전통 가옥에 대해 설명한 글이다. 밑줄 친 ㉠, ㉡과 같은 시설이 나타나는 이유를 서술하시오.

> 우리나라의 전통 가옥에는 ㉠ 대청마루가 있는데, 바닥의 구조가 목조로 짜여져 있고 바닥이 지면으로부터 떨어져서 그 밑으로 통풍이 가능하며, 외벽의 일부가 개방되어 있거나 개폐가 쉽게 되어 있다. 그리고 ㉡ 온돌과 아궁이가 설치되어 있는데, 온돌은 바닥에 구들을 깔고 불을 지펴 돌을 달구어 난방하는 시설이고, 아궁이는 방고래에 불을 넣거나 솥 또는 가마에 불을 지피기 위해 만든 구멍이다.

03 글의 밑줄 친 부분에 들어갈 내용을 서술하시오.

> 우리나라, 일본 등의 동아시아 지역에서는 일 년에 한 번 쌀을 생산하지만, 기온이 높고 강수량이 많은 중국 남부, 동남아시아, 남부 아시아에서는 벼의 2기작 또는 3기작을 하기도 한다. 쌀은 ＿＿＿＿＿＿＿＿＿＿＿ 이 때문에 몬순 아시아는 인구 밀도가 높게 나타난다.

STEP 3 1등급 정복하기

1 다음은 어느 학생의 형성 평가지이다. 이 학생이 얻을 점수로 옳은 것은?

> 몬순 아시아의 자연환경

형성 평가

지도에 표시된 하천들의 공통점이 맞으면 ○표, 틀리면 ×표를 하시오.

공통점	답안
(1) 하천 유역에서 플랜테이션 농업이 이루어진다.	×
(2) 하천 유역에서 인구 부양력이 높은 작물을 재배한다.	○
(3) 하천이 운반한 퇴적물이 쌓여 형성된 평야가 발달해 있다.	×
(4) 하천 주변의 산골짜기를 따라 계단식 벼농사가 발달해 있다.	○

(문항당 2점)

① 0점 ② 2점 ③ 4점 ④ 6점 ⑤ 8점

2 (가)~(다) 기후 그래프와 관계 깊은 지역을 표의 A~C에서 골라 옳게 연결한 것은?

> 몬순 아시아의 주민 생활

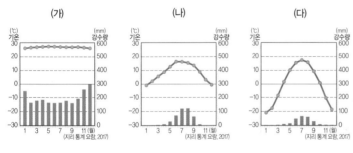

지역	주민 생활
A	티베트고원의 험준한 산지 사이 깊은 계곡을 따라 상인들이 차, 소금, 약재 등을 실어 날랐다.
B	동남 및 남부 아시아에서는 점성이 약한 쌀로 밥을 지어 수분이 적은 밥을 향신료와 함께 볶아 먹는 경우가 많다.
C	몽골에서는 겨울에 차가운 북풍을 막기 위해 산록의 남쪽 골짜기에서 생활하며, 여름에는 하천과 가까운 장소로 이동한다.

	(가)	(나)	(다)		(가)	(나)	(다)
①	A	B	C	②	B	A	C
③	B	C	A	④	C	A	B
⑤	C	B	A				

02~03 주요 자원의 분포 및 이동과 산업 구조 ~ 민족(인종) 및 종교적 차이

> **학습 목표**
> • 몬순 아시아와 오세아니아의 자원의 특징을 설명할 수 있다.
> • 몬순 아시아와 오세아니아 주요 국가의 종교 및 민족(인종) 차이를 설명할 수 있다.

이것이 핵심!

자원의 생산과 이동

지하 자원	• 석탄: 오스트레일리아 → 일본, 대한민국, 중국 • 철광석: 오스트레일리아 → 중국, 일본, 대한민국 • 천연가스: 인도네시아 → 동아시아
농축 산물	• 쌀: 몬순 아시아에서 전 세계 생산량의 대부분이 생산됨 • 밀: 오스트레일리아 → 동남 아시아 및 동아시아 • 육류 및 양모: 오스트레일리아, 뉴질랜드 → 동아시아

★ 오스트레일리아의 목축업

오스트레일리아는 기업적 목축 형태로 소와 양을 사육하고 있다. 강수량이 풍부한 북동부 지역에서는 소가 사육되고, 건조 기후 지역에서는 양이 사육된다.

① 몬순 아시아와 오세아니아의 자원 분포 및 이동

1. 지하자원의 분포와 이동 (자료 ①)

> 꼭! 철광석은 안정육괴에서 많이 생산돼. 석탄은 고생대 지층에 석유와 천연가스는 신생대 제3기층에 주로 분포해.

석탄	• 산업용 연료로 사용되므로 공업이 발달한 국가의 수요가 많음 • 주요 생산국은 중국, 인도, 오스트레일리아 등 ─ 중국은 석탄 생산량이 풍부하지만, 국내 사용량이 많아 오스트레일리아 등에서 수입하고 있어. • 오스트레일리아에서 일본, 대한민국, 중국 등의 동아시아 지역으로 수출됨
철광석	• 주요 생산국은 오스트레일리아, 중국, 인도 등 ─ 전 세계 철강 생산량의 절반 가량을 생산해. • 오스트레일리아에서 중화학 공업이 발달한 중국, 일본, 대한민국 등으로 수출됨
천연가스	• 최근 수요량이 증가하고 있음, 인도네시아에서 동아시아 지역으로 수출됨 • 주요 생산국은 중국, 오스트레일리아, 인도네시아 등

└ 제철 공업의 주요 원료로 철강 제품 생산량이 많은 국가의 수요가 많아.

2. 농축산물의 분포와 이동

> 꼭! 쌀은 몬순 아시아 지역에서 주로 생산되며 생산지와 소비지가 일치해 국제 이동량이 적어.

(1) **쌀**: 전 세계 생산량의 90% 이상을 몬순 아시아에서 생산하고 있음

(2) **밀**: 인도, 중국, 오스트레일리아의 생산량이 많음, 오스트레일리아의 밀은 동남아시아 및 동아시아 지역으로 수출

(3) **기호 작물**: 몬순 아시아에서는 차, 커피, 바나나, 사탕수수 등의 생산량이 많음

(4) **육류 및 양모**: *오스트레일리아, 뉴질랜드는 양모, 소고기, 유제품을 생산해 동아시아 지역으로 수출

이것이 핵심!

주요 국가의 산업 구조

몬순 아시아
• 중국, 인도는 최근 중화학 공업과 첨단 산업이 발달하고 있음 • 일본은 첨단 산업 및 생산자 서비스업이 발달해 있음 • 동남아시아는 1차 산업 비중이 높았으나 최근 2차 산업이 발달하고 있음
↕ 경제 협력이 활발함
오세아니아
풍부한 지하자원을 수출하고 있으며 최근 산업 구조가 다변화되고 있음

★ BPO 서비스 산업

회사 업무 처리의 전 과정을 외부 업체에 맡기는 아웃 소싱 방식

★ 찬정

불투수층 밑의 지하수층까지 구멍을 뚫어 지표로 물이 솟아나도록 한 우물

② 몬순 아시아와 오세아니아의 산업 구조

1. 주요 국가의 산업 구조 (교과서 자료)

중국	• 많은 인구, 넓은 영토를 바탕으로 경제 개방 정책 이후 세계적인 공업국으로 성장하였음 • 최근 중화학 공업이 발달하고 있으며, 첨단 산업도 급성장하고 있음 • 동부 해안 지역에 경제특구를 설치하여 서구의 자본과 기술을 받아들임
일본	• 원료의 해외 의존도가 높기 때문에 임해 지역을 중심으로 제철·기계·조선 등의 중화학 공업 발달, 높은 기술력을 바탕으로 전자 제품, 로봇, 정밀 기계 및 자동차 산업 발달 • 세계적인 금융 중심지이며, 생산자 서비스업이 발달해 있음
인도	• 노동 집약형 산업이 발달하고 있음, 영어를 사용하는 인력이 풍부, 다국적 기업의 콜센터 입지 ─ 벵갈루루와 하이데라바드 중심 • 최근 2·3차 산업 비중이 증가, 중화학 공업과 정보 통신 기술 산업이 발달하고 있음
동남아시아 국가들	• 타이, 베트남, 인도네시아 등은 1차 산업 비중이 높은 편임 • 저렴한 노동력과 풍부한 자원을 이용하여 2차 산업 성장, 필리핀은 *BPO 서비스 산업 발달
오스트레일리아 (자료 ②)	• 제조업이 크게 발달해 있지 않아 풍부한 지하자원을 수출하고 있음 ─ 왜? 전반적으로 임금이 높고 국내 시장의 규모가 작기 때문이야. • 건조한 내륙 지역에서 *찬정을 이용한 기업적 농목업 발달 • 최근 철강, 알루미늄 공업과 관광 산업의 발달로 산업 구조가 다변화되고 있음

└ 왜? 제조업에 대한 정부의 정책과 투자가 늘어났기 때문이야.

2. 몬순 아시아와 오세아니아의 경제 협력

(1) **배경**: 교통·통신 기술의 발달과 세계 무역 환경의 변화에 따라 경제 협력 강화, 역내 포괄적 경제 동반자 협정(RCEP), 환태평양 경제 동반자 협정(TPP) 체결 노력

(2) **활발한 경제 협력**: 우리나라와 일본의 자본과 기술, 중국과 동남 및 남부 아시아의 노동력, 오세아니아의 자원을 활용하는 경제적 협력이 활발함

└ 몬순 아시아와 오세아니아는 지리적으로 인접해 있고 지하자원의 종류와 산업 구조의 차이가 커 교류가 활발해.

완자 자료 탐구

내 옆의 선생님

자료 ① 몬순 아시아와 오세아니아의 자원 분포 및 이동

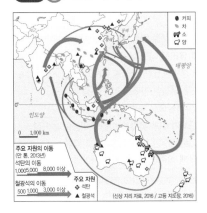

석탄과 철광석은 중국, 인도, 오스트레일리아 등지에서 많이 생산된다. 특히 오스트레일리아에서 생산된 석탄과 철광석은 중화학 공업이 발달한 중국, 일본, 대한민국 등지로 많이 수출되고 있다. 오스트레일리아에서 철광석은 서북부의 안정육괴 지대에서, 석탄은 동부의 그레이트디바이딩산맥 주변에서 많이 생산된다. 동남 및 남부 아시아의 여러 국가에서는 플랜테이션 농업을 통해 바나나, 커피 등의 기호 작물을 많이 생산한다.

자료 하나 더 알고 가자!

몬순 아시아와 오세아니아의 철광석 생산량

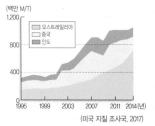

철광석은 오스트레일리아의 생산량이 가장 많으며, 다음으로 중국, 인도 순으로 많다. 오스트레일리아에서 생산된 철광석은 중국, 일본, 우리나라 등으로 수출된다.

수능이 보이는 교과서 자료 — 몬순 아시아와 오세아니아 주요 국가의 산업 구조

(가) 주요 국가의 국내 총생산

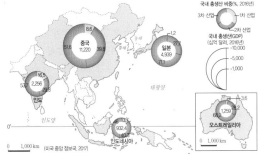

(나) 주요 국가의 수출 구조

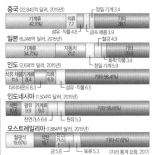

중국은 최근 빠른 경제 성장을 이루어 몬순 아시아와 오세아니아 국가 중 국내 총생산액이 가장 많다. 일본은 경제 발달 수준이 높아 국내 총생산에서 차지하는 3차 산업의 비중이 높고 첨단 산업이 발달해 있다. 인도네시아는 풍부한 천연자원과 플랜테이션 농업을 바탕으로 1차 산업의 비중이 높다. 인도 역시 1차 산업 비중이 높으나 최근 2·3차 산업의 비중이 빠르게 증가하고 있다. 오스트레일리아는 제조업이 크게 발달하지 못하였으나 최근 관광 산업 발달로 산업 구조가 다변화되고 있다.

완자샘의 탐구 강의

• (가)를 보고 인도네시아와 일본의 산업 구조가 어떻게 다른지 서술해 보자.
인도네시아는 1차 산업이 산업 구조에서 차지하는 비중이 높으며 일본은 3차 산업이 산업 구조에서 차지하는 비중이 높다. 즉 일본의 산업 구조가 더 고도화되어 있다고 볼 수 있다.

• (나)를 보고 오스트레일리아가 선진국임에도 지하자원의 수출이 많은 이유를 서술해 보자.
오스트레일리아는 지하자원이 풍부하지만 노동력 부족으로 제조업이 크게 발달해 있지 않기 때문이다.

함께 보기 120쪽, 1등급 정복하기 2

자료 ② 오스트레일리아의 무역 상대국 변화

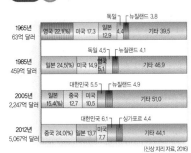

(신상 지리 자료, 2016)

오스트레일리아는 영국 연방에 속하여 영국, 영국 연방 국가들, 유럽, 미국 등과의 무역이 주를 이루었다. 그러나 1980년대 이후 몬순 아시아 국가들의 경제가 성장하면서 일본, 중국, 대한민국 등 이들 국가와의 무역 규모가 꾸준히 성장하였다.

문제로 확인할까?

다음에서 설명하는 국가를 쓰시오.

지하자원은 풍부하지만 제조업은 크게 발달하지 못하였다. 그러나 최근 몬순 아시아 국가들과 교류가 잦아지면서 철강, 알루미늄 공업이 점차 발달하고 있다.

답 오스트레일리아

이것이 핵심!

민족 및 종교 분포

동부 아시아	• 중국: 한족, 소수 민족 • 중국, 일본, 대한민국은 불교와 유교의 영향을 받음
동남 아시아	• 다민족 국가가 많음 • 불교, 이슬람교, 크리스트교 등 종교가 다양함
남부 아시아	• 민족과 인종 구성이 복잡함 • 인도는 힌두교를 주로 믿음
오세 아니아	• 유럽계 백인의 비중이 높음 • 크리스트교를 주로 믿음

★ **화교**
중국을 떠나 다른 나라에 정착해 살고 있는 중국인과 그 자손

★ **백호주의**
오스트레일리아에서 백인 이외의 인종, 특히 아시아인의 이민을 배척하였던 정책

★ **신도**
불교, 유교, 도교가 혼합된 일본의 민족 종교

③ 몬순 아시아와 오세아니아의 민족 및 종교 분포

1. 민족 분포 (자료 ③)

민족과 인종
• 민족: 언어, 종교, 생활 양식 등의 문화적 특성이 유사한 인간 집단
• 인종: 얼굴, 체형 등 생물학적인 특성이 유사한 인간 집단

중국	• 다수의 민족인 한족과 55개의 소수 민족이 분포하고 있음 • 중국 정부는 자치구나 자치주를 설정하여 각 민족의 고유성을 인정하고 있음
동남아시아	• 인도양과 태평양을 잇는 해상 교통의 요지로 교류에 유리해 다민족 국가가 많음 • 대부분 국가에 ★화교가 거주하며 각 국가의 정치 및 경제에 많은 영향을 미치고 있음
남부 아시아	• 식민 지배, 활발한 인구 이동 및 문화 교류의 영향으로 복잡한 민족과 인종 구성 • 영국의 식민 지배 이후 여러 국가들이 민족과 종교를 바탕으로 독립함
오세아니아	• 원주민인 애버리지니와 마오리족이 거주하였으나 18세기 이후 유럽계 백인의 비중이 높아짐 • 최근 ★백호주의를 폐지하였으며 원주민 보호 정책으로 원주민 인구가 증가하고 있음 • 몬순 아시아와의 교류 증가 및 이민 정책으로 아시아계 이주민의 비중이 증가하고 있음

꼭! 화교는 특정 지역에 모여 거주하므로 동남아시아 곳곳에서 차이나타운을 볼 수 있으며, 동남아시아 경제에 큰 영향을 미치고 있어 원주민과 갈등을 빚기도 해.

2. 종교 분포 (자료 ④)

동부 아시아	• 중국, 일본, 대한민국은 전통적으로 불교와 유교의 영향을 받음 ── 동부 아시아는 공통적으로 불교 문화가 나타나. • 중국은 유교와 도교의 비중이 높고, 일본은 ★신도의 비중이 높음
동남 아시아	• 타이, 미얀마, 캄보디아, 라오스, 베트남은 주로 불교를 믿음 • 말레이시아, 인도네시아, 브루나이는 이슬람교를 주로 믿음 • 필리핀, 동티모르는 크리스트교를 주로 믿음
남부 아시아	• 인도는 주민의 대부분이 힌두교를 믿음 • 파키스탄, 방글라데시는 이슬람교를 주로 믿으며, 스리랑카는 불교를 주로 믿음
오세아니아	• 오스트레일리아, 뉴질랜드는 과거 유럽 국가의 식민 지배 영향으로 크리스트교를 주로 믿음 • 최근 이주민의 증가로 불교, 이슬람교, 힌두교를 믿는 사람들이 증가하고 있음

왜? 필리핀은 과거 에스파냐의 식민 지배를 받아 크리스트교를 주로 믿어.

이것이 핵심!

주요 분쟁 지역

카슈미르 분쟁	파키스탄(이슬람교) ↔ 인도(힌두교)
스리랑카 분쟁	타밀족(힌두교) ↔ 신할리즈족(불교)
모로족 분리 독립운동	모로족(이슬람교) ↔ 필리핀 정부(크리스트교)
중국 소수 민족 독립운동	신장웨이우얼 자치구(위구르족 거주), 시짱 자치구(티베트족 거주)
미얀마	로힝야족(이슬람교) ↔ 미얀마 정부(불교)

★ **그 외 지역 갈등**
• 인도네시아 아체 지역: 석유와 천연가스의 이권을 둘러싸고 정부와 반군과의 갈등 발생
• 뉴질랜드: 마오리족이 유럽계 이주민을 대상으로 토지 반환 요구

④ 몬순 아시아와 오세아니아의 지역 갈등과 해결 방안

1. ★지역 갈등 (자료 ⑤)

카슈미르 지역은 국제 연합(UN)의 중재로 정전 협정이 체결되었으나 갈등이 지속되고 있어.

카슈미르 분쟁	1947년 영국으로부터 인도와 파키스탄이 독립하는 과정에서 이슬람교도가 많은 카슈미르 지역이 힌두교를 주로 믿는 인도에 속하게 되면서 분쟁 발생
스리랑카 분쟁	힌두교를 믿는 타밀족과 불교를 믿는 신할리즈족 간의 분쟁 발생
모로족 분리 독립운동	필리핀 민다나오섬에 거주하는 이슬람교도인 모로족이 정부의 차별에 대항하며 분리 독립운동을 벌이고 있음
중국 소수 민족 분리 독립운동	위구르족이 주로 거주하는 신장웨이우얼 자치구와 티베트족이 주로 거주하는 시짱 자치구는 중국으로부터 분리 독립운동을 벌이고 있음
오스트레일리아	유럽인이 유입되면서 원주민과 갈등, 애버리지니는 과거에 살던 지역의 토지 소유권을 주장
미얀마	이슬람교를 믿는 로힝야족과 불교를 믿는 미얀마 정부 간 갈등 발생

위구르족은 주로 이슬람교를 믿고 위구르어를 사용해.

2. 지역 갈등 해소를 위한 노력

다양한 종교 축제일을 공휴일로 지정하였어.

(1) **해결 노력**: 갈등 지역의 평화 협정 체결, 중국의 소수 민족 우대 정책, 말레이시아·인도네시아·싱가포르는 문화와 종교의 다양성을 존중하고 있음 ── '통일 속의 다양성'을 국가적 지향점으로 삼고 문화와 종교의 다양성을 존중하고 있어.

(2) **원주민 존중 정책**: 오스트레일리아는 애버리지니의 토지 소유권을 일부 인정하고 있으며 뉴질랜드는 마오리족의 토지 반환 요구에 합의하고, 공용어로 마오리어를 채택하였음

중국어, 타밀어, 말레이어, 영어를 공용어로 사용해.

완자 자료 탐구

내 옆의 선생님

자료 ③ 몬순 아시아와 오세아니아의 민족 분포

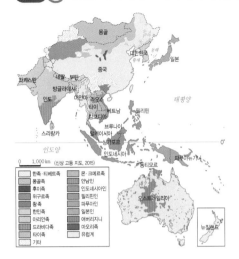

중국은 다수 민족인 한족과 55개의 소수 민족이 분포한다. 남부 아시아에는 오래전부터 드라비다족이 거주하고 있었으나, 아리안족의 침입 이후 남부에는 드라비다족이, 중부와 북부에는 아리안족이 주로 분포하게 되었다. 오스트레일리아와 뉴질랜드에서는 원주민인 애버리지니와 마오리족이 거주하였으나 18세기 이후 유럽계 백인의 비중이 매우 높아졌다.

자료 ④ 몬순 아시아와 오세아니아의 주요 국가의 종교 분포

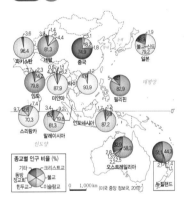

동부 아시아는 공통적으로 불교 문화가 나타난다. 동남아시아의 타이, 미얀마, 캄보디아, 라오스, 베트남은 불교가 주요 종교이며 말레이시아, 인도네시아, 브루나이는 이슬람교가 주요 종교이다. 필리핀은 크리스트교의 비율이 높게 나타난다. 남부 아시아의 인도는 힌두교를 주로 믿고, 파키스탄과 방글라데시는 이슬람교를 주로 믿는다. 과거 유럽 국가의 식민 지배를 받은 오스트레일리아와 뉴질랜드는 크리스트교를 주로 믿는다.

자료 ⑤ 몬순 아시아와 오세아니아의 갈등 지역

↑ 카슈미르 분쟁

↑ 스리랑카 분쟁

↑ 모로족 분리 독립운동

카슈미르 지역에서는 인도의 힌두교도와 파키스탄의 이슬람교도가 대립하고 있으며, 스리랑카에서는 힌두교도인 타밀족과 불교도인 신할리즈족 간의 갈등이 지속되고 있다. 크리스트교가 다수를 이루는 필리핀에서는 이슬람교를 믿는 모로족이 정부의 차별에 대항하며 무장 투쟁을 이어 오고 있다.

자료 하나 더 알고 가자!

중국의 소수 민족 자치구

중국은 소수 민족 자치구를 설정하여 소수 민족의 언어와 종교의 자유를 보장하고 있으나 한편으로는 한족의 통제하에 소수 민족을 규제하고 있다.

정리 비법을 알려줄게!

몬순 아시아와 오세아니아의 종교 분포

동부 아시아	공통적으로 불교 문화가 나타남
동남 아시아	• 불교: 타이, 미얀마, 캄보디아, 라오스, 베트남 • 이슬람교: 말레이시아, 인도네시아, 브루나이 • 크리스트교: 필리핀
남부 아시아	• 힌두교: 인도 • 이슬람교: 파키스탄, 방글라데시
오세아니아	크리스트교를 주로 믿음

문제 로 확인할까?

몬순 아시아와 오세아니아의 민족 및 종교 갈등 지역에 대한 설명으로 옳지 <u>않은</u> 것은?

① 카슈미르 지역에서는 힌두교와 이슬람교가 대립하고 있다.
② 스리랑카는 이슬람교도와 불교도 간의 갈등이 지속되고 있다.
③ 중국 시짱 자치구에서는 티베트족이 분리 독립운동을 벌이고 있다.
④ 필리핀은 이슬람교를 주로 믿는 모로족이 분리 독립운동을 벌이고 있다.
⑤ 오스트레일리아에서는 원주민인 애버리지니가 유럽계 이주민을 대상으로 살던 지역의 토지 소유권을 주장하고 있다.

② 📖

STEP 1 핵심 개념 확인하기

정답친해 36쪽

1 다음 설명에 해당하는 지하자원을 쓰시오.

(1) 최근 수요량이 증가하고 있으며, 인도네시아에서 동아시아 지역으로 많이 수출되고 있다. (   )

(2) 주로 산업용 연료로 사용되며, 오스트레일리아에서 동아시아 지역으로 많이 수출되고 있다. (   )

(3) 오스트레일리아 서북부 지역에 주로 매장되어 있으며 중화학 공업이 발달한 국가로 수출되고 있다. (   )

2 ㉠에 들어갈 국가명과 ㉡에 들어갈 용어를 쓰시오.

> (㉠   )는 최근 제조업에 대한 정부의 정책과 투자가 늘어남에 따라 2·3차 산업의 비중이 빠르게 증가하고 있다. (㉡   ) 집약형 산업이 발달하고 있으며, 중화학 공업도 성장하고 있다. 벵갈루루, 하이데라바드 등의 내륙 도시에서는 정보 통신 기술 산업도 발달하고 있다.

3 다음 종교를 주로 믿고 있는 몬순 아시아 국가를 〈보기〉에서 골라 기호를 쓰시오.

> **보기**
> ㄱ. 인도   ㄴ. 타이   ㄷ. 필리핀
> ㄹ. 파키스탄   ㅁ. 스리랑카   ㅂ. 인도네시아

(1) 불교 (   )

(2) 힌두교 (   )

(3) 이슬람교 (   )

(4) 크리스트교 (   )

4 몬순 아시아와 오세아니아의 민족(인종) 및 종교 갈등 지역과 갈등 원인을 옳게 연결하시오.

(1) 힌두교와 이슬람교 간의 ·   · ㉠ 미얀마
    갈등

(2) 신할리즈족과 타밀족 간 ·   · ㉡ 카슈미르 분쟁
    의 갈등

(3) 로힝야족에 대한 정부의 ·   · ㉢ 스리랑카 분쟁
    배척과 탄압

(4) 이슬람교도와 크리스트 ·   · ㉣ 모로족 분리 독립
    교 간의 갈등   운동

STEP 2 내신 만점 공략하기

01 지도는 몬순 아시아와 오세아니아의 자원 이동을 나타낸 것이다. A, B에 해당하는 자원을 옳게 연결한 것은?

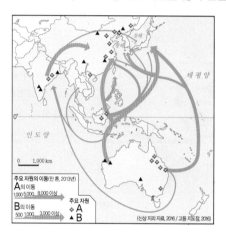

	A	B		A	B
①	석탄	석유	②	석탄	철광석
③	석유	석탄	④	석유	철광석
⑤	철광석	석탄			

02 그래프는 몬순 아시아와 오세아니아의 주요 지하자원 생산량 변화를 나타낸 것이다. (가), (나) 자원에 대한 옳은 설명을 〈보기〉에서 고른 것은? (단, (가), (나)는 석탄과 천연가스 중 하나이다.)

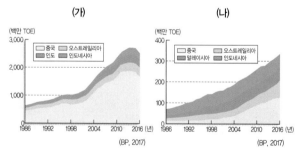

> **보기**
> ㄱ. (가)는 주로 신생대 제3기층에 분포한다.
> ㄴ. (가)는 공업의 원료나 발전용 연료로 이용된다.
> ㄷ. (가)는 (나)보다 상업적으로 사용된 시기가 늦다.
> ㄹ. (나)는 (가)보다 연소 시 오염 물질의 배출이 적다.

① ㄱ, ㄴ   ② ㄱ, ㄷ   ③ ㄴ, ㄷ

④ ㄴ, ㄹ   ⑤ ㄷ, ㄹ

03 그래프는 몬순 아시아와 오세아니아에 속한 국가별 주요 자원의 수출 비중을 나타낸 것이다. A 국가에 대한 설명으로 옳지 않은 것은?

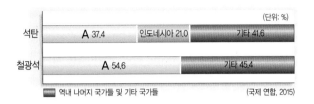

① 광물 자원에 대한 수출 의존도가 낮다.
② 남반구에 위치해 있으며, 북반구와 계절이 반대이다.
③ 각종 자원이 풍부하지만 제조업은 크게 발달하지 못하였다.
④ 양모, 소고기 등을 생산해 동아시아 지역으로 수출하고 있다.
⑤ 건조한 내륙 지역에서는 찬정을 이용한 기업적 농목업이 발달해 있다.

04 그래프는 몬순 아시아에 속한 (가)~(다) 국가의 산업 구조를 나타낸 것이다. 이에 해당하는 국가를 지도의 A~C에서 골라 옳게 연결한 것은?

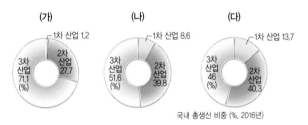

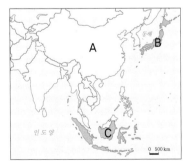

	(가)	(나)	(다)		(가)	(나)	(다)
①	A	B	C	②	A	C	B
③	B	A	C	④	B	C	A
⑤	C	A	B				

05 그래프는 몬순 아시아와 오세아니아에 속한 (가), (나) 국가의 수출 구조를 나타낸 것이다. (가) 국가와 비교한 (나) 국가의 특징을 그림의 A~E에서 고른 것은?

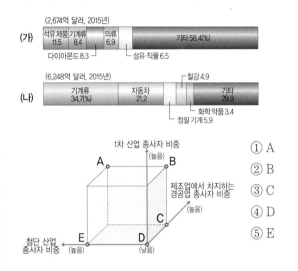

① A
② B
③ C
④ D
⑤ E

06 지도는 오스트레일리아의 무역 상대국 변화를 나타낸 것이다. 이에 대한 설명으로 옳은 것은?

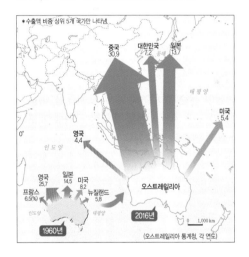

① 2016년에는 유럽 국가들로 수출하는 비중이 높아졌다.
② 1960년에는 몬순 아시아 국가들과의 무역이 주를 이루었다.
③ 미국이나 유럽 국가들과는 운송비 측면에서 무역에 유리하다.
④ 역내 포괄적 경제 동반자 협정을 추진 중인 국가들과의 무역 비중이 증가하였다.
⑤ 앞으로 중국, 일본과의 무역 규모보다 뉴질랜드와의 무역 규모가 증가할 것으로 보인다.

07 그래프는 지도에 표시된 (가)~(다) 국가의 종교별 인구 비율을 나타낸 것이다. A~C 종교에 대한 옳은 설명만을 〈보기〉에서 있는 대로 고른 것은?

보기
ㄱ. A의 신도들은 라마단 기간 동안 금식을 한다.
ㄴ. B의 사원에는 다양한 신들의 조각상이 있다.
ㄷ. C의 주요 경관으로는 사리가 봉안된 탑이 있다.
ㄹ. A는 민족 종교, B와 C는 보편 종교이다.

① ㄱ, ㄴ   ② ㄴ, ㄷ   ③ ㄷ, ㄹ
④ ㄱ, ㄴ, ㄷ   ⑤ ㄴ, ㄷ, ㄹ

08 사진은 학생이 몬순 아시아의 주요 도시들을 여행하면서 촬영한 것이다. (가), (나) 사진을 촬영한 국가를 지도의 A~D에서 골라 옳게 연결한 것은?

(가)   (나)

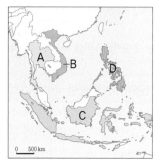

	(가)	(나)
①	A	C
②	B	D
③	C	A
④	C	D
⑤	D	B

09 밑줄 친 ㉠~㉤ 중 옳지 않은 것은?

몬순 아시아와 오세아니아의 민족(인종)과 종교는 지역에 따라 다양하고 복잡하다. ㉠ 이는 광대한 대륙과 많은 도서 지역에서 수많은 민족의 이동과 활발한 교류가 이루어졌기 때문이다. ㉡ 남부 아시아는 드라비다족과 아리안족이 주로 거주해 동남아시아보다 민족 구성이 단순하다. ㉢ 동남아시아는 중국·인도·이슬람 문화의 영향을 많이 받았다. ㉣ 중국은 인구의 93%를 차지하는 한족과 55개의 소수 민족으로 구성되어 있다. ㉤ 오스트레일리아는 유럽계 백인이 다수를 이루고 있으나 최근 이주민이 증가함에 따라 점차 아시아계의 비중이 높아지고 있다.

① ㉠   ② ㉡   ③ ㉢   ④ ㉣   ⑤ ㉤

10 A~C 종교 갈등에 해당하는 지역을 그림의 (가)~(다)에서 골라 옳게 연결한 것은?

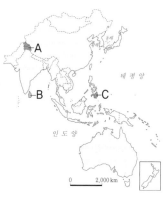

	A	B	C		A	B	C
①	(가)	(나)	(다)	②	(나)	(가)	(다)
③	(나)	(다)	(가)	④	(다)	(가)	(나)
⑤	(다)	(나)	(가)				

11 지도에 표시된 A~C 지역에 대한 옳은 설명만을 〈보기〉에서 있는 대로 고른 것은?

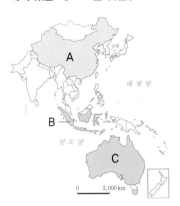

보기
ㄱ. A는 유교와 도교, 신도의 비중이 높다.
ㄴ. B는 자바족과 여러 민족이 공존하고 있으며 '통일 속의 다양성'을 지향하고 있다.
ㄷ. C는 유럽인이 유입되면서 원주민이 과거 살던 지역의 토지 소유권을 주장하고 있다.
ㄹ. A와 C 모두 주요 민족(인종)과 소수 민족 간의 갈등이 발생하고 있다.

① ㄱ, ㄴ   ② ㄴ, ㄷ   ③ ㄷ, ㄹ
④ ㄱ, ㄴ, ㄹ   ⑤ ㄴ, ㄷ, ㄹ

12 다음은 어느 방송 프로그램 기획안의 일부이다. 이 프로그램을 촬영해야 할 국가를 지도의 A~E에서 고른 것은?

방송 제목: 갈등을 넘어 평화의 길로!
• **촬영 장면1**: 이슬람교, 불교, 힌두교, 크리스트교 등 다양한 종교 축제일이 지정되어 있는 달력
• **촬영 장면2**: 원주민인 말레이인들이 주요 종교인 이슬람교 사원에서 기도하는 장면

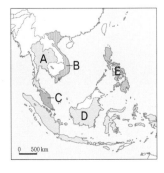

① A
② B
③ C
④ D
⑤ E

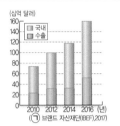

서술형 문제

● 정답친해 37쪽

01 자료를 보고 물음에 답하시오.

(㉠)의 정보 기술 산업 규모는 꾸준히 증가하고 있다. 뉴델리, 벵갈루루, 뭄바이 등 주요 도시는 인도 및 해외 기업이 밀집해 정보 기술 클러스터로 발전하였으며, 첨단 산업 단지가 조성되어 있다. (㉠)의 정보 기술 산업이 성장한 배경은 _____ 등이다.

⬆ ㉠의 정보 기술 산업 시장 규모

(1) ㉠에 들어갈 국가명을 쓰시오.

(2) 글의 밑줄 친 부분에 들어갈 정보 기술 산업의 성장 배경 세 가지를 쓰시오.

02 글에서 밑줄 친 부분에 해당하는 두 지역을 지도에서 골라 기호를 쓰고, 어떠한 갈등이 발생하는지 서술하시오.

중국 내에서 다수의 한족은 동부 평야 지대에 주로 거주하며, 소수 민족은 국경 인근에 주로 거주한다. 중국 정부는 소수 민족의 전통과 고유성을 인정하여 소수 민족 자치 지역을 설정하고 어느 정도 자치를 보장하는 한편, 소수 민족 자치 지역의 독립은 억제하였다. 그러나 일부 소수 민족은 한족과 언어, 종교, 역사 등이 달라 갈등이 발생하고 있다.

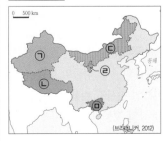

1 지도는 몬순 아시아와 오세아니아의 자원 분포 및 이동을 나타낸 것이다. (가), (나) 자원에 대한 옳은 설명을 〈보기〉에서 고른 것은?

> **자원의 분포 및 이동**

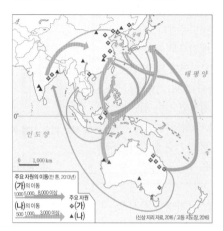

(신상 지리 자료, 2016 / 고등 지도장, 2016)

┌─ 보기 ┐

ㄱ. (가)는 고기 조산대의 고생대 지층에 주로 매장되어 있다.

ㄴ. (가)는 냉동 액화 기술 개발 이후 소비량이 크게 증가하였다.

ㄷ. (나)는 제철 공업이 발달한 국가에서 주로 소비된다.

ㄹ. (나)는 인도네시아에서 중국으로의 수출 비중이 가장 높다.

① ㄱ, ㄴ 　　② ㄱ, ㄷ 　　③ ㄴ, ㄷ

④ ㄴ, ㄹ 　　⑤ ㄷ, ㄹ

평가원 응용

2 그래프는 (가)~(다) 국가의 수출 구조를 나타낸 것이다. 이에 대한 추론으로 가장 적절한 것은? (단, (가)~(다)는 일본, 중국, 인도네시아 중 하나이다.)

> **주요 국가의 산업 구조**

> ┃ 한자 사전 ┃
>
> • 노동 집약적 공업
> 생산비에서 차지하는 노동비의 비중이 큰 공업으로 섬유, 의류, 신발 등의 경공업이 대표적이다.

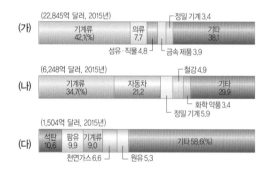

① (가)는 (나)보다 1인당 국내 총생산이 많을 것이다.

② (가)는 (다)보다 1차 상품의 수출 비중이 높을 것이다.

③ (나)는 (다)보다 서비스업 종사자 비율이 낮을 것이다.

④ (나)는 (가)보다 첨단 산업 제품의 수출 비중이 낮을 것이다.

⑤ (다)는 (나)보다 노동 집약적 공업의 비중이 높을 것이다.

3 지도는 국가별 종교 분포를 나타낸 것이다. A~D 종교에 대한 옳은 설명을 〈보기〉에서 고른 것은?

> 종교 및 민족 분포

완자샘의 시험 꿀팁

몬순 아시아와 오세아니아 주요 국가의 종교 분포를 묻는 문제가 출제된다. 종교별 특징을 정리해 두어야 한다.

* A~D는 해당 국가의 신자 수 1위 종교이며, 기타는 그 외 종교와 무종교를 포함함. (2017)

보기
ㄱ. A 신자수가 세계에서 가장 많은 국가는 인도이다.
ㄴ. B의 대표적 종교 경관은 둥근 지붕이 있는 모스크이다.
ㄷ. C의 주요 성지는 서남아시아의 메카와 메디나이다.
ㄹ. A는 소고기를, D는 돼지고기를 먹는 것을 금기시한다.

① ㄱ, ㄴ   ② ㄱ, ㄷ   ③ ㄴ, ㄷ
④ ㄴ, ㄹ   ⑤ ㄷ, ㄹ

4 '몬순 아시아와 오세아니아의 민족(인종) 및 종교 갈등 지역'에 관한 보고서이다. (가), (나)에 해당하는 지역을 지도에서 골라 옳게 연결한 것은?

> 지역 갈등과 해결 방안

완자샘의 시험 꿀팁

몬순 아시아와 오세아니아의 민족(인종) 및 종교 갈등 지역을 지도에서 파악해 두어야 한다. 그리고 어떤 종교 또는 민족 간에 갈등이 발생하고 있는지 그 내용을 정리해 두어야 한다.

수행 평가 보고서

주제: 몬순 아시아와 오세아니아의 민족(인종) 및 종교 갈등 지역

갈등 사례	해당 지역
이슬람교와 힌두교도 간의 대립으로 갈등이 지속됨	(가)
이슬람교와 크리스트교 간의 분쟁이 발생하고 있음	필리핀 민다나오섬
불교를 믿는 신할리즈족과 힌두교를 믿는 타밀족 간의 갈등	(나)
백호주의 정책이 폐지되었으나 유색 인종 차별로 분쟁이 지속됨	오스트레일리아

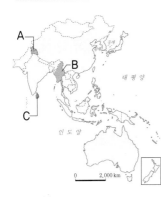

	(가)	(나)		(가)	(나)
①	A	B	②	A	C
③	B	C	④	C	A
⑤	C	B			

01 자연환경에 적응한 생활 모습

1. 몬순 아시아의 자연환경

(1) 몬순 아시아의 기후: 계절풍의 영향

여름 계절풍	• 해양 → 대륙, 남풍 계열, 고온 다습 • 많은 비를 동반하여 홍수 발생, 풍부한 강수량을 이용하여 벼농사 발달
겨울 계절풍	• 대륙 → 해양, 북풍 계열, 한랭 건조 • 동부 아시아는 강한 북서풍의 영향으로 한랭 건조한 기후가 나타남, 일본 서북부 지역은 북서 계절풍과 지형의 영향으로 눈이 많이 내림

(2) 몬순 아시아의 지형

산맥과 고원	• (❶)산맥: 유라시아판과 인도·오스트레일리아판의 충돌로 형성된 신기 습곡 산지 • 티베트고원: 대규모 습곡 작용으로 형성 • 데칸고원: 인도 중남부에 넓게 펼쳐져 있는 용암 대지
화산 지형	지각판 경계에 위치한 인도네시아, 필리핀, 일본에는 다양한 화산 지형이 나타남
하천과 평야 지형	• 몬순 아시아는 여름 계절풍의 영향으로 강수량이 많아 대하천이 발달해 있음 • 대하천(짜오프라야강, 메콩강, 황허강) 유역에는 하천의 범람으로 형성된 충적 평야가 발달해 있음
건조 지형	대륙 내부에 타커라마간 사막, 고비 사막, 몽골 초원 지대 등에 건조 지형이 발달해 있음

2. 몬순 아시아의 주민 생활

(1) 몬순 아시아의 농업

벼농사	• 계절풍의 영향으로 여름 강수량이 풍부한 곳, 충적 평야 일대에서 주로 이루어짐 • 신기 조산대 지역은 경사지를 계단식 논으로 개간 • 쌀은 인구 부양력이 높고 많은 노동력을 필요로 해 몬순 아시아는 인구 밀도가 높음
밀농사	강수량이 적고 기온이 낮은 지역에서 주로 이루어짐
(❷)	중국 내륙 지역과 몽골 등의 건조 기후 지역에서 주로 이루어짐
기호 작물 재배	차(중국 창장강 이남, 인도 북동부, 스리랑카), 목화(데칸고원), 커피(베트남과 인도네시아 등)

(2) 몬순 아시아의 의식주 문화

의복 문화	여름에는 통풍이 잘 되는 옷, 겨울에는 보온이 잘 되는 두꺼운 옷을 입음
음식 문화	쌀로 만든 음식 문화가 발달, 일부 지역에서는 밀이나 잡곡을 이용한 음식 문화가 발달하였음
가옥 문화	• 동남아시아의 열대 기후 지역: 지면의 열과 해충 피해를 막기 위해 바닥에서 띄워서 지은 (❸)과 교통이 편리하고 어업 생활을 하는 데에 유리한 수상 가옥 발달 • 일본 서북부 산간 지방: 폭설에 대비해 급경사의 지붕을 만든 합장 가옥(갓쇼즈쿠리) 발달 • 온대 기후 지역에서는 더위와 추위에 대비한 시설이 함께 나타남

02 주요 자원의 분포 및 이동과 산업 구조

1. 몬순 아시아와 오세아니아의 자원의 분포 및 이동

(1) 지하자원의 분포와 이동

석탄	• 산업용 연료로 사용되므로 공업이 발달한 국가의 수요가 많음 • 주요 생산국은 중국, 인도, 오스트레일리아 등 • 오스트레일리아에서 일본, 대한민국, 중국 등의 동아시아 지역으로 수출됨
철광석	• 주요 생산국은 오스트레일리아, 중국, 인도 등 • (❹)에서 중화학 공업이 발달한 중국, 일본, 대한민국 등으로 수출됨
천연가스	• 최근 수요량이 증가하고 있음, 인도네시아에서 동아시아 지역으로 수출됨 • 주요 생산국은 중국, 오스트레일리아, 인도네시아 등

(2) 농축산물의 분포와 이동

(❺)	전 세계 생산량의 90% 이상이 몬순 아시아에서 생산됨
밀	인도, 중국, 오스트레일리아의 생산량이 많음, 오스트레일리아에서 동남 아시아 및 동아시아 지역으로 수출
기호 작물	몬순 아시아에서는 차, 커피, 바나나, 사탕수수 등의 생산량이 많음
육류 및 양모	오스트레일리아, 뉴질랜드는 양모, 소고기, 유제품 등을 동아시아 지역으로 수출

2. 몬순 아시아와 오세아니아의 산업 구조

중국	• 많은 인구, 넓은 영토를 바탕으로 경제 개방 정책 이후 세계적인 공업국으로 성장 • 최근 중화학 공업과 첨단 산업이 발달하고 있음
일본	• 임해 지역을 중심으로 중화학 공업 발달, 높은 기술력을 바탕으로 전자 제품, 로봇, 자동차 산업 발달 • 세계적인 금융 중심지이며 생산자 서비스업이 발달해 있음
(❻　　　)	• 노동 집약형 산업이 발달하고 있음 • 최근 2·3차 산업 비중이 증가, 중화학 공업과 정보 통신 기술 산업이 발달하고 있음
동남아시아 국가들	• 타이, 베트남, 인도네시아 등은 1차 산업 비중이 높은 편임 • 저렴한 노동력과 풍부한 지하자원을 이용하여 2차 산업 성장
오스트레일리아	• 제조업이 크게 발달해 있지 않아 풍부한 지하자원을 수출하고 있음 • 건조한 내륙 지역에서 찬정을 이용한 기업적 농목업 발달 • 최근 철강, 알루미늄 공업과 관광 산업의 발달로 산업 구조가 다변화되고 있음

03 민족(인종) 및 종교적 차이

1. 몬순 아시아와 오세아니아의 민족 및 종교 분포

(1) 민족 분포

중국	• 다수의 (❼　　　) + 55개의 소수 민족 • 중국 정부는 자치구나 자치주를 설정하여 각 민족의 고유성을 인정하고 있음
동남아시아	• 해상 교통의 요지로 다민족 국가가 많음 • 대부분 국가에 화교가 거주하며 각 국가의 정치 및 경제에 많은 영향을 미치고 있음
남부 아시아	식민 지배, 활발한 인구 이동 및 문화 교류의 영향으로 복잡한 민족과 인종 구성
오세아니아	• 원주민인 애버리지니와 마오리족이 거주하였으나 18세기 이후 유럽계 백인의 비중이 높아짐 • 최근 백호주의를 폐지, 보호 정책으로 원주민 인구가 증가하고 있음, 아시아계 이주민의 비중 증가

(2) 종교 분포

동부 아시아	• 중국, 일본, 대한민국: 전통적으로 불교와 유교의 영향 받음 • 중국은 유교와 도교, 일본은 신도의 비중이 높음
동남아시아	• 불교: 타이, 미얀마, 캄보디아, 라오스, 베트남 등 • 이슬람교: 말레이시아, 인도네시아, 브루나이 등 • 크리스트교: 필리핀, 동티모르 등
남부 아시아	• (❽　　　): 인도 • 이슬람교: 파키스탄, 방글라데시 등 • 불교 : 스리랑카
오세아니아	• 오스트레일리아, 뉴질랜드는 과거 식민 지배의 영향으로 주로 (❾　　　)를 믿음 • 최근 이주민 증가로 불교, 이슬람교, 힌두교를 믿는 사람들이 증가하고 있음

⬆ 이슬람 사원(인도네시아)

⬆ 마닐라 대성당(필리핀)

2. 몬순 아시아와 오세아니아의 지역 갈등과 해결 방안

(1) 지역 갈등

(❿　　　) 분쟁	이슬람교를 믿는 파키스탄과 힌두교를 믿는 인도 간의 분쟁
스리랑카 분쟁	힌두교를 믿는 타밀족과 불교를 믿는 신할리즈족 간의 분쟁
모로족 분리 독립운동	필리핀 민다나오섬에 거주하며 이슬람교를 믿는 모로족과 크리스트교를 믿는 필리핀 정부 간의 분쟁
중국 소수 민족 분리 독립운동	• 위구르족이 거주하는 신장웨이우얼 자치구 • 티베트족이 거주하는 시짱 자치구
오스트레일리아	유럽인이 유입되면서 원주민과 갈등, 애버리지니는 토지 소유권을 주장
미얀마	이슬람교를 믿는 로힝야족과 불교를 믿는 미얀바 정부 간의 분쟁

(2) **지역 갈등 해소를 위한 노력**: 갈등 지역의 평화 협정 체결, 말레이시아·인도네시아·싱가포르는 문화와 종교의 다양성을 존중하고 있음, 오스트레일리아와 뉴질랜드의 원주민 존중 정책

● 정답 ● ① 오스트레일리아 ② 한족 ③ 힌두교 ④ 오스트레일리아 ⑤ 크리스트교 ⑥ 인도 ⑦ 인도·파키스탄 ⑧ 힌두교 ⑨ 크리스트교 ⑩ 카슈미르

01 (가), (나) 시기에 대한 설명으로 옳지 <u>않은</u> 것은? (단, (가)와 (나)는 1월과 7월 중 하나이다.)

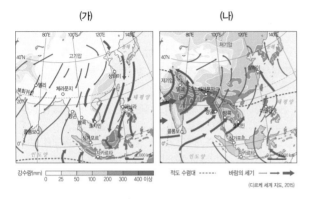

(디르케 세계 지도, 2015)

① (가) 시기에 동남아시아에서는 물 축제가 열린다.
② 일본 서북부 해안은 (가) 시기 바람과 지형의 영향으로 많은 눈이 내린다.
③ 하천의 범람 피해는 주로 (나) 시기에 발생한다.
④ 북반구는 (가)보다 (나) 시기의 기온이 더 높다.
⑤ (가), (나) 시기의 바람은 대륙과 해양의 비열 차이에 의해 발생한다.

02 지도에 표시된 (가)~(다) 지역의 기후 그래프를 A~C에서 골라 옳게 연결한 것은?

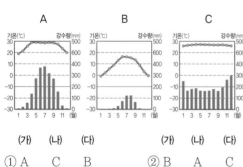

	(가)	(나)	(다)		(가)	(나)	(다)
①	A	C	B	②	B	A	C
③	B	C	A	④	C	A	B
⑤	C	B	A				

03 '몬순 아시아의 지형'에 관한 수행평가 주제를 정하려고 한다. 해당 지역을 옳게 선정한 모둠을 고른 것은?

모둠	지형 형성 원인	해당 지역
A	한류에 의한 대기 안정	(가)
B	아열대 고압대의 영향	(나)
C	대륙판과 대륙판의 충돌	(다)
D	용암의 열하 분출	(라)

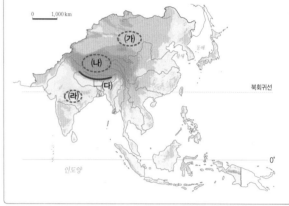

① A, B   ② A, C   ③ B, C
④ B, D   ⑤ C, D

04 (가) 농업이 이루어지는 지역과 비교한 (나) 농업이 이루어지는 지역의 상대적 기후 특징을 그림의 A~E에서 고른 것은?

(가) 차오프라야강 주변의 충적 평야에서 벼농사가 일 년에 두 번 이상 이루어진다.
(나) 양, 낙타 등의 가축의 무리와 함께 몽골 등의 초원 지역을 이동하며 가축으로부터 우유와 고기, 가죽을 얻는다.

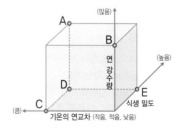

① A   ② B   ③ C   ④ D   ⑤ E

05 다음은 다큐멘터리의 한 장면이다. 제시된 장면의 다음 내용으로 옳은 것을 〈보기〉에서 고른 것은?

> 동남아시아 지역에서는 바닥을 지면으로부터 높게 띄운 상태에서 지은 고상 가옥을 쉽게 볼 수 있습니다. 전통적으로 이렇게 집을 지은 이유는 무엇일까요? 그리고 고상 가옥의 특징은 무엇일까요?

┌ 보기 ┐
ㄱ. 기온과 습도가 높아 통풍에 유리하도록 개방적 가옥 구조가 나타납니다.
ㄴ. 겨울철 지붕에 쌓인 눈이 쉽게 흘러내리도록 지붕의 경사가 가파릅니다.
ㄷ. 연 강수량이 많아 빗물이 잘 흘러내릴 수 있도록 지붕의 경사가 급합니다.
ㄹ. 뼈대는 주변에서 쉽게 구할 수 있는 나무를, 지붕은 동물의 가죽으로 짠 천을 사용합니다.

① ㄱ, ㄴ ② ㄱ, ㄷ ③ ㄴ, ㄷ
④ ㄴ, ㄹ ⑤ ㄷ, ㄹ

06 두 요리사의 대화 내용 중 밑줄 친 부분에 공통으로 들어갈 내용을 고른 것은?

> • 베트남 요리사: _____ 쌀 생산량이 많은 베트남에서는 쌀을 주재료로 하는 음식이 발달하였습니다. 그중 고이 꾸온은 쌀로 만든 얇은 피에 돼지고기, 새우, 채소 등을 싸 먹는 음식으로 쌀 요리의 부족한 영양소를 채워 주기에 충분한 음식입니다.
> • 인도 요리사: 인도에서는 자극성이 강한 향신료 음식의 대표인 카레가 발달하였습니다. 향신료는 육류와 생선의 누린내와 비린내를 잡아 주며, 소화를 돕고 살균과 천연 방부제 역할을 하여 _____ 음식을 자연 상태로 보관하기 어려운 지역에서 많이 사용하고 있습니다.

① 연중 온화한 기후가 나타나
② 여름철 고온 다습한 기후가 나타나
③ 여름철 고온 건조한 기후가 나타나
④ 겨울철이 한랭하고 강수량이 적어
⑤ 연 강수량이 부족한 건조 기후가 나타나

07 (가), (나)는 몬순 아시아와 오세아니아의 주요 지하자원의 생산량을 나타낸 것이다. 이에 대한 설명으로 옳은 것은?

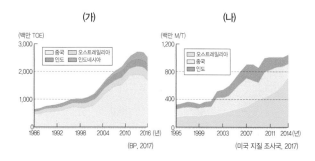

① (가)는 신기 습곡 산지에 많이 분포한다.
② (가)는 중국이 세계 최대의 수출 국가이다.
③ (나)는 최근 사용량이 빠르게 증가하고 있는 자원이다.
④ (가), (나)는 아시아 지역에서 오세아니아 지역으로 주로 수출되고 있다.
⑤ (가), (나)는 모두 아시아의 공업이 발달한 국가에서 제철 공업의 주요 자원으로 활용되고 있다.

08 몬순 아시아와 오세아니아의 농축산물의 분포와 이동에 대한 글이다. 밑줄 친 ㉠~㉤ 중 옳지 않은 것은?

> 몬순 아시아와 오세아니아 지역에서는 각종 농축산물을 생산하고 있다. ㉠ 쌀은 전 세계 생산량의 90% 이상을 몬순 아시아에서 생산하고 있는데, ㉡ 생산지에서 주로 소비되어 국제 이동량은 적은 편이다. ㉢ 밀은 인도, 중국, 오스트레일리아에서 많이 생산되고 있다. 몬순 아시아에서는 각종 기호 작물이 생산되고 있는데, ㉣ 베트남과 인도네시아 등지에서는 목화가 생산되고 있다. ㉤ 오스트레일리아, 뉴질랜드에서는 양모, 소고기 등을 동아시아 지역으로 수출하고 있다.

① ㉠ ② ㉡ ③ ㉢ ④ ㉣ ⑤ ㉤

09 그래프는 (가), (나) 국가의 산업 구조를 나타낸 것이다. (가), (나) 국가의 상대적인 특징을 그림과 같이 나타낼 때, A, B에 들어갈 항목을 옳게 연결한 것은? (단, (가), (나)는 일본과 인도 중 하나이다.)

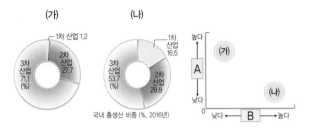

국내 총생산 비중 (%, 2016년)

	A	B
①	도시화율	유소년층 비중
②	도시화율	1인당 국민 총소득
③	유소년층 비중	1인당 국민 총소득
④	1인당 국민 총소득	도시화율
⑤	1차 산업 종사자 비율	유소년층 비중

11 표는 몬순 아시아와 오세아니아에 위치한 두 국가의 상품 이동을 나타낸 것이다. (가), (나)에 해당하는 국가를 옳게 연결한 것은?

(%, 2017년)

순위	(가)에서 (나)로의 상품 이동		(나)에서 (가)로의 상품 이동	
1	철광석	53.8	통신 기기	11.7
2	석탄	9.8	컴퓨터	7.9
3	금	2.9	가구	4.5
4	양모	2.7	유모차 및 장난감	3.6
5	구리	1.9	섬유 의류	3.1

* 무역액 비중 상위 5개 품목만 나타냄.

	(가)	(나)
①	인도	타이
②	중국	인도네시아
③	일본	오스트레일리아
④	오스트레일리아	인도
⑤	오스트레일리아	중국

10 그래프는 몬순 아시아에 위치한 (가), (나) 국가의 무역 구조를 나타낸 것이다. 이에 대한 옳은 설명만을 〈보기〉에서 있는 대로 고른 것은?

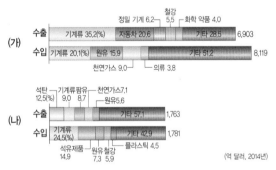

(억 달러, 2014년)

보기
ㄱ. (가)는 (나)보다 2014년 무역 수지 적자액이 적다.
ㄴ. (가)는 (나)보다 기술 집약적인 공업이 발달해 있다.
ㄷ. (나)는 (가)보다 서비스업 종사자 비율이 낮을 것이다.
ㄹ. (나)는 (가)보다 원료 및 연료 중심의 수출이 이루어지고 있다.

① ㄱ, ㄴ   ② ㄴ, ㄷ   ③ ㄷ, ㄹ
④ ㄱ, ㄷ, ㄹ   ⑤ ㄴ, ㄷ, ㄹ

12 지도는 세 국가의 종교별 인구 비율을 나타낸 것이다. A~C 종교에 대한 설명으로 옳지 <u>않은</u> 것은?

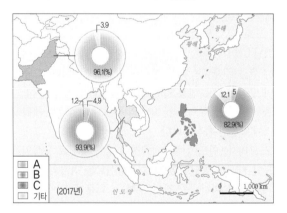

(2017년)

① A는 유럽 문화 형성에 큰 영향을 미쳤다.
② A는 아랍인의 해상 무역을 통해 동남아시아로 전파되었다.
③ B는 동남아시아의 미얀마와 라오스에서도 주로 신봉하는 종교이다.
④ C는 세계에서 신자 수가 가장 많은 보편 종교이다.
⑤ B는 남부 아시아, C는 서남아시아에서 기원하였다.

13 지도를 보고 나눈 대화 중 옳은 내용을 제시한 학생만을 있는 대로 고른 것은?

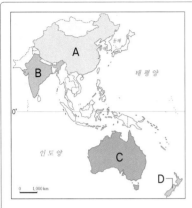

갑: A에서 가서 소수 민족인 위구르족의 전통 공연을 보고 싶어.

을: B는 인구의 40% 이상이 사용하는 힌디어 외에도 다양한 언어가 공존하고 있어.

병: C와 D는 영어를 사용해. 과거 유럽의 식민 지배를 받았기 때문이지.

정: 그로 인해서 D의 원주민인 애버리지니의 수가 감소하였어.

① 갑, 을   ② 을, 정   ③ 병, 정
④ 갑, 을, 병   ⑤ 을, 병, 정

14 ㉠~㉢에 들어갈 내용을 옳게 연결한 것은?

(㉠)에서 두 번째로 큰 섬인 민다나오섬은 (㉡)도들이 살던 곳이었다. 그러나 (㉠)이/가 여러 국가의 식민지를 거치며 (㉢)도들이 유입되는 과정에서 (㉡)도들이 오지로 밀려나며 종교 갈등이 발생하였다. 최근 민다나오섬에서는 갈등이 심화되면서 정부군과 반군 간에 산발적인 국지전이 이어지고 있다.

	㉠	㉡	㉢
①	미얀마	불교	이슬람교
②	미얀마	이슬람교	크리스트교
③	필리핀	불교	이슬람교
④	필리핀	이슬람교	크리스트교
⑤	필리핀	크리스트교	이슬람교

15 (가), (나)에 해당하는 지역을 지도의 A~D에서 골라 옳게 연결한 것은?

(가) 이슬람교를 믿는 로힝야족은 불교를 믿는 정부에 의해 불법 이주자로 규정되면서 각종 탄압을 받고 있다.

(나) 이슬람교도가 많은 카슈미르 지역이 힌두교를 주로 믿는 인도에 속하게 되면서 분쟁이 발생하였다. 정전 협정이 체결되었으나 갈등은 지속되고 있다.

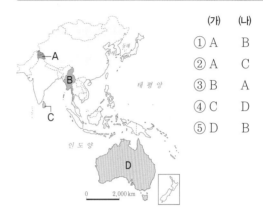

	(가)	(나)
①	A	B
②	A	C
③	B	A
④	C	D
⑤	D	B

16 지도의 A~E 지역에 대한 체험 여행 프로그램으로 적절하지 <u>않은</u> 것은?

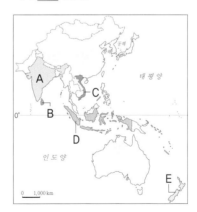

지역	체험 여행 프로그램
A	갠지스강에서 목욕하는 사람들을 보고 카레 맛보기
B	넓게 펼쳐진 차밭에서 홍차를 마시고 화려한 불탑 감상하기
C	전통 의상인 아오자이를 입고 이슬람 사원 방문하기
D	수상 가옥에서 묵으면서 나시고렝을 비롯한 쌀로 만든 다양한 음식 맛보기
E	화산 지형을 이용한 지열 발전소를 둘러보고 마오리족의 전통 공연 보기

① A   ② B   ③ C   ④ D   ⑤ E

V

건조 아시아와
북부 아프리카

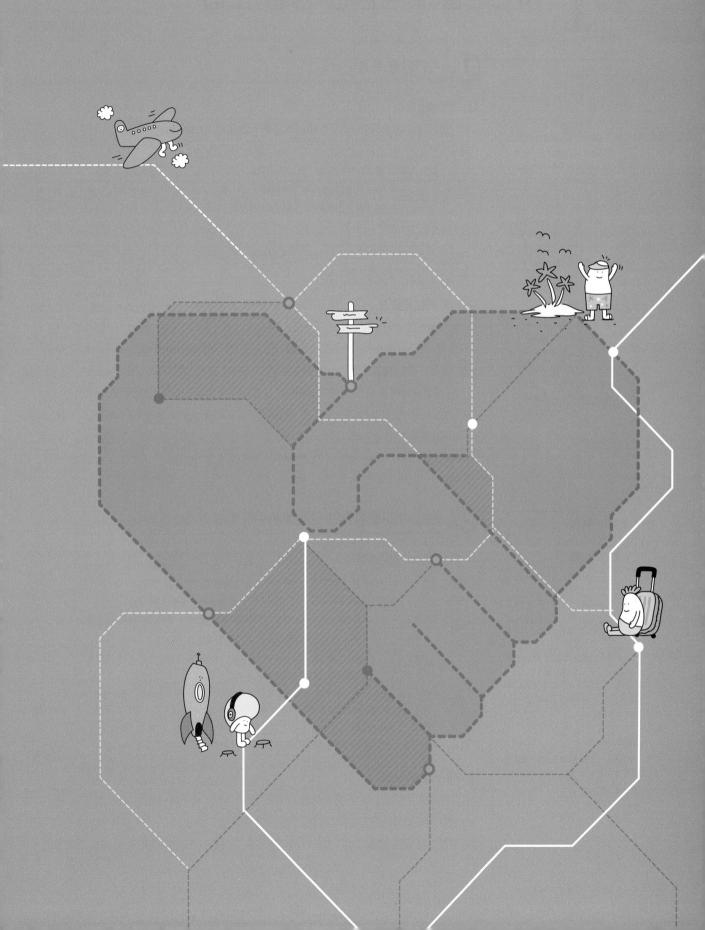

01 자연환경에 적응한 생활 모습

학습목표
• 건조 아시아와 북부 아프리카의 자연환경 특징을 설명할 수 있다.
• 건조 기후 지역의 주민 생활 모습을 자연환경과 관련지어 설명할 수 있다.

이것이 핵심!

자연환경 특성

기후 특성	• 대부분 건조 기후 • 사막 기후: 북부 아프리카 일대, 아라비아반도 등지 • 스텝 기후: 사막 주변, 튀르키예와 이란의 고원 지대 등지
지형 특성	• 높고 험준한 산지: 지각이 불안정하고 지진이 잦음 • 대하천과 충적 평야: 나일강, 티그리스·유프라테스강 유역에 농경지 발달

★ 건조 기후

사막 기후	연 강수량 250mm 미만, 오아시스나 외래 하천 주변을 제외하고 식생 성장이 거의 불가능
스텝 기후	연 강수량 250mm 이상~500mm 미만, 짧은 우기 동안 키가 작은 풀이 자라 초원을 이룸

1 자연환경 특성

1. 기후 특성

(1) *건조 기후: 대부분의 건조 아시아와 북부 아프리카 지역이 속함

특성		강수량보다 증발량이 많으며 기온의 일교차가 큼
분포	사막 기후	북부 아프리카 일대를 비롯하여 아라비아반도, 이란고원, 중앙아시아 등지
	스텝 기후	아라비아반도와 북부 아프리카의 사막 주변 지역, 튀르키예와 이란의 고원 지대, 중앙아시아 북쪽의 카자흐스탄 등지의 사막 주변

(2) 지중해성 기후

특성	여름은 고온 건조하고 겨울은 온난 습윤함
분포	지중해와 흑해 연안 지역

2. 지형 특성 자료①

나일강과 티그리스·유프라테스강 유역의 충적 평야 지대는 고대 문명의 발상지로, 인구가 밀집하여 일찍부터 도시가 발달하였어.

(1) **높고 험준한 산지**: 지각이 불안정하고 지진이 잦음, 구릉지에는 마을이 형성됨 例 아틀라스산맥, 아나톨리아고원, 이란고원, 파미르고원, 알타이·톈산산맥 등

(2) **대하천과 충적 평야**: 나일강 하구에는 삼각주 평야 형성, 티그리스·유프라테스강 중·하류에는 메소포타미아 평원 분포 → 대하천 유역에는 농경지가 발달하여 인구 밀도가 높음

(3) **사막**: 북부 아프리카의 중·남부와 서남아시아의 아라비아반도 일대에 분포함 例 사하라 사막, 리비아 사막, 룹알할리 사막 등

아프리카 북부의 대부분을 차지하는 세계 최대 규모의 사막이야.

(4) **해안 평야**: 지중해와 접한 해안 지역이나 북쪽의 흑해 연안에 부분적으로 발달함

이것이 핵심!

전통적인 생활 모습

의식주 문화	• 의복: 천으로 온몸을 감싸는 헐렁한 옷 • 음식: 밀로 만든 빵, 가축에서 얻은 고기와 유제품 등 • 가옥: 흙집, 이동식 가옥
경제 활동	• 오아시스 농업 및 관개 농업이 이루어짐 • 사막 주변의 초원 지대에서 유목이 이루어짐

★ 해수 담수화

바닷물에서 염분 등의 용해 물질을 제거하여 생활용수 및 공업용수를 얻는 물 처리 과정

2 건조 기후에 적응한 전통적인 주민 생활 모습

1. 의식주 문화 교과서 자료

돼지고기는 먹지 않으며, 주로 양고기 등을 먹어.

왜? 통풍이 잘 되면서도 보온 기능이 뛰어나 기온의 일교차가 큰 환경에 적합하기 때문이야.

의복	강한 햇볕과 모래바람을 막기 위해 천으로 온몸을 감싸는 헐렁한 옷을 입음
음식	밀로 만든 빵과 가축에게서 얻은 고기, 유제품을 이용한 음식을 주로 먹음
가옥	• 흙집: 큰 일교차를 조절하고 강한 햇볕과 뜨거운 모래바람을 막기 위해 벽이 두껍고 창문이 작음 • 이동식 가옥: 유목 생활에 편리하도록 조립과 분해가 쉬움

2. 경제 활동 자료②

우리나라 대추보다 조금 크고 단맛이 강한 과일이야. 이 지역 주민들은 이를 생으로 먹기도 하고 말려서 먹기도 해.

농업	• 오아시스 농업: 외래 하천이나 오아시스 주변에 마을을 이루고 대추야자, 밀, 보리 등을 재배 • 관개 농업: 지하수 또는 지하 관개 수로를 통해 물을 끌어와 생활용수로 사용하거나 목화, 밀 등을 재배
유목	사막 주변의 초원 지대에서 물과 풀을 찾아 이동하며 낙타, 양, 염소, 말 등의 가축을 사육함
대상	사막이나 초원에서 낙타에 짐을 싣고 무리를 지어 먼 곳으로 다니면서 상품을 거래함

3. 최근의 변화 모습

이집트에서는 비가 자주 오지 않는 조건을 활용하여 태양열 발전소를 건설하고 있어.

(1) **유목 감소**: 국경의 설정, 도시화와 산업화, 자원 개발, 사막화에 따른 목초지 감소 등

(2) **농업 지역 확대**: 관개 기술의 발달, *해수 담수화 등으로 농업 지역이 내륙 사막까지 확대

(3) **관광 산업 발달**: 건조 기후 지역의 자연환경을 활용한 생태 관광 및 체험 프로그램 발달

例 샌드 보딩, 낙타 타기 등

완자 자료 탐구

내 옆의 선생님

카자흐스탄 전체 면적의 1/3을 차지하며, 스텝 기후가
나타나 전통적으로 유목이 발달하였어.

자료 ① 건조 아시아와 북부 아프리카의 지형과 인구 분포

↑ 지형

↑ 인구 분포

나일강 등의 대하천 유역과 지중해와 접한 해안 지역이나 북쪽의 흑해 연안에는 부분적으로 농경지가 발달하여 인구 밀도가 높게 나타난다.

문제 로 확인할까?

건조 아시아와 북부 아프리카에서 고대 문명이 형성되어 일찍부터 도시가 발달하고 인구가 밀집한 하천은?

답 나일강, 티그리스·유프라테스강

수능이 보이는 교과서 자료

건조 아시아와 북부 아프리카의 전통적 생활 모습

(가) 유목민의 대표 음식

↑ 케밥

↑ 난

(나) 전통 가옥

꼭! 비가 적게 오므로 지붕이 평평하고 그늘을 만들기 위해 집과 집 사이의 간격이 좁아.

↑ 사막 지역의 흙집

↑ 초원 지역의 이동식 가옥

건조 아시아와 북부 아프리카 지역 주민들은 주로 가축의 고기를 활용한 음식을 먹거나 밀로 만든 빵을 만들어 먹는다. 사막 기후 지역에서는 주변에서 쉽게 구할 수 있는 흙을 이용하여 집을 짓는다. 유목 생활을 하는 주민들은 나무로 된 뼈대를 설치하고, 동물의 가죽이나 털로 짠 두꺼운 천을 둘러 만든 이동식 가옥을 짓고 산다.

밀은 건조하고 척박한 환경에서도 잘 자라며 빵을 만들 때 비교적 물이 적게 들어.

완자샘의 **탐구 강의**

• (가)와 같은 음식이 유목민의 음식으로 적합한 이유를 써 보자.
케밥은 고기를 얇게 썰어 짧은 시간에 요리해 먹을 수 있고, 난은 납작하여 휴대가 간편하고 잘 상하지 않는다.

• (나)를 보고 사막과 초원 지역의 가옥 특징을 써 보자.
흙집은 강한 햇볕과 모래바람을 막는 데 유리하고, 이동식 가옥은 조립과 분해가 쉬워 이동 생활에 적합하다.

함께 보기 135쪽, 1등급 정복하기 2

자료 ② 건조 아시아와 북부 아프리카의 토지 이용

나일강과 같은 큰 하천의 주변에는 비옥한 충적 토양을 이용한 농업이, 지중해와 접한 지역에서는 올리브, 오렌지 나무 등 경엽수를 이용한 수목 농업이 이루어진다. 물이 부족한 지역에서는 지하 관개 수로를 이용하여 작물을 경작하는 관개 농업이 발달하였다.

관개수가 증발하거나 모래 속으로 스며드는 것을 막을 수 있어.

자료 하나 더 알고 가자!

지하 관개 수로

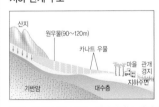

높은 산지를 끼고 있는 지역에서는 산지에 내린 비가 스며들어 만들어진 지하수를 끌어오는 지하 관개 수로(카나트)가 발달하였다. 수직 우물을 판 뒤 수평 수로를 연결하여 필요한 지점까지 물을 보내 농업 및 생활용수로 이용한다.

STEP 1 핵심 개념 확인하기

1 ㉠, ㉡에 들어갈 용어를 각각 쓰시오.

> 건조 아시아와 북부 아프리카는 대부분 (㉠   ) 기후
> 에 속한다. 이 지역은 강수량보다 증발량이 많으며 기온의
> (㉡   )가 크다.

2 다음 괄호 안의 내용 중 알맞은 말에 ○표를 하시오.

(1) 북부 아프리카 일대를 비롯한 아라비아반도, 이란고원 등
지에는 (사막, 스텝) 기후가 넓게 나타난다.

(2) (나일강, 티그리스·유프라테스강) 하구에는 주기적인 범
람으로 형성된 비옥한 삼각주 평야가 분포한다.

3 건조 기후 지역의 주민 생활 모습으로 옳은 것만을 〈보기〉에서 있는 대로 고르시오.

> ┌ 보기 ┐
> ㄱ. 온몸을 감싸는 헐렁한 옷을 입는다.
> ㄴ. 쌀로 반죽하여 구운 빵을 많이 먹는다.
> ㄷ. 가축에게서 얻은 고기, 유제품을 주로 먹는다.
> ㄹ. 유목민들은 조립과 분해가 쉬운 이동식 가옥에 거주한다.

4 다음 설명이 맞으면 ○표, 틀리면 ×표를 하시오.

(1) 사막 주변의 초원 지대에서는 물과 풀을 찾아 이동하며 낙
타, 양, 염소 등의 가축을 사육하는 유목이 이루어진다.
( )

(2) 물이 부족한 지역에서는 지하수 또는 지하 관개 수로를 통
해 물을 끌어와 목화, 밀 등을 재배하는 관개 농업을 한다.
( )

5 다음에서 설명하는 용어를 쓰시오.

> 사막이나 초원에서 낙타에 짐을 싣고 무리를 지어 먼 곳으로
> 다니면서 여러 지역의 소식을 알려 주고 상품을 거래한다.

STEP 2 내신 만점 공략하기

01 지도의 A~E에 대한 설명으로 옳지 <u>않은</u> 것은?

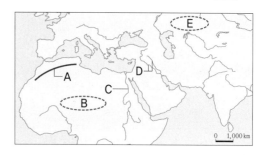

① A는 지각이 안정되어 구릉지에는 마을이 형성되어 있다.
② B는 세계 최대 규모의 사막으로, 아프리카 북부의 대부
분을 차지한다.
③ C의 하구에는 주기적인 범람으로 비옥한 삼각주 평야
가 형성되어 있다.
④ D 유역은 고대 문명의 발상지로, 일찍부터 도시가 발
달하였다.
⑤ E는 스텝 기후가 나타나 전통적으로 유목이 발달하였다.

02 지도는 건조 아시아와 북부 아프리카의 인구 분포를 나
타낸 것이다. A~D에 대한 옳은 설명을 〈보기〉에서 고른 것은?

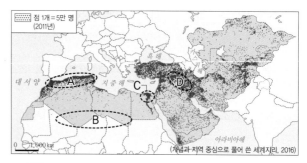

> ┌ 보기 ┐
> ㄱ. A는 비교적 연 강수량이 많고 물을 구하기 쉬워 인구
> 밀도가 높다.
> ㄴ. B는 높고 험준한 산지가 분포하여 인구가 희박하다.
> ㄷ. C는 삼각주 평야가 발달하여 인구가 밀집되어 있다.
> ㄹ. D는 지중해성 기후가 나타나 인구가 밀집되어 있다.

① ㄱ, ㄴ   ② ㄱ, ㄷ   ③ ㄴ, ㄷ
④ ㄴ, ㄹ   ⑤ ㄷ, ㄹ

03 다음과 같은 생활 용품에 공통적으로 영향을 준 기후 특성으로 옳은 것은?

> • 융단은 양털을 엮어 짠 두꺼운 모직물이다. 투르크메니스탄의 주민들은 보온과 실내 장식을 위해 융단을 바닥에 깔거나 벽에 걸어 둔다.
> • 모로코에서는 납작한 바닥과 원뿔 모양의 뚜껑으로 구성되는 '타진'이라는 냄비를 이용한다. 타진은 가열하는 동안 재료에서 증발한 수분이 뚜껑에 모여 다시 떨어지도록 되어 있다.

① 연중 봄과 같은 날씨가 지속된다.
② 일 년 내내 기온이 높고 강수량이 많다.
③ 겨울이 매우 길고 추운 날씨가 지속된다.
④ 연 강수량이 적고 기온의 일교차가 크다.
⑤ 사계절 변화가 뚜렷하고 기온이 온화하다.

04 ★중요 다음은 서술형 평가에 대한 학생의 답안이다. 밑줄 친 ㉠~㉤ 중 옳지 <u>않은</u> 것은?

서술형 평가

• 문제: 사진 속 가옥의 특징에 대해 서술하시오.

• 학생 답안: 사진은 사막 기후 지역에서 쉽게 볼 수 있는 흙집이다. 이 지역에서는 ㉠주변에서 쉽게 구할 수 있는 흙을 이용하여 집을 짓는다. 흙집은 ㉡강한 햇볕과 뜨거운 모래바람을 막을 수 있도록 창문은 작고 ㉢큰 일교차를 극복하기 위해 벽은 두껍다. 또한 이 지역은 ㉣비가 거의 오지 않기 때문에 지붕이 평평하며, ㉤가옥들을 촘촘하게 붙여서 지어 추위에 대비한다.

① ㉠　　② ㉡　　③ ㉢　　④ ㉣　　⑤ ㉤

05 ★중요 지도는 건조 아시아와 북부 아프리카의 토지 이용을 나타낸 것이다. A~C 지역에 대한 설명으로 옳은 것은?

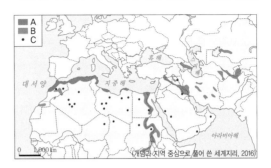

(개념과 지역 중심으로 풀어 쓴 세계지리, 2016)

① A에서는 물과 풀을 찾아 이동하며 가축을 사육하는 유목이 이루어진다.
② B에서는 올리브와 오렌지 등을 주로 재배한다.
③ C에서는 커피, 카카오 등의 기호 작물을 대규모로 재배한다.
④ C는 A보다 대추야자의 재배가 활발하다.
⑤ A와 C에서는 이동식 화전 농업이 이루어진다.

06 밑줄 친 ㉠~㉤에 대한 설명으로 옳지 <u>않은</u> 것은?

> 케밥은 '꼬챙이에 끼워 불에 구운 고기'를 뜻하며, ㉠유목민들이 쉽고 간단하게 ㉡육류를 요리해 먹던 것에서 비롯되었다. 건조 기후 지역은 최대한 ㉢땔감을 아끼기 위해 고기를 얇게 썰어 꼬챙이에 꽂아 구워 먹었다. 주로 ㉣양고기를 사용하며, ㉤빵과 곁들여 한 끼 식사로 이용하기도 한다.

① ㉠은 주로 흙으로 만든 흙집에서 생활한다.
② 종교의 영향으로 ㉡ 중 돼지고기는 먹지 않는다.
③ 강수량이 부족해 식생 밀도가 낮아 ㉢을 구하기 어렵다.
④ ㉣으로부터 음식, 옷, 집을 짓는 데 필요한 재료 등을 얻는다.
⑤ ㉤은 저장과 운반이 편리해 이동 생활을 하는 유목민들에게 적합한 음식이다.

07 지도는 건조 아시아와 북부 아프리카의 강수량 분포를 나타낸 것이다. (가), (나) 지역에서 볼 수 있는 주민 생활 모습으로 옳은 것을 〈보기〉에서 고른 것은?

연 강수량(mm)	
1,000 이상	
500~1,000	
250~500 — (나)	
100~250	
100 미만 (가)	

0 ◢ 1,000 km

카자흐스탄
우즈베키스탄 키르기스스탄
튀르키예 투르크메니스탄 타지키스탄
시리아 이란 아프가니스탄
레바논 이라크
모로코 튀니지 이스라엘 쿠웨이트
요르단 바레인
알제리 리비아 카타르 아랍 에미리트
이집트 사우디아라비아 오만
예멘 *아라비아해*
(신상 지리 자료, 2016)

보기

ㄱ. (가) – 외래 하천이나 오아시스를 중심으로 밀, 보리 등을 재배한다.
ㄴ. (가) – 천으로 온몸을 감싸는 헐렁한 옷을 입어 강한 햇빛을 차단한다.
ㄷ. (나) – 그늘이 생기도록 집을 촘촘하게 붙여서 짓는다.
ㄹ. (나) – 여름철 고온 건조한 기후를 이용해 올리브 등을 재배한다.

① ㄱ, ㄴ   ② ㄱ, ㄷ   ③ ㄴ, ㄷ
④ ㄴ, ㄹ   ⑤ ㄷ, ㄹ

08 다음 교사의 질문에 옳지 않은 대답을 한 학생은?

- 교사: 최근 건조 아시아와 북부 아프리카에서 나타나고 있는 변화에 대해 발표해 볼까요?
- 갑: 관개 기술의 발달로 농업 가능 지역이 확대되고 있습니다.
- 을: 일사량이 풍부한 지역에서는 태양열 발전소를 설치하고 있습니다.
- 병: 해수 담수화 설비의 보급으로 거주 지역이 점차 확대되고 있습니다.
- 정: 관개 기술의 발달로 물 자원의 확보가 용이해지면서 유목이 확대되고 있습니다.
- 무: 샌드 보딩, 낙타 타기 등의 건조 기후 지역의 자연환경을 이용한 체험 관광이 발달하고 있습니다.

① 갑   ② 을   ③ 병   ④ 정   ⑤ 무

서술형 문제

● 정답친해 42쪽

01 건조 기후 지역에서 그림과 같은 지하 수로를 설치하는 이유를 이 지역의 기후 특성과 연관지어 서술하시오.

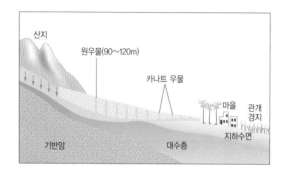

산지
원우물(90~120m)
카나트 우물
마을 관개 경지
지하수면
기반암 대수층

02 다음 글을 읽고 물음에 답하시오.

인도와 튀르키예, 우즈베키스탄, 카자흐스탄 등의 지역에서 먹는 (㉠)은/는 밀가루 반죽을 둥글고 평평하게 빚은 다음 화덕에 구워 깨나 향신료 등을 뿌려 먹는 발효 빵이다.

(1) ㉠에 들어갈 용어를 쓰시오.

(2) (1)이 유목민의 음식으로 적합한 이유를 두 가지 서술하시오.

STEP 3 1등급 정복하기

1 밑줄 친 '이 지역'에서 볼 수 있는 주민들의 생활 모습으로 옳은 것만을 〈보기〉에서 있는 대로 고른 것은?

> 이 지역 사람들은 모두 햇빛을 잘 반사시키는 흰색 옷을 입고 있을 것이라 생각했는데 베두인족은 검은색의 긴 옷을 즐겨 입는다. 왜 햇빛을 반사하는 흰색이 아닌, 햇빛을 흡수하는 검은색 옷을 입을까? 검은색이 햇빛을 흡수하여 옷 안의 온도가 높아지면, 데워진 공기가 목 위로 올라가거나 옷감의 작은 구멍들 사이로 빠져나가고 발 아래쪽에서 외부의 찬 공기가 들어와 마치 바람이 부는 것처럼 공기의 순환이 일어난다. 이 과정에서 땀이 마르면서 옷 안의 온도를 낮춰 몸을 시원하게 해 준다.

보기
ㄱ. 일교차가 커 야마, 알파카의 털로 만든 망토를 주로 두른다.
ㄴ. 주변에서 쉽게 구할 수 있는 흙이나 돌을 이용하여 흙집을 짓는다.
ㄷ. 오아시스나 외래 하천 주변에서 대추야자, 밀, 목화 등을 재배한다.
ㄹ. 가축을 사육하여 얻은 육류와 유제품 등이 사용하고 남으면 대상을 통해 다른 지역의 특산품과 교환하였다.

① ㄱ, ㄴ ② ㄱ, ㄷ ③ ㄴ, ㄹ
④ ㄱ, ㄴ, ㄹ ⑤ ㄴ, ㄷ, ㄹ

▶ 건조 기후에 적응한 주민 생활 모습

2 (가), (나)는 서로 다른 건조 기후 지역의 전통 가옥을 나타낸 것이다. 이에 대한 설명으로 옳지 <u>않은</u> 것은?

① (가)는 기온의 일교차가 큰 지역에서 발달하였다.
② (나)가 나타나는 지역에는 체르노젬이 분포한다.
③ (가)는 (나)보다 증발량 대비 강수량 비율이 높은 지역에서 주로 볼 수 있다.
④ (나)는 (가)보다 주민의 거주지 이동 빈도가 높은 지역에서 볼 수 있다.
⑤ (가), (나)는 나무를 구하기 어려운 지역에서 발달하였다.

▶ 건조 기후 지역의 전통 가옥

완자쌤의 시험 꿀팁

전통 가옥 그림이나 사진을 통해 건조 기후 지역을 구분하고, 각 기후 지역의 특징을 묻는 문제가 자주 출제된다.

완자 사전

• 체르노젬
스텝 지역에 분포하는 흑색 토양으로 강수에 의한 유기물의 유실이 적어 매우 비옥하다.

02~03 주요 자원의 분포 및 이동과 산업 구조 ~ 사막화의 진행

학 습 목 표
• 주요 국가의 화석 에너지 자원 분포와 산업 구조를 분석할 수 있다.
• 주요 사막화 지역과 사막화 진행으로 인한 문제를 설명할 수 있다.

이것이 핵심!

화석 에너지 자원의 분포와 개발의 영향

화석 에너지 자원의 분포	• 석유: 전 세계 매장량의 절반 이상이 페르시아만 연안을 중심으로 분포 • 천연가스: 페르시아만 연안과 카스피해 연안에 주로 분포
화석 에너지 자원 개발의 영향	급격한 경제 성장, 생활 수준 향상 ↔ 지역 격차 발생, 빈부 격차 심화, 지역 분쟁 발생

★ **자원 민족주의**
자원을 보유한 국가가 민족과 국가의 이익을 위해 자원을 전략적으로 무기로 이용하는 것

① 주요 자원의 분포와 이동

1. 화석 에너지 자원의 분포와 이동 (자료①)

(1) **분포**

석유	전 세계 매장량의 절반 이상이 페르시아만 연안을 중심으로 분포함, 사우디아라비아, 이란, 이라크, 쿠웨이트, 아랍 에미리트의 매장량이 많음
천연가스	페르시아만 연안과 카스피해 연안에 주로 분포함, 이란, 카타르, 투르크메니스탄의 매장량이 많음

VS 지중해 동부 연안 등 일부 지역에는 석유가 거의 매장되어 있지 않아.

(2) **특징**: 유전이 지표 가까운 곳에 위치하여 생산비가 저렴하며, 유전의 규모가 크고 품질이 우수하여 개발에 유리함

(3) **이동**: 주로 유조선과 파이프라인을 통해 유럽, 북아메리카, 동아시아로 수출됨 ― 화석 에너지 자원은 편재성이 커 국제 이동이 활발해.

2. 화석 에너지 자원의 개발과 영향

(1) **화석 에너지 자원의 개발**

개발 초기	자본과 기술 등이 부족하여 선진국의 다국적 석유 기업을 중심으로 개발이 이루어짐
1970년대 이후	*자원 민족주의를 내세우며 석유 산업을 국유화함 → 석유 수출국 기구(OPEC)를 결성하여 석유 생산량과 가격을 통제하면서 국제적인 영향력을 행사하고 있음

(2) **화석 에너지 자원 개발의 영향** (자료②)

긍정적 영향	• 석유 수출로 급격한 경제 성장, 석유 개발로 얻은 이익으로 도로·공항 등 사회 기반 시설 확충 • 주민들의 생활 수준 및 교육, 의료 등 복지 수준 향상
부정적 영향	• 급격한 도시화로 도시와 농촌 간 지역 격차 발생, 막대한 외화 유입으로 빈부 격차 심화 • 외국인 노동자들의 유입으로 전통적 가치관의 변화 • 소비재, 사치품 등의 수입 증가로 해외 경제 의존도 심화, 석유를 둘러싼 지역 분쟁 발생

└ 도시화 및 산업화가 진행되면서 오아시스 농업, 유목 등 전통적 농목업은 쇠퇴하였어.

이것이 핵심!

주요 국가의 산업 구조

자원 매장량이 많은 국가	2차 산업의 비중이 상대적으로 높음, 원유·석유 제품의 수출 비중이 높음 ⑩ 사우디아라비아, 카자흐스탄 등
자원 매장량이 부족한 국가	1차·3차 산업의 비중이 상대적으로 높음 ⑩ 이집트, 튀르키예 등

② 주요 국가의 산업 구조

1. 주요 국가의 산업 구조 특성 (교과서 자료)

(1) **자원 매장량이 많은 국가**: 2차 산업의 비중이 상대적으로 높음, 원유·석유 제품의 수출 비중이 높음

사우디아라비아, 아랍 에미리트, 카타르	세계적인 산유국으로 원유와 가스 산업을 중심으로 2차 산업 발달, 원유 및 석유 제품의 수출 비중이 높음
카자흐스탄	대규모 유전 개발로 경제 급성장, 석유 화학 산업·에너지 산업 등을 육성하고 있음

(2) **자원 매장량이 부족한 국가**: 1차·3차 산업의 비중이 상대적으로 높음, 에너지 자원의 대부분을 수입에 의존함

이집트	• 고대 문명의 유적을 바탕으로 관광 산업 발달 • 최근 석유와 천연가스의 생산으로 경제 성장, 주로 원유와 석유 정제품 수출
튀르키예	• 농업·제조업·관광 산업 발달, 특히 목화·과일 등 농산물 수출량이 많음 • 최근 저렴한 노동력을 바탕으로 섬유, 자동차 등 제조업 발달

완자 자료 탐구

내 옆의 선생님

자료 1 화석 에너지 자원의 분포

북부 아프리카 국가들은 석유 매장량이 많지만 자본과 기술의 부족, 잦은 내전과 정치적 불안 등의 영향으로 석유 개발이 활발하지 못한 편이야.

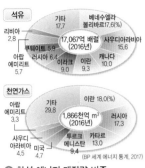
⬆ 화석 에너지 매장량 비중

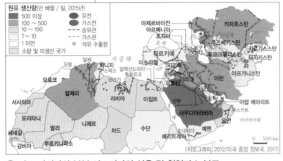
⬆ 건조 아시아와 북부 아프리카의 석유 및 천연가스 분포

건조 아시아와 북부 아프리카 지역은 세계적으로 석유 및 천연가스의 매장량과 생산량이 많다. 사우디아라비아·이란·쿠웨이트 등은 세계적인 석유 수출국이며, 카타르·이란은 세계적인 천연가스 수출국이다.

자료 2 화석 에너지 자원 개발의 영향

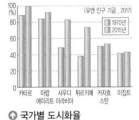
⬆ 국가별 도시화율

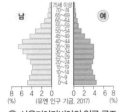
⬆ 사우디아라비아의 인구 구조

석유 수출로 경제적 부를 축적한 사우디아라비아, 아랍 에미리트 등은 도시화율이 높다. 사우디아라비아는 외국인 노동자가 많이 유입되면서 청장년층의 남성의 비율이 높다.

자료 하나 더 알고 가자!

지역별 석유와 천연가스의 생산량

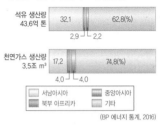

건조 아시아와 북부 아프리카 지역에서 세계 석유 생산의 1/3 이상, 천연가스 생산의 1/4 이상이 이루어지고 있다.

자료 하나 더 알고 가자!

화석 에너지의 생산량과 1인당 국내 총생산

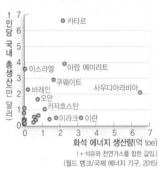

석유나 천연가스의 생산량이 많은 국가일수록 1인당 국내 총생산(GDP)이 많은데 특히 페르시아만 국가의 소득 수준이 높다.

수능이 보는 교과서 자료 | 주요 국가의 산업 구조와 무역 구조

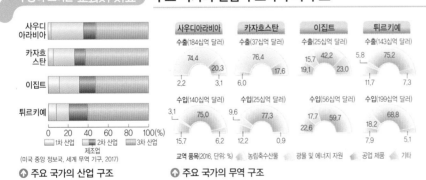
⬆ 주요 국가의 산업 구조
⬆ 주요 국가의 무역 구조

건조 아시아와 북부 아프리카 국가의 산업 구조는 화석 에너지 분포와 관련이 깊다. 자원이 풍부하게 매장되어 있는 국가는 국내 총생산에서 2차 산업이 차지하는 비중이 큰 편이며, 자원 매장량이 부족한 국가는 1차·3차 산업의 비중이 상대적으로 큰 편이다.

완자샘의 탐구 강의

• 제시된 자료를 참고하여 화석 에너지 자원이 풍부한 국가와 부족한 국가의 무역 구조를 서술해 보자.

화석 에너지 자원이 풍부한 사우디아라비아와 카자흐스탄은 광물 및 에너지 자원의 수출 비중이 높고, 공업 제품의 수입 비중이 높다. 이에 비해 이집트와 튀르키예는 공업 제품의 수출 비중이 높고, 광물 및 에너지 자원의 수입 비중이 높다.

함께 보기 141쪽, 내신 만점 공략하기 06

02~03 주요 자원의 분포 및 이동과 산업 구조 ~ 사막화의 진행

★ 비전통 석유
새로운 기술이 개발되면서 사용할 수 있게 된 석유 자원. 오일 샌드, 가스 액화 연료, 석탄 액화 연료, 셰일 오일 등이 대표적이다.

★ 걸프 협력 회의(GCC)
페르시아만 주변 아랍 국가의 국제 경제 협력체. 회원국으로는 바레인, 쿠웨이트, 오만, 카타르, 아랍 에미리트, 사우디아라비아가 있다. 회원국들은 종교, 문화, 유사한 정치 및 경제 체제, 인접한 지정학적 여건 등을 바탕으로 다양한 분야에서 협력하고 있다.

2. 산업 구조의 문제점 및 지역 발전을 위한 노력

(1) 화석 에너지 중심 산업 구조의 문제점 자료③
① 자원 고갈: 석유와 천연가스는 매장량이 한정되어 있는 고갈 자원임
② 국제 석유 가격 변동의 영향: 국제 석유 가격은 생산자 가격 담합, 금융 요인, *비전통 석유의 생산 증가 등의 영향으로 가격 변동의 폭이 큼 → 국가 재정 및 경제 상황의 변화도 큼

(2) 지역 발전을 위한 노력: 정부 재정 수입원의 다변화, 신·재생 에너지 산업 육성, *걸프 협력 회의 산유국들은 다양한 인프라 건설 사업 추진 등

사우디아라비아	정유 공업·석유 화학 공업 육성, 해수 담수화 시설을 이용한 관개 농업 확대
아랍 에미리트	금융 산업·관광 산업 투자 확대를 통해 국제 금융 및 물류 중심지, 관광 중심지로 변모
이집트	태양광과 풍력 등 신·재생 에너지를 통한 전력 확충 계획 추진

이것이 핵심!

사막화의 원인과 영향

사막화의 원인
• 장기간의 가뭄 발생
• 인구 증가에 따른 거주 공간 및 경작지와 방목지 확대, 과도한 목축
• 지나친 관개로 인한 토지 염도 상승

↓

사막화의 영향
• 모래 먼지 발생으로 주민 건강 악화
• 곡물 재배 가능 지역 감소로 기근 및 환경 난민 발생
• 토양 염류화 및 생물 종 감소

★ 사헬 지대
사헬은 아랍어로 '가장자리'를 뜻하며, 사헬 지대는 사하라 사막 남쪽(북위 12°~ 20°)에 위치하여 빠르게 사막화가 진행되는 지역을 일컫는다.

③ 사막화의 진행

1. 사막화의 원인과 진행 지역
(1) **사막화**: 사막 주변과 초원 지역의 토양이 황폐화되어 점차 사막으로 변하는 현상
(2) **사막화의 원인**

| 자연적 요인 | 기후 변화에 따른 기상 이변으로 장기간의 가뭄 발생 |
| 인위적 요인 | • 인구 증가에 따른 거주 공간 및 경작지와 방목지의 확대
• 과도한 목축과 땔감 확보를 위한 무분별한 삼림 훼손
• 지나친 관개로 인한 토지의 염도 상승 |

(3) **사막화 진행 지역** 자료④
① *사헬 지대: 1960년대 이후 급격한 인구 증가, 가축의 과다한 방목, 삼림 벌채 등으로 토양 침식 및 초원의 황폐화에 따라 사막화 현상이 심각함
② 아랄해 연안: 과도한 목화 관개 농업 및 수자원 남용으로 호수 주변의 토양이 황폐해짐

2. 사막화의 영향
┌ 토양과 유기물 성분이 모래 먼지와 함께 날려가면서 농경지의 생산성이 저하되고 토양 침식이 가속화되는 등 악순환이 이어지고 있어.

(1) **주민 건강 악화**: 토양 침식이 가속화되어 황무지로 변하면서 큰 모래 먼지가 자주 발생함 → 호흡기 질환 등의 질병 증가, 콜레라·수막염 등 전염병 확산
(2) **기근 및 난민 발생**: 경작지의 황폐화로 곡물 재배 가능 지역 감소 → 기근 및 환경 난민 발생, 식량 및 수자원 확보를 둘러싼 국가나 부족 간 분쟁 발생
(3) **토양 염류화**: 지나친 수자원 개발과 관개 농업으로 토양의 염분 농도가 높아짐
(4) **생물 종 감소**: 삼림과 초원의 훼손으로 생태계의 균형이 파괴되면서 생물 종이 감소함

3. 사막화 해결을 위한 노력 자료⑤
(1) **국가적 차원의 노력**: 사막 주변과 초원 지역에서의 지나친 방목과 농경지 조성 규제, 조림 사업 실시, 재래종 풀 보존 사업 추진, 연료용 목재 채취 감소를 위한 태양광 시설 보급 등
(2) **국제적 차원의 노력**: 국제 연합(UN)은 사막화 방지와 사막화가 진행 중인 개발 도상국을 지원하기 위한 사막화 방지 협약(UNCCD) 체결, 온실가스 배출량 감축 노력 등

완자 자료 탐구

자료 3 국제 석유 가격 변동의 영향

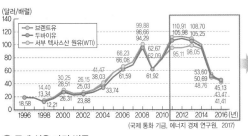

↑ 국제 석유 가격 변동

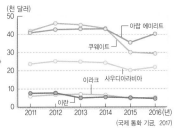

↑ 주요 산유국의 1인당 국내 총생산 변화

국제 석유 가격은 수요와 공급, 금융 요인 등의 영향으로 가격 변동의 폭이 크다. 따라서 석유 중심의 산업 구조가 나타나는 국가는 국제 석유 가격이 낮아지면 총수출액과 1인당 국내 총생산(GDP)이 감소하는 등 국가 경제가 침체되기도 한다.

자료 4 사막화 위험 지역과 아랄해의 사막화

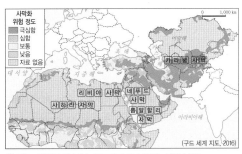

↑ 건조 아시아와 북부 아프리카의 사막화 위험 지역

↑ 아랄해의 면적 변화

사막화는 전 세계에서 진행되고 있는데, 대표적인 사막화 지역은 아프리카 사하라 사막 남쪽의 사헬 지대와 중앙아시아의 아랄해 일대이다. 아랄해 주변 지역에서는 1960년대 이후 대규모 목화 재배를 위한 관개 농업이 이루어졌다. 이후 아랄해에 도달하는 하천의 수량이 급속히 감소하였고, 과거 호수였던 지역이 사막으로 변하고 소금으로 뒤덮이게 되었다.

자료 5 사헬 지대의 그레이트 그린 월(Great Green Wall) 프로젝트

아프리카 20개국은 사막화로 황폐해진 사헬 지대를 복구하기 위하여 '그레이트 그린 월(Great Green Wall)' 프로젝트에 참여하고 있다. 이 프로젝트의 목표는 사하라 사막 남쪽 가장자리를 가로지르는 긴 숲을 만드는 것이다. 이 프로젝트가 성공적으로 끝나면 사헬 지대의 사막화 지역이 복구되고, 인근 지역 주민에게 식량 제공이 가능해지며, 숲 유지와 개발을 위한 일자리가 생긴다.

자료 하나 더 알고 가자!

두바이의 관광 산업 육성

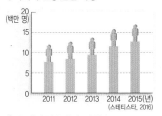

↑ 두바이 방문객 수 변화

두바이는 산업 다각화 전략에 따라 관광 산업을 육성하고 있다. 두바이는 최첨단 기반 시설 구축, 관광 상품 개발, 다양한 기업 회의 개최 등을 통해 관광 산업을 발전시켜 나가고 있다.

자료 하나 더 알고 가자!

다르푸르 분쟁

↑ 다르푸르 분쟁 지역

1980년대 초반 사막화로 물이 부족해진 아랍계 유목민이 가축에게 먹일 풀을 찾아 아프리카계 정착 농부의 거주 지역으로 이동하면서 갈등이 시작되었다. 정착 농부들이 울타리를 치고 이를 막으면서 내전이 시작되었다.

문제 로 확인할까?

사막화를 방지하고 사막화가 진행 중인 개발 도상국을 재정적·기술적으로 지원하기 위해 맺은 국제 협약은?

답 사막화 방지 협약(UNCCD)

STEP 1 핵심 개념 확인하기

1 다음 설명이 맞으면 ○표, 틀리면 ✕표를 하시오.

(1) 전 세계 석유 매장량의 절반 이상이 카스피해 연안을 중심으로 집중되어 있다. ( )

(2) 석유와 천연가스는 주로 유조선과 파이프라인을 통해 유럽, 북아메리카, 동아시아로 수출된다. ( )

2 ㉠, ㉡에 들어갈 용어를 각각 쓰시오.

> 1970년대 이후 건조 아시아와 북부 아프리카 지역의 산유국은 경제적 자립을 이루기 위해 (㉠   )를 내세우며 석유 산업을 국유화하고, (㉡   )를 결성하여 석유의 생산량과 가격을 통제하면서 국제적인 영향력을 행사하고 있다.

3 다음에서 설명하는 국가를 〈보기〉에서 골라 기호를 쓰시오.

> 보기
> ㄱ. 이집트   ㄴ. 튀르키예   ㄷ. 카자흐스탄

(1) 고대 문명의 유적을 바탕으로 관광 산업이 발달하였으며 최근 석유가 생산되면서 경제가 성장하고 있다. ( )

(2) 농산물 수출량이 많으며 최근에는 저렴한 노동력을 바탕으로 섬유, 자동차 등 제조업이 발달하고 있다. ( )

4 다음에서 설명하는 용어를 쓰시오.

> 사막 주변과 초원 지역의 토양이 자연적·인위적 요인에 의해 황폐화되어 점차 사막으로 변하는 현상이다.

5 다음 빈칸에 들어갈 내용을 쓰시오.

(1) 사하라 사막 남쪽의 (   )는 1960년대 이후 급격한 인구 증가, 과다한 방목 등으로 토양이 침식되고 있다.

(2) 중앙아시아에서는 과도한 관개 농업 및 수자원의 남용으로 사막화가 진행되면서 (   ) 연안 주변의 토양이 황폐해졌다.

STEP 2 내신 만점 공략하기

01 그래프는 화석 에너지 자원의 국가별 매장량 비중을 나타낸 것이다. (가), (나)에 해당하는 자원을 옳게 연결한 것은?

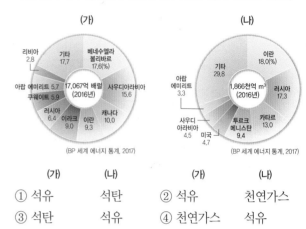

(BP 세계 에너지 통계, 2017)

	(가)	(나)		(가)	(나)
①	석유	석탄	②	석유	천연가스
③	석탄	석유	④	천연가스	석유
⑤	천연가스	석탄			

02 ★중요 지도는 건조 아시아와 북부 아프리카의 주요 화석 에너지 자원 분포와 이동을 나타낸 것이다. A, B에 대한 옳은 설명을 〈보기〉에서 고른 것은?

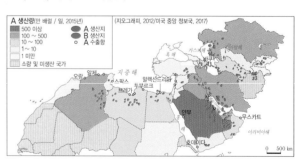

> 보기
> ㄱ. A는 서남아시아의 생산량 비중이 북부 아프리카의 생산량 비중보다 높다.
> ㄴ. B의 주요 생산국은 리비아, 이라크, 쿠웨이트 등이다.
> ㄷ. A는 B보다 세계 총 생산량에서 건조 아시아와 북부 아프리카가 차지하는 비중이 높다.
> ㄹ. A는 천연가스, B는 석유이다.

① ㄱ, ㄴ   ② ㄱ, ㄷ   ③ ㄴ, ㄷ
④ ㄴ, ㄹ   ⑤ ㄷ, ㄹ

03 지도에 표시된 지역에서 화석 에너지 자원 개발로 인해 나타난 주민들의 생활 모습 변화로 옳지 <u>않은</u> 것은?

① 사회 간접 자본의 확충으로 주민들의 생활 수준이 향상되었다.
② 외부 세계와의 교류가 증가하면서 전통적 가치관이 변화하고 있다.
③ 석유 개발로 발생한 이익이 일부 계층에 집중되어 빈부 격차가 심해졌다.
④ 소비재, 사치품 등의 수입이 증가하면서 해외 경제 의존도가 심화되었다.
⑤ 도시화 및 산업화가 진행되면서 오아시스 농업, 유목 등 전통적 농목업이 발달하였다.

04 그래프는 건조 아시아와 북부 아프리카에 위치한 두 국가의 인구 구조를 나타낸 것이다. (가) 국가와 비교한 (나) 국가의 상대적 특성을 그림의 A~E에서 고른 것은? (단, (가), (나)는 요르단과 사우디아라비아 중 하나이다.)

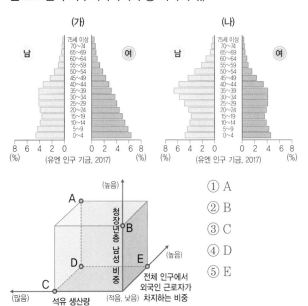

① A
② B
③ C
④ D
⑤ E

05 그래프는 건조 아시아와 북부 아프리카 지역의 두 국가의 산업 구조를 나타낸 것이다. (가), (나) 국가를 지도의 A~C에서 골라 옳게 연결한 것은?

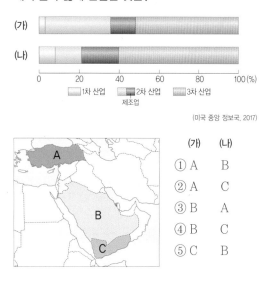

(미국 중앙 정보국, 2017)

	(가)	(나)
①	A	B
②	A	C
③	B	A
④	B	C
⑤	C	B

중요
06 그래프는 (가)~(다) 국가의 주요 수출 품목 비중을 나타낸 것이다. 이에 대한 분석 및 추론으로 옳지 <u>않은</u> 것은? (단, (가)~(다)는 튀르키예, 이집트, 카자흐스탄 중 하나이다.)

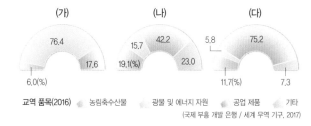

교역 품목(2016) ◆ 농림축수산물 ◆ 광물 및 에너지 자원 ◆ 공업 제품 ◆ 기타
(국제 부흥 개발 은행 / 세계 무역 기구, 2017)

① (가)는 (나)보다 공업 제품의 수출 비중이 낮다.
② (가)는 (다)보다 원유 생산량이 적을 것이다.
③ (나)는 (가)보다 광물 및 에너지 자원의 수입 비중이 높을 것이다.
④ (나)는 (다)보다 1차 산업 종사자 비중이 높을 것이다.
⑤ (다)는 (나)보다 수출액이 많을 것이다.

07 그래프에 대한 설명으로 적절하지 <u>않은</u> 것은?

↑ 국제 석유 가격 변동

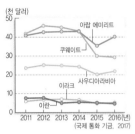
↑ 주요 산유국의 1인당 국내 총생산(GDP) 변화

① 주요 산유국은 정유 산업을 통해 대체 수입원을 확보해야 한다.
② 주요 산유국은 재정 수입 확대를 위해 국제 석유 가격을 담합해야 한다.
③ 국제 석유 가격 변동에 따라 주요 산유국의 국가 경제 상황이 변화한다.
④ 주요 산유국은 산업 구조 다변화를 위해 신·재생 에너지 사업을 육성해야 한다.
⑤ 화석 에너지 자원 중심의 산업 구조가 나타나는 국가들은 자원 고갈에 대비해야 한다.

08 (가)~(다) 국가에 대한 설명으로 옳지 <u>않은</u> 것은? (단, (가)~(다)는 이집트, 아랍 에미리트, 사우디아라비아 중 하나이다.)

> • (가)는 최근 2020년까지 신·재생 에너지를 통해 전력의 20%를 확보한다는 목표를 세웠다.
> • (나)는 최근 원유 정제 시설 확충을 통해 정제하지 않은 원유보다 부가 가치가 높은 석유 제품을 만들어 직접 수출하는 전략을 추진 중이다.
> • (다)는 관광 산업을 국가 기간 산업으로 육성하기 위해 부르즈 할리파와 버즈 알 아랍 호텔 등 초대형 관광 레저 프로젝트를 추진하여 관광객들을 불러 모으고 있다.

① (가)는 일조량이 풍부하여 태양광 발전에 적합하다.
② (나)는 비전통 석유의 생산 증가에 대비하기 위한 정책을 추진하고 있다.
③ (다)는 풍부한 고대 문화 유적을 관광 산업에 활용한다.
④ (나), (다)는 걸프 협력 회의의 회원국이다.
⑤ (가)~(다)는 모두 화석 에너지 자원에 대한 경제 의존도를 낮추기 위해 노력하고 있다.

09 지도는 A 환경 문제의 위험 정도를 나타낸 것이다. A 환경 문제의 원인으로 옳은 것만을 〈보기〉에서 있는 대로 고른 것은?

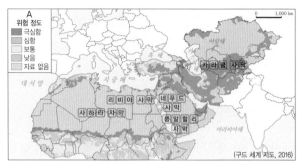
(구드 세계 지도, 2016)

> **보기**
> ㄱ. 기상 이변에 따른 장기간의 가뭄
> ㄴ. 지나친 관개로 인한 토지의 염도 하강
> ㄷ. 과도한 목축과 땔감 확보를 위한 삼림 훼손
> ㄹ. 인구 증가에 따른 거주 공간 및 경작지 확대

① ㄱ, ㄴ   ② ㄴ, ㄷ   ③ ㄷ, ㄹ
④ ㄱ, ㄷ, ㄹ   ⑤ ㄴ, ㄷ, ㄹ

10 다음과 같은 갈등이 발생하고 있는 국가를 지도의 A~E에서 고른 것은?

> 1980년대 초반 지속되는 가뭄으로 물이 부족해진 아랍계 유목민들이 가축에게 먹일 풀을 찾아 아프리카계 정착 농부의 거주 지역으로 내려오면서 갈등이 시작되었다. 정착 농부들은 울타리를 치고 아랍계 유목민의 들판 진입을 막았고, 이로 인해 물리적 충돌이 발생하게 되었다. 이는 내전으로 이어져 수많은 난민이 발생하였다.

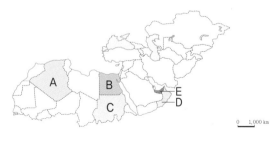

① A   ② B   ③ C   ④ D   ⑤ E

11 사진은 아랄해의 면적 변화를 나타낸 것이다. 이로 인해 나타나는 지역 및 주민 생활 변화에 대한 설명으로 옳은 것을 〈보기〉에서 고른 것은?

 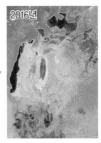
1977년 → 2016년

보기
ㄱ. 호수의 염분 농도가 낮아지고 있다.
ㄴ. 주민들의 어업 활동이 감소하고 있다.
ㄷ. 관개 시설의 확충으로 아랄해의 지하수가 증가하고 있다.
ㄹ. 주민들은 호흡기, 안구 질환 등의 건강 문제가 나타나고 있다.

① ㄱ, ㄴ ② ㄱ, ㄷ ③ ㄴ, ㄷ
④ ㄴ, ㄹ ⑤ ㄷ, ㄹ

12 다음에 제시된 프로젝트가 확산될 때 북부 아프리카의 변화 양상을 그래프의 A~E에서 고른 것은?

아프리카에서는 사막화로 황폐해진 사헬 지대를 복구하기 위해 사하라 사막 남쪽에 폭 15km, 길이 7,775km 정도의 긴 숲을 만드는 '그레이트 그린 월(Great Green Wall)' 프로젝트가 추진되고 있다. 이 프로젝트에는 에티오피아, 나이지리아, 수단 등 아프리카 20개국을 비롯하여 세계은행, 유엔 식량 농업 기구 등 많은 기관이 참여하고 있다.

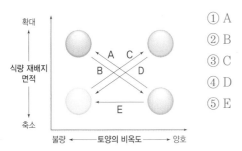

① A
② B
③ C
④ D
⑤ E

---

01 다음 글을 읽고 물음에 답하시오.

사우디아라비아를 비롯한 서남아시아의 산유국들은 자국의 이익을 위해 (㉠)을/를 결성하여 전 세계 원유 가격을 조절해 왔다. 이들은 원유 가격이 배럴당 약 80~100달러일 때 국가 재정 적자를 피할 수 있지만, 미국의 셰일 오일 생산으로 이 가격을 유지할 수 없게 되었다. 이에 (㉠)은/는 원유 생산량을 늘려 원유 가격을 폭락시켰고, 미국은 채산성이 낮은 일부 유전의 셰일 오일 생산을 중단하였다. 이후 미국 셰일 오일 회사들은 기술 개발을 통해 셰일 유전의 채산성을 높였고, (㉠)은/는 다시 원유 생산량을 조절하면서 석유 가격을 둘러싼 이들의 경쟁은 계속되고 있다.
*셰일 오일: 원유가 생성되는 퇴적암(셰일층)에서 뽑아내는 원유

(1) ㉠에 공통으로 들어갈 용어를 쓰시오.

(2) 원유 가격 경쟁의 영향으로 산유국에서 발생할 수 있는 문제점과 이에 대응하기 위한 대책을 각각 서술하시오.

02 그림은 A 환경 문제의 발생 과정을 나타낸 것이다. 이를 보고 물음에 답하시오.

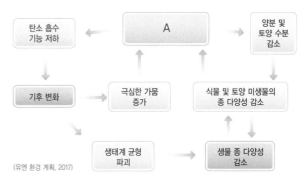
(유엔 환경 계획, 2017)

(1) A에 들어갈 용어를 쓰시오.

(2) A가 지속될 경우 나타날 수 있는 지역 문제 세 가지를 서술하시오.

평가원 응용

1 지도는 건조 아시아와 북부 아프리카 지역 내 (가), (나) 화석 에너지 자원의 매장량 상위 5개국을 나타낸 것이다. 이에 대한 설명으로 옳은 것은?

① (가)는 산업 혁명 시기의 주요 에너지 자원이었다.
② (가)는 (나)보다 상업적으로 사용된 시기가 이르다.
③ (가)는 (나)보다 운송용으로 사용되는 비중이 높다.
④ (나)는 (가)보다 연소 시 대기 오염 물질의 배출량이 적다.
⑤ (나)는 (가)보다 세계 1차 에너지 소비량에서 차지하는 비중이 높다.

▶ 화석 에너지 자원의 분포

완자샘의 시험 꿀팁

지도에 나타난 주요 매장 지역을 통해 화석 에너지 자원을 구분하고, 해당 자원의 특징을 묻는 문제가 자주 출제된다.

2 그래프는 화석 에너지의 생산량과 1인당 국내 총생산을 나타낸 것이다. (가), (나) 국가군의 상대적 특징을 그래프와 같이 표현할 때 A, B에 들어갈 항목을 옳게 연결한 것은?

▶ 화석 에너지 자원의 개발과 영향

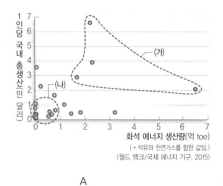

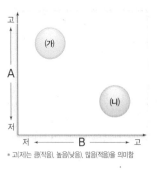

	A	B
①	도시 인구 비중	청장년층 성비
②	도시 인구 비중	1차 산업 종사자 비중
③	인구의 자연 증가율	청장년층 성비
④	인구의 자연 증가율	도시 인구 비중
⑤	1차 산업 종사자 비중	인구의 자연 증가율

3 지도는 A 지역에 위치한 국가의 인구와 가축 사육 두수 변화를 나타낸 것이다. 이와 같은 변화가 A 지역에서 지속될 때 나타날 현상으로 적절하지 <u>않은</u> 것은?

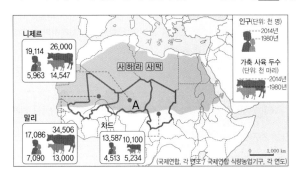

① 콜레라 등 수인성 질병이 창궐할 것이다.
② 토양 침식이 가속화되어 황무지로 변화할 것이다.
③ 물과 목초지를 둘러싼 부족 간 갈등이 증가할 것이다.
④ 지역 주민들은 삶터를 버리고 다른 지역이나 국가로 이주할 것이다.
⑤ 토양의 결합력이 강해져서 거대한 모래 먼지의 양이 늘어날 것이다.

> 건조 아시아와 북부 아프리카의 환경 문제

|완자 사전|

• 수인성 질병
세균과 바이러스 등으로 오염된 물을 통해 감염되는 질환으로, 콜레라와 장티푸스 등이 대표적이다.

[평가원 응용]

4 자료를 보고 파악할 수 있는 A 환경 문제에 대한 옳은 설명을 〈보기〉에서 고른 것은?

↑ A의 발생 과정

↑ 아랄해의 축소

> 건조 아시아와 북부 아프리카의 환경 문제

[보기]

ㄱ. 국제 사회는 A를 해결하기 위해 람사르 협약을 체결하였다.
ㄴ. A 문제가 지속된다면 아랄해의 염분 농도가 높아질 것이다.
ㄷ. 생물 종의 다양성을 높이는 것이 A 문제의 가장 효율적인 방지 대책이다.
ㄹ. 아랄해의 면적이 변화한 것은 지구 온난화로 건조 지역의 A가 가속화되었기 때문이다.

① ㄱ, ㄴ   ② ㄱ, ㄷ   ③ ㄴ, ㄷ
④ ㄴ, ㄹ   ⑤ ㄷ, ㄹ

01 자연환경에 적응한 생활 모습

1. 자연환경 특성

(1) 기후 특성

건조 기후	특성	강수량보다 증발량이 많으며 기온의 일교차가 큼
	분포	• 사막 기후: 북부 아프리카 일대를 비롯하여 아라비아 반도, 이란고원, 중앙아시아 등지 • (❶): 아라비아반도와 북부 아프리카의 사막 주변 지역, 튀르키예와 이란의 고원 지대, 중앙아시아 북쪽의 카자흐스탄 등지의 사막 주변
지중해성 기후	특성	여름은 고온 건조하고 겨울은 온난 습윤함
	분포	지중해와 흑해 연안 지역

(2) 지형 특성

산지	지각이 불안정하고 지진이 잦음, 구릉지에는 마을이 형성됨 ⓓ 아틀라스산맥, 아나톨리아고원, 이란고원, 파미르고원, 알타이·톈산산맥 등
대하천과 충적 평야	나일강 하구에는 삼각주 평야 형성, 티그리스·유프라테스강 중·하류에는 메소포타미아 평원 분포 → 대하천 유역에는 농경지가 발달하여 인구 밀도가 높음
사막	북부 아프리카의 중·남부와 서남아시아의 아라비아반도 일대에 분포함 ⓓ 사하라 사막, 리비아 사막, 룹알할리 사막 등
해안 평야	(❷)와 접한 해안 지역이나 북쪽의 흑해 연안에 부분적으로 발달함

2. 건조 기후에 적응한 전통적인 주민 생활 모습

(1) 의식주 문화

의복	강한 햇볕과 모래바람을 막기 위해 천으로 온몸을 감싸는 헐렁한 옷을 입음
음식	밀로 만든 빵과 가축에게서 얻은 고기, 유제품을 이용한 음식을 주로 먹음
가옥	• (❸): 주변에서 쉽게 구할 수 있는 흙을 이용함, 큰 일교차를 조절하고 강한 햇볕과 뜨거운 모래바람을 막기 위해 벽이 두껍고 창문이 작음 • 이동식 가옥: 유목 생활에 편리하도록 조립과 분해가 쉬움

(2) 경제 활동

농업	• 오아시스 농업: 외래 하천이나 물을 구하기 쉬운 오아시스 주변에 마을을 이루고 대추야자, 밀, 보리 등을 재배 • 관개 농업: 지하수 또는 지하 관개 수로(카나트)를 통해 물을 끌어와 생활용수로 사용하거나 목화, 밀 등을 재배
(❹)	사막 주변의 초원 지대에서 물과 풀을 찾아 이동하며 낙타, 양, 염소, 말 등의 가축을 사육함
대상	낙타에 짐을 싣고 무리지어 다니면서 상품을 거래함

(3) 최근의 변화 모습

유목 감소	국경의 설정, 도시화와 산업화, 자원 개발, 사막화에 따른 목초지 감소 등
농업 지역 확대	관개 기술의 발달, 해수 담수화 등으로 농업 지역이 내륙 사막까지 확대되고 있음
관광 산업 발달	건조 기후 지역의 자연환경을 활용한 생태 관광 및 체험 프로그램 발달 ⓓ 샌드 보딩, 낙타 타기 등

02 주요 자원의 분포 및 이동과 산업 구조

1. 화석 에너지 자원의 분포와 이동

(1) 분포

석유	페르시아만 연안을 중심으로 분포함, 사우디아라비아, 이란, 이라크, 쿠웨이트, 아랍 에미리트의 매장량이 많음
(❺)	페르시아만 연안과 카스피해 연안에 주로 분포함, 이란, 카타르, 투르크메니스탄의 매장량이 많음

(2) 이동: 주로 유조선과 파이프라인을 통해 유럽, 북아메리카, 동아시아로 수출됨

2. 화석 에너지 자원의 개발과 영향

(1) 화석 에너지 자원의 개발

개발 초기	자본과 기술 등이 부족하여 선진국의 다국적 석유 기업을 중심으로 개발이 이루어짐
1970년대 이후	자원 민족주의를 내세우며 석유 산업을 국유화함 → (❻)를 결성하여 국제적인 영향력을 행사하고 있음

(2) 화석 에너지 자원 개발의 영향

긍정적 영향	석유 수출로 급격한 경제 성장, 주민들의 생활 수준 및 교육, 의료 등 복지 수준 향상
부정적 영향	지역 격차 발생, 빈부 격차 심화, 외국인 노동자들의 유입으로 전통적 가치관 변화, 해외 경제 의존도 심화

3. 주요 국가의 산업 구조 특성

(1) 자원 매장량이 많은 국가: 2차 산업의 비중이 상대적으로 높음, 원유·석유 제품의 수출 비중이 높음

사우디아라비아, 아랍 에미리트, 카타르	세계적인 산유국으로 원유와 가스 산업을 중심으로 2차 산업 발달, 원유 및 석유 제품의 수출 비중이 높음
카자흐스탄	대규모 유전 개발로 경제 급성장, 석유 화학 산업·에너지 산업 등을 육성하고 있음

(2) 자원 매장량이 부족한 국가: 1차·3차 산업의 비중이 상대적으로 높음

이집트	• 고대 문명의 유적을 바탕으로 관광 산업 발달 • 최근 석유·천연가스의 생산으로 경제 성장, 주로 원유와 석유 정제품 수출
(❼)	• 농업·제조업·관광 산업 발달, 특히 목화·과일 등 농산물 수출량이 많음 • 최근 저렴한 노동력 바탕으로 섬유, 자동차 등 제조업 발달

4. 산업 구조의 문제점 및 지역 발전을 위한 노력

(1) 화석 에너지 중심 산업 구조의 문제점

자원 고갈	석유, 천연가스는 매장량이 한정되어 있는 고갈 자원
국제 석유 가격 변동의 영향	국제 석유 가격은 생산자 담합, 금융 요인, 비전통 석유의 생산 증가 등으로 가격 변동 폭이 큼 → 국가 재정 및 경제 상황의 변화도 큼

(2) 지역 발전을 위한 노력: 정부 재정 수입원의 다변화, 신·재생 에너지 산업 육성, 다양한 인프라 건설 사업 추진 등

사우디아라비아	정유 공업·석유 화학 공업 육성, 해수 담수화 시설을 이용한 관개 농업 확대
(❽)	금융 산업·관광 산업 투자 확대를 통해 국제 금융 및 물류 중심지, 관광 중심지로 변모
이집트	태양광과 풍력 등 신·재생 에너지를 통한 전력 확충 계획 추진

03 사막화의 진행

1. 사막화의 원인과 진행 지역

(1) 사막화: 사막 주변과 초원 지역의 토양이 황폐화되어 점차 사막으로 변하는 현상

(2) 사막화의 원인

자연적 요인	기후 변화에 따른 기상 이변으로 장기간의 가뭄 발생
인위적 요인	• 인구 증가에 따른 거주 공간 및 경작지와 방목지의 확대 • 과도한 목축과 땔감 확보를 위한 무분별한 삼림 훼손 • 지나친 관개로 인한 토지의 염도 상승

(3) 사막화 진행 지역

(❾)	1960년대 이후 급격한 인구 증가, 가축의 과다한 방목, 삼림 벌채 등으로 토양 침식 및 초원의 황폐화에 따라 사막화 현상이 심각함
아랄해 연안	과도한 목화 관개 농업 및 수자원 남용으로 호수 주변의 토양이 황폐해짐

2. 사막화의 영향

주민 건강 악화	토양 침식이 가속화되어 황무지로 변하면서 큰 모래 먼지가 자주 발생함 → 호흡기 질환 등의 질병 증가, 콜레라·수막염 등 전염병 확산으로 주민 건강 악화
기근 및 난민 발생	경작지의 황폐화로 곡물 재배 가능 지역 감소 → 기근 및 환경 난민 발생, 식량 및 수자원 확보를 둘러싼 국가나 부족 간 분쟁 발생
토양 염류화	지나친 수자원 개발과 관개 농업으로 토양의 염분 농도가 높아짐
생물 종 감소	삼림과 초원의 훼손으로 생태계의 균형이 파괴되면서 생물 종이 감소함

3. 사막화 해결을 위한 노력

국가적 차원의 노력	사막 주변과 초원 지역에서의 지나친 방목과 농경지 조성 규제, 조림 사업 실시, 재래종 풀 보존 사업 추진, 연료용 목재 채취 감소를 위한 태양광 시설 보급 등
국제적 차원의 노력	국제 연합은 사막화 방지와 사막화가 진행 중인 개발 도상국을 지원하기 위한 (❿) (UNCCD) 체결, 온실가스 배출량 감축 노력 등

01 (가), (나)는 건조 기후 지역의 기후 그래프를 나타낸 것이다. 이에 대한 옳은 설명을 〈보기〉에서 고른 것은?

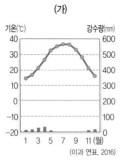
(가)

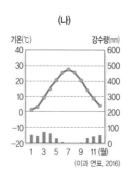
(나)

〈보기〉

ㄱ. (가)는 북부 아프리카 일대와 아라비아반도 등에서 주로 나타난다.
ㄴ. (나)는 지중해성 기후로 지중해와 흑해 연안에서 나타난다.
ㄷ. (나)는 (가)보다 가옥 간 거리가 가깝다.
ㄹ. (가), (나) 모두 강수량보다 증발량이 많아 물이 부족하다.

① ㄱ, ㄴ   ② ㄱ, ㄹ   ③ ㄴ, ㄷ
④ ㄴ, ㄹ   ⑤ ㄷ, ㄹ

02 ㉠, ㉡에 들어갈 내용을 옳게 연결한 것은?

건조 아시아와 북부 아프리카에는 높고 험준한 산지가 분포하며, 이들 산지의 남쪽에는 대규모 하천과 그 유역에 형성된 충적 평야가 펼쳐져 있다. 나일강 하구에는 주기적인 범람으로 비옥한 (㉠) 평야가 형성되어 있고, 북부 아프리카의 중·남부와 서남아시아의 아라비아반도 일대에는 (㉡)이/가 넓게 발달해 있다.

	㉠	㉡
①	삼각주	사막
②	삼각주	초원
③	삼각주	해안평야
④	범람원	사막
⑤	범람원	해안평야

03 자료에서 설명하는 시설이 설치된 지역에서 볼 수 있는 모습으로 적절하지 <u>않은</u> 것은?

바드기르는 자연 바람을 활용하여 공간을 서늘하게 만드는 친환경 공법의 윈드 타워이다. 탑을 통해 내려간 공기가 관상수나 분수 혹은 카나트의 지하수에 의해 냉각되고,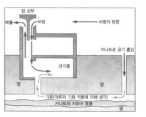
↑ 바드기르의 원리
상대적으로 더워진 공기는 밖으로 배출되면서 실내 온도를 낮추는 역할을 한다.

① 대추야자 열매를 판매하는 가게
② 두꺼운 벽과 좁은 창문의 흙벽돌집
③ 부족한 물을 확보하기 위한 해수 담수화 시설
④ 추운 밤을 견디기 위한 난방 및 조리 겸용 난로
⑤ 소, 돼지를 기르며 목초지를 찾아 이동하는 유목민

04 그림은 건조 기후 지역의 관개 시설을 나타낸 것이다. 이에 대한 옳은 설명만을 〈보기〉에서 있는 대로 고른 것은?

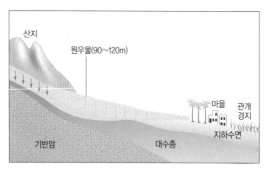

〈보기〉

ㄱ. 이란에서는 이러한 시설을 카나트라고 한다.
ㄴ. 수분 증발을 막기 위해 수로를 지하에 만들었다.
ㄷ. 산지에 내린 강수가 산기슭으로 흘러 지하수층을 형성한다.
ㄹ. 대수층의 물은 염분을 함유하고 있어 생활용수로 사용하기에 부적합하다.

① ㄱ, ㄴ   ② ㄴ, ㄷ   ③ ㄷ, ㄹ
④ ㄱ, ㄴ, ㄷ   ⑤ ㄴ, ㄷ, ㄹ

05 ㉠~㉣에 대한 옳은 설명만을 〈보기〉에서 있는 대로 고른 것은?

건조 아시아와 북부 아프리카의 주민들은 주로 오아시스나 외래 하천 주변에서 (㉠) 등을 재배한다. 이 지역 주민들은 ㉡ 온몸을 감싸는 형태의 헐렁한 옷을 입는다. 주민들이 주로 먹는 대표적인 전통 음식으로는 밀로 만든 빵과 가축에서 얻은 고기, ㉢ 유제품 등이 있다. 사막 주변의 초원 지대에서는 유목이 이루어졌다. 유목민들이 가축에서 얻을 수 없는 것은 이동 중 교역을 통해 얻으면서 ㉣ 대상이 발달하였다.

보기

ㄱ. ㉠에는 '쌀, 옥수수'가 들어갈 수 있다.
ㄴ. ㉡은 강한 햇볕과 모래바람을 막기 위해서이다.
ㄷ. ㉢은 양이나 염소의 젖을 발효시켜 만든다.
ㄹ. ㉣은 여러 지역의 소식을 알려 주고 생활 필수품을 거래하였다.

① ㄱ, ㄴ ② ㄴ, ㄷ ③ ㄷ, ㄹ
④ ㄱ, ㄴ, ㄷ ⑤ ㄴ, ㄷ, ㄹ

06 (가), (나)는 서로 다른 기후 지역의 가옥 구조를 나타낸 것이다. (가) 지역과 비교한 (나) 지역의 상대적인 특징을 그림의 A~E에서 고른 것은?

(가)　　　　(나)

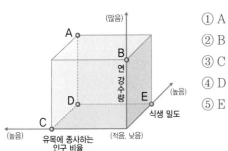

① A
② B
③ C
④ D
⑤ E

07 그래프는 두 화석 에너지의 지역별 생산량 비중을 나타낸 것이다. (가), (나)에 해당하는 자원을 그림의 A~D에서 골라 옳게 연결한 것은?

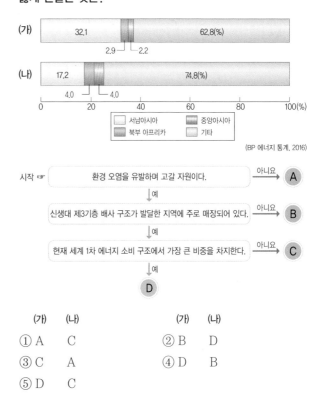

(BP 에너지 통계, 2016)

	(가)	(나)		(가)	(나)
①	A	C	②	B	D
③	C	A	④	D	B
⑤	D	C			

08 교사의 질문에 옳은 답변을 한 학생만을 있는 대로 고른 것은?

① 갑, 을 ② 갑, 병 ③ 병, 정
④ 갑, 을, 병 ⑤ 을, 병, 정

09 그래프는 (가), (나) 국가의 산업 구조 변화를 나타낸 것이다. 이에 대한 설명으로 옳은 것은? (단, (가), (나)는 이집트와 카자흐스탄 중 하나이다.)

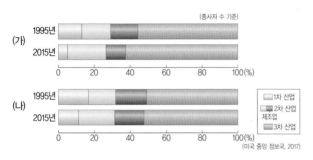

(종사자 수 기준)
(미국 중앙 정보국, 2017)

① 오늘날 카자흐스탄은 이집트보다 1차 산업 종사자 비중이 높다.
② 이집트에서 1995~2015년 사이 종사자 비중이 가장 크게 감소한 산업은 1차 산업이다.
③ (가)는 1995~2015년 사이 광업 종사자 비중은 감소, 제조업 종사자 비중은 증가하였다.
④ (가)는 (나)보다 2015년 2차 산업 종사자 비중이 높다.
⑤ (가)는 (나)보다 자원 매장량이 부족하여 3차 산업 종사자 비중이 높다.

10 그래프는 (가), (나) 국가의 수출 품목 비중을 나타낸 것이다. 이에 대한 추론으로 옳지 않은 것은? (단, (가), (나)는 튀르키예와 사우디아라비아 중 하나이다.)

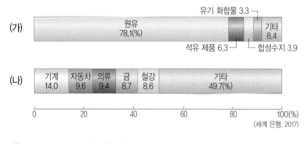

(세계 은행, 2017)

① (가)는 (나)보다 1인당 국내 총생산이 많을 것이다.
② (가)는 (나)보다 화석 에너지 자원의 매장량이 많을 것이다.
③ (가)는 (나)보다 국제 석유 가격이 국가 재정에 미치는 영향이 클 것이다.
④ (나)는 (가)보다 도시 인구 비중이 높을 것이다.
⑤ (나)는 (가)보다 총 종사자에서 제조업 종사자가 차지하는 비중이 높을 것이다.

11 자료의 지역에 대해 추론한 내용으로 적절한 것을 〈보기〉에서 고른 것은?

아랍 에미리트는 석유를 수출하여 얻은 이익으로 활발한 지역 개발이 이루어지고 있다. 특히 교통과 물류, 관광 기반 시설 구축에 힘쓴 두바이는 소규모 어촌에서 최첨단 도시로 탈바꿈하였다.

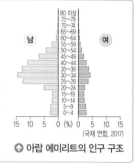

(국제 연합, 2017)
↑ 아랍 에미리트의 인구 구조

┌ **보기** ┐
ㄱ. 두바이를 방문하는 방문객이 감소할 것이다.
ㄴ. 건설업이 발달하면서 청장년층 남성이 많이 유입되었을 것이다.
ㄷ. 외국인 노동자의 유입으로 전통적 가치관이 변화하고 있을 것이다.
ㄹ. 사회 간접 자본이 확충되면서 도시와 농촌 간의 격차가 감소하고 있을 것이다.

① ㄱ, ㄴ   ② ㄱ, ㄷ   ③ ㄴ, ㄷ
④ ㄴ, ㄹ   ⑤ ㄷ, ㄹ

12 다음 '지식 Q&A'의 질문에 옳게 답변한 학생만을 있는 대로 고른 것은?

▶ 지식 Q&A

건조 아시아와 북부 아프리카 국가들이 석유 생산 이외의 다른 경제 부문에서의 성장을 유도하는 이유는 무엇일까요?

▶ 답변하기
└ 갑: 비전통 석유의 생산이 증가하고 있기 때문입니다.
└ 을: 국제 석유 가격이 하락할 경우 국가 재정이 악화될 수 있기 때문입니다.
└ 병: 최근 전 세계적으로 화석 에너지 소비를 줄이려는 노력이 이루어지고 있기 때문입니다.
└ 정: 장기간의 채굴로 석유 매장량과 생산량이 줄어들면서 석유 가격이 급격히 상승하고 있기 때문입니다.

① 갑, 병   ② 갑, 정   ③ 병, 정
④ 갑, 을, 병   ⑤ 을, 병, 정

13 다음은 사막화에 대한 모둠별 발표 주제이다. 주제에 대한 조사 내용으로 적절하지 <u>않은</u> 것은?

- 1모둠: 사막화의 발생 원인 – 자연적 요인
- 2모둠: 사막화의 발생 원인 – 인위적 요인
- 3모둠: 사막화의 주요 발생 지역
- 4모둠: 사막화로 인한 지역 문제
- 5모둠: 사막화를 방지하기 위한 노력

① 1모둠: 지구 온난화 현상에 따른 건조 지역의 강수량과 증발량 변화를 알아본다.
② 2모둠: 사헬 지대 인근 국가의 연도별 가축 사육 두수 변화를 알아본다.
③ 3모둠: 건조 및 반건조 지역을 중심으로 알아본다.
④ 4모둠: 사막화 피해 지역 주민들의 영양 상태 및 전염병 발생 위험도를 조사한다.
⑤ 5모둠: 사막화의 피해를 줄이기 위해 노력하는 다르푸르 지역의 사례를 조사한다.

14 자료에 나타난 현상이 지속될 때, 아랄해 인근 지역에서 나타날 수 있는 변화 모습을 추론한 내용으로 적절한 것은?

아랄해로 흘러드는 아무다리야강과 시르다리야강 주변에 목화를 재배하는 관개 농업이 발달하면서 대규모의 댐과 운하, 관개 시설이 건설되었다.

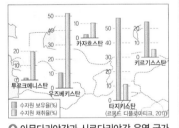
🔅 아무다리야강과 시르다리야강 유역 국가의 수자원 채취

① 아랄해의 어업 생산량이 늘어났을 것이다.
② 호수였던 지역이 농경지로 변화하였을 것이다.
③ 아랄해로 유입되는 하천의 유량이 감소하였을 것이다.
④ 아랄해 인근 농경지의 소금 성분이 감소하였을 것이다.
⑤ 아랄해에 서식하는 생물 종의 다양성이 증가하였을 것이다.

15 그래프는 사헬 지대의 강수 변동을 나타낸 것이다. (가) 시기와 비교한 (나) 시기의 상대적인 특성을 그림의 A~E에서 고른 것은?

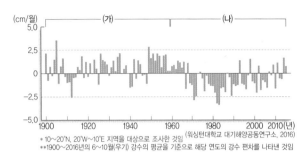
* 10~20°N, 20°W~10°E 지역을 대상으로 조사한 것임 〈워싱턴대학교 대기해양공동연구소, 2016〉
** 1900~2016년의 6~10월(우기) 강수의 평균을 기준으로 해당 연도의 강수 편차를 나타낸 것임

① A
② B
③ C
④ D
⑤ E

16 다음은 사막화를 주제로 한 세계지리 수업 장면의 일부이다. 교사의 질문에 옳은 답변을 한 학생을 고른 것은?

- 교사: 사막화로 인한 피해를 줄이기 위한 노력에 대해 발표해 볼까요?
- 갑: 방풍림을 설치한 대규모 농경지와 목장을 조성해야 합니다.
- 을: 연료용 목재 채취를 줄이기 위해 태양광 시설을 보급해야 합니다.
- 병: 토양 침식을 막기 위해 건조 지역의 재래종 풀 보존 사업을 추진해야 합니다.
- 정: 기근으로 고통 받는 주민들을 위해 관개 시설을 설치하여 밀을 재배해야 합니다.

① 갑, 을   ② 갑, 병   ③ 을, 병
④ 을, 정   ⑤ 병, 정

유럽과 북부 아메리카

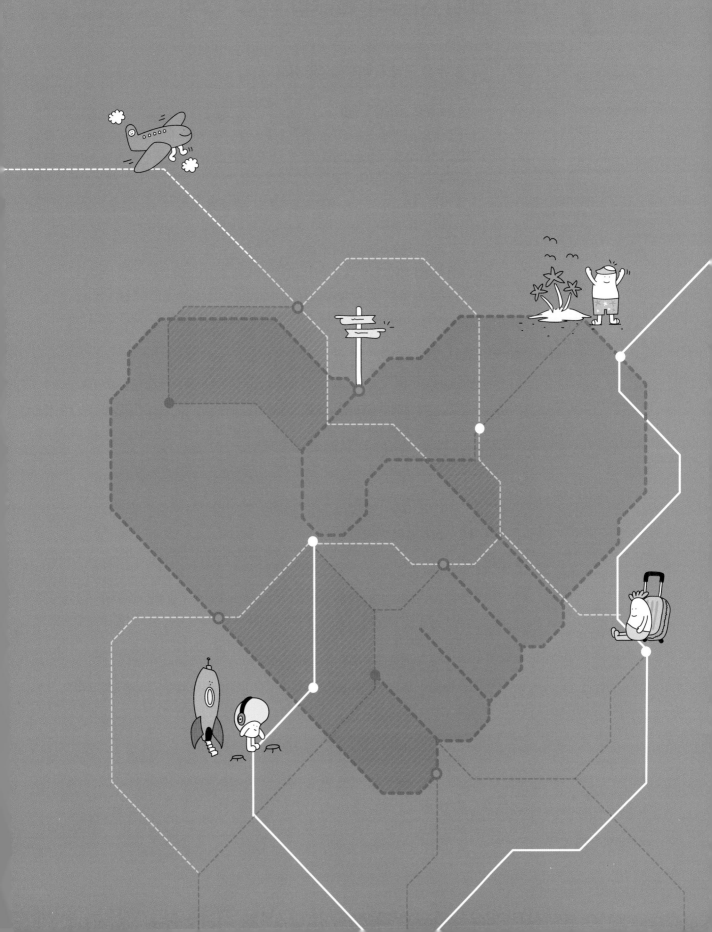

01 주요 공업 지역의 형성과 최근 변화

이것이 핵심!

유럽과 북부 아메리카의 주요 공업 지역

유럽의 공업 지역	석탄과 철광석 등이 풍부한 매장지를 중심으로 형성 예 영국의 랭커셔·요크셔 지방, 독일의 루르·자르 지방 등
북부 아메리카의 공업 지역	• 뉴잉글랜드 지역: 유럽과의 지리적 인접성, 저렴한 노동력 등을 바탕으로 발달 • 오대호 연안 지역: 메사비 광산의 철광석, 애팔래치아 탄전의 석탄, 오대호의 편리한 수운, 저렴하고 풍부한 노동력을 바탕으로 발달

★ **독일의 루르 공업 지역**
풍부한 석탄, 라인강의 편리한 수운을 바탕으로 발달하였으며, 철강, 금속, 화학 공업이 발달하면서 유럽 최대의 중화학 공업 지역이 되었다.

① 주요 공업 지역의 형성과 쇠퇴

1. 유럽의 주요 공업 지역 자료①   Qn? 서부 유럽은 산업 혁명이 가장 먼저 일어난 지역으로 공업 발달 초기에는 석탄이 주요 동력 자원으로 이용되었기 때문이야.

(1) **전통적 공업 지역의 형성**: 석탄, 철광석 등이 풍부한 주요 자원 매장지를 중심으로 형성
　예 랭커셔·요크셔 지방(영국), *루르·자르 지방(독일), 로렌 지방(프랑스) 등 ┌ 철강 공업 발달

(2) **전통적 공업 지역의 쇠퇴 원인**: 오랜 채굴에 따른 석탄 및 철광석의 고갈, 채광 시설 노후화에 따른 채굴 비용 상승, 값싼 해외 자원의 수입량 증가, 석유와 천연가스 등 새로운 에너지 자원 이용 등

2. 북부 아메리카의 주요 공업 지역 자료②

(1) **전통적 공업 지역**

뉴잉글랜드 공업 지역	유럽과의 지리적 인접성, 이민자들의 저렴한 노동력 등을 바탕으로 공업 발달
오대호 연안 공업 지역	메사비 광산의 철광석+애팔래치아 탄전의 석탄+오대호의 편리한 수운＋저렴하고 풍부한 노동력을 바탕으로 공업 발달 – 시카고, 피츠버그, 디트로이트 등
캐나다의 공업 지역	미국 북동부의 공업 지역과 연결되어 있으며 자동차, 전기·전자, 펄프 공업 발달 예 몬트리올, 토론토 등
멕시코의 공업 지역	미국 국경을 접하고 있는 북부 지역에 외국 자본의 직접 투자를 바탕으로 공업 발달

(2) **전통적 공업 지역의 쇠퇴 원인**: 오랜 채굴에 따른 고품질의 철광석 고갈, 공업의 지나친 집적으로 인한 환경 오염 및 시설 노후화, 제2차 세계 대전 이후 신흥 공업국 성장으로 제조업 쇠퇴 등

이것이 핵심!

유럽과 북부 아메리카 공업 지역의 변화

유럽 공업 지역	• 원료 수입과 제품 수출에 유리한 임해 지역이나 교통이 편리한 지역을 중심으로 공업 지역 형성 • 산업 클러스터 형성
북부 아메리카의 공업 지역	• 선벨트를 중심으로 첨단 산업 성장 • 최근 러스트벨트 지역에서 기존 산업과 관련된 신산업 육성

★ **산업 클러스터**
같은 업종의 기업들과 연구 개발 기능을 담당하는 대학 및 연구소, 각종 지원 기관이 특정 지역에 모여 정보와 지식을 공유하여 동반 상승 효과를 일으키는 산업 집적지

② 주요 공업 지역의 변화

1. 유럽 공업 지역의 변화

(1) **신흥 공업 지역의 발달**: 석유, 철광석의 해외 의존도 증가로 원료의 수입과 제품의 수출에 유리한 임해 지역과 내륙 수로 등 교통이 편리한 지역에 발달 예 카디프·미들즈브러(영국), 됭케르크(프랑스), 로테르담(네덜란드), 라인-쉬네(독일)

(2) **첨단 *산업 클러스터의 육성**: 유럽에서 중화학 공업이 쇠퇴하자 부가 가치가 높은 첨단 산업으로 공업 구조 재편 예 케임브리지 사이언스 파크(영국), 소피아 앙티폴리스(프랑스), 오울루 테크노폴리스(핀란드) 등 교과서 자료

2. 북부 아메리카 공업 지역의 변화 ┌ 북위 37°이남에 위치한 캘리포니아, 애리조나, 텍사스 등 11개 주에 걸친 지역

(1) **선벨트 공업 지역의 성장**: 온화한 기후, 풍부한 석유와 천연가스, 풍부한 노동력, 각종 세금 혜택 등 → 첨단 산업 발달 예 샌프란시스코의 실리콘 밸리(반도체, 정보 통신 기술 산업), 로스앤젤레스(항공, 영화, 컴퓨터 관련 산업), 휴스턴(우주 항공) 등 └ 미국 캘리포니아주 샌프란시스코만 주변의 첨단 기술 연구 단지

(2) **러스트벨트의 변화**: 제조업의 쇠락으로 쇠퇴한 미국 북동부의 공업 침체 지역은 최근 기존 산업과 연관된 신산업 및 지식 기반 산업 육성
　└ 'rust'는 녹슬다는 의미로, 러스트벨트는 제조업 쇠퇴로 쇠락한 미국 북동부 공장 지대를 의미해.

완자 자료 탐구

내 옆의 선생님

함께 보기 158쪽, 내신 만점 공략하기 08

자료 ① 유럽의 공업 지역

└ 석탄은 공장 기계의 동력원이자 제철 공업의 연료로 사용되었어.

서부 유럽은 석탄 및 철광석 산지를 중심으로 전통 공업 지역이 형성되었다. 그런데 석유가 공업의 에너지원으로 이용되고 해외의 값싼 철광석 수입이 증가하면서 원료 수입과 제품 수출에 유리한 임해 지역이나 내륙 수로 등에 공업 지역이 형성되었다. 1980년대 이후에는 고부가 가치의 신흥 공업 지역이 성장하였는데, 이들 지역은 기업, 대학, 연구소 등이 근접 입지하여 협력하는 산업 클러스터를 형성하고 있다.

자료 ② 북부 아메리카의 주요 공업 지역

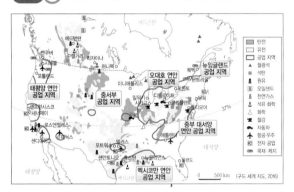

북부 아메리카는 뉴잉글랜드 지역, 오대호 연안을 중심으로 한 북동부 지역의 공업이 발달하였다. 그러나 집적 불이익이 발생하고 첨단 산업 중심으로 산업 구조가 변화하면서 남부 및 남서부의 선벨트 지역이 성장하고 있다.

수능이 보이는 교과서 자료 │ 최근 성장하는 공업 지역

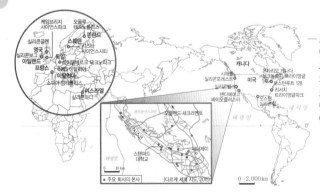

┌ 최근 성장하는 첨단 산업 단지는 영국의 케임브리지 사이언스파크, 프랑스의 소피아 앙티폴리스, 핀란드의 오울루 테크노폴리스, 스웨덴의 시스타, 미국의 실리콘밸리 등이야.

프랑스의 소피아 앙티폴리스는 유럽의 정보 통신 기술의 중심지로 성장하고 있으며, 이탈리아 북부의 제3이탈리아는 패션 및 디자인 산업을 전통적 장인의 제조업으로 육성한 고부가 가치 산업 단지이다. 미국 실리콘밸리는 주변에 명문 대학이 많아 우수 연구 인력 확보에 유리하며, 세금 감면 혜택으로 세계적인 IT 기업들이 입지해 있다.

자료 │ 하나 더 알고 가자!

산업 혁명 시기의 자원 분포와 도시 발달

영국에서는 석탄, 철광석 등의 자원이 풍부한 지역을 중심으로 공업이 발달하였다.

자료 │ 하나 더 알고 가자!

미국의 제조업 발달 지역 변화

	북동부	중서부	남부	서부
1965년(4,919억 달러)	27.1%	37.4	23.4	12.1
1980년(1조 8,457억 달러)	20.9%	31.8	32	15.3
1995년(3조 5,817억 달러)	16.4%	32.2	34.8	16.6
2010년(4조 9,029억 달러)	13.3%	30.6	39.2	16.9
2014년(2조 8,677억 달러)	13.8%	27.9	36.4	21.9

*제조업 출하액 기준, 알래스카와 하와이는 제외함 (미국 제조업 협회, 2016)

북동부와 중서부 지역의 제조업 생산액 비중은 감소하고 있으며, 남부와 서부의 제조업 생산액 비중은 증가하고 있다. 이는 미국의 공업 중심이 북동부에서 남부 및 서부의 선벨트로 이동하였기 때문이다.

완자샘의 탐구 강의

• 유럽과 북부 아메리카의 첨단 산업이 발달한 지역에서는 어떤 입지적 특징이 나타나는지 서술해 보자.

첨단 산업은 제품의 부가 가치가 높아 운송비가 차지하는 비중이 작다. 따라서 전문 기술 인력이 풍부한 곳, 관련 산업이 집적된 곳, 교통 시설에 대한 접근성이 좋은 곳, 쾌적한 자연환경과 서비스 시설이 갖추어진 곳 등에서 첨단 산업이 발달하게 된다.

STEP 1 핵심 개념 확인하기

1 유럽은 산업 혁명 시기 이후부터 ( ) 산지와 철광석 산지를 중심으로 중화학 공업이 성장하였다.

2 다음에서 설명하는 공업 지역을 〈보기〉에서 골라 기호를 쓰시오.

> **보기**
>
> ㄱ. 로렌 지역　　　　　　ㄴ. 루르 지역
>
> ㄷ. 오대호 연안 지역　　　ㄹ. 뉴잉글랜드 지역

(1) 북부 아메리카에서 가장 먼저 공업이 발달한 지역이다.
( )

(2) 풍부한 철광석을 바탕으로 철강 공업이 발달한 프랑스의 공업 지역이다.
( )

(3) 풍부한 석탄, 라인강의 편리한 수운을 바탕으로 발달한 독일의 공업 지역이다.
( )

(4) 메사비 광산의 철광석과 애팔래치아 탄전의 석탄, 저렴하고 풍부한 노동력 등을 바탕으로 성장한 북부 아메리카의 공업 지역이다.
( )

3 다음 괄호 안의 내용 중 알맞은 말에 ○표를 하시오.

(1) 영국의 카디프와 미들즈브러, 프랑스의 됭케르크, 네덜란드의 로테르담 등은 (임해 지역, 원료 산지)에 발달한 대표적인 공업 지역이다.

(2) (선벨트, 러스트벨트)는 온화한 기후가 나타나는 북위 37° 이남의 미국 남부 지역을 일컬으며, 첨단 산업이 크게 성장하고 있는 지역이다.

4 ( )는 일정 지역에 어떤 산업과 상호 연관 관계가 있는 기업과 기관들이 모여 정보를 교류하고 새로운 기술을 창출하는 산업의 집적 지역을 말한다.

5 (가), (나)에서 설명하는 첨단 산업 지역의 명칭을 각각 쓰시오.

> (가) 미국 캘리포니아주 샌프란시스코만 주변에 위치한 첨단 연구 단지로 세계적인 IT 기업들이 많이 모여 있다.
>
> (나) 프랑스 남부에 위치한 첨단 산업 지역이며 유럽의 정보 통신 기술의 중심지로, 기업 연구소와 공장 등이 입주해 있다.

STEP 2 내신 만점 공략하기

01 지도에 표시된 A 지역에 대한 설명으로 옳은 것은?

① 고급 인력 확보가 쉬운 대도시 지역이다.
② 대기 오염 물질의 배출량이 적은 지역이다.
③ 부가 가치가 높은 제품을 생산하는 지역이다.
④ 대학이나 연구소와의 연계가 뚜렷한 지역이다.
⑤ 원료 산지를 중심으로 공업이 발달한 지역이다.

02 ⭐중요
지도의 A, B 공업 지역에 대한 옳은 설명을 〈보기〉에서 고른 것은?

> **보기**
>
> ㄱ. A는 풍부한 자원을 기반으로 성장하였다.
>
> ㄴ. B는 원료 수송의 대부분을 내륙 수운에 의존한다.
>
> ㄷ. A는 B보다 공업 지역 형성의 역사가 오래되었다.
>
> ㄹ. B는 A보다 지식 집약적인 첨단 산업이 발달하였다.

① ㄱ, ㄴ　　　② ㄱ, ㄷ　　　③ ㄴ, ㄷ
④ ㄴ, ㄹ　　　⑤ ㄷ, ㄹ

03 다음과 같이 서부 유럽의 공업 지역이 이동하는 데 가장 큰 영향을 미친 요인으로 옳은 것은?

① 전력이 풍부하게 공급되는 지역을 선호하기 때문에
② 공업에 필요한 대자본이 축적된 지역을 선호하기 때문에
③ 값싸고 풍부한 노동력이 공급되는 지역을 선호하기 때문에
④ 원료의 수입과 제품의 수출에 유리한 지역을 선호하기 때문에
⑤ 지가가 저렴하고 넓은 시장을 확보할 수 있는 지역을 선호하기 때문에

04 지도에 표시된 공업 지역의 공통적인 특징으로 옳은 것은?

① 풍부한 자원을 배경으로 중화학 공업이 발달해 있다.
② 대도시와의 접근성이 뛰어나 시장 지향 공업이 발달해 있다.
③ 적환지를 이점으로 하는 대규모 공업 단지가 조성되어 있다.
④ 산업 혁명 이후부터 발달한 공업 지역으로 역사가 오래되었다.
⑤ 지식과 정보를 바탕으로 하는 첨단 산업 클러스터가 조성되어 있다.

[05~06] 지도를 보고 물음에 답하시오.

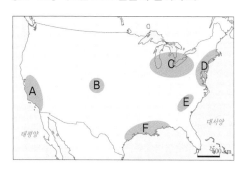

05 다음 글의 '이 지역'에 해당하는 공업 지역을 위 지도에서 고른 것은?

> 미국 공업의 입지가 이 지역으로 이동하고 있다. 이 지역은 온화한 기후 조건, 쾌적한 생활 환경, 저렴하고 풍부한 노동력과 넓은 공장 부지, 석유 등의 풍부한 에너지 자원, 세금 혜택 등 기업 활동에 유리한 입지 조건을 갖추고 있다. 이와 같은 입지 조건의 유리한 점으로 인해 이 지역은 컴퓨터, 반도체, 항공기, 우주 산업 등 첨단 기술 산업이 급성장하고 있다.

① A, C   ② A, F   ③ B, E
④ C, D   ⑤ D, F

06 위 지도의 C 공업 지역에 대한 옳은 설명을 〈보기〉에서 고른 것은?

> **보기**
> ㄱ. 신흥 공업 국가와의 경쟁에서 우위를 차지하고 있다.
> ㄴ. 시카고, 디트로이트, 피츠버그를 중심으로 하며, 자동차 및 제철 공업이 발달하였다.
> ㄷ. 유럽과의 지리적 인접성, 이민자들의 저렴한 노동력을 바탕으로 공업이 발달하였다.
> ㄹ. 메사비 광산의 철광석과 애팔래치아 탄전의 석탄, 오대호의 수운 등을 바탕으로 성장하였다.

① ㄱ, ㄴ   ② ㄱ, ㄷ   ③ ㄴ, ㄷ
④ ㄴ, ㄹ   ⑤ ㄷ, ㄹ

07 ㉠~㉤에 대한 설명으로 옳지 <u>않은</u> 것은?

> 미국의 공업화 초기에는 보스턴을 중심으로 한 ㉠ 대서양 연안의 뉴잉글랜드 지역에서 섬유 산업이 발달하였다. 이후 자본과 기술이 축적되면서 시카고, 디트로이트 등을 중심으로 한 ㉡ 오대호 연안 지역이 주요 중화학 공업 지역으로 성장하였다. 그러나 제2차 세계 대전 이후 동아시아 신흥 공업 국가들의 성장으로 제조업이 쇠퇴하면서 이곳은 (㉢)(으)로 전락하였다. 최근에는 휴스턴을 중심으로 한 ㉣ 멕시코 만 연안 지역과 샌프란시스코, 로스앤젤레스의 ㉤ 태평양 연안 지역에서 공업이 발달하고 있다.

① ㉠은 유럽과의 지리적 인접성, 풍부한 노동력이 바탕이 되었을 것이다.
② ㉡은 선벨트의 대표적인 지역이다.
③ ㉢에는 '러스트벨트'가 들어갈 수 있다.
④ ㉣에서는 석유 화학, 우주 항공 산업 등이 발달하고 있다.
⑤ ㉤에서는 총 생산비에서 운송비가 차지하는 비중이 낮은 산업이 발달하고 있다.

08 지도에 표시된 지역에서 발달하고 있는 산업의 특징에 대한 설명으로 옳지 <u>않은</u> 것은?

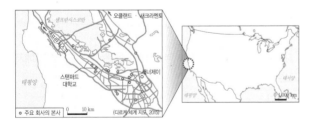

① 기업 예산 중 연구 개발비의 비중이 크다.
② 중앙 정부나 지방 자치 단체의 정책적 지원이 활발하다.
③ 생산비를 절감하기 위해 저렴한 단순 노동력의 확보가 중요하다.
④ 산학 협동을 위해 기업과 연구소가 대학들과 인접해서 위치한다.
⑤ 활발한 기업 활동을 위해 벤처 기업에 대한 자본 투자가 이루어진다.

01 지도는 서부 유럽의 전통 공업 지역을 나타낸 것이다. 이를 보고 물음에 답하시오.

> 산업 혁명의 발상지인 서부 유럽은 _____㉠_____ 를 중심으로 공업 지역이 형성되었다. 그러나 ___㉡___ 의 요인으로 서부 유럽의 전통적인 공업 지역은 쇠퇴하였다.

(1) ㉠에 들어갈 말을 쓰시오.

(2) ㉡에 들어갈 요인 <u>세 가지</u>를 쓰시오.

02 미국의 남부와 서부 지역의 제조업 생산액 비중이 다음과 같이 증가한 이유 <u>세 가지</u>를 서술하시오.

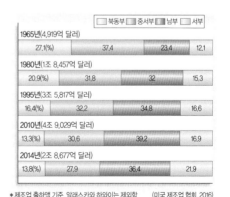

	북동부	중서부	남부	서부
1965년(4,919억 달러)	27.1(%)	37.4	23.4	12.1
1980년(1조 8,457억 달러)	20.9(%)	31.8	32	15.3
1995년(3조 5,817억 달러)	16.4(%)	32.2	34.8	16.6
2010년(4조 9,029억 달러)	13.3(%)	30.6	39.2	16.9
2014년(2조 8,677억 달러)	13.8(%)	27.9	36.4	21.9

*제조업 출하액 기준, 알래스카와 하와이는 제외함 (미국 제조업 협회, 2016)
⬆ 미국의 제조업 발달 지역 변화

STEP 3 1등급 정복하기

정답친해 49쪽

1 지도의 A~C 공업 지역에 대한 설명으로 옳지 <u>않은</u> 것은?

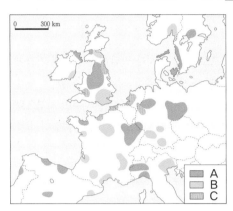

① A는 풍부한 자원을 바탕으로 중화학 공업이 발달하였다.
② B는 자원 고갈과 시설 노후화로 중화학 공업이 쇠퇴하고 있다.
③ C는 카디프, 미들즈브러, 됭케르크 등 해안 교통이 발달한 곳이 해당된다.
④ B는 C에 비해 공업 입지에 있어 지식과 정보의 활용이 중요하다.
⑤ A – C – B의 순서로 공업 지역의 형성 시기가 이르다.

> **유럽의 주요 공업 지역**
>
> **완자샘의 시험 꿀팁**
> 유럽의 주요 공업 지역에 대해 묻는 문제가 자주 출제된다. 유럽 각 공업 지역의 위치와 특징을 연결해서 정리해야 한다.

[교육청 응용]

2 지도의 (가) 공업 지역에 대한 (나) 공업 지역의 상대적 특징을 그림의 A~E에서 고른 것은?

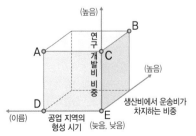

① A   ② B   ③ C   ④ D   ⑤ E

> **미국의 주요 공업 지역**

02~03 현대 도시의 내부 구조와 특징 ~ 지역의 통합과 분리 운동

① 세계적 대도시의 발달 과정

이것이 핵심!

유럽과 북부 아메리카의 도시화

도시화 특징	오랜 기간에 걸쳐 도시화가 진행, 도시 기능 분산 등으로 교외화 현상이 나타남
세계 도시 발달	• 세계 도시: 세계적인 영향력을 가지고 경제, 정치, 문화의 중심지 역할 수행 • 메갈로폴리스: 여러 개의 거대 도시가 연결되어 형성

★ 도시화
도시 인구 비율이 30% 이하이면 초기 단계, 도시 인구 비율이 급증하여 도시화가 급속하게 진행되는 시기는 가속화 단계, 도시 인구 비율이 약 80%를 넘는 단계는 종착 단계라 한다.

1. 유럽과 북부 아메리카의 *도시화

(1) **도시화의 진행**: 자원이 풍부한 지역을 중심으로 공업 도시가 발달하면서 오랜 기간에 걸쳐 도시화가 진행, 현재 전체 인구의 80% 이상이 도시에 거주 ┌ 도시화의 종착 단계

(2) **교외화**: 대도시의 생활 비용 증가, 도시 기능의 분산 등으로 도시 인구가 주변 지역으로 이동

(3) **재도시화**: 낙후된 환경을 개선하는 도시 재생 사업 진행으로 도심부의 인구가 다시 증가

2. 세계 도시의 발달
┌ 다국적 기업의 본사, 국제 금융 시장, 국제기구 등이 입지하며, 런던, 뉴욕 등이 있어.

(1) **세계 도시**: 세계적인 영향력을 가지며 경제, 정치, 문화의 중심지 역할을 수행하는 도시

(2) **메갈로폴리스**: 도시 기능 확장으로 여러 개의 거대 도시가 연결되어 형성

3. 유럽과 북부 아메리카 주요 도시의 발달
┌ 유럽은 영국 런던~리버풀, 라인강 하류 암스테르담~브뤼셀~쾰른, 미국은 북동부 보스턴~워싱턴, 태평양 연안의 샌프란시스코~샌디에이고에 메갈로폴리스가 형성되어 있어.

유럽	• 런던: 산업 혁명의 중심지, 항공 교통·금융의 중심지 • 파리: 19세기 산업화를 통해 크게 성장, 세계 문화·예술의 중심지	┌ 국제 금융 기관(월가)이 밀집하고 국제 연합 본부 위치해.
북부 아메리카	• 뉴욕: 내륙 농산물의 유럽 수출항으로 성장, 세계 경제와 정치의 중심지 • 시카고: 오대호와 미시시피강을 연결하는 거점 도시, 수상 및 내륙 철도 교통의 요충지	

┌ 무역, 금융, 엔터테인먼트, 미디어 등의 서비스업 발달   ┌ 미국 동부와 서부 지역 연결

② 현대 도시의 특성과 내부 구조

이것이 핵심!

유럽과 북부 아메리카의 도시 내부 구조

유럽	• 역사적 건축물들이 남아 있는 도심 핵심 지역에 고소득층 거주 • 도심 인근은 비즈니스 중심지로 변모(런던의 카나리워프, 파리의 라 데팡스)
북부 아메리카	• 교외화로 도심과 먼 외곽 지역에 주거 지역 확산, 일부 도시는 도심 재활성화 추진 • 교통이 편리한 교외 지역에 새로운 중심 지역인 교외 도시 형성

★ 교외 도시(에지시티)
최근 미국을 중심으로 대도시 교외 지역의 교통 중심지에 형성된 새로운 형태의 도시를 말한다. 대규모의 번화가와 업무 및 상업 시설이 있어 단순한 주거 역할이 아니라 경제적인 역할이 두드러지는 지역이다.

1. 현대 도시의 내부 구조 [자료①]

(1) **도시 내부 구조별 특징**

┌ 직장과 주거지가 분리되면서 야간에 상주인구가 적어 도심이 텅 비는 현상

도심	지대와 접근성이 가장 높음, 중심 업무 지구(CBD), 업무용 고층 빌딩 밀집, 상주인구 감소로 인구 공동화 현상이 나타남
중간 지대	• 도심 외곽 지역에 위치, 저급 주택 지구와 공업 기능이 혼재함 ─ 건물 노후화로 슬럼화 현상이 나타나기도 해. • 원래 중산층이 거주하던 지역이었으나 대중교통의 발달로 교외화가 이루어져 저소득층 거주 증가
외곽 지역	최근 교외화로 상업 기능, 주거 기능 등이 확산됨

(2) **도심 재활성화(젠트리피케이션)**: 정보 통신 기술과 지식 기반 산업 성장으로 도심 내 사무 공간 수요 증가 → 낙후된 도심과 중간 지대에 업무용 빌딩 건축, 주거 및 여가·문화 공간으로 재개발하면서 고소득층 인구가 도심으로 유입

┌ 이러한 문제를 해결하기 위해 낙후된 도시 내부 지역을 재개발하는 도시 재생 사업이 활발히 진행돼.

2. 유럽과 북부 아메리카 주요 도시의 내부 구조 [자료②] [자료③]

구분	유럽의 도시	북부 아메리카의 도시
특징	• 도심에 역사적 건축물들이 남아 있음 • 시가지 범위와 도로 폭이 좁음, 토지 이용이 집약적임 • 도심의 핵심 지역에 고소득층 거주, 바깥쪽으로 저소득층 이민자 거주 지역인 중간 지대 분포	• 도심에서 외곽으로 갈수록 건물 높이가 낮아짐 • 교외화의 진전으로 도심과 먼 외곽 지역에 주거 지역이 확산됨 • 일부 도시는 도심 재활성화 추진 • 도심 주변 중간 지역은 슬럼화가 진행되기도 함
최근의 변화	도심 인근 지역은 도심 재활성화를 통해 비즈니스 중심지로 변모함 ⑩ 런던의 카나리워프, 파리의 라 데팡스 등	*교외 도시(에지시티): 교통이 편리한 교외 지역에 오피스 빌딩, 쇼핑센터 등이 건설되면서 새로운 중심 지역으로 성장함

완자 자료 탐구

내 옆의 선생님

자료 ① 선진국의 도시 내부 구조 이론

미국의 시카고가 대표적인 사례 지역이야.

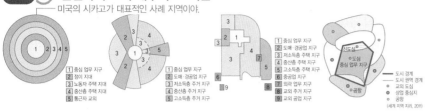

⬆ 동심원 모델
1 중심 업무 지구
2 점이 지대
3 노동자 주택 지대
4 중산층 주택 지대
5 통근자 교외

⬆ 선형 모델
1 중심 업무 지구
2 도매·경공업 지구
3 저소득층 주거 지구
4 중산층 주거 지구
5 고소득층 주거 지구

⬆ 다핵심 모델
1 중심 업무 지구
2 도매·경공업 지구
3 저소득층 주택 지구
4 중산층 주택 지구
5 고소득층 주택 지구
6 중공업 지구
7 외곽 업무 지구
8 교외 주거 지구
9 교외 공업 지구

⬆ 도시 권역 모델
── 도시 경계
── 도시 권역 경계
○ 교외 도심
○ 상업 중심지
✈ 공항
(세계 지역 지리, 2011)

동심원 모델에서는 도시 내부에서 외곽으로 중심 업무 지구, 점이 지대, 주택 지대가 원형으로 분화되어 나타난다. 선형 모델은 도심에서 도시 주변 지역으로 방사상으로 뻗어 나가는 교통로나 하천을 따라 사회 계층별로 주거지가 부채꼴로 분화되어 발달한다. 다핵심 모델은 도시의 토지 이용이 여러 개의 핵을 중심으로 형성된다. 도시 권역 모델은 교통망의 확충과 도시 확대에 따라 교외 지역이 자족 기능을 보유하는 각 권역의 중심지로 발달하면서 전통적인 중심 도시와 공존한다.

자료 ② 런던과 뉴욕의 도시 내부 구조

도시 내부의 주거 지역은 경제 수준, 민족 등에 따라 분리되기도 하는데, 이민자의 비율이 높은 미국의 도시에서는 민족별 거주지 분리 현상이 나타나기도 해.

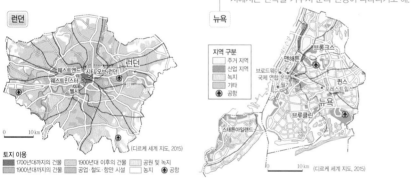

지역 구분
□ 주거 지역
■ 산업 지역
■ 녹지
□ 기타
✈ 공항

토지 이용
■ 1700년대까지의 건물
■ 1900년대까지의 건물
□ 1900년대 이후의 건물
■ 공업·철도·항만 시설
□ 공원 및 녹지
□ 농지
✈ 공항
(디르케 세계 지도, 2015)

런던의 시티 오브 런던은 영국 중앙은행과 유명 금융 회사들의 본사 등이 집결된 세계적인 금융 중심지로, 고풍스러운 건물과 현대적인 건물이 조화를 이룬다. 뉴욕은 맨해튼 지역을 격자형 체계로 정비하여 공간의 효율성을 높였으며, 초고층 건물이 모여 있어 세계 금융의 중심지 역할을 수행하고 있다.

자료 ③ 유럽과 북부 아메리카의 도시 내부 구조

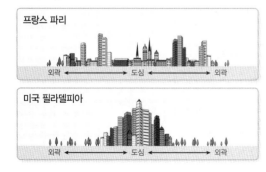

프랑스 파리
외곽 ◄── 도심 ──► 외곽

미국 필라델피아
외곽 ◄── 도심 ──► 외곽

역사가 오래된 유럽의 도시들은 도심에 역사적 도시 건축물이 남아 있으며, 건물들이 밀집되어 있다. 또한 도심과 주변 지역 간 건물의 높이 차이가 작은 편이다. 도시화의 역사가 유럽보다 비교적 짧은 북부 아메리카의 도시들은 도심에 고층 건물이 들어서 있다.

자료 하나 더 알고 가자!

도시 내 기능에 따른 지대 변화

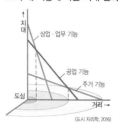

(도시 지리학, 2016)

도시 내부의 지역 분화가 일어나는 중요한 요인은 접근성과 지대이다. 도심은 접근성이 높아 지대가 높고, 도심에서 멀어질수록 접근성과 지대가 낮아진다.

자료 하나 더 알고 가자!

북부 아메리카의 메갈로폴리스

□ 메갈로폴리스

교통 수단의 발달은 도시의 분산과 성장을 가능하게 하였고, 그 결과 주요 도시들의 주변부가 팽창하면서 연합하여 많은 수의 거대 도시들이 형성되었다. 미국 북동부 메갈로폴리스는 경제적 핵심부로, 미국 정부 기관과 수많은 공장 및 회사들, 아울러 미국 문화의 중심이 자리 잡고 있다.

문제로 확인할까?

유럽의 도시 구조 특징으로 옳지 않은 것은?
① 시가지의 범위가 좁다.
② 토지 이용이 집약적인 편이다.
③ 고소득층이 주로 도심에 거주한다.
④ 도심과 주변 지역 간 건물 높이 차가 큰 편이다.
⑤ 도심 인근 지역은 최근 비즈니스 중심지로 변모하고 있다.

④ 🔒

유럽 연합과 북아메리카 자유 무역 협정

유럽 연합	• 성격: 경제적·정치적 통합, 단일 화폐 유로 사용, 독자적인 법령 체계 • 통합에 따른 문제: 동부 유럽과 서부 유럽 간 경제 격차 문제, 일부 국가의 재정 위기가 유럽 연합 전체의 재정 위기로 이어짐
북아메리카 자유 무역 협정	• 성격: 미국의 자본과 기술, 캐나다의 자본과 자원, 멕시코의 노동력과 자원이 결합 • 통합에 따른 문제: 미국 제조업의 해외 이전에 따른 제조업 일자리 감소, 일부 산업 분야에 투자 치중 등

★ 무역 장벽
관세를 부과하거나 국가 내부에서 시행하는 법이나 제도를 통해 국가 간 자유 무역을 인위적으로 제한하는 것을 말한다.

③ 유럽과 북부 아메리카의 지역 통합

1. 유럽의 통합 자료④

┌ 전쟁 방지와 경제 부흥을 위해 프랑스, 독일, 이탈리아, 벨기에, 네덜란드, 룩셈부르크가 설립하였어.

(1) **유럽 연합의 성립 과정**: 유럽 석탄 철강 공동체(ECSC) → 유럽 경제 공동체(EEC), 유럽 원자력 공동체(EURATOM) → 세 개의 단체를 통합한 유럽 공동체(EC) → 유럽 연합(EU)

(2) **유럽 연합의 성격**

┌ 모든 회원국이 단일 화폐를 사용하는 것은 아니야.

① 유럽 중앙은행 설립, 유로(Euro)라는 단일 화폐 사용

② 독자적인 법령 체계와 입법·사법·행정 체계, 정치·사회 분야에 이르는 공동 정책 확대

③ 유럽 시민권 제도를 도입하여 회원국 국민의 권리와 이익을 보호

(3) **통합에 따른 문제**

① 경제적 갈등 발생: 동부와 서부 유럽 간 경제 격차 문제, 자본 시장의 통합으로 일부 국가의 재정 위기가 유럽 연합 전체의 재정 위기로 이어짐

② 문화적 갈등 발생: 이슬람교 이주민의 증가로 유럽 문화와 이슬람 문화 간 갈등 발생

2. 북부 아메리카의 통합 교과서 자료

(1) **북아메리카 자유 무역 협정(NAFTA) 체결** ┌ 체결국 간에 무역 특혜를 부여하는 협정으로, 주로 2개 국가 또는 단체 간 무역 장벽 해소 및 자유 무역을 추구해.

① 배경: 유럽의 경제 공동체, 동부 아시아 신흥 공업국의 성장에 대응하기 위해 출범

② 내용 및 효과: 역내 관세와 *무역 장벽 폐지, 미국의 자본과 기술, 캐나다의 자본과 자원, 멕시코의 노동력과 자원이 결합해 세계 시장에서 국제 경쟁력을 높임 → 3개국의 교역 증가로 북부 아메리카 경제권 확대, 투자 활성화

(2) **통합에 따른 문제**: 미국 제조업의 해외 이전에 따른 제조업 일자리 감소, 일부 산업 분야에 투자 치중, 경제 양극화 심화, 멕시코 생산 공장 주변의 환경 오염 등

┌ 멕시코 농민들은 세계 최대 농업 대국인 미국과 힘겨운 경쟁을 해야 하는 문제점도 있어.

유럽과 북부 아메리카의 분리 운동

유럽	• 경제적 차이: 이탈리아 파다니아 • 민족·종교 차이: 영국의 스코틀랜드, 북아일랜드 • 문화적 갈등: 에스파냐의 카탈루냐·바스크, 벨기에
북부 아메리카	캐나다 퀘벡주

★ 벨기에의 지역 갈등
네덜란드어를 사용하는 플랑드르 지역에는 부가 가치가 높은 산업이 발달한 반면, 프랑스어를 사용하는 왈로니아 지역에서는 농업과 광산업 중심의 산업 구조가 나타나면서 지역 간 경제 격차로 갈등이 심해지고 있다.

④ 유럽과 북부 아메리카의 분리 운동

1. 유럽의 분리 운동 자료⑤

경제적 차이로 인한 분리 운동	이탈리아의 파다니아: 산업이 발달하고 소득 수준이 높은 북부 지역과 낙후된 남부 지역의 경제적 양극화가 나타남 → 북부 지역은 독립을 요구, 남부 지역은 더 많은 지원을 요구
민족·종교 차이로 인한 분리 운동	• 영국의 스코틀랜드: 켈트족이 다수이며 장로교를 주로 믿고 있어 앵글로 색슨 족이 다수이며 성공회를 믿고 있는 잉글랜드로부터 독립 요구 • 영국의 북아일랜드: 소수의 가톨릭교 주민에 대한 차별 정책으로, 영국으로부터 독립을 주장하는 가톨릭교 세력과 잔류를 원하는 개신교 세력 간 분쟁 발생
문화적 갈등으로 인한 분리 운동	• 에스파냐: 카탈루냐 지역과 바스크 지역은 에스파냐와 다른 독자적 언어를 사용하고 문화와 역사가 달라 에스파냐로부터 분리 독립 요구 • *벨기에: 네덜란드어를 사용하는 플랑드르 지역과 프랑스어를 사용하는 왈로니아 지역 간 문화적·경제적 갈등

2. 북부 아메리카의 분리 운동: 캐나다 퀘벡주는 영어를 사용하는 다른 지역과 달리 프랑스어를 사용하고 프랑스 문화를 유지하고 있어 캐나다로부터 분리 독립 요구 → 1980년과 1995년에 분리 독립 찬반 투표를 실시하였으나 부결됨

└ vs 스위스는 독일어, 프랑스어, 이탈리아어, 로만슈어 등 4개의 공용어를 사용하는데, 지방 자치제도의 발달과 상호 존중으로 갈등을 최소화하고 있어.

완자 자료 탐구 · 내 옆의 선생님

자료 ④ 유럽 연합 가입국의 확대 과정

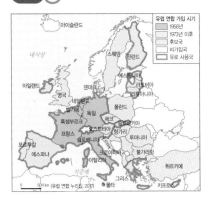

유럽 연합(EU)은 1952년에 출범한 유럽 석탄·철강 공동체(ECSC)로부터 기원하여 정치·경제 통합을 위해 협력 범위를 확대해 오다가 마스트리흐트 조약에 따라 1993년에 탄생되었다. 유럽 연합은 몰타, 키프로스와 동부 유럽 8개국(2004년)에 이어 루마니아·불가리아(2007년), 크로아티아(2013년)의 가입으로, 2017년 기준 28개 회원국으로 구성되어 있다.

자료 하나 더 알고 가자!

유럽 연합 역내 무역 비중 변화

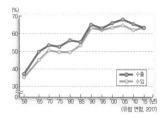

유럽 연합의 가입국이 점차 확대되고 경제적 통합의 수준이 높아짐에 따라 유럽 연합의 역내 무역 비중은 점차 증가하는 추세를 보이고 있다.

수능이 보이는 교과서 자료 — 북아메리카 자유 무역 협정의 영향

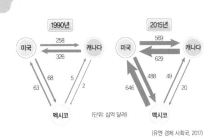

⬆ 북아메리카 자유 무역 협정 전후 역내 무역액 변화

⬆ 멕시코의 대미 무역 수지 및 해외 직접 투자 변화

미국, 캐나다, 멕시코의 교역량은 북아메리카 자유 무역 협정을 체결하기 전보다 크게 증가하였다. 북아메리카 자유 무역 협정으로 미국의 대멕시코 무역 규모가 증가하였으나 무역의 적자 폭이 커졌다. 멕시코의 경우에는 1990년 이후 해외 직접 투자가 늘어났으며, 대미 무역 수지 흑자 폭이 지속적으로 증가하여 경제가 활성화되었다.

완자샘의 탐구 강의

• 왼쪽 자료를 참고로 북아메리카 자유 무역 협정 체결에 따른 긍정적 영향과 부정적 영향을 설명해 보자.
긍정적인 영향은 미국은 첨단 기술 산업, 캐나다는 자원 산업, 멕시코는 노동 집약 산업을 특화하여 산업 간의 협력을 도모할 수 있다는 점이다. 그러나 멕시코에서 노동 착취가 발생하기도 하고, 미국에서는 공장이 멕시코로 빠져나가 일자리가 감소하기도 하는 등 부정적인 영향도 있다.

함께 보기 169쪽, 1등급 정복하기 **3**

자료 ⑤ 유럽 및 북부 아메리카의 분리 독립운동 지역

한 국가 내에서 지역별로 서로 다른 문화적 차이에 따른 갈등이 심화될 경우 분리 독립운동이 벌어지기도 한다. 퀘백주는 캐나다의 다른 지역과는 달리 프랑스 문화를 유지하며, 분리 독립을 주장하는 지역이다. 에스파냐 북동부의 부유한 자치주인 카탈루냐는 에스파냐 총인구의 약 16%가 거주하며, 국내 총생산의 약 20%를 창출한다. 언어, 문화, 역사 등이 다른 지역과 다른 점이 많아 분리 독립을 요구하고 있다.
┗ 지역 주민들이 내는 세금이 안달루시아 등 다른 지역을 위해 사용되면서 주민들의 불만이 더욱 커졌어.

자료 하나 더 알고 가자!

이탈리아의 파다니아

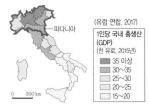

이탈리아의 파다니아는 이탈리아 인구의 약 25%가 살고 있지만 국내 총생산의 30% 이상을 담당하고 있다. 이러한 경제적 격차는 파다니아의 분리 독립운동의 원인이 되었다.

STEP 1 핵심 개념 확인하기

정답친해 50쪽

1 다음 내용에 해당하는 용어를 〈보기〉에서 골라 기호를 쓰시오.

보기
ㄱ. 세계 도시   ㄴ. 교외 도시   ㄷ. 메갈로폴리스

(1) 여러 개의 거대 도시가 연결되어 형성된 대도시권
( )
(2) 세계의 경제, 정치, 문화의 중심지 역할을 하는 도시
( )
(3) 최근 미국을 중심으로 교통이 편리한 교외 지역에 업무 및 상업 시설 등이 건설되면서 생긴 도시 ( )

2 빈칸에 들어갈 용어를 쓰시오.

(1) 도시에서 상주인구가 적어 인구 공동화 현상이 나타나는 지역은 ( )이다.
(2) 일부 도시의 낙후된 도심 지역을 주택 단지나 산업 시설, 문화·예술 공간으로 개발하면서 고소득층 인구가 도심으로 유입되는 현상을 ( )라 한다.

3 경제 블록과 그 특징을 옳게 연결하시오.

(1) 유럽 연합 •   • ㉠ 회원국 간 관세와 투자 장벽 철폐
(2) 북아메리카 자유 무역 협정 •   • ㉡ 단일 화폐 사용, 경제 자유 무역 협정 및 정치적 통합 추구

4 1967년에 유럽 석탄 철강 공동체, 유럽 경제 공동체, 유럽 원자력 공동체를 통합한 ( )가 출범하였고, 1993년에 유럽 연합이라는 공동체로 발전하였다.

5 괄호 안에 들어갈 알맞은 말에 ○표 하시오.

(1) 캐나다의 퀘벡주는 (프랑스어, 이탈리아어)를 공용어로 사용하고 있다.
(2) 벨기에에서는 북부의 (네덜란드어, 독일어) 사용 지역과 남부의 프랑스어 사용 지역 간에 갈등이 발생하고 있다.
(3) 에스파냐의 (카탈루냐, 파다니아)는 독자적인 언어 사용, 다른 지역과의 문화적 차이점 때문에 분리 독립을 요구하고 있다.

STEP 2 내신 만점 공략하기

01 지도는 세계 항공 교통 노선을 나타낸 것이다. 표시된 도시들에 대한 설명으로 옳은 것은?

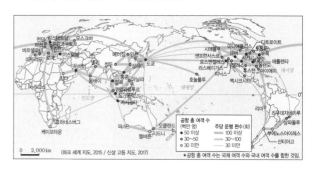

(하크 세계 지도, 2015 / 신상 고등 지도, 2017)

① 다국적 기업의 생산 공장의 수가 많다.
② 다양한 분야에서 세계적인 영향력을 갖는다.
③ 교통 발달로 새롭게 형성된 공업 도시들이다.
④ 풍부한 지하자원을 바탕으로 한 산업이 발달하였다.
⑤ 생산자 서비스업보다 소비자 서비스업의 비중이 더 높다.

02 다음에서 설명하는 도시를 지도의 A~E에서 고른 것은?

• 산업 혁명이 시작된 국가의 수도로 현재 세계 도시 체계에서 상위 계층의 중심지 역할을 수행한다.
• 국제 금융 센터 지수(GFCI)가 세계 1~2위이며, 세계적인 금융 허브로 국제 자본의 네트워크에서 핵심적인 위치를 차지하고 있다.

① A   ② B   ③ C   ④ D   ⑤ E

03 ☆중요
(가)와 (나) 도시에 대한 설명으로 옳지 <u>않은</u> 것은? (단, (가), (나)는 프랑스 파리와 미국 필라델피아 중 하나이다.)

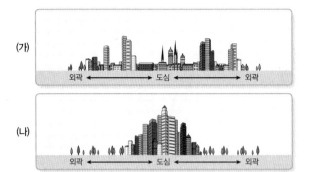

① (가) 도시의 도심에는 역사적인 건축물이 보전되어 있다.
② (가) 도시는 도심 외곽에 현대적 고층 건물이 들어서 있다.
③ (나) 도시의 중심부에는 대형 물류 창고, 쇼핑 센터 등이 발달하였다.
④ (나) 도시의 도심에서 외곽 지역으로 갈수록 접근성과 지대가 낮아진다.
⑤ (가) 도시는 (나) 도시보다 도시 발달 역사가 더 오래되었다.

04 다음 글과 관계 깊은 도시에 대한 옳은 설명을 〈보기〉에서 고른 것은?

미국에서 세 번째로 인구가 많은 도시이며, 오대호와 미시시피강을 연결하는 거점 도시로 성장하였다. 무역, 금융, 엔터테인먼트, 미디어 등의 서비스업이 발달해 있으며, 이 도시의 고층화된 도시 스카이라인은 세계적으로 유명하다.

보기
ㄱ. 미국 동부와 서부를 연결하는 교통의 요충지이다.
ㄴ. 월가를 중심으로 세계 경제의 중심을 이루고 있다.
ㄷ. 중심 업무 지구 주변에는 주로 고소득층 거주지가 분포한다.
ㄹ. 도시가 성장하면서 사회 계층별로 주거지가 동심원 형태로 분화하였다.

① ㄱ, ㄴ   ② ㄱ, ㄹ   ③ ㄴ, ㄷ
④ ㄴ, ㄹ   ⑤ ㄷ, ㄹ

05 ㉠에 대한 설명으로 옳지 <u>않은</u> 것은?

도시 성장 초기에는 여러 기능들이 혼재되어 나타나지만, 도시 규모가 커질수록 이러한 기능들이 서로 경쟁하면서 다른 장소로 분리되는 현상이 나타나는데, 이와 같은 과정을 통해 도시 내부 구조의 (㉠)이/가 이루어진다.

① 지하철 등 대중교통이 발달하면 교외화 현상이 나타나기도 한다.
② 도시에서 도심은 지대와 접근성이 가장 높아 중심 업무 지구가 나타난다.
③ 도심은 고층 빌딩이 밀집해 있고 상주인구가 증가해 인구 공동화 현상이 나타난다.
④ 중심 업무 지구 외곽에는 저급 주택 지구와 공업 기능 등이 혼재한 중간 지대가 나타난다.
⑤ 일부 도시에서는 낙후된 도심을 주거·문화 공간으로 재개발하는 도심 재활성화가 이루어진다.

06 다음은 어떤 도시의 내부 구조를 나타낸 지도이다. 이에 대한 옳은 설명만을 〈보기〉에서 있는 대로 고른 것은?

보기
ㄱ. 도심에는 높은 지대를 지불할 수 있는 업종이 들어선다.
ㄴ. 금융 기관과 증권 거래소 등이 도시 중심에 발달해 있다.
ㄷ. 도시 내부에는 민족별 거주지 분리 현상이 나타나고 있다.
ㄹ. 도시 형성의 역사가 오래되어 전통적인 양식의 건축물들이 있다.

① ㄱ, ㄴ   ② ㄱ, ㄷ   ③ ㄴ, ㄷ
④ ㄱ, ㄴ, ㄷ   ⑤ ㄴ, ㄷ, ㄹ

07 다음은 유럽 연합(EU)에 대한 글이다. 밑줄 친 ㉠~㉤에 대한 설명으로 옳지 <u>않은</u> 것은?

> 1992년 마스트리히트 조약이 체결되면서, 1952년 ㉠ 유럽 석탄 철강 공동체(ECSC)로 출발한 유럽 공동체(EC)가 창설 40년 만에 하나의 유럽을 만들기 위한 첫걸음을 내디뎠다. 이 조약의 주요 내용은 유럽 중앙은행 설립 및 ㉡ 유럽 단일 통화제 실시와 공동 외교 안보 정책 및 단일 사회 정책의 수립 등이다. 이 조약에 따라 ㉢ 유럽 연합(EU)이 출범하였는데, 이로써 ㉣ 회원국의 시민은 자국의 시민권을 갖는 동시에 유럽 연합의 시민권을 갖게 되었다. 유럽 연합(EU)은 가입국이 확대되고 있는데, 2004년에는 ㉤ 폴란드, 체코, 슬로바키아 등 10개국이 가입하였고, 2007년에는 루마니아와 불가리아가 가입하였으며, 튀르키예는 가입 신청을 해 놓았다.

① ㉠ – 전쟁 방지와 경제 부흥이 중요한 설립 배경 중 하나이다.
② ㉡ – 유럽 연합에 가입하기 위한 전제 조건에 해당된다.
③ ㉢ – 경제적 통합뿐만 아니라 정치적 통합까지 추구한다.
④ ㉣ – 유럽 연합의 출범으로 역내 다른 국가로의 통근이 유리해졌다.
⑤ ㉤ – 가입 이후 외국인의 투자가 증가하고 있다.

08 (가), (나) 지역 협력체에 대한 설명으로 옳지 <u>않은</u> 것은?

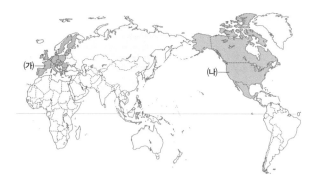

① (가)에서는 노동력, 자본, 상품, 서비스 등의 이동이 자유롭다.
② (나)는 역내 관세와 무역 장벽을 폐지하였다.
③ (나)는 미국, 캐나다, 멕시코 간 자유 무역과 경제 통합을 목적으로 한다.
④ (가)는 (나)보다 협력체 결성 역사가 오래되었다.
⑤ (가), (나)는 모두 경제 및 정치적 통합을 추구한다.

09 자료는 북아메리카 자유 무역 협정 전후의 국가 간 무역액 변화를 나타낸 것이다. 이에 대한 설명으로 옳은 것을 〈보기〉에서 고른 것은? (단, 해당 연도만을 고려한다.)

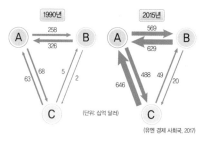

> **보기**
> ㄱ. A는 2015년 무역 적자국에서 무역 흑자국으로 전환되었다.
> ㄴ. B는 1990년 대비 2015년에 무역 규모가 커졌다.
> ㄷ. C는 2015년에 무역 흑자 규모가 가장 크다.
> ㄹ. A는 캐나다, B는 미국, C는 멕시코이다.

① ㄱ, ㄴ ② ㄱ, ㄷ ③ ㄴ, ㄷ
④ ㄴ, ㄹ ⑤ ㄷ, ㄹ

10 지도의 A, B 지역에 대한 설명으로 옳은 것은?

① A는 민족의 차이, B는 언어의 차이로 분리 독립운동이 나타나고 있다.
② A는 언어의 차이, B는 경제적 격차로 인해 분리 독립운동이 나타나고 있다.
③ A는 문화의 차이, B는 종교의 차이로 인한 분리 독립운동이 나타나고 있다.
④ A, B 지역 모두 국가 내에서 소득 수준이 낮은 지역이다.
⑤ A, B 지역 모두 고유의 문화적 전통을 기반으로 독자적 정체성이 확립된 지역이다.

11 다음 글의 (가), (나)에 해당하는 지역을 지도의 A~E에서 골라 옳게 연결한 것은?

> (가) 스코틀랜드는 잉글랜드와 다르게 켈트족이 거주하며 게일어라는 독자 언어를 사용한다. 전체 인구의 84%에 이르는 잉글랜드와 비교하여 스코틀랜드는 정치적·경제적으로 차별받고 있다고 여기고 있다.
>
> (나) 에스파냐의 카탈루냐 지역은 다른 지역과 달리 카탈루냐어를 사용하고 있다. 에스파냐의 국내 총생산의 약 20%가 카탈루냐에서 창출되지만 세금이 다른 지역을 위해 사용되자 주민들의 불만이 커지고 있다.

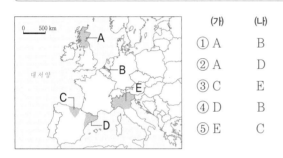

	(가)	(나)
①	A	B
②	A	D
③	C	E
④	D	B
⑤	E	C

12 다음 글과 관련 있는 사례 지역으로 적절하지 <u>않은</u> 것은?

> 독립 여부를 묻는 국민 투표를 거칠 정도로 독립을 둘러싼 대립과 갈등이 지속되고 있다. 이들 지역이 독립을 원하는 이유는 경제적으로 월등함에도 불구하고 제대로 대접을 받지 못한다는 불만, 이질적 언어 사용으로 인한 갈등, 이질적 종교로 인한 갈등, 강대국의 프리미엄을 포기하더라도 원래 뿌리로 돌아가고 싶은 욕구 등 때문이다.

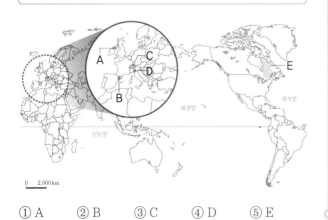

① A   ② B   ③ C   ④ D   ⑤ E

서술형 문제

● 정답친해 52쪽

01 다음 지도를 보고 물음에 답하시오.

(1) 위 지도의 A의 명칭을 쓰시오.

(2) A의 형성 과정을 서술하시오.

02 자료는 어떤 도시의 내부 구조를 나타낸 것이다. 밑줄 친 '이 도시'의 특징을 도시화의 역사, 시가지의 범위, 토지 이용의 집약도 측면에서 서술하시오.

> 이 도시의 템스강 변에서는 런던탑, 웨스트민스터 사원, 밀레니엄 브리지, 런던아이 등 오래된 건물과 첨단 건물이 조화를 이룬 경관을 볼 수 있다.

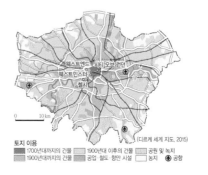

(디르케 세계 지도, 2015)

토지 이용
■ 1700년대까지의 건물   ■ 1900년대 이후의 건물   □ 공원 및 녹지
■ 1900년대까지의 건물   ■ 공업·철도·항만 시설   □ 농지   ✈ 공항

1 (가), (나)에 해당하는 도시를 지도의 A~D에서 골라 옳게 연결한 것은?

> 유럽과 북아메리카 주요 도시의 특징

> (가) 19세기 이후 산업화를 통해 크게 성장하였다. 센강을 중심으로 역사적인 건축물과 유명한 미술품이 많아 세계의 문화와 예술의 중심지로 불린다. 부유한 사람들은 역사적 건축물이 많은 곳을 중심으로 거주하며, 이민자들은 공영 거주 지구에 거주한다.
>
> (나) 오대호와 미시시피강을 연결하는 거점 도시이다. 동부의 제조업 지대와 서부의 농목업 지대를 연결하는 관문의 역할을 담당하며 교통의 요충지로 성장하였다. 금융, 무역, 엔터테인먼트, 미디어 등의 서비스 산업이 발달하였다. 중심 업무 지구 주변에는 주로 저급 주택지가 위치하고, 고급 주택지는 쾌적한 주거 환경을 찾아 도시 외곽에 주로 형성되었다.

	(가)	(나)
①	A	C
②	A	D
③	B	C
④	B	D
⑤	C	D

[교육청 응용]

2 다음 글에서 ㉠ 국가군에 대한 ㉡ 국가군의 상대적 특성을 아래 그림의 A~E에서 고른 것은? (단, ㉠, ㉡은 선진국과 개발 도상국 중 하나이다.)

> 선진국과 개발 도상국의 도시화

> • 대도시의 낙후 지역이 재개발된 이후에 전문직과 중산층이 다시 돌아오는 재도시화가 나타난다. 이는 (㉠)에서 많이 볼 수 있으며, 도심 주변의 낙후된 주거 지역이 고급 주거 지역으로 새롭게 개발되는 도심 재활성화의 형태가 나타나기도 한다.
>
> • 지나치게 많은 인구가 짧은 기간에 도시로 집중되면서 과도시화가 발생한다. 이는 (㉡)에서 흔히 볼 수 있으며, 더 나은 일자리를 찾아 농촌에서 도시로 인구가 이주하면서 나타난다. 따라서 (㉡)에서는 이촌 향도와 도시 인구의 자연 증가로 도시화율이 급증하게 된다.

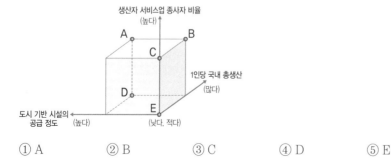

① A   ② B   ③ C   ④ D   ⑤ E

3 자료는 북아메리카 자유 무역 협정(NAFTA)의 회원국별 현황을 나타낸 것이다. (가)~(다) 국가
에 대한 옳은 설명을 〈보기〉에서 고른 것은?

> 북아메리카 자유 무역 협정

(단위 : %)

수출국＼수입국	(가)	(나)	(다)	역외국가
(가)	–	18.9	14.0	67.1
(나)	74.5	–	1.2	24.3
(다)	77.6	3.0	–	19.4

＊각 회원국의 총수출액에서 차지하는 비중임.

⬆ 회원국별 수출 구조

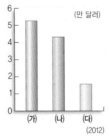

⬆ 회원국별 1인당 국내 총생산

┌ 보기 ┐
ㄱ. (가) 국가는 회원국 중 역내 수출 비중이 가장 높다.
ㄴ. (가) 국가는 (나) 국가로의 수출액보다 (다) 국가로의 수출액 비중이 적다.
ㄷ. (가) 국가는 라틴 아메리카에 속하고, (나), (다) 국가는 앵글로아메리카에 속한다.
ㄹ. (나)와 (다) 국가는 (가) 국가에 대한 수출 의존도가 높은 편이다.

① ㄱ, ㄴ   ② ㄱ, ㄷ   ③ ㄴ, ㄷ
④ ㄴ, ㄹ   ⑤ ㄷ, ㄹ

┌ 교육청 응용 ┐

4 자료는 지역 갈등이 발생하고 있는 지역에 대한 것이다. 이와 유사한 원인으로 갈등이 발생하
는 지역을 지도의 A~E에서 고른 것은?

> 세계 각 지역의 분쟁과 갈등

완자샘의 시험 꿀팁

유럽과 북아메리카 또는 세계 각
지역의 분쟁의 특징과 위치를 한
번에 묻는 문제가 출제될 수 있다.
각 분쟁 지역의 특징을 정리해야
한다.

벨기에는 크게 네덜란드어를 주로 사용하는 플랑드르 지역
과 프랑스어를 주로 사용하는 왈로니아 지역으로 구분된다.
이로 인해 브뤼셀에서만 두 언어가 법적으로 사용되고 있고,
언어권별로 의회 의석이 배분되는 독특한 정치 구조를 가지
고 있다. 플랑드르 지역과 왈로니아 지역 간 주민들은 의사
소통이 어려워 국가 통합의 걸림돌이 되고 있다.

⬆ 벨기에의 언어 분포

① A   ② B   ③ C   ④ D   ⑤ E

01 주요 공업 지역의 형성과 최근 변화

1. 주요 공업 지역의 형성과 쇠퇴

(1) 유럽의 주요 공업 지역

전통적 공업 지역의 형성	석탄 철광석 등이 풍부한 주요 자원 매장지를 중심으로 형성 ⑩ 랭커셔·요크셔 지방(영국), 루르·자르 지방(독일), 로렌 지방(프랑스)
전통적 공업 지역의 쇠퇴	오랜 채굴에 따른 석탄 및 철광석의 고갈, 채광 시설 노후화에 따른 채굴 비용 상승, 해외 자원 수입량 증가 등이 원인

(2) 북부 아메리카의 주요 공업 지역

전통적 공업 지역	• 뉴잉글랜드 공업 지역: 유럽과의 지리적 인접성, 이민자들의 저렴한 노동력을 바탕으로 공업 발달 • (❶) 연안 공업 지역: 메사비 광산의 철광석과 애팔래치아 탄전의 석탄, 오대호의 편리한 수운, 저렴하고 풍부한 노동력을 바탕으로 공업 발달 ⑩ 시카고, 피츠버그 등 • 캐나다의 공업 지역: 미국 북동부의 공업 지역과 연결되어 있으며 자동차, 전기·전자, 펄프 공업 발달 ⑩ 몬트리올, 토론토 등 • 멕시코의 공업 지역: 미국 국경을 접하고 있는 북부 지역에 외국 자본의 직접 투자를 바탕으로 공업 발달
전통적 공업 지역의 쇠퇴	오랜 채굴에 따른 철광석의 고갈, 공업의 지나친 집적으로 인한 환경 오염 및 시설 노후화, 제2차 세계 대전 이후 신흥 공업국의 성장으로 제조업 쇠퇴 등이 원인

2. 주요 공업 지역의 변화

(1) 유럽 공업 지역의 변화

신흥 공업 지역의 발달	석유, 철광석의 해외 의존도 증가로 원료의 수입과 제품의 수출에 유리한 임해 지역과 내륙 수로 등 교통이 편리한 지역에 발달 ⑩ 카디프·미들즈브러(영국), 됭케르크(프랑스), 로테르담(네덜란드), 라인-쉬네(독일)
첨단 산업 클러스터의 육성	유럽에서 중화학 공업이 쇠퇴하자 부가 가치가 높은 첨단 산업으로 공업 구조 재편 ⑩ 케임브리지 사이언스 파크(영국), (❷)(프랑스), 오울루 테크노폴리스(핀란드) 등

(2) 북부 아메리카 공업 지역의 변화

(❸) 공업 지역의 성장	온화한 기후, 풍부한 석유와 천연가스, 풍부한 노동력, 각종 세금 혜택 등 → 첨단 산업 발달 ⑩ 샌프란시스코의 실리콘밸리(반도체, 정보 통신 기술 산업), 로스앤젤레스(항공, 영화, 컴퓨터 관련 산업), 휴스턴(우주 항공) 등
러스트벨트의 변화	제조업의 쇠락으로 쇠퇴한 미국 북동부의 공업 침체 지역은 최근 기존 산업과 연관된 신산업 및 지식 기반 산업 육성

⬆ 미국 공업 지역의 이동

02 현대 도시의 내부 구조와 특징

1. 세계적 대도시의 발달 과정

(1) 유럽과 북부 아메리카의 도시화

도시화의 진행	자원이 풍부한 지역을 중심으로 공업 도시가 발달하면서 오랜 기간에 걸쳐 도시화가 진행, 현재 전체 인구의 80% 이상이 도시에 거주
교외화	대도시의 생활 비용 증가, 도시 기능의 분산 등으로 도시 인구가 주변 지역으로 이동

(2) 세계 도시의 발달

(❹)	세계적인 영향력을 가지며 경제, 정치, 문화의 중심지 역할을 수행하는 도시
메갈로폴리스	도시 기능 확장으로 여러 개의 거대 도시가 연결되어 형성

(3) 유럽과 북부 아메리카 주요 도시의 발달

유럽	• 런던: 산업 혁명 중심지, 항공 교통 중심지 • (❺): 세계 문화·예술의 중심지
북부 아메리카	• 뉴욕: 세계 경제와 정치의 중심 • 시카고: 오대호와 미시시피강을 연결하는 거점 도시

2. 현대 도시의 특성과 내부 구조

(1) 현대 도시의 내부 구조

① 도시 내부 구조별 특징

(❻)	• 지대와 접근성이 가장 높음, 중심 업무 지구, 고층 빌딩 밀집 • 상주인구 감소로 (❼) 현상이 나타남
중간 지대	• 도심 외곽 지역에 위치, 저급 주택 지구와 공업 기능이 혼재함 • 원래 중산층이 거주하던 지역이었으나 대중교통의 발달로 교외화가 이루어져 저소득층이 주로 거주함 • 건물 노후화로 슬럼화 현상이 나타남
외곽 지역	최근 교외화로 상업 기능, 주거 기능 등이 확산됨

② (❽)(젠트리피케이션): 정보 통신 기술과 지식 기반 산업의 성장으로 도심 내 사무 공간 수요 증가 → 도심 낙후, 중간 지대에 업무용 빌딩 건출, 주거 및 여가 문화 공간으로 재개발하면서 고소득층 인구가 도심으로 유입

(2) 유럽과 북부 아메리카 주요 도시의 내부 구조

① 유럽의 도시

특징	도심에 역사적 건축물들이 남아 있음, 시가지 범위와 도로 폭이 좁음, 토지 이용이 집약적임, 도심의 핵심 지역에 고소득층 거주, 바깥쪽으로 저소득층 이민자 거주 지역인 중간 지대 분포
최근의 변화	도심 인근 지역은 재활성화를 통해 비즈니스 중심지로 변모함 ⑳ 런던의 카나리워프, 파리의 라 데 팡스 등

② 북부 아메리카의 도시

특징	교외화의 진전으로 도심과 먼 외곽 지역에 고소득층 주거 지역이 확산됨, 일부 도시는 도심 재활성화 추진, 도심 주변 중간 지역은 슬럼화 진행
최근의 변화	교외 도시(에지시티): 교통이 편리한 교외 지역에 오피스 빌딩, 쇼핑 센터 등이 건설되면서 새로운 중심 지역으로 성장함

⑬ 지역의 통합과 분리

1. 유럽과 북부 아메리카의 지역 통합

(1) 유럽의 통합

① **유럽 연합의 성립 과정:** 유럽 석탄 철강 공동체(ECSC) → 유럽 경제 공동체(EEC)/유럽 원자력 공동체(EURATOM) → 유럽 공동체(EC) → 유럽 연합(EU)

② **유럽 연합의 성격:** 유로(Euro)라는 단일 화폐 사용, 정치·사회 분야에 이르는 공동 정책 확대, 유럽 시민권 제도를 도입하여 회원국 국민의 권리와 이익 보호

③ 유럽 통합에 따른 문제

경제적 갈등	동부와 서부 유럽 간 경제 격차 문제, 자본 시장의 통합으로 일부 국가의 재정 위기가 유럽 연합 전체의 재정 위기로 이어짐
문화적 갈등	이슬람교 이주민의 증가로 유럽 문화와 이슬람 문화 간 갈등 발생

(2) 북아메리카의 통합

① 북아메리카 자유 무역 협정

배경	유럽의 경제 공동체, 동부 아시아 신흥 공업국의 성장에 대응하기 위해 출범
내용 및 효과	역내 관세와 무역 장벽 폐지, 미국의 자본과 기술, 캐나다의 자본과 자원, 멕시코의 노동력과 자원이 결합해 세계 시장에서 국제 경쟁력을 높임 → 3개국의 교역 증가로 북부 아메리카 경제권 확대, 투자 활성화

② **북아메리카 통합에 따른 문제:** 미국 제조업의 해외 이전에 따른 제조업 일자리 감소, 경제 양극화 심화, 멕시코 생산 공장 주변 환경 오염 등

2. 유럽과 북부 아메리카의 분리 운동

(1) 유럽의 분리 운동

경제적 갈등	이탈리아의 (❾): 산업이 발달하고 소득 수준이 높은 북부 지역과 낙후된 남부 지역의 경제적 양극화
민족·종교적 갈등	• 영국의 스코틀랜드: 켈트족이 다수이며 장로교를 주로 믿고 있어 앵글로 색슨 족이 다수이며 성공회를 믿고 있는 잉글랜드로부터 독립 요구 • 영국의 북아일랜드: 소수의 가톨릭교 주민에 대한 차별 정책으로, 영국으로부터 독립을 주장하는 가톨릭교 세력과 잔류를 원하는 개신교 세력 간 분쟁 발생
문화적 갈등	• 에스파냐: 카탈루냐 지역과 바스크 지역은 에스파냐와 다른 독자적 언어를 사용하고 문화와 역사가 달라 에스파냐로부터 분리 독립 요구 • (❿): 네덜란드어를 사용하는 플랑드르 지역과 프랑스어를 사용하는 왈로니아 지역 간 문화적·경제적 갈등

(2) 북부 아메리카의 분리 운동: 캐나다 퀘벡주는 영어를 사용하는 다른 지역과 달리 프랑스어를 사용하고 프랑스 문화를 유지하고 있어 캐나다로부터 분리 독립 요구

대단원 실력 굳히기

01 다음에서 설명하는 공업 지역을 지도의 A~E에서 고른 것은?

> 석탄이 풍부한 지역으로 유럽의 주요 공업 지역으로 성장하였다. 그러나 석탄의 중요도가 감소하고, 제2차 세계 대전 이후 석유와 철광석 등 해외 자원에 대한 의존도가 높아지면서 점차 쇠퇴하였다.

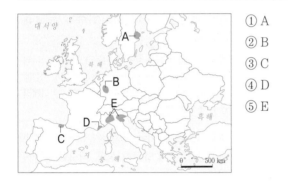

① A
② B
③ C
④ D
⑤ E

02 서부 유럽의 A, B 공업 지역의 상대적인 특성이 그래프와 같이 나타날 때 ㉠, ㉡에 들어갈 항목을 옳게 연결한 것은?

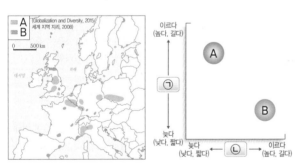

	㉠	㉡
①	공업 지역 형성 시기	운송비에서 원료 운송비가 차지하는 비중
②	주요 생산품의 부가 가치	공업 지역 형성 시기
③	주요 생산품의 부가 가치	운송비에서 원료 운송비가 차지하는 비중
④	운송비에서 원료 운송비가 차지하는 비중	공업 지역 형성 시기
⑤	운송비에서 원료 운송비가 차지하는 비중	주요 생산품의 부가 가치

03 지도는 미국의 공업 지역 이동을 나타낸 것이다. 이러한 이동의 원인으로 옳지 <u>않은</u> 것은?

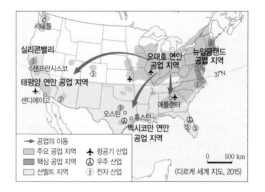

① 넓은 공업 용지를 구할 수 있기 때문에
② 저렴한 노동력을 확보할 수 있기 때문에
③ 풍부한 석탄 자원을 얻을 수 있기 때문에
④ 온난하고 쾌적한 기후가 나타나기 때문에
⑤ 각종 세금 혜택의 조건이 유리하기 때문에

04 지도에 표시된 (가)~(다) 공업 지역에 대한 설명으로 옳지 <u>않은</u> 것은?

① (가)의 실리콘밸리에는 반도체, 컴퓨터, 정보 통신 기술 산업 등이 발달해 있다.
② (나)는 석유 화학 및 항공·우주 산업이 발달한 공업 지역이다.
③ (다)의 러스트벨트 지역에서는 기존 산업과 연관된 신산업 및 지식 기반 산업을 육성하고 있다.
④ (나)는 (다)보다 자동차 공업의 집중도가 높다.
⑤ (다)는 (가)보다 주요 공업 발달의 역사가 오래되었다.

05 지도의 A~D 공업 지역에 대한 옳은 설명을 〈보기〉에서 고른 것은?

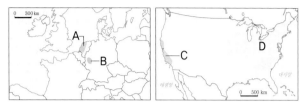

보기

ㄱ. A는 B에 비해 풍부한 지하자원을 바탕으로 성장하였다.

ㄴ. B는 C에 비해 대기 오염 물질 배출량이 많다.

ㄷ. C는 D에 비해 공업 지역의 형성 시기가 늦다.

ㄹ. D는 C에 비해 연구 개발비의 비중이 큰 산업이 발달하였다.

① ㄱ, ㄴ   ② ㄱ, ㄹ   ③ ㄴ, ㄷ

④ ㄴ, ㄹ   ⑤ ㄷ, ㄹ

06 (가), (나) 도시 내부 구조 모델에 대해 옳은 내용을 발표한 학생을 고른 것은?

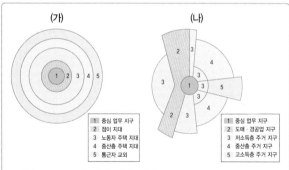

• 갑: (가)는 도시 내부에서 외곽으로 갈수록 중심 업무 지구, 점이 지대, 주택 지대가 원형으로 분포합니다.

• 을: (나)는 도시의 토지 이용이 여러 개의 핵을 중심으로 분화되어 나타납니다.

• 병: (나)는 교통의 발달과 대도시권의 형성에 따라 나타난 선진국의 도시 내부 구조를 설명하기 적합합니다.

• 정: (가)는 동심원 모델, (나)는 선형 모델입니다.

① 갑, 을   ② 갑, 정   ③ 을, 병

④ 을, 정   ⑤ 병, 정

07 다음 글에서 밑줄 친 ⓒ에 대한 ⊙의 상대적 특성을 아래 그림의 A~E에서 고른 것은?

세계 도시란 국가의 경계를 넘어 전 세계적인 중심지 역할을 하는 대도시를 말한다. 세계 도시 체계는 세계 도시들이 기능적으로 서로 연계된 체계를 의미한다. 세계 도시 체계 안에서 각 세계 도시는 도시의 규모와 기능 및 영향력에 따라 ⊙ 최상위 세계 도시, 상위 세계 도시, ⓒ 하위 세계 도시 등 몇 개의 계층으로 구분된다.

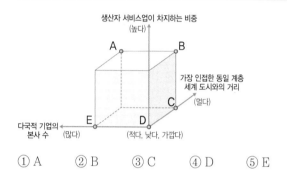

① A   ② B   ③ C   ④ D   ⑤ E

08 (가), (나) 도시의 내부 구조에 대한 설명으로 옳지 않은 것은?

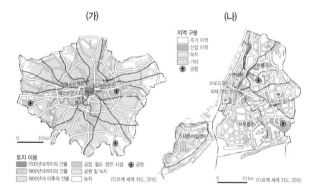

① (가) 도시는 토지를 집약적으로 이용한다.

② (나) 도시는 교통 발달로 도시 외곽에 중상류층의 주거 지역이 확산되고 있다.

③ (가) 도시는 (나) 도시보다 도시화의 역사가 길다.

④ (나) 도시는 (가) 도시보다 도로의 평균 폭이 좁다.

⑤ (나) 도시는 (가) 도시보다 민족별 거주지 분리 현상이 나타난다.

09 그래프는 뉴욕 맨해튼의 인구 변화를 나타낸 것이다. (가) 기간에 인구가 감소한 원인으로 옳은 것은?

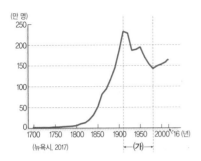

(뉴욕시, 2017)

① 공업 기반 시설의 노후화
② 고급 기술 인력의 해외 유출
③ 도심의 인구 공동화 현상 심화
④ 대중교통 발달에 따른 인구의 교외화
⑤ 도심 재활성화로 인한 지식 기반 산업의 성장

10 유럽의 어느 국가에 관해 정리한 노트이다. (가), (나)에 해당하는 국가를 지도의 A~E에서 골라 옳게 연결한 것은?

(가)	(나)
• 18세기 이후 산업 혁명의 중심지였음 • 국제 금융 중심지로, 최근 카나리워프가 비즈니스 중심지로 성장 • 2016년 국민 투표로 유럽 연합(EU) 탈퇴가 결정됨	• 유럽 연합(EU)과 북대서양 조약 기구(NATO)의 본부가 위치하고 있음 • 북서 유럽에 위치하면서 가톨릭교의 비율이 높음 • 언어와 경제적 차이로 인한 남북 지역의 분리 움직임이 나타남

	(가)	(나)
①	A	B
②	B	A
③	C	A
④	D	C
⑤	E	B

11 유럽의 도시 단원 학습 내용을 정리한 노트이다. 밑줄 친 ㉠~㉫ 중 옳지 <u>않은</u> 것은?

〈유럽의 도시〉

1. 형성 시기: ㉠ 북부 아메리카의 도시들보다 이름
2. 대표 도시: 아테네, 로마, 파리, 런던 등
3. 도시 내부 구조 특징: ㉡ 전통적인 도심의 구시가지가 그대로 유지되면서 도시 외곽에 새로운 중심지 형성, ㉢ 도심과 주변 지역 건물의 높이 차가 작음, ㉣ 도심에 역사적 건축물이 많으며, 건물들이 밀집되어 있음, ㉤ 최근 교통이 편리한 교외 지역에 인구가 집중하면서 교외 도시(edge city) 성장

① ㉠   ② ㉡   ③ ㉢   ④ ㉣   ⑤ ㉤

12 지도는 유럽 연합 회원국을 표시한 것이다. 지도에 표시된 A~C국가군에 대한 설명으로 옳은 것은?

(2017)

① A의 모든 국가는 단일 통화로 유로화를 사용한다.
② C는 경제적 통합을 넘어 정치적 통합까지 추구한다.
③ A는 B보다 유럽 연합에 가입한 시기가 이르다.
④ 노동력의 이동은 주로 A에서 B로 이루어진다.
⑤ B는 A보다 현재 1인당 지역 내 총생산액이 많다.

13 다음과 같이 지역 경제 협력체의 회원국을 구분할 때 (가), (나)에 대한 옳은 설명만을 〈보기〉에서 있는 대로 고른 것은?

> (가) 미국, 멕시코, 캐나다
>
> (나) 독일, 프랑스, 네덜란드, 벨기에, 스페인, 이탈리아, 오스트리아, 아일랜드, 폴란드, 체코, 슬로베니아, 루마니아 등 28개국
>
> *2017년 기준

┌─ 보기 ─
ㄱ. (가)에서는 국가 간 관세를 부과하지 않는다.
ㄴ. (나)에서는 경제·정치적 통합을 추구하며, 모든 회원국이 단일 화폐를 사용한다.
ㄷ. (나)는 (가)보다 지역 경제 협력체의 결성 역사가 길다.
ㄹ. (나)는 (가)보다 자본, 노동력, 서비스 등의 자유로운 이동을 보장하고 있다.

① ㄱ, ㄴ   ② ㄴ, ㄷ   ③ ㄷ, ㄹ
④ ㄱ, ㄷ, ㄹ   ⑤ ㄴ, ㄷ, ㄹ

14 지도에 표시된 지역의 공통된 특성을 파악하기 위한 탐구 주제로 옳은 것은?

① 첨단 산업 입지에 따른 신흥 공업 지역의 형성
② 주변 지역과 기능적으로 연결되는 대도시권 형성
③ 종교나 민족 등 문화의 차이로 인한 분리 독립운동
④ 수자원을 둘러싼 상류 국가와 하류 국가 간의 갈등
⑤ 석탄 및 철광석 산지를 중심으로 한 중화학 공업의 발달

15 지도의 (가) 지역과 비교한 (나) 지역의 상대적 특성을 그림의 A~E에서 고른 것은?

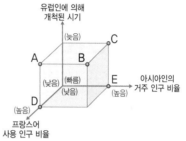

① A   ② B   ③ C   ④ D   ⑤ E

16 지도는 유럽의 주요 분쟁 지역을 나타낸 것이다. (가)~(마) 지역 분쟁의 주요 원인으로 옳지 <u>않은</u> 것은?

① (가) – 서로 다른 종교를 신봉하는 주민들 간의 갈등
② (나) – 서로 다른 언어를 사용하는 주민들 간의 갈등
③ (다) – 난민 수용을 둘러싼 주민들 간의 갈등
④ (라) – 서로 다른 민족 간의 분리 독립에 따른 갈등
⑤ (마) – 경제적 격차에 따른 이익 분배와 관련된 갈등

사하라 이남 아프리카와
중·남부 아메리카

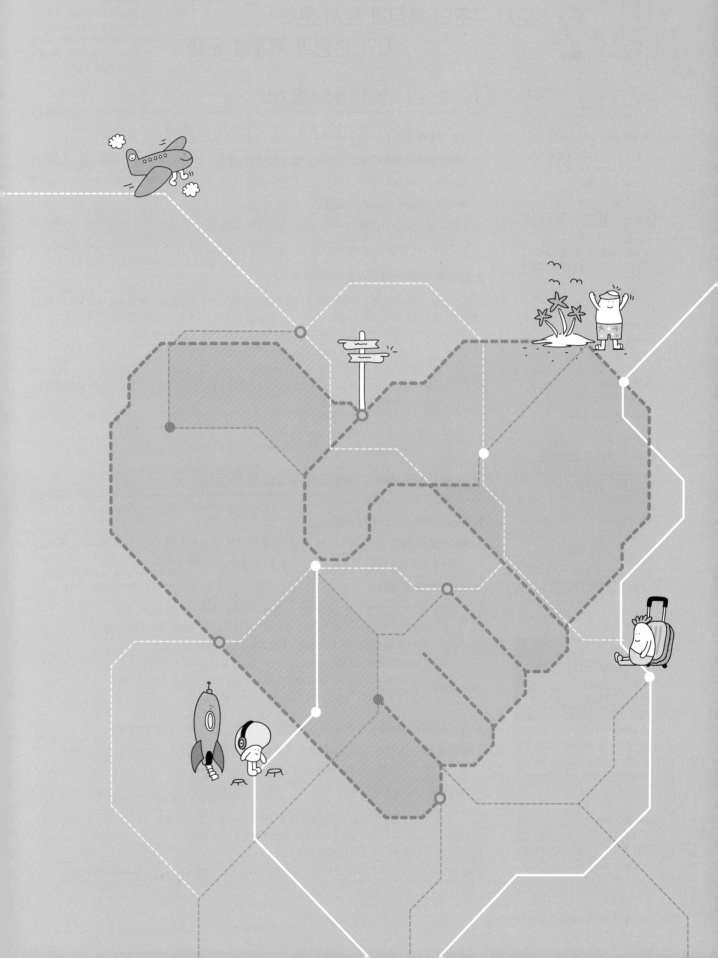

01~02 도시 구조의 특징과 도시 문제 ~ 지역 분쟁과 저개발 문제

1 중·남부 아메리카의 도시화 과정

이것이 핵심!

중·남부 아메리카의 도시화

• 경제 발전에 따른 사망률 감소
• 유럽계 백인의 도시 유입
• 대규모 이촌 향도

↓

급속한 도시화

↓

• 소수의 대도시가 과도하게 성장
• 경제 발전 수준에 비해 도시화율이 높음

★ 과도시화
도시의 기반 시설에 비해 지나치게 많은 인구가 도시에 집중하는 현상

★ 종주 도시화
1위 도시의 인구 규모가 2위 도시 인구의 2배보다 많은 현상

1. 유럽 문화의 전파 ┌ 중·남부 아메리카는 라틴계 유럽인들의 식민 지배를 받아 대부분 국가에서 에스파냐어를 사용하고 가톨릭교를 믿어.

(1) **다양한 인종과 문화의 공존**: 고대 문명이 발달한 지역에 라틴계 유럽인이 식민지를 건설하고 아프리카에서 노예를 이주시킴 → 라틴 문화와 원주민 문화의 혼합, 원주민·백인·아프리카계 간의 혼혈이 이루어짐 (자료①)

(2) **식민 도시 건설**: 기존의 도시를 파괴·변형하고 식민 지배에 편리한 도시 구조를 고안함 → 남부 유럽의 영향을 받아 넓은 도로, 광장, 성당 등이 나타남 ┐ 식민 도시는 오랫동안 교통·통신 및 경제 활동의 중심지 기능을 수행하였어.

2. 중·남부 아메리카의 도시화 (교과서 자료)

과정	• 1900년대 이후 경제 발전에 따른 사망률 감소, 유럽계 백인의 도시 유입, 대규모 이촌 향도 등으로 도시 인구 급증 → 급격한 도시화 ─ 도시 내 인구의 자연적 증가로 도시화율이 더욱 높아졌어. • 각 나라의 수도, 식민 도시, 대도시를 중심으로 산업화와 경제 성장이 이루어짐
특징	• 소수의 대도시가 과도하게 성장 → ★과도시화, ★종주 도시화 현상 ─ 대도시로 기능이 집중되면서 농촌이 경제 성장에서 소외되어 공간적 불균형이 나타나기도 해. • 경제 발전 수준에 비해 도시화율이 높음(약 80%) • 인구 천만 명 이상의 대도시 분포 비중이 다른 대륙보다 높게 나타남 예 멕시코시티, 상파울루, 리우데자네이루, 부에노스아이레스 등

2 중·남부 아메리카의 도시 구조와 도시 문제

이것이 핵심!

중·남부 아메리카의 도시 내부 구조

도심	정부 주요 기관, 성당 위치
도심 주변	고급 주택지 분포, 교통로를 따라 상업 지구 발달
도시 외곽	저급 주택지 분포

★ 불량 주택 지구

⬆ 파벨라(브라질)
빈민층이 주로 거주하는 브라질의 불량 주택 지구인 파벨라는 대부분 도시 외곽의 산등성이에 들어서 있으며, 주거 환경이 열악하다.

★ 비공식 부문
국가의 공식적인 통계에 잡히지 않고 국민 총생산 통계에도 포함되지 않는 경제 활동 부문

1. 중·남부 아메리카의 도시 구조

(1) **도시 구조의 특징**: 도시 중심부에 고급 주택 지구가 형성되어 있으며 외곽으로 갈수록 저급 주택 지구가 분포하는 역전된 동심원 구조가 나타남 ┐ vs 선진국은 도심에서 외곽으로 가면서 중심 업무 지구, 점이 지대, 주택 지구가 원형으로 분화되는 동심원 구조가 나타나.

(2) **도시 내부 구조** (자료②)

도심	• 도시 중앙에 광장이 위치해 있으며, 광장 주변으로 격자망 도로가 발달해 있음 • 광장 주변에 정부 주요 기관과 성당이 위치함 → 도심은 정치 및 사회의 중심지임
도심 주변	• 고소득층을 이루는 유럽계 백인이 주로 거주 → 고급 주택 지구 형성 • 도심에서 외곽으로 뻗은 교통로를 따라서 직선형의 상업 지구가 위치함
도시 외곽	• 저소득층을 이루는 원주민이나 아프리카계가 주로 거주 → 저급 주택 지구 형성 • 대부분 슬럼이나 ★불량 주택 지구로 기반 시설이 부족함

2. 중·남부 아메리카의 도시 문제 (교과서 자료) ┌ 이촌 향도로 촌락을 떠난 사람들이 도시 내부로 들어 오지 못하고 도시 외곽에 거주지를 형성하였어.

(1) **발생 배경**: 급격한 도시화, 대도시에 과도한 기능 집중 → 기반 시설이 부족한 상태에서 지나치게 많은 인구가 도시에 집중하여 각종 도시 문제 발생

(2) **도시 문제의 발생과 해결 방안** ┌ 세금을 내지 않고 경제 활동을 하는 노점상 등이 해당해.

도시 문제	• 도시 일자리 부족, ★비공식 부문의 종사자 증가, 각종 기반 시설 부족 • 불량 주택 지구 형성과 같은 주거 환경의 불평등 현상 심화 • 범죄 증가, 교통 혼잡, 환경 오염 심화
해결 방안	사회 기반 시설 보완, 빈부 격차 해소, 도시 재생 사업, 국토 균형 발전 등의 노력이 필요함

완자 자료 탐구

 내 옆의 선생님

자료 1 중·남부 아메리카의 언어와 민족(인종)

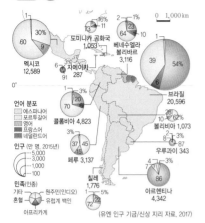

(유엔 인구 기금/신상 지리 자료, 2017)
◀ 언어 분포 및 국가별 민족(인종) 구성

중·남부 아메리카는 과거 에스파냐와 포르투갈의 식민 지배를 받아 대부분의 국가에서 에스파냐어를 사용하며 브라질은 포르투갈어를 사용한다. 또한 중·남부 아메리카는 국가별로 민족(인종) 구성이 다양하다. 혼혈인은 중·남부 아메리카 전역에 걸쳐 거주하며, 원주민(인디오)은 주로 안데스 산지, 유럽계 백인은 우루과이와 아르헨티나, 아프리카계는 카리브해 연안과 브라질 북동부 지역에서 거주 비중이 높게 나타난다.

정리 비법을 알려줄게!

중·남부 아메리카의 언어와 종교 및 민족 구성

언어	에스파냐어와 포르투갈어 사용
종교	가톨릭교를 주로 믿음
민족 구성	원주민, 유럽계, 아프리카계, 아시아계와 혼혈 인구로 인종 구성이 다양함

자료 2 중·남부 아메리카의 도시 내부 구조

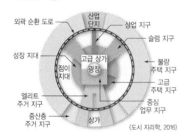

(도시 지리학, 2016)

중·남부 아메리카는 식민지 시대의 도시 계획에 따라 도시 중심에 광장에 위치해 있으며, 광장 주변에 형성된 격자망 도로를 따라 성당, 관공서, 상업 시설과 같은 핵심 기능이 모여 있다. 선진국과 달리 도시 중심부에 고급 주택 지구가 있으며, 중심에서 멀어질수록 저급 주택 지구가 나타난다.

자료 하나 더 알고 가자!

볼리비아 라파스의 도시 구조

(교통·지도집, 2012)

안데스 산지에 위치한 라파스는 해발 고도가 낮은 도시 중심부에 광장과 상업 시설이 위치하며, 해발 고도가 높은 외곽 지역으로 도시가 확대되고 있다. 고소득층을 이루는 유럽계 백인은 도시 중심부의 고급 주택 지구에 거주하며, 저소득층을 이루는 원주민은 외곽 지역에 거주한다.

수능이 보이는 교과서 자료 — 중·남부 아메리카의 도시화와 도시 문제

아르헨티나와 칠레는 도시화율이 90%에 이를 정도로 높게 나타나.

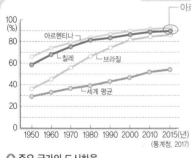

(통계청, 2017)
⬆ 주요 국가의 도시화율

(유엔 인구 기금, 2017)
⬆ 주요 국가의 종주 도시화 현상

중·남부 아메리카는 경제 성장 과정에서 대규모 이촌 향도 현상이 나타나 도시화가 급속히 진행되었다. 그 결과 경제 발전 수준에 비해 도시화율이 높게 나타나 유럽, 북아메리카와 비슷한 도시화율을 보인다. 또한 중·남부 아메리카는 사회적 거주 환경이 농촌에 비해 잘 갖추어진 수위 도시로 인구가 집중하는 종주 도시화 현상이 나타나는 국가가 많다. 수위 도시에 많은 인구가 집중하면서 주택 문제, 교통 혼잡, 위생 및 공공 서비스 부족, 환경 오염 등의 다양한 도시 문제가 나타나고 있다.

완자쌤의 탐구 강의

• 제시된 자료를 바탕으로 중·남부 아메리카의 도시 문제를 정리하고, 이를 해결할 수 있는 방안을 서술해 보자.

중·남부 아메리카는 급속한 도시화로 과도시화 및 종주 도시화 현상이 나타났다. 이로 인해 도시 인구가 급증하여 비공식 부문의 종사자가 늘어나고, 불량 주택 지구 형성으로 주거 환경의 불평등이 심화되었다. 또한 공공 서비스 부족, 환경 오염 등의 문제도 발생하고 있다. 이러한 도시 문제를 해결하기 위해서는 공공시설 보완, 빈부 격차 해소, 도시 재생 사업, 국토 균형 발전 등의 노력이 필요하다.

함께 보기 184쪽, 내신 만점 공략하기 07

이것이 핵심!

아프리카의 주요 분쟁 지역

수단	크리스트교를 믿는 남수단의 독립 이후에도 자원을 둘러싼 갈등 지속
르완다	투치족과 후투족 간 갈등
나이지리아	이슬람교와 크리스트교를 믿는 민족 간 갈등
시에라리온	정부군과 반정부군의 다이아몬드 광산 쟁탈전
남아프리카 공화국	인종 차별 정책 철폐 이후로도 인종 갈등 지속

★ **노예 삼각 무역**
유럽의 공산품, 아메리카의 목화와 설탕, 아프리카의 노예를 교환하던 무역

★ **아프리카의 종교 분포**

이슬람교	서남아시아와 인접한 지역 예 소말리아, 수단 등
크리스트교	식민지 개척 과정에서 아프리카 중·남부로 전파
토속 신앙	대부분의 지역에서 일상 생활에 영향을 주고 있음

③ 사하라 이남 아프리카의 지역 분쟁

1. 유럽의 식민 지배 자료③ ── 유럽 각국 대표와 미국 대표가 참석하였으며, 아프리카 국가 대표는 참여하지 않은 채 분할 협상을 진행했어.

15세기 이후	아프리카 서부 해안 지역을 중심으로 금, 상아, 농산물 등의 자원을 대규모로 반출
신대륙 발견 이후	*노예 삼각 무역을 통해 아프리카계를 아메리카 플랜테이션 농장의 노예로 이용
19세기 후반	베를린 회의로 유럽 열강들의 이익에 따라 국경선이 설정 → 아프리카 대부분 지역이 유럽의 식민지로 전락함
제2차 세계 대전 이후	대부분의 국가가 독립 → 제3세계의 한 축을 이룸

── 미국과 소련을 중심으로 한 냉전 체제에서 어느 한쪽의 노선을 따르지 않는 비동맹 외교 노선을 선택한 국가들을 말해.

2. 지역 분쟁의 발생

(1) **배경**: 한 국가 내에 여러 민족이 분포하거나 한 민족이 여러 국가로 나뉘면서 다양한 언어와 *종교, 지역적으로 편중된 자원 등이 원인이 되어 부족 간·국가 간 갈등 및 내전 발생

── Qi? 유럽 열강이 식민 지배 과정에서 부족 공동체를 무시한 채 국경선을 획정했기 때문이야.

(2) **주요 분쟁 지역** 자료④

수단	이슬람교를 믿는 북부 지역과 크리스트교를 믿는 남부 지역 간의 갈등으로 2011년 남수단이 독립하였으나 여전히 자원과 국경선 문제, 권력 투쟁으로 갈등이 발생하고 있음
르완다	식민 지배 당시 지배층을 이루고 있던 소수의 투치족과 다수의 후투족 간의 갈등 발생
나이지리아	북부의 이슬람교를 믿는 민족과 남부의 크리스트교를 믿는 민족 간 종교 갈등 발생
시에라리온	정부군과 반정부군 간의 내전이 장기화되면서 전쟁 자금 공급처인 다이아몬드 광산 쟁탈전으로 변질됨
남아프리카 공화국	인종 차별 정책인 '아파르트헤이트'를 시행하였으며, 1994년 철폐되었지만 인종 간의 경제적 격차가 커 갈등이 지속되고 있음

── 소수의 백인이 다수의 유색 인종을 지배하기 위해 시행한 인종 분리 정책

이것이 핵심!

사하라 이남 아프리카의 저개발

원인	• 민주적인 정치 체계 부족, 행정 시스템의 비효율성 등 • 1차 생산품 위주의 수출 구조 • 각종 사회 간접 자본 부족
현황	• 빈곤과 식량 부족 문제 발생 • 낮은 기대 수명, 아동 노동

★ **아프리카 연합(AU)**
아프리카 국가들의 통일과 결속을 촉진하고 국제적인 협력을 도모하기 위해 2002년에 설립한 국제기구

★ **공적 개발 원조**
한 국가의 중앙 혹은 지방 정부 등 공공 기관이나 원조 집행 기관이 개발 도상국의 경제 개발과 복지 향상을 위해 개발 도상국이나 국제기구에 제공하는 자금의 흐름

④ 사하라 이남 아프리카의 저개발 및 발전을 위한 노력

1. 저개발의 원인 및 현황 자료⑤

(1) **저개발의 원인**

── 국가의 경제 상황이 국제 원자재 시장의 영향을 크게 받으며, 무역을 통해 얻는 이익이 크지 않다는 단점이 있어.

정치·사회적 측면	민주적인 정치 체계의 부족, 행정 시스템의 비효율성, 사회 내부의 신뢰 부재 등
산업 구조 측면	원유, 광산물, 농작물 등 1차 생산품을 수출하고 부가 가치가 큰 공업 제품을 수입하는 산업 구조, 선진국의 투자에 의존하는 경제 구조
사회 간접 자본 측면	도로, 철도, 상하수도, 인터넷 사용 환경, 의료 시설, 교육 시설 등의 사회 기반 시설 부족 → 재화나 서비스의 원활한 공급이 어려움

(2) **저개발 현황** ── 사하라 이남 아프리카는 1인당 국내 총생산뿐만 아니라 빈곤 인구 비율, 영유아 사망률, 교육 수준 등의 지표가 세계 평균에 미치지 못해.

빈곤 문제	경제 발달 수준이 낮아 1인당 국내 총생산이 낮으며 사회적 불평등이 심함
식량 문제	기후 변화에 따른 가뭄, 사막화로 인한 낮은 농업 생산성, 급속한 인구 증가 → 식량 부족, 기아 발생
기타	의료 환경이 열악해 기대 수명이 낮음, 아동 노동 문제 발생

── Qi? 상품 작물 재배 확대로 식량 작물 재배지가 줄어들어 식량을 수입하고 있는데, 수입한 비싼 식량을 살 수 없는 사람들이 많기 때문이야.

2. 발전을 위한 노력

(1) *아프리카 연합(AU) 결성: 국가 간 연대와 영토 보존, 민족 문제에 대한 공동의 이익 보호, 아프리카인의 권리 신장 및 생활 수준 향상, 질병 퇴치와 건강 증진을 위한 협력 추진

(2) **국제 사회의 노력**: 국제 연합 평화 유지군이 여러 분쟁 지역에서 활동하고 있으며, 지속적인 *공적 개발 원조를 통해 아프리카의 빈곤 문제 해결과 질병 퇴치를 위해 노력함

완자 자료 탐구
내 옆의 선생님

자료 ③ 유럽의 식민 지배의 영향

⬆ 1913년 당시 식민 지배 국가

19세기 후반 아프리카를 식민 지배하던 유럽 열강은 민족과 문화 등을 고려하지 않은 채 자신들의 이해관계에 따라 일방적으로 국경선을 설정하였고, 이는 독립 이후 부족 간, 국가 간 갈등 및 내전의 원인이 되었다. 사하라 이남 아프리카 국가들은 겉으로는 하나의 국가로 통합되어 있지만 안으로는 부족 중심의 생활이 지속되고 있어 국가 내 민족과 종교의 차이로 인한 갈등이 끊이지 않고 있다.

자료 하나 더 알고 가자!

아프리카의 종교 분포

북부 아프리카는 주로 이슬람교가 나타나며, 사하라 이남 아프리카는 크리스트교, 이슬람교, 토속 신앙이 혼재되어 나타나고 있다.

자료 ④ 사하라 이남 아프리카의 지역 분쟁

주요 유전은 남수단에, 송유관과 정유 시설은 수단에 위치하여 독립 이후에도 자원을 둘러싼 갈등이 계속되고 있어.

⬆ 남북으로 분리된 수단

⬆ 나이지리아의 분쟁 지역

선교사들이 건설한 사회 기반 시설과 유전 등이 남부에 집중되어 남북 간 경제적 격차가 커졌어.

수단 북부는 이슬람교를 믿는 아랍인들이 주로 거주하고, 남부는 크리스트교와 토속 신앙을 믿는 토착민들이 주로 거주한다. 영국의 식민 통치에서 벗어난 후 북부와 남부 간 분쟁이 발생하였고 2011년 남수단이 독립했지만 자원과 국경선 문제 등으로 여전히 갈등을 겪고 있다. 나이지리아는 북부의 이슬람교를 믿는 민족과 남부의 크리스트교를 믿는 민족 간의 분쟁이 발생하였으며 두 지역의 경제적 격차로 갈등이 더욱 심화되고 있다.

문제 로 확인할까?

수단과 나이지리아에서 분쟁이 발생하게 된 공통적인 원인으로 가장 적절한 것은?
① 물 자원 확보
② 서로 다른 언어
③ 서로 다른 종교
④ 인종별 거주지 제한
⑤ 다이아몬드 광산 확보

ⓒ ▣

자료 ⑤ 사하라 이남 아프리카의 저개발

유엔 개발 계획(UNDP)에서 평균 수명, 교육 수준, 국민 소득 등을 기준으로 국가별 삶의 질을 평가한 지표야. 1에 가까울수록 삶의 질이 높아.

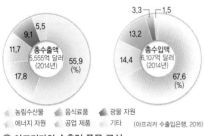

⬆ 아프리카의 수출입 품목 구성

⬆ 인간 개발 지수(HDI)

사하라 이남 아프리카 국가들은 독립 이후에도 농산물과 광물 위주의 수출 구조를 벗어나지 못해 국가 경쟁력이 취약하다. 인간 개발 지수 하위 30개국 중 27개국이 사하라 이남 아프리카에 있으며, 이들 국가의 대부분은 빈곤과 기아에 시달리고 있다. 또한 많은 아이들이 제대로 된 교육을 받지 못하고 일을 하는 등 아동 노동 문제도 심각하다.

자료 하나 더 알고 가자!

사하라 이남 아프리카의 빈곤 인구 비율

사하라 이남 아프리카는 인구 증가율이 세계에서 가장 높으며 식량이 부족해 빈곤 인구 비율이 대륙 중에서 가장 높다.

STEP 1 핵심 개념 확인하기

1 ㉠, ㉡에 들어갈 내용을 각각 쓰시오.

> 라틴계 유럽인의 식민 지배의 영향으로 중·남부 아메리카는 몇몇 국가를 제외한 대부분 국가에서 (㉠   )를 공용어로 사용하고, 유럽인이 전파한 (㉡   )를 믿는다.

2 중·남부 아메리카에서 각 지역에 거주하는 비중이 높은 민족(인종)을 옳게 연결하시오.

(1) 안데스 산지 •   • ㉠ 원주민

(2) 카리브해 연안 •   • ㉡ 아프리카계

(3) 우루과이와 아르헨티나 •   • ㉢ 유럽계 백인

3 다음 빈칸에 들어갈 내용을 쓰시오.

(1) 서남아시아 지역과 인접한 소말리아, 수단 등은 (   )를 주로 믿는다.

(2) 아프리카 국가들은 각국의 통일과 결속을 촉진하고 국제적 협력을 도모하기 위해 2002년 (   )을 결성하였다.

(3) 중·남부 아메리카에서는 한 국가 내에서 1위 도시의 인구 규모가 2위 도시 인구의 2배 이상 많은 (   ) 현상이 나타난다.

(4) 중·남부 아메리카는 식민지 시대의 도시 계획에 따라 도시 중심에 (   )이 위치해 있으며, 그 주변에 상업 지구와 관공서 등이 모여 있다.

4 다음에 해당하는 국가를 〈보기〉에서 골라 기호를 쓰시오.

> **보기**
> ㄱ. 르완다   ㄴ. 나이지리아
> ㄷ. 시에라리온   ㄹ. 남아프리카 공화국

(1) 북부의 이슬람교를 믿는 민족과 남부의 크리스트교를 믿는 민족 간 종교 분쟁이 발생하였다. (   )

(2) 인종 차별 정책인 '아파르트헤이트'가 폐지되었지만 인종 간 경제적 격차가 커 갈등이 지속되고 있다. (   )

(3) 다수의 후투족이 식민 정권의 특혜를 누리는 소수의 투치족에게 반감을 갖게 되면서 갈등이 일어났다. (   )

(4) 정부군과 반정부군 간 내전이 장기화되면서 전쟁 자금 공급처인 다이아몬드 광산 쟁탈전으로 변질되었다. (   )

STEP 2 내신 만점 공략하기

[01~02] 지도는 중·남부 아메리카의 언어와 민족(인종) 분포를 나타낸 것이다. 이를 보고 물음에 답하시오.

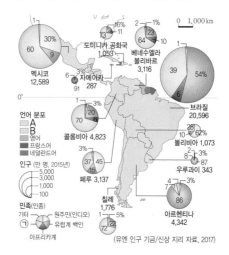

(유엔 인구 기금/신상 지리 자료, 2017)

01 A, B에 해당하는 언어를 옳게 연결한 것은?

	A	B
①	독일어	에스파냐어
②	에스파냐어	독일어
③	에스파냐어	포르투갈어
④	포르투갈어	독일어
⑤	포르투갈어	에스파냐어

02 지도를 보고 중·남부 아메리카의 민족(인종)과 문화에 대해 옳은 내용을 발표한 학생을 〈보기〉에서 고른 것은?

> **보기**
> 갑: 아프리카계는 유럽계 백인보다 먼저 유입되었습니다.
> 을: ㉠ 인종은 이 지역에서 경제적으로 최상위 계층을 이루고 있습니다.
> 병: 멕시코 일부 지역과 안데스 산지에는 원주민 문화가 남아 있는 곳이 있습니다.
> 정: 국가별로 인종 구성이 다양하며, 여러 문화가 혼합되어 다양성이 공존하는 문화가 형성되었습니다.

① 갑, 을   ② 갑, 병   ③ 을, 병

④ 을, 정   ⑤ 병, 정

⭐중요
03 그림과 같은 도시 내부 구조가 나타나는 지역에 대한 옳은 설명을 〈보기〉에서 고른 것은?

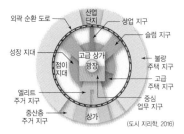

(도시 지리학, 2016)

┌ 보기 ┐
ㄱ. 도시 외곽으로 갈수록 주거 환경이 열악하다.
ㄴ. 도시 내부 구조 분화가 불완전하며 계층 간 격차가 심한 편이다.
ㄷ. 도시 기반 시설이 잘 갖추어져 있어 주민의 삶의 질이 매우 높다.
ㄹ. 도심 재활성화가 추진되어 낙후된 도심이 상업 공간으로 바뀌었다.
└─────┘

① ㄱ, ㄴ   ② ㄱ, ㄷ   ③ ㄴ, ㄷ
④ ㄴ, ㄹ   ⑤ ㄷ, ㄹ

04 그림은 중·남부 아메리카의 도시 성장 과정과 내부 구조 모형을 나타낸 것이다. 이에 대한 설명으로 옳지 않은 것은?

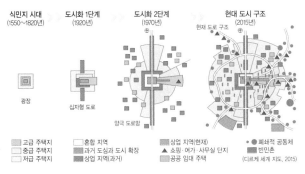

(디르케 세계 지도, 2015)

① 이촌 향도 현상이 나타나 도시가 확장되었다.
② 선진국에 비해 점진적으로 도시화가 진행되었다.
③ 식민지 시대에 형성된 도시 구조와 기능이 남아 있다.
④ 도시 중앙에 광장이 있고, 교통로를 따라 상업 지구가 형성되었다.
⑤ 경제력이나 민족(인종)의 차이에 따라 거주지 분리 현상이 나타나고 있다.

05 그래프는 중·남부 아메리카 주요 국가의 도시화율을 나타낸 것이다. 이에 대한 옳은 분석 및 추론을 〈보기〉에서 고른 것은?

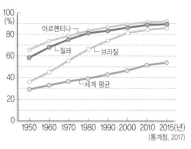

(통계청, 2017)

┌ 보기 ┐
ㄱ. 브라질은 오늘날 과도시화 현상이 발생하였을 것이다.
ㄴ. 칠레는 1950년까지는 촌락 인구가 도시 인구보다 많았다.
ㄷ. 2015년 기준 도시 인구 비율이 가장 높은 국가는 아르헨티나이다.
ㄹ. 세 국가의 도시화율이 세계 평균보다 높은 이유는 경제 발전 수준이 높기 때문이다.
└─────┘

① ㄱ, ㄴ   ② ㄱ, ㄷ   ③ ㄴ, ㄷ
④ ㄴ, ㄹ   ⑤ ㄷ, ㄹ

06 (가), (나)에서 설명하는 국가를 지도의 A~D에서 골라 옳게 연결한 것은?

┌─────┐
(가) 수도인 라파스는 해발 고도가 낮은 광장을 중심으로 성당과 관공서 등이 도시 중심부에 있으며, 해발 고도에 따라 계층별 거주지 분리 현상이 나타난다.
(나) 과거 포르투갈의 식민 지배를 받아 포르투갈어를 사용하며 도시 외곽의 산등성이에는 빈민층이 주로 거주하는 주택 지구인 파벨라가 들어서 있다.
└─────┘

	(가)	(나)
①	A	D
②	B	A
③	B	C
④	C	B
⑤	D	C

07 다음은 세계 지리 수업 장면의 일부이다. 교사의 질문에 대한 학생의 대답으로 옳지 <u>않은</u> 것은?

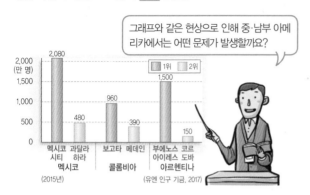

그래프와 같은 현상으로 인해 중·남부 아메리카에서는 어떤 문제가 발생할까요?

① 갑: 도시 내 일자리가 부족해집니다.
② 을: 슬럼과 같은 불량 주거 지역이 확장됩니다.
③ 병: 비공식 부문의 경제 활동 인구가 감소합니다.
④ 정: 교통 혼잡, 환경 오염 등의 문제가 나타납니다.
⑤ 무: 주택을 비롯한 기반 시설 부족 문제가 발생합니다.

08 지도는 아프리카의 국가 경계와 민족(종족) 경계를 나타낸 것이다. 이에 대한 옳은 설명을 〈보기〉에서 고른 것은?

〈보기〉
ㄱ. 산맥, 하천 등의 지형을 기준으로 설정하여 직선으로 된 국경선이 많다.
ㄴ. 유럽 열강이 자신들의 이해관계에 따라 인위적으로 국경선을 설정하였다.
ㄷ. 베를린 회의에서 아프리카 국가들의 의사를 반영하여 국경을 결정하였다.
ㄹ. 민족과 문화 등을 고려하지 않은 채 국경선이 설정되어 부족 간, 국가 간 갈등의 원인이 되고 있다.

① ㄱ, ㄴ   ② ㄱ, ㄷ   ③ ㄴ, ㄷ
④ ㄴ, ㄹ   ⑤ ㄷ, ㄹ

09 지도는 아프리카의 종교 분포를 나타낸 것이다. A, B 종교에 대한 옳은 설명을 〈보기〉에서 골라 옳게 연결한 것은?

〈보기〉
ㄱ. 사원에는 다양한 신들의 조각상이 있다.
ㄴ. 유럽인의 식민지 개척 과정에서 널리 전파되었다.
ㄷ. 하루에 다섯 번씩 성지인 메카를 향해 예배를 한다.
ㄹ. 비중이 작아지고 있지만, 일상생활에 여전히 많은 영향을 미치고 있다.

	A	B			A	B
①	ㄱ	ㄴ		②	ㄱ	ㄷ
③	ㄴ	ㄹ		④	ㄷ	ㄴ
⑤	ㄹ	ㄱ				

10 지도의 (가) 국가와 비교한 (나) 국가의 상대적 특징을 그림의 A∼E에서 고른 것은?

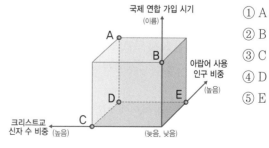

① A
② B
③ C
④ D
⑤ E

★중요
11 (가), (나)에서 설명하는 국가를 지도의 A~D에서 골라 옳게 연결한 것은?

> (가) 북부에는 사하라 사막을 넘어온 이슬람교도들이 주로 거주하며, 남부에는 19세기 선교사들이 활동한 영향으로 크리스트교도들이 주로 거주한다. 이러한 종교적 차이로 분쟁이 발생하고 있으며 자원 분포에 따른 지역 간 경제적 격차까지 얽혀 갈등이 심화되고 있다.
>
> (나) 사람들을 네 인종으로 분류하고, 인종별 거주지를 제한하는 '아파르트헤이트'라는 인종 차별 정책을 시행하였다. 1994년 넬슨 만델라가 대통령에 당선되면서 법률상으로 폐지되었지만, 인종 간 경제적 격차가 커 갈등이 지속되고 있다.

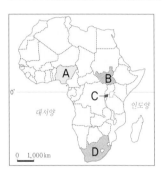

	(가)	(나)
①	A	B
②	A	D
③	B	A
④	C	A
⑤	C	D

12 지도는 인간 개발 지수(HDI)를 나타낸 것이다. (가)보다 (나)에서 높은 수치를 보이는 항목을 〈보기〉에서 고른 것은?

(2016년)　　(유엔 개발 계획, 2017)

┌─ 보기 ┐

ㄱ. 기대 수명　　　　ㄴ. 영유아 사망률
ㄷ. 빈곤 인구 비율　　ㄹ. 1인당 국내 총생산
└──────────┘

① ㄱ, ㄴ　　② ㄱ, ㄷ　　③ ㄴ, ㄷ
④ ㄴ, ㄹ　　⑤ ㄷ, ㄹ

서술형 문제

● 정답친해 56쪽

01 그래프는 중·남부 아메리카의 도시화율 변화를 나타낸 것이다. 이를 보고 중·남부 아메리카 도시화의 특징과 이로 인해 나타나는 문제를 한 가지 서술하시오.

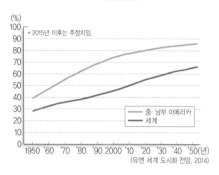

02 그래프는 아프리카의 수출입 품목 구성을 나타낸 것이다. 이를 보고 물음에 답하시오.

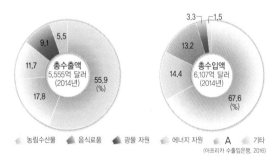
(아프리카 수출입은행, 2016)

(1) 그래프의 A에 들어갈 품목을 쓰시오.

(2) 아프리카 무역 구조의 특징을 쓰고, 이러한 무역 구조의 문제점을 서술하시오.

STEP 3 1등급 정복하기

평가원 응용

1 그래프는 A~C 민족(인종)의 국가별 인구의 합을 나타낸 것이다. 이에 대한 옳은 설명을 〈보기〉에서 고른 것은? (단, (가)~(다)는 지도에 표시된 국가 중 하나이다.)

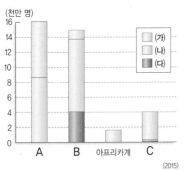

* A~C는 원주민, 유럽계, 혼혈 중 하나임.

보기

ㄱ. 유럽계 인구가 가장 많은 국가는 (다)이다.
ㄴ. (가)는 에스파냐어, (나)는 포르투갈어를 공용어로 사용한다.
ㄷ. 브라질은 멕시코보다 전체 인구에서 A가 차지하는 비중이 높다.
ㄹ. C는 B보다 중·남부 아메리카에서의 거주 역사가 길다.

① ㄱ, ㄴ　　　② ㄱ, ㄷ　　　③ ㄴ, ㄷ
④ ㄴ, ㄹ　　　⑤ ㄷ, ㄹ

2 ㉠, ㉡에 대한 설명으로 옳지 않은 것은?

• 미국에서 세 번째로 인구가 많은 도시인 (㉠)은/는 교통망의 확대와 함께 시가지도 확장되었다. 접근성이 높은 호수 주변에 중심 업무 지구(CBD)가 형성되었으며, 중심 업무 지구 주변에는 주로 저급 주택지가 위치하고 고급 주택지는 쾌적한 주거 환경을 찾아 도시 외곽에 주로 위치한다. 이 도시의 고층화된 스카이라인은 세계적으로 유명하다.
• 2016년 하계 올림픽 개최 도시인 (㉡)에서는 대서양 전망권이 확보되는 서쪽 해안의 도심 및 남부 지역에 고급 주택 지구가 형성되었으며, 급경사의 산지 기슭 남쪽 교외 지역에 저급 주택 지구가 형성되었다. 불량 주택 지구인 파벨라는 도시 곳곳에 흩어져 분포하고 있다.

① ㉠은 도시가 도심을 중심으로 동심원 형태로 성장하는 구조이다.
② ㉡은 도시 경관에 식민 지배의 영향이 많이 남아 있다.
③ ㉠은 ㉡보다 세계 도시 체계에서 상위 계층에 속한다.
④ ㉠은 ㉡보다 총 종사자 중 비공식 부문 종사자가 차지하는 비율이 높다.
⑤ ㉡은 ㉠보다 도시 내부 기능의 공간적 분화가 불완전하다.

> 중·남부 아메리카의 민족(인종) 분포와 특성
>
> **완자샘의 시험 꿀팁**
> 중·남부 아메리카의 국가별 인종 구성 비율을 묻는 문제가 주로 출제된다. 국가별 인종 분포 특성 및 각 국가의 위치를 파악해 두어야 한다.

> 도시 내부 구조 비교
>
> **│ 완자 사전 │**
> • 스카이라인
> 하늘과 맞닿은 것처럼 보이는 산이나 건물 등의 윤곽선

186　VII. 사하라 이남 아프리카와 중·남부 아메리카

3 자료를 보고 옳게 추론한 내용만을 〈보기〉에서 있는 대로 고른 것은?

1956년 영국의 식민 지배로부터 독립한 이후, 수단에서는 아프리카계 원주민이 다수인 남부 지역과 아랍계 민족이 다수인 북부 지역 간의 갈등이 끊이지 않았다. 특히 수단 남부 지역에 주로 매장되어 있는 석유 자원의 이권 확보를 위한 각축전이 더해지면서 내전이 더욱 심화되었다. 50여 년에 걸친 오랜 내전 끝에 2011년 수단 남부 지역은 남수단으로 분리·독립하였다.

┌─ 보기 ┐
ㄱ. 수단 남부 지역 주민들은 주로 이슬람교를 믿는다.
ㄴ. 남수단이 석유를 수출하기 위해서는 수단과의 협력이 필요하다.
ㄷ. 민족, 종교, 자원 확보 등 여러 가지 원인이 결합되어 갈등이 발생하였다.
ㄹ. 식민 지배 당시 종족 분포를 무시한 채 국경을 설정한 것이 분쟁의 원인 중 하나이다.
└──

① ㄱ, ㄴ　　　　② ㄴ, ㄷ　　　　③ ㄷ, ㄹ
④ ㄱ, ㄴ, ㄷ　　　⑤ ㄴ, ㄷ, ㄹ

> ▶ 사하라 이남 아프리카의 분쟁 지역

> **완자샘의 시험 꿀팁**
> 사하라 이남 아프리카에서 발생하고 있는 주요 분쟁의 발생 원인을 정리해 두어야 한다.

4 그래프는 사하라 이남 아프리카의 산업 구조를 나타낸 것이다. 세계 평균과 비교한 사하라 이남 아프리카의 상대적인 특징을 그림의 A~E에서 고른 것은?

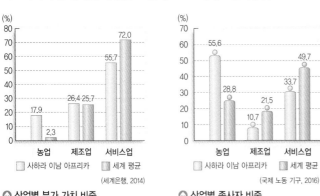

↥ 산업별 부가 가치 비중　　　(세계은행, 2014)
↥ 산업별 종사자 비중　　　(국제 노동 기구, 2016)

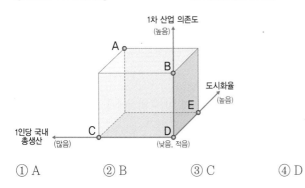

① A　　　② B　　　③ C　　　④ D　　　⑤ E

> ▶ 사하라 이남 아프리카의 저개발 문제

이것이 핵심!

중·남부 아메리카와 사하라 이남 아프리카의 자원 분포

중·남부 아메리카	· 브라질: 철광석 · 베네수엘라 볼리바르: 석유 · 멕시코: 은 · 칠레: 구리
사하라 이남 아프리카	· 나이지리아: 석유 · 남아프리카 공화국: 석탄 · 보츠와나: 다이아몬드 · 코퍼 벨트: 구리, 코발트

★ 콩고 민주 공화국의 자원 개발
콩고 민주 공화국에는 휴대 전화의 주요 부품 원료로 사용되는 콜탄이 풍부하게 매장되어 있다. 콜탄이 매장된 곳은 고릴라의 주요 서식지로, 광산 개발로 환경이 훼손되면서 고릴라가 멸종 위기에 놓이게 되었다.

보츠와나는 다른 아프리카 국가들과 달리 정부가 자원 개발과 분배를 효율적으로 관리하여 정치적 혼란 없이 꾸준한 경제 성장을 이룰 수 있었어.

① 중·남부 아메리카와 사하라 이남 아프리카의 자원 개발

1. 자원 개발과 산업 구조의 특징

자원 개발의 특징	· 자원 개발에 필요한 기술과 자본이 부족하여 대부분 가공하지 않은 원료를 수출함 · 다국적 기업 주도로 자원 개발이 이루어져 외국 자본의 투자 비율이 높음
산업 구조의 특징	· 산업 구조에서 1차 산업이 차지하는 비중이 높음 · 광물과 농산물을 수출하여 벌어들인 외화로 선진국에서 자본재와 공산품을 수입함

2. 중·남부 아메리카의 자원 분포 및 개발

(1) **자원 분포** [자료①]

QA? 안정육괴에 해당하는 순상지가 넓게 펼쳐져 있기 때문이야.

브라질	철광석이 풍부하게 매장되어 있음
베네수엘라 볼리바르	석유 및 천연가스 생산량이 많음(석유 매장량 세계 1위)
멕시코	세계 최대의 은 생산국
칠레	세계 최대의 구리 생산국으로, 국내 수출액의 60%를 구리가 차지하고 있음

(2) **개발에 따른 문제**: 자원 개발에 따른 이익이 빈부 격차를 심화하면서 사회적 혼란 초래

3. 사하라 이남 아프리카의 자원 분포 및 개발

(1) **자원 분포** [자료①]

아프리카에서 경제 규모가 가장 큰 국가야.

나이지리아	세계적인 산유국으로 수출의 90% 이상을 석유가 차지하고 있음
남아프리카 공화국	아프리카에서 석탄 생산량이 가장 많으며, 금, 다이아몬드, 망간, 크롬 등의 자원도 풍부함
보츠와나	세계 3위의 매장량을 자랑하는 다이아몬드 광맥을 보유하고 있음
코퍼 벨트	잠비아~콩고 민주 공화국으로 이어지는 지역으로, 구리와 코발트가 풍부함

(2) **선진국의 자원 확보 경쟁**: 중국, 일본, 러시아, 미국 등이 자원 확보 경쟁 → 산업 인프라, 각종 개발 기금 등을 지원하면서 자원 채굴권을 확보하고 있음

이것이 핵심!

자원 개발에 따른 문제와 해결 방안

문제
· 열대림 파괴로 지구 온난화 가속화, 토양 침식과 물 오염 등 · 내전 발생, 각종 인권 문제 발생, 소득 분배의 불평등 심화 등

↓

해결 방안
· 지속 가능한 발전 추진 · 자원의 정의로운 분배 → 산업 구조 다각화, 투명한 정부 역할 확대 등

② 자원 개발에 따른 문제와 해결 방안

1. 자원 개발에 따른 문제 [교과서 자료] [자료②]

페루, 에콰도르 등 아마존 서부 지역과 나이지리아의 나이저강 삼각주에서는 석유 유출로 강과 토양이 오염되어 주민들의 농어업 활동에 피해를 주고 있어.

환경 문제	· 열대림 파괴 → 생물 종 다양성 감소, 지구 온난화 가속화, 주민 생활 터전 축소 · 광산 개발로 인한 토양 침식과 물 오염, 석유 유출에 따른 해양 및 토양 오염
사회 문제	· 자원을 둘러싼 분쟁 발생, 자원 개발을 통해 얻은 이익으로 무기를 구입하면서 내전이 장기화됨 · 정부군이나 무장 단체의 주민에 대한 강제 노동 강요, 아동 노동 증가 등 인권 문제 발생 · 정부의 부정부패, 다국적 기업의 자원 개발 등으로 소득 분배의 불평등 문제 발생

2. 환경 보존과 자원의 정의로운 분배

(1) **자원 개발로 인한 환경 문제의 해결**: 환경을 파괴하지 않는 범위에서 경제 개발을 진행하는 지속 가능한 발전 필요 자원 개발로 얻은 경제적 이익을 국민 생활 개선에 투자해야 해.

(2) **자원의 정의로운 분배를 위한 노력**: 지속적인 자본 투자와 기술 개발을 통한 산업 구조의 다각화, 투명한 정부의 역할 확대, 천연자원에 대한 주권 확보 등

완자 자료 탐구 — 내 옆의 선생님

자료 1 천연자원의 분포와 수출 구조 — 자원 개발에 필요한 기술과 자본이 부족하기 때문에 가공하지 않은 자원을 주로 수출해.

↑ 중·남부 아메리카의 자원 분포와 수출 구조

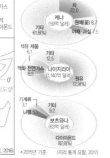
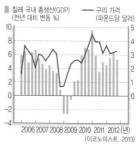

↑ 사하라 이남 아프리카의 자원 분포와 수출 구조

중·남부 아메리카와 사하라 이남 아프리카는 광물과 농산물 등 1차 산물 위주의 수출 구조를 가지고 있어 해당 자원의 국제 가격 변동에 따라 국내 경제가 큰 영향을 받는다.

자료 하나 더 알고 가자!

칠레의 구리 가격과 국내 총생산 변동

칠레는 세계 최대의 구리 생산국으로 전 세계 구리의 약 30%를 생산하고 있다. 이처럼 특정 자원에 대한 의존도가 높은 경우 국제 가격 변동에 취약해 자원의 국제 가격이 하락하면 국내 총생산이 감소한다.

수능이 보이는 교과서 자료 — 아마존 열대림 개발과 환경 문제

브라질 정부는 1960년 아마존 유역의 자원을 개발하고 농경지를 확대하기 위해 내륙의 브라질리아로 수도를 이전하고, 아마존 횡단 도로를 건설하였다. 아마존 개발 과정에서 열대림 파괴, 토양 침식, 생물 종의 다양성 파괴, 지구 기온 상승 등의 많은 문제가 발생하면서 일부 선진국 및 환경 단체가 아마존 개발을 강력히 반대하고 있다.

완자쌤의 탐구 강의

• 아마존 열대림 개발에 따른 문제를 해결하기 위한 방안을 서술하시오.

열대림을 보존하기 위해서는 환경을 파괴하지 않는 범위에서 경제 개발을 진행하는 지속 가능한 발전이 필요하다.

함께 보기 193쪽. 1등급 정복하기 2

자료 2 자원의 불공정한 분배

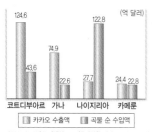

↑ 사하라 이남 아프리카 주요 국가의 카카오 수출액과 곡물 순 수입액

— 서아프리카에서는 전 세계 카카오 소비량의 약 70%에 해당하는 카카오를 생산하지만, 아프리카 카카오 소비량은 전 세계 소비량의 3%에 불과해.

↑ 바이오 에너지 작물 재배를 위한 외국 자본의 아프리카 농지 구매 면적

아프리카에서는 선진국으로 기호 작물을 값싸게 수출하는 대신 식량 작물을 수입하는 불공정한 무역 구조가 나타난다. 또한 기호 작물 생산을 통해 얻은 이익의 대부분이 다국적 기업에게 돌아가므로 현지 농민들은 정당한 대가를 받지 못하고 가난하게 살아간다. 최근에는 선진국이 아프리카에서 저렴하게 농지를 확보하여 자국에서 사용할 바이오 에너지의 원료 작물을 대규모로 생산하면서 농민들이 삶터에서 쫓겨나고 식생이 파괴되고 있다.

자료 하나 더 알고 가자!

에콰도르산 바나나의 가격 구조

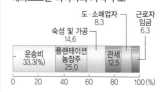

바나나 판매 금액에서 바나나 농장 근로자의 임금은 약 6%에 불과한 반면 다국적 기업의 몫은 약 60%에 달한다. 이러한 문제를 해결하기 위해 최근에는 생산자에게 공정한 가격을 지급하는 공정 무역의 비중이 높아지고 있다.

STEP 1 핵심 개념 확인하기

정답친해 58쪽

1 다음 빈칸에 들어갈 자원을 〈보기〉에서 골라 기호를 쓰시오.

┌ 보기 ┐
ㄱ. 은   ㄴ. 구리   ㄷ. 석유   ㄹ. 석탄

(1) 멕시코는 세계 최대의 (　　　) 생산국이다.

(2) 베네수엘라 볼리바르와 나이지리아는 (　　　)의 생산량
이 많다.

(3) 칠레는 세계 최대의 (　　　) 생산국으로 국내 수출액의
60%를 (　　　)가 차지하고 있다.

(4) 남아프리카 공화국은 금, 다이아몬드 등의 자원이 풍부하
며 아프리카에서 (　　　) 생산량이 가장 많다.

2 다음 빈칸에 들어갈 내용을 쓰시오.

(1) 잠비아에서 콩고 민주 공화국으로 이어지는 지역은 구리
와 코발트가 풍부하여 (　　　　)라고 불린다.

(2) 자원 개발로 인해 (　　　　)이 파괴되면서 생물 종 다양
성이 감소하고 지구 온난화가 가속화되고 있다.

3 다음에서 설명하는 국가를 쓰시오.

(1) 아마존 열대 밀림을 개발하기 위해 내륙으로 수도를 이전
하고 횡단 도로를 건설하였다. (　　　　)

(2) 다이아몬드 광맥 발견 이후 정부의 효율적 자원 관리로 정
치적 혼란 없이 경제가 크게 성장하였다. (　　　　)

(3) 휴대 전화의 주요 부품 원료로 사용되는 콜탄 광산이 개발
되면서 고릴라의 주요 서식지가 파괴되었다. (　　　　)

(4) 세계적인 산유국으로 수출의 90% 이상을 석유가 차지하
고 있으며 최근 나이저강 삼각주에서 석유 유출로 인한 환
경 오염이 발생하였다. (　　　　)

4 ㉠~㉢에 들어갈 내용을 각각 쓰시오.

서아프리카에서는 전 세계 소비량의 약 70%에 해당하는
(㉠　　　　)를 생산하지만, 이를 통해 얻은 이익의 대부분이
선진국의 (㉡　　　　)에게 돌아가 현지의 농민들은 정당한
대가를 받지 못하고 빈곤하게 살아간다. 그래서 최근에는 개
발 도상국의 생산자에게 공정한 가격을 지급하는 (㉢　　　　)
의 비중이 높아지고 있다.

STEP 2 내신 만점 공략하기

01 그래프와 같은 수출 구조가 나타나는 중·남부 아메리카
의 국가에 대한 옳은 설명을 〈보기〉에서 고른 것은?

콩류 11.0 / 기계류 8.0 / 고기류 7.5 / 철광석 7.4 / 기타 66.1 (%) / 수출액 (1,911억 달러)

*2015년 기준　　　(지리 통계 요람, 2017)

┌ 보기 ┐
ㄱ. 천연가스가 많이 매장되어 있다.

ㄴ. 에스파냐어를 주로 사용하며 가톨릭교를 믿는다.

ㄷ. 오랫동안 침식을 받은 안정육괴에 해당하여 순상지가
넓게 펼쳐져 있다.

ㄹ. '지구의 허파'라고 불리는 열대림이 분포하며 최근 개
발로 인한 환경 문제가 나타나고 있다.

① ㄱ, ㄴ   ② ㄱ, ㄷ   ③ ㄴ, ㄷ

④ ㄴ, ㄹ   ⑤ ㄷ, ㄹ

02 그래프는 A 자원의 대륙 및 아프리카 국가별 매장량 비
중을 나타낸 것이다. A 자원과 B에 해당하는 국가를 옳게 연
결한 것은?

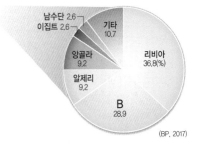

아프리카 7.6(%) / 아시아·오세아니아 49.9 / 유럽 및 러시아 9.1 / 아메리카 33.4

남수단 2.6 / 이집트 2.6 / 기타 10.7 / 앙골라 9.2 / 알제리 9.2 / 리비아 36.8(%) / B 28.9

(BP, 2017)

	A	B
①	석유	나이지리아
②	석유	남아프리카 공화국
③	석탄	나이지리아
④	석탄	콩고 민주 공화국
⑤	천연가스	남아프리카 공화국

03 다음은 스무고개 대화 내용을 나타낸 것이다. 스무고개의 정답에 해당하는 국가로 옳은 것은?

 사하라 이남 아프리카에 위치해 있나요?  예

 사하라 이남 아프리카에서 석유가 가장 많이 생산되나요?  아니요

 교통수단 발달과 풍부한 수자원을 바탕으로 화훼 산업이 성장했나요?  아니요

 아프리카에서 국내 총생산이 가장 많나요? 예

① 케냐
② 보츠와나
③ 나이지리아
④ 콩고 민주 공화국
⑤ 남아프리카 공화국

04 ㉠에 들어갈 내용으로 적절하지 <u>않은</u> 것은?

㉠ 사하라 이남 아프리카
차이나프리카는 '차이나(China)'와 '아프리카(Africa)'의 합성어이다. 중국이 아프리카의 최대 무역 상대국이 된 것은 자원 개발권과 함께 개발에 필요한 기반 시설 건설을 계약 조건으로 제시하였기 때문이다. 기반 시설의 막대한 건설 비용은 주로 20~30년 장기간 저렴한 이자로 빌려주고, 이자는 현금이 아닌 광물이나 석유로 받기도 한다.

① 풍부한 자원을 보유한
② 개발에 필요한 자본이 부족한
③ 천연자원에 대한 주권을 찾으려는
④ 사회 간접 자본 확충에 힘쓰고 있는
⑤ 도로 건설과 같은 공공사업을 확대하고 있는

05 다음은 세계지리 수업의 한 장면이다. 교사의 질문에 적절한 대답을 한 학생을 고른 것은?

• 교사: 다음 그래프를 통해 알 수 있는 것은 무엇일까요?

아프리카 주요 국가의 카카오 수출액과 곡물 순 수입액

• 2009~2013년 누계액임. (국제연합 식량농업기구, 2016)

• 갑: 현지 주민이 플랜테이션 농장을 소유하면서 이러한 현상이 발생하고 있어요.
• 을: 선진국으로 기호 작물을 값싸게 수출하고 식량 작물을 수입하는 불공정한 무역 구조가 나타나고 있어요.
• 병: 현지 주민이 생산한 제품을 중간 유통 과정 없이 소비자가 정당한 가격을 지불하고 구매하는 방식이 필요해요.
• 정: 다국적 기업을 통해 카카오의 수출량을 확대하면 무역으로 인해 발생하는 불평등 문제를 해결할 수 있어요.

① 갑, 을
② 갑, 정
③ 을, 병
④ 을, 정
⑤ 병, 정

06 자료와 같은 현상이 지속될 경우 세계적으로 나타날 수 있는 변화 양상을 그래프의 A~E에서 고른 것은?

아마존 개발 현황

브라질에서는 2015년 8월~2016년 7월 사이에 아마존 열대림의 7,989㎢가 사라졌는데, 이는 한 시간에 축구장 128개 면적이 사라진 것과 같다.

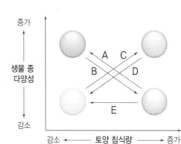

① A
② B
③ C
④ D
⑤ E

07 다음은 수행 평가 보고서의 일부이다. 밑줄 친 ㉠, ㉡ 문제의 원인으로 가장 적절한 것을 〈보기〉에서 골라 옳게 연결한 것은?

수행 평가 보고서

• 주제: 나이지리아의 저개발 문제와 해결 방안

나이지리아는 세계적인 산유국으로 수출 및 외화 수입의 대부분을 석유와 천연가스가 차지한다. 그러나 정작 나이지리아에서는 ㉠ 석유 제품을 수입하고 있으며 ㉡ 국민 대부분은 유전 개발의 혜택을 받지 못하고 있다.

보기

ㄱ. 일부 권력층의 부정부패로 인한 부의 편중
ㄴ. 자본과 기술 부족에 따른 제조업 발달 미약
ㄷ. 자원의 국제 가격 변동에 따른 국가 경제 침체
ㄹ. 다국적 기업의 무분별한 석유 개발로 인한 환경 오염

	㉠	㉡		㉠	㉡
①	ㄱ	ㄷ	②	ㄴ	ㄱ
③	ㄴ	ㄷ	④	ㄷ	ㄹ
⑤	ㄹ	ㄱ			

08 볼리비아가 밑줄 친 ㉠과 같은 노력을 기울이는 이유로 가장 적절한 것은?

최근 볼리비아의 우유니 소금 사막에 세계에서 가장 많은 리튬이 매장되어 있다고 알려지면서 주목받고 있다. 리튬은 휴대용 전자 기기에 널리 사용되는 희소 금속으로 '하얀 석유'로도 불린다. 볼리비아 정부는 자원이 풍부한 다른 저개발국과는 달리, 시간이 걸리더라도 ㉠ 외국 자본과 공동으로 자원을 개발하려는 정책을 펼치고 있다.

---

① 특정 자원에 대한 수출 의존도가 높기 때문이다.
② 다국적 기업이 자원 채굴권을 보유하고 있기 때문이다.
③ 잦은 분쟁으로 해외 기업의 투자 유치가 어렵기 때문이다.
④ 자원 개발로 발생한 이윤의 해외 유출을 최소화할 수 있기 때문이다.
⑤ 자원 개발에 필요한 풍부한 자본과 우수한 기술력을 갖추고 있기 때문이다.

서술형 문제

● 정답친해 59쪽

01 자료를 보고 물음에 답하시오.

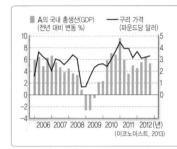

중·남부 아메리카에 위치한 A는 세계 최대의 구리 생산국으로 국내 총생산의 20%, 수출액의 60%를 구리가 차지하고 있다.

(1) A에 해당하는 국가를 쓰시오.

(2) 그래프를 통해 알 수 있는 A국의 자원 개발에 따른 문제점을 서술하시오.

02 자료를 보고 물음에 답하시오.

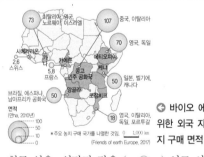

◀ 바이오 에너지 작물 재배를 위한 외국 자본의 아프리카 농지 구매 면적

최근 석유, 석탄과 같은 (㉠) 연료 사용을 줄이려는 선진국들은 아프리카에서 저렴하게 농지를 확보하여 자국에서 사용할 바이오 에너지의 원료 작물을 대규모로 생산하고 있다. 이로 인해 아프리카에서는 _____ ㉡

(1) ㉠에 해당하는 용어를 쓰시오.

(2) ㉡에 들어갈 아프리카에서 나타나는 문제점 두 가지를 서술하시오.

STEP 3 1등급 정복하기

1 그래프는 중·남부 아메리카의 주요 국가의 수출 구조를 나타낸 것이다. (가)~(다) 국가를 지도의 A~C에서 골라 옳게 연결한 것은?

> 중·남부 아메리카의 자원 분포 및 수출 구조

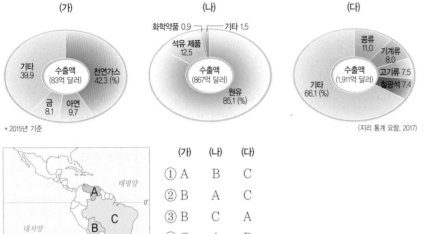

(가)
기타 39.9
수출액 (83억 달러)
천연가스 42.3 (%)
금 8.1
아연 9.7

(나)
화학약품 0.9 ― 기타 1.5
석유 제품 12.5
수출액 (867억 달러)
원유 85.1 (%)

(다)
콩류 11.0
기계류 8.0
수출액 (1,911억 달러)
고기류 7.5
철광석 7.4
기타 66.1 (%)

* 2015년 기준
(지리 통계 요람, 2017)

	(가)	(나)	(다)
①	A	B	C
②	B	A	C
③	B	C	A
④	C	A	B
⑤	C	B	A

태평양
대서양
0
2,000 km

교육청 응용

2 (가), (나)는 두 지역에서 나타나는 환경 문제를 나타낸 것이다. 이에 대한 옳은 설명만을 〈보기〉에서 있는 대로 고른 것은?

> 자원 개발로 인한 문제점

완자쌤의 시험 꿀팁

중·남부 아메리카와 사하라 이남 아프리카에서 자원 개발로 인해 나타나는 환경 문제와 이러한 환경 문제가 심각하게 나타나는 지역의 위치를 지도에서 파악해 두어야 한다.

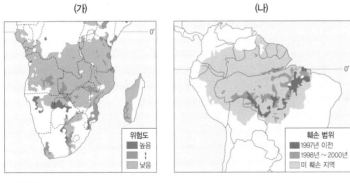

(가)
위험도
높음
↑
낮음

(나)
훼손 범위
1997년 이전
1998년 ~ 2000년
미 훼손 지역

보기

ㄱ. (가)의 사례 지역으로 사헬 지대를 들 수 있다.
ㄴ. (가)는 (나)보다 생물 종 다양성 감소에 큰 영향을 준다.
ㄷ. (가)와 (나)는 과도한 목축과 경작지 확대가 공통된 원인이다.
ㄹ. (가)로 인해 토양의 염류화가 가속화되고, (나)로 인해 토양 침식이 심화된다.

① ㄱ, ㄴ   ② ㄴ, ㄷ   ③ ㄷ, ㄹ
④ ㄱ, ㄴ, ㄹ   ⑤ ㄱ, ㄷ, ㄹ

01 도시 구조의 특징과 도시 문제

1. 중·남부 아메리카의 도시화 과정

(1) **유럽 문화의 전파**: 라틴계 유럽인이 식민지를 건설하고 아프리카에서 노예를 이주시킴 → 다양한 인종과 문화 공존, 식민 지배의 영향을 받은 도시 구조가 나타남

(2) **중·남부 아메리카의 도시화**

과정	• 경제 발전에 따른 사망률 감소, 유럽계 백인의 도시 유입, 대규모 이촌 향도 등으로 도시 인구 급증 → 급격한 도시화 • 각 나라의 수도, 대도시를 중심으로 경제 성장이 이루어짐
특징	• 소수의 대도시가 과도하게 성장 → 과도시화, (❶　　　) 현상 • 경제 발전 수준에 비해 도시화율이 높음(약 80%) • 인구 천만 명 이상의 대도시 분포 비중이 다른 대륙보다 높게 나타남

2. 중·남부 아메리카의 도시 구조

(1) **도시 구조의 특징**: 도시 중심부에 고급 주택 지구가 형성되어 있으며 외곽으로 갈수록 저급 주택 지구가 분포함

(2) **도시 내부 구조**

도심	• 도시 중앙에 (❷　　　)이 위치해 있으며, 주변으로 격자망 도로가 발달해 있음 • 광장 주변에 정부 주요 기관과 성당이 위치함 → 도심은 정치 및 사회의 중심지임
도심 주변	• 고소득층을 이루는 유럽계 백인이 주로 거주 → 고급 주택 지구 형성 • 도심에서 외곽으로 뻗은 교통로를 따라서 직선형의 상업 지구가 위치함
도시 외곽	• 저소득층을 이루는 원주민이나 아프리카계가 주로 거주 → 저급 주택 지구 형성 • 대부분 슬럼이나 불량 주택 지구로 기반 시설이 부족함

3. 중·남부 아메리카의 도시 문제

(1) **발생 배경**: 급격한 도시화, 대도시에 과도한 기능 집중 → 기반 시설이 부족한 상태에서 지나치게 많은 인구가 도시에 집중하여 각종 도시 문제 발생

(2) **도시 문제의 발생과 해결 방안**

도시 문제	• 도시 일자리 부족, 비공식 부문의 종사자 증가, 각종 기반 시설 부족 • 불량 주택 지구 형성과 같은 주거 환경의 불평등 현상 심화 • 범죄 증가, 교통 혼잡, 환경 오염 심화
해결 방안	사회 기반 시설 보완, 빈부 격차 해소, 도시 재생 사업, 국토 균형 발전 등의 노력이 필요

02 지역 분쟁과 저개발 문제

1. 사하라 이남 아프리카의 지역 분쟁

(1) **유럽의 식민 지배**

15세기 이후	아프리카 서부 해안 지역을 중심으로 각종 자원을 대규모로 반출
신대륙 발견 이후	노예 삼각 무역을 통해 아프리카계를 아메리카 플랜테이션 농장의 노예로 이용
19세기 후반	베를린 회의로 유럽 열강들의 이익에 따라 국경선이 설정 → 아프리카 대부분 지역이 유럽의 식민지로 전락함
제2차 세계 대전 이후	대부분의 국가가 독립 → 제3세계의 한 축을 이룸

(2) **지역 분쟁의 발생 원인**: 한 국가 내에 여러 민족이 분포하거나 한 민족이 여러 국가로 나뉘면서 언어·종교·자원 갈등 및 내전 발생

(3) **주요 분쟁 지역**

수단	이슬람교를 믿는 북부 지역과 크리스트교를 믿는 남부 지역 간의 갈등으로 2011년 남수단이 독립하였으나 여전히 자원과 국경선 문제, 권력 투쟁으로 갈등이 발생하고 있음
(❸　　　)	식민 지배 당시 지배층을 이루고 있던 소수의 투치족과 다수의 후투족 간의 갈등 발생
나이지리아	북부의 이슬람교를 믿는 민족과 남부의 크리스트교를 믿는 민족 간 종교 갈등 발생
시에라리온	정부군과 반정부군 간의 내전이 장기화되었으며 이로 인해 전쟁 자금 공급처인 다이아몬드 광산 쟁탈전으로 변질됨
남아프리카 공화국	인종 차별 정책인 (❹　　　)를 시행하였으며 1994년 철폐되었지만 인종 간의 경제적 격차가 커 갈등이 지속되고 있음

2. 저개발의 원인 및 현황

(1) 저개발의 원인

정치·사회적 측면	민주적인 정치 체계 부족, 행정 시스템의 비효율성, 사회 내부의 신뢰 부재 등
산업 구조 측면	원유, 광산물, 농작물 등 1차 생산품을 수출하고 부가 가치가 큰 공업 제품을 수입하는 산업 구조, 선진국의 투자에 의존하는 경제 구조
사회 간접 자본 측면	도로, 철도, 상하수도, 인터넷 사용 환경, 의료 시설, 교육 시설 등의 사회 기반 시설 부족 → 재화나 서비스의 원활한 공급이 어려움

(2) 저개발 현황

빈곤 문제	경제 발달 수준이 낮아 1인당 국내 총생산이 낮으며 사회적 불평등이 심함
식량 문제	기후 변화에 따른 가뭄, 사막화로 인한 낮은 농업 생산성, 급속한 인구 증가 → 식량 부족, 기아 발생
기타	의료 환경이 열악해 기대 수명이 낮음, 아동 노동 문제 발생

3. 발전을 위한 노력

(1) (❺) 결성

배경	아프리카 국가들의 통일과 결속을 촉진하고 국제적인 협력을 도모하기 위해 2002년에 설립
활동	국가 간 연대와 영토 보존, 민족 문제에 대한 공동의 이익 보호, 아프리카인의 권리 신장 및 생활 수준 향상, 질병 퇴치와 건강 증진을 위한 협력 추진

(2) 국제 사회의 노력: 국제 연합 평화 유지군의 활동, 지속적인 공적 개발 원조 등

03 자원 개발을 둘러싼 과제

1. 자원 개발과 산업 구조의 특징

자원 개발의 특징	• 자원 개발에 필요한 기술과 자본이 부족하여 대부분 가공하지 않은 원료를 수출함 • 다국적 기업 주도로 자원 개발이 이루어져 외국 자본의 투자 비율이 높음
산업 구조의 특징	• 산업 구조에서 1차 산업이 차지하는 비중이 높음 • 광물과 농산물을 수출하여 벌어들인 외화로 선진국에서 자본재와 공산품을 수입함

2. 중·남부 아메리카의 자원 분포 및 개발

(1) 자원 분포

브라질	(❻)이 풍부하게 매장되어 있음
베네수엘라 볼리바르	석유 및 천연가스 생산량이 많음(석유 매장량 세계 1위)
멕시코	세계 최대의 은 생산국
(❼)	세계 최대의 구리 생산국으로, 국내 수출액의 60%를 구리가 차지하고 있음

(2) 개발에 따른 문제: 자원 개발에 따른 이익이 빈부 격차를 심화하면서 사회적 혼란을 초래하기도 함

3. 사하라 이남 아프리카의 자원 분포 및 개발

(1) 자원 분포

(❽)	세계적인 산유국으로 수출의 90% 이상을 석유가 차지하고 있음
남아프리카 공화국	아프리카에서 석탄 생산량이 가장 많으며, 금, 다이아몬드 등의 자원도 풍부함
보츠와나	세계 3위의 매장량을 자랑하는 다이아몬드 광맥을 보유하고 있음
(❾)	잠비아~콩고 민주 공화국으로 이어지는 지역으로, 구리와 코발트가 풍부함

(2) 선진국의 자원 확보 경쟁: 중국, 일본, 러시아, 미국 등이 자원 확보 경쟁 → 산업 인프라, 각종 개발 기금 등을 지원하면서 자원 채굴권을 확보하고 있음

4. 자원 개발에 따른 문제와 해결 방안

(1) 자원 개발에 따른 문제

환경 문제	• (❿) 파괴 → 생물 종 다양성 감소, 지구 온난화 가속화, 주민 생활 터전 축소 • 광산 개발로 인한 토양 침식과 물 오염, 석유 유출에 따른 해양 및 토양 오염
사회 문제	• 자원을 둘러싼 분쟁 발생, 자원 개발을 통해 얻은 이익으로 무기를 구입하면서 내전이 장기화됨 • 정부군이나 무장 단체의 주민에 대한 강제 노동 강요, 아동 노동 증가 등 인권 문제 발생 • 정부의 부정부패, 다국적 기업의 자원 개발 등으로 소득 분배의 불평등 문제 발생

(2) 자원의 정의로운 분배를 위한 노력: 지속적인 자본 투자와 기술 개발을 통한 산업 구조의 다각화, 투명한 정부의 역할 확대, 천연자원에 대한 주권 확보

01 다음은 수업 시간에 정리한 노트 내용 중 일부이다. 밑줄 친 ㉠~㉤에 대한 설명으로 옳지 <u>않은</u> 것은?

• 주제: ㉠ 중·남부 아메리카의 다문화 특성을 엿볼 수 있는 각국의 화폐

구분	화폐에 그려진 인물
아르헨티나	원주민을 내쫓고 영토를 확장한 ㉡ 백인 장군
페루	중·남부 아메리카 최초의 ㉢ 가톨릭교 성인
베네수엘라 볼리바르	독립 전쟁에 참전한 ㉣ 흑인 노예 출신의 장교
온두라스	유럽인에게 대항한 ㉤ 원주민 족장

① ㉠ – 라틴계 유럽인의 식민 지배 결과로 대부분 지역에서 에스파냐어와 포르투갈어를 사용한다.

② ㉡ – 온대 기후가 나타나는 아르헨티나와 브라질 남부에 주로 거주한다.

③ ㉢ – 유럽의 식민 지배 과정에서 전파되었으며 ㉠에서 ㉡만 주로 믿고 있다.

④ ㉣ – 백인들이 부족한 노동력을 보충하기 위해 아프리카에서 강제 이주시켰다.

⑤ ㉤ – 과거 고산 지역을 중심으로 마야·잉카·아스테카 문명을 발달시켰다.

02 다음 두 도시 내부 구조의 공통된 특성으로 옳은 것은?

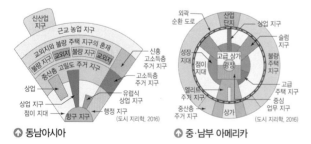

↑ 동남아시아   ↑ 중·남부 아메리카

① 저소득층 주거 지역은 도심 주변에 분포한다.

② 도심에는 고대 도시의 유적들이 보존되어 있다.

③ 도시 재개발 사업에 따라 거주 환경이 개선되고 있다.

④ 과거 식민 통치를 목적으로 한 공간 구조가 남아 있다.

⑤ 도심의 주거 기능 약화로 인구 공동화 현상이 나타난다.

03 다음은 세계 지리 수업 장면의 일부이다. 교사의 질문에 적절하게 대답한 학생을 〈보기〉에서 고른 것은?

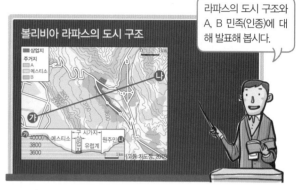

라파스의 도시 구조와 A, B 민족(인종)에 대해 발표해 봅시다.

보기

갑: 상업지는 교통로를 따라 형성되었습니다.

을: 고급 주택지는 해발 고도가 높은 곳에 분포합니다.

병: A는 B보다 이 지역에 거주한 역사가 짧습니다.

정: B는 A보다 사회적 지위가 높은 고소득 계층입니다.

① 갑, 을   ② 갑, 정   ③ 을, 병

④ 을, 정   ⑤ 병, 정

04 다음 글의 밑줄 친 ㉠~㉤ 중 옳지 <u>않은</u> 것은?

중·남부 아메리카의 도시는 ㉠ <u>식민 지배에 편리하도록 계획적으로 형성되어</u> ㉡ <u>도시 중심에 광장이 있고, 광장을 중심으로 구시가지의 도로가 격자형으로 발달하여 바둑판 모양을 이루고 있는 경우가 많다.</u> 또한 ㉢ <u>광장 주변에는 종교 건물과 시청을 비롯한 관공서 건물 등이 있다.</u> 이후 ㉣ <u>도시화가 서서히 진행되면서</u> ㉤ <u>농촌을 떠나 도시로 모여든 사람들은 도시 외곽에 거주지를 형성하였다.</u>

① ㉠   ② ㉡   ③ ㉢   ④ ㉣   ⑤ ㉤

05 그래프에 대한 옳은 분석을 〈보기〉에서 고른 것은?

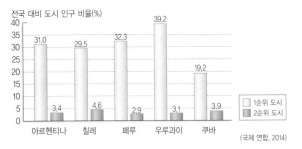

전국 대비 도시 인구 비율(%)

(국제 연합, 2014)

범례: 1순위 도시, 2순위 도시

국가	1순위 도시	2순위 도시
아르헨티나	31.0	3.4
칠레	29.5	4.6
페루	32.3	2.9
우루과이	39.2	3.1
쿠바	19.2	3.9

보기

ㄱ. 제시된 국가는 모두 종주 도시화 현상이 나타나고 있다.

ㄴ. 우루과이는 아르헨티나보다 1순위 도시의 인구가 더 많다.

ㄷ. 쿠바는 제시된 국가 중 전국 대비 수위 도시의 인구 비율이 가장 낮다.

ㄹ. 전국 대비 1순위 도시 인구 비중과 2순위 도시 인구 비중 차이가 가장 큰 도시는 페루이다.

① ㄱ, ㄴ   ② ㄱ, ㄷ   ③ ㄴ, ㄷ

④ ㄴ, ㄹ   ⑤ ㄷ, ㄹ

06 다음은 학생이 작성한 보고서의 일부이다. ㉠~㉢에 대한 설명으로 옳지 않은 것은?

수행 평가

• 영화 제목: 트래쉬

• 줄거리: 브라질 ㉠ 리우데자네이루의 쓰레기장에서 살아가는 소년들이 어느 날 지갑을 줍게 되면서 도망자 신세가 되는 과정을 그린 영화이다.

• 영화 속 도시의 모습: ㉡ 부자들이 사는 곳과 대비되는 ㉢ 가난한 사람들이 살아가는 곳의 생활 모습이 잘 나타나 있다.

• 느낀점: 중·남부 아메리카 국가들의 (㉣) 문제를 느낄 수 있었다.

① ㉠은 친환경 정책을 실시하여 생태 도시로 거듭나고 있다.

② ㉡은 대서양 전망권이 확보되는 서쪽 해안에 분포한다.

③ ㉢은 '파벨라'라고 불리며 범죄, 환경 오염 등의 도시 문제가 심각하다.

④ ㉣에는 '빈부 격차'가 들어가는 것이 적절하다.

⑤ ㉡은 ㉢보다 비공식 부문에 포함되는 인구 비중이 낮다.

07 그래프는 사하라 이남 아프리카의 종교 비중 변화를 나타낸 것이다. A~C에 해당하는 종교를 옳게 연결한 것은?

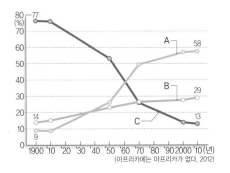

(아프리카에는 아프리카가 없다. 2012)

	A	B	C
①	이슬람교	크리스트교	토속 신앙
②	이슬람교	토속 신앙	크리스트교
③	크리스트교	이슬람교	토속 신앙
④	크리스트교	토속 신앙	이슬람교
⑤	토속 신앙	크리스트교	이슬람교

08 자료는 세계 지리 사이버 학습 장면의 일부이다. ㉠~㉣ 중 옳은 내용만을 있는 대로 고른 것은?

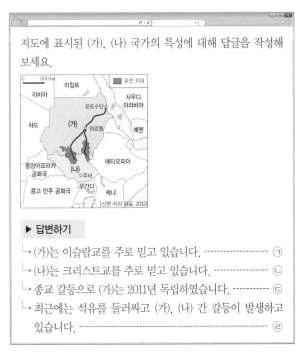

지도에 표시된 (가), (나) 국가의 특성에 대해 답글을 작성해 보세요.

(신편 지리 자료, 2012)

▶ **답변하기**

↳ (가)는 이슬람교를 주로 믿고 있습니다. ·············· ㉠

↳ (나)는 크리스트교를 주로 믿고 있습니다. ·············· ㉡

↳ 종교 갈등으로 (가)는 2011년 독립하였습니다. ·········· ㉢

↳ 최근에는 석유를 둘러싸고 (가), (나) 간 갈등이 발생하고 있습니다. ·············· ㉣

① ㉠, ㉡   ② ㉠, ㉢   ③ ㉢, ㉣

④ ㉠, ㉡, ㉣   ⑤ ㉡, ㉢, ㉣

09 자료에 제시된 영화의 배경이 된 국가를 지도의 A~E에서 고른 것은?

> ○○○는 벨기에의 식민지였다. 벨기에는 효과적인 식민 통치를 위해 소수인 투치족에게 권력을 주고 다수의 후투족을 차별하는 정책을 실시하였다. 이후 벨기에의 식민 통치가 끝나고 두 부족 간의 갈등이 깊어져 내전의 원인이 되었다. 「호텔 ○○○」는 당시 수도인 키갈리에 있는 한 호텔의 지배인이 호텔로 피신한 1,200여 명의 난민의 탈출을 도운 실화를 바탕으로 제작된 영화이다.

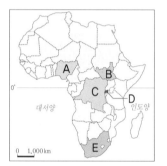

① A
② B
③ C
④ D
⑤ E

10 지도는 인간 개발 지수를 나타낸 것이다. 표시된 지역에 대한 설명으로 옳지 <u>않은</u> 것은?

(2016년) (유엔 개발 계획, 2017)

① 아동 노동 등으로 인해 교육 수준이 낮다.
② 의료 환경이 열악하여 영유아 사망률이 높다.
③ 지속되는 가뭄과 사막화로 농업 생산성이 낮다.
④ 자원과 노동력이 부족하여 국내 총생산이 낮다.
⑤ 사회적 불평등이 심하여 빈곤 인구 비율이 높다.

11 그림의 (가)~(다)에 해당하는 국가를 지도의 A~C에서 찾아 옳게 연결한 것은?

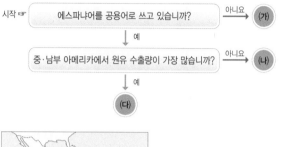

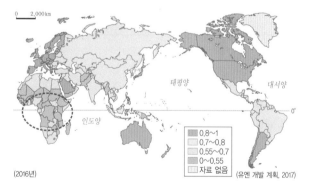

	(가)	(나)	(다)		(가)	(나)	(다)
①	A	B	C	②	A	C	B
③	B	A	C	④	C	A	B
⑤	C	B	A				

12 표는 사하라 이남 아프리카에 위치한 어느 국가의 부존 자원 현황을 나타낸 것이다. 이 국가에 대한 설명으로 옳은 것은?

자원	세계 생산 점유율(%)	세계 순위	자원	세계 생산 점유율(%)	세계 순위
크롬	46.0	1위	다이아몬드	2.0	6위
망간	33.7	1위	금	4.7	6위
백금	73.5	1위	석탄	3.4	7위

(미국 지질 조사국, 2017)

① 콜탄 광산 개발로 고릴라의 서식지가 파괴되고 있다.
② 사하라 이남 아프리카에서 석유 수출량이 가장 많다.
③ 과거에 인종 차별 정책인 '아파르트헤이트'를 시행하였다.
④ 북부의 이슬람교와 남부의 크리스트교도 간의 갈등이 발생하고 있다.
⑤ 최근 화훼 농업이 급속히 성장하고 있으며 유럽으로 수출이 활발하다.

13 다음 글의 밑줄 친 부분의 주요 원인으로 적절한 것을 〈보기〉에서 고른 것은?

아프리카 3위의 경제 규모를 자랑하는 앙골라는 석유 수출을 통한 높은 경제 성장률에도 불구하고 민간 경제와 사회 전반의 생활 수준은 크게 나아지지 않고 있다. 여성의 66%만이 글자를 깨우치는 등 교육 문제도 심각할 뿐만 아니라, 기대 수명은 51.5세에 머무르고 있다.

보기
ㄱ. 정부의 부정부패로 부가 특권층에게 집중되고 있기 때문이다.
ㄴ. 다국적 기업의 자원 개발로 부의 분배의 불평등이 나타나고 있기 때문이다.
ㄷ. 부의 많은 부분이 환경 오염으로 인한 피해를 해결하기 위해 쓰이고 있기 때문이다.
ㄹ. 정부가 외국 자본과 합작하여 만든 회사를 통해 자원을 개발하려는 정책을 실시하고 있기 때문이다.

① ㄱ, ㄴ   ② ㄱ, ㄷ   ③ ㄴ, ㄷ
④ ㄴ, ㄹ   ⑤ ㄷ, ㄹ

14 자료와 같은 현상이 지속될 경우 아프리카에서 나타날 것으로 예상되는 변화 양상을 그래프의 A～E에서 고른 것은?

최근 화석 연료 사용을 줄이려는 선진국들은 아프리카에서 저렴하게 농지를 확보하여 바이오 에너지의 원료가 되는 작물을 대규모로 생산하고 있다.

↑ 외국 자본의 농지 구매 면적

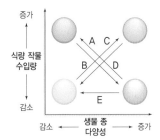

① A   ② B   ③ C   ④ D   ⑤ E

15 다음은 '자원 개발에 따른 환경 문제'에 관한 보고서이다. (가)～(라)에 대한 옳은 설명을 〈보기〉에서 고른 것은?

자원 개발에 따른 환경 문제		
• 조사 지역: 중·남부 아메리카 및 사하라 이남 아프리카		
문제점	원인	영향
(가)	무분별한 벌목, 과도한 경지 개간, 광산 개발 등	(다)
해양 오염	(나)	(라)

보기
ㄱ. (가)를 해결하기 위해 몬트리올 의정서를 체결하였다.
ㄴ. (나)에는 유전 개발 과정에서의 석유 유출이 들어갈 수 있다.
ㄷ. (다)에는 생물 종 다양성 감소, 온실가스 배출량 증가 등이 들어갈 수 있다.
ㄹ. 브라질의 아마존 분지는 (다)보다 (라)의 피해가 크다.

① ㄱ, ㄴ   ② ㄱ, ㄷ   ③ ㄴ, ㄷ
④ ㄴ, ㄹ   ⑤ ㄷ, ㄹ

16 지도의 A～E 국가에 대한 설명으로 옳지 않은 것은?

① A – 고대 문명 발상지이며 세계 최대의 은 생산국이다.
② B – 세계에서 석유 매장량이 가장 많으며 천연가스의 생산량도 많다.
③ C – 주요 도시의 외곽에는 불량 주택 지구인 파벨라가 분포한다.
④ D – 세계 최대의 구리 생산국으로 구리에 대한 경제 의존도가 매우 높다.
⑤ E – 중·남부 아메리카에서 인구가 가장 많고 유럽계 백인의 비중이 가장 높다.

공존과 평화의 세계

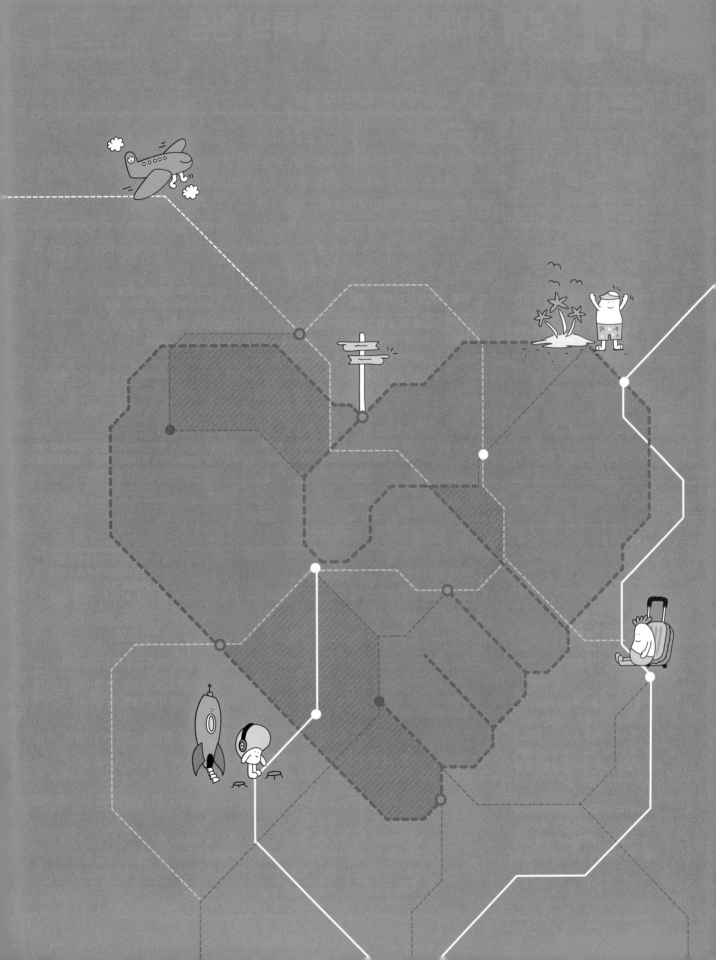

01 경제 세계화와 경제 블록의 형성

학습 목표
- 경제 세계화가 파생하는 효과들이 무엇인지 파악할 수 있다.
- 세계 주요 경제 블록의 형성 배경과 특징을 비교할 수 있다.

이것이 핵심!

경제 세계화와 다국적 기업

경제 세계화	세계 무역 기구가 출범하고 자유 무역이 확대되면서 경제 세계화 확대
다국적 기업	노동, 기술, 경영 등 생산 요소를 고려하여 기업의 관리, 연구, 생산 기능을 분리 배치 (공간적 분업)

★ **세계 무역 기구**
공산품에 국한되었던 국가 간 무역 분야를 서비스, 농산물 등으로 확대하는 데 필요한 제도를 보완하기 위해 마련된 국제기구. 국가 간 무역 분쟁 조정, 특정 국가에 대한 차별 금지, 관세 인하 요구 등 각종 불공정 무역 행위 규제 및 경제 개방을 추진한다.

① 경제 세계화의 의미와 영향

1. 경제 세계화

(1) **경제 세계화**: 교통과 통신이 발달하고 국가 간의 인적·물적 교류가 활발해지면서 경제적으로 상호 의존성이 커지고 국가의 경계를 넘어 하나로 통합되어 가는 현상

(2) **경제 세계화를 가속화시키는 요인** 자료①

① *세계 무역 기구(WTO) 출범: 법적 권한과 구속력을 행사하여 세계 무역 질서를 유지함

② 다국적 기업의 공간적 분업: 경영의 효율성을 높이고 이윤을 극대화하기 위해 기업의 관리, 연구, 생산 기능을 전 세계로 분리 배치함

2. 경제 세계화가 미치는 영향

┌─ 국가 간 상품의 자유로운 이동을 위해 무역 장벽을 완화하거나 없애는 협정

긍정적 영향	• 경제적으로 상호 의존도가 높은 국가 간 자유 무역 협정(FTA) 체결로 자유 무역이 확대됨 • 각국의 경제 위기 및 노동 문제에 대해 공동으로 대응하고 해결이 가능함 • 소비자는 질 좋은 상품의 구매 기회가 증가함 • 기업은 국제 시장에서 더 많은 상품 판매가 가능하며, 기업 간 경쟁 과정에서 기술과 품질이 향상됨
부정적 영향	• 선진국과 개발 도상국 간 빈부 격차가 확대됨 • 자유 무역 협정 체결로 역외국에 대한 차별적 조치 시행으로 무역 분쟁이 발생할 수 있음 • 개발 도상국의 경우 경쟁력이 낮은 산업은 고용과 생산량이 감소함

└─ 개발 도상국에서는 자국의 산업을 보호하기 위해 관세를 부과하지 않고 수입을 제한하는 비관세 조치 등을 취하기도 해.

왜? 선진국은 주로 고부가 가치의 첨단 산업 및 금융 서비스를 담당하고 개발 도상국은 저렴한 노동력을 활용한 제조업 및 농업 부문을 담당하기 때문이야.

이것이 핵심!

경제 블록의 형성

배경	상호 이익을 추구하기 유리한 인접국끼리 공통된 경제적 목적을 이루기 위해 형성
영향	자원의 효율적 배분, 투자 활성화 ↔ 비회원국에 대한 차별로 인한 외교적 마찰 발생 가능성 증대 등

★ **동남아시아 국가 연합(ASEAN)**
동남아시아 국가들의 경제 성장과 안보 및 지역 안정을 도모하기 위한 기구. 역내 관세 철폐, 자본 및 노동력의 자유로운 이동, 통일된 경제 기준을 등을 적용하였다.

★ **남아메리카 공동 시장(MERCOSUR)**
남아메리카 4개국(브라질, 아르헨티나, 파라과이, 우루과이)이 무역 장벽을 전면 철폐하며 출범한 경제 공동체

② 세계 주요 경제 블록의 형성

왜? 세계 무역 기구는 다자주의를 표방하기 때문에 모든 회원국의 입장을 조율하는 것이 현실적으로 어렵기 때문이야.

1. 경제 블록의 형성 자료② 교과서 자료

(1) **배경**: 상호 이익을 추구하기 유리한 인접국끼리 공통된 경제적 목적을 이루기 위해 형성

(2) **지역주의**: 경제적·지리적으로 밀접한 국가 간에 나타남. 지역주의 심화로 최근 선진국 또는 지역 내 신흥 성장 국가를 중심으로 다양한 경제 블록 형성

(3) **주요 경제 블록**: 북아메리카 자유 무역 협정(NAFTA), *동남아시아 국가 연합(ASEAN), 아시아·태평양 경제 협력체(APEC), *남아메리카 공동 시장(MERCOSUR), 유럽 연합(EU)

└─ 환태평양 지역 국가의 경제 협력과 무역 증진   정치·경제·사회 각 분야에서 공동 정책 추진 ─┘

2. 경제 블록의 특징과 영향

(1) **특징**: 경제적으로 공동의 이해관계에 놓인 지역 내 국가들은 관세와 수입 제한 철폐, 자본과 노동력·서비스의 자유로운 이동을 보장함

(2) **영향**

긍정적 영향	회원국 간 자원 분배의 효율성 증가로 생산비 절감, 투자의 활성화, 지역 내 정치적 안정 도모, 고용 증가 및 실업 감소로 각국의 경제 성장
부정적 영향	• 비회원국에 대해서는 차별적인 대우로 외교적인 마찰이 발생하기도 함 • 개발 도상국: 선진국에 대한 경제적 의존도 증가, 경쟁력이 부족한 개발 도상국의 산업 위축 • 선진국: 자국 기업 생산 공장의 개발 도상국 이전이나 이주 근로자 증가로 일자리 부족 문제 발생

└─ 해당 산업과 관련된 기업의 생산량이 감소하고 고용이 축소될 수 있어. 그리고 다국적 기업의 생산 공장을 유치하기 위해 정부가 외국 기업에 대한 세제 혜택을 확대하거나 저임금 정책을 유지하여 자국 기업의 경영 불안 등의 문제가 발생하기도 해.

완자 자료 탐구 · 내 옆의 선생님

자료 ① 세계 무역 기구 가입 현황

(2015년)
☐ 회원국
☐ 참관국
■ 비회원국
(세계 무역 기구, 2017)

미 가입 국가 중 2017년 기준 가입을 고려중인 국가는 대부분 북부 아프리카와 서남아시아 일대의 이슬람 문화권 지역이다. 세계 무역 기구에 가입하지 않은 국가는 남수단, 소말리아, 북한 등이다.

자료 ② 경제 블록화의 네 단계

┌ 자본과 서비스의 자유
│ 로운 이동, 국가별 서로
│ 다른 규정

┌ 모든 경제 정책의 공조화

3 단계
회원국 간 생산 요소의 자유로운 이동이
가능
예 유럽 경제 공동체

4 단계
단일 통화, 회원국의 공동 의회 설치 등
정치·경제적 통합
예 유럽 연합

2 단계
역외국에 대해 공동 관세 적용
예 남아메리카 공동 시장

1 단계
회원국 간 관세 철폐 중심
예 북아메리카 자유 무역 협정

			초국가적 기구의 설치 및 운영
			역내 공동 경제 정책 수행
		역내 생산 요소의 자유 이동 보장	역내 생산 요소의 자유 이동 보장
		역외 공동 관세 부과	역외 공동 관세 부과
	역외 공동 관세 부과	역내 관세 철폐	역내 관세 철폐
역내 관세 철폐	역내 관세 철폐		
자유 무역 협정(FTA)	관세 동맹(CUSTOMS UNION)	공동 시장(COMMON MARKET)	완전 경제 통합(SINGLE MARKET)

경제 통합은 자유 무역 협정, 관세 동맹, 공동 시장, 완전 경제 통합 네 가지 유형으로 나뉘어진다. 1단계에서 4단계로 갈수록 경제 통합의 수준이 높아진다.

자료 하나 더 알고 가자!

국제 무역의 증대

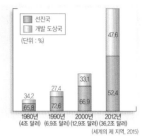

(단위 : %)
■ 선진국
☐ 개발 도상국

	1980년 (4조 달러)	1990년 (6.9조 달러)	2000년 (12.9조 달러)	2012년 (36.2조 달러)
개발 도상국	34.2	27.4	33.1	47.6
선진국	65.8	72.6	66.9	52.4

(세계의 제 지역, 2015)

세계 각국의 국제 무역은 증가 추세에 있는데, 특히 국제 무역에서 개발 도상국이 차지하는 비중의 증가율이 선진국보다 높게 나타나고 있다.

문제 로 확인할까?

경제 블록 중 완전 경제 통합에 해당하며, 정치·경제·사회의 각 분야에서 공동 정책을 펼쳐 나가고 있는 경제 블록은?

(U∃)라즁 ㅣ昆乜 B

수능이 보이는 교과서 자료 · 세계 주요 경제 블록

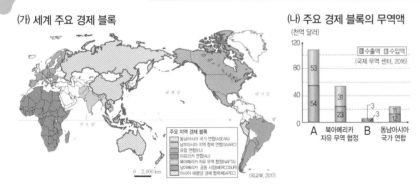

(가) 세계 주요 경제 블록

주요 지역 경제 블록
동남아시아 국가 연합(ASEAN)
남부아시아 지역 협력 연합(SAARC)
유럽 연합(EU)
아프리카 연합(AU)
북아메리카 자유 무역 협정(NAFTA)
남아메리카 공동 시장(MERCOSUR)
아시아 태평양 경제 협력체(APEC)
(외교부, 2017)

(나) 주요 경제 블록의 무역액

(천억 달러)
■ 수출액 ☐ 수입액
(국제 무역 센터, 2016)

	A	북아메리카 자유 무역 협정	B	동남아시아 국가 연합
수출액	53	31	3	11
수입액	54	23	3	12

전 세계의 국가들은 공간적으로 가까워서 상호 이익을 추구하기 유리한 인접국끼리 공통된 경제적 목적을 이루기 위해 경제 블록을 형성하고 있다. 일반적으로 경제 블록은 역내 자유 무역 협정(FTA)을 맺거나 생산 요소의 자유로운 이동을 보장하여 경제적 이익을 높이는 것을 목표로 한다.

완자쌤의 탐구 강의

• 세계의 경제 블록이 공통적으로 지향하는 바가 무엇인지 서술해 보자.
세계의 경제 블록은 보다 넓은 시장을 확보하면서 역내의 무역 장벽을 철폐하고 자본과 노동력의 자유로운 이동을 보장하며, 생활 수준 향상을 추구한다.

• (나)의 A, B에 해당하는 경제 블록을 (가)에서 골라 써 보자.
A는 유럽 연합, B는 남아메리카 공동 시장이다.

함께 보기 207쪽, 1등급 정복하기 2

1 ㉠, ㉡에 들어갈 용어를 각각 쓰시오.

국가 간 경제적으로 상호 의존성이 커지는 경제 세계화가 진행되고 있다. 특히 (㉠   )와 (㉡   ) 기업의 활동은 경제 세계화를 가속화하고 있다. (㉠   )는 자유 무역이 원활하게 이루어지도록 세계 무역 분쟁을 조정하는 역할을 한다.

2 경제 세계화에 대한 설명이 맞으면 ○표, 틀리면 ✕표를 하시오.

(1) 자유 무역 협정은 역외국에 대한 차별적 조치로 인해 무역 분쟁이 발생하기도 한다. (   )

(2) 경제 세계화로 경제적으로 상호 의존도가 높은 국가 간 자유 무역 협정을 체결함으로써 자유 무역이 축소되고 있다. (   )

(3) 경제 세계화로 기업은 국제 시장에서 더 많은 상품 판매가 가능하며, 소비자는 질 좋은 상품을 선택할 수 있는 기회가 증가한다. (   )

3 빈칸에 들어갈 내용을 쓰시오.

(1) (   )은 상호 이익을 추구하기 유리한 인접국끼리 공통된 경제적 목적을 이루기 위해 형성되었다.

(2) 경제 블록의 회원국 간은 대체로 (   )와 수입 제한을 철폐하고 자본·노동력·서비스 등의 자유로운 이동을 보장한다.

4 세계 주요 경제 블록의 특징을 옳게 연결하시오.

(1) 유럽 연합(EU) •

(2) 동남아시아 국가 • 연합(ASEAN)

(3) 북아메리카 자유 • 무역 협정(NAFTA)

(4) 아시아·태평양 경 • 제 협력체(APEC)

• ㉠ 태평양 연안 국가들로 회원국 구성

• ㉡ 캐나다, 미국, 멕시코 간의 자유 무역 협정

• ㉢ 정치·경제·사회 각 분야에서의 공동 정책 추진

• ㉣ 필리핀, 싱가포르 등 동남아시아 10개 국 간 체결

01 밑줄 친 ㉠~㉢에 대한 옳은 설명을 〈보기〉에서 고른 것은?

전 세계적인 교역 및 투자가 증가하면서 국가 간 상호 의존성이 증대되고 ㉠ 경제 세계화가 진행되고 있다. 이러한 경제 활동을 뒷받침하기 위해 ㉡ 세계 무역 기구(WTO)를 비롯한 다양한 국제기구가 설립되었다. 그리고 세계를 무대로 하여 판매 및 생산 활동을 하는 ㉢ 다국적기업이 성장하고 있다.

보기

ㄱ. ㉠은 교통 및 통신의 발달로 둔화되었다.

ㄴ. ㉡은 지리적으로 인접하여 상호 의존도가 높은 국가 간에 체결된다.

ㄷ. ㉢은 시장 확대와 이윤의 극대화를 위해 공간적 분업을 한다.

ㄹ. ㉠으로 인해 ㉢은 생산 공장을 개발 도상국으로 이전하기도 한다.

① ㄱ, ㄴ   ② ㄱ, ㄷ   ③ ㄴ, ㄷ

④ ㄴ, ㄹ   ⑤ ㄷ, ㄹ

02 지도는 어떤 국제기구의 가입국 현황을 나타낸 것이다. 이 국제기구의 특징으로 옳지 않은 것은?

① 각종 불공정 무역 행위를 규제한다.

② 관세 및 비관세 장벽의 철폐를 추진한다.

③ 국가 간 경제적 상호 의존성을 강화시킨다.

④ 국제 무역 시 발생하는 회원국들 간 분쟁을 조정한다.

⑤ 서비스 분야를 제외한 농산물, 공산품의 교역에 대한 완전한 개방을 추구한다.

03 표는 경제 블록화의 단계를 나타낸 것이다. ㉠~㉢에 들어갈 경제 블록을 옳게 연결한 것은?

구분	역내 관세 철폐	역외 공동 관세 부과	역내 생산 요소의 자유 이동 보장
㉠	○	○	×
㉡	○	○	○
㉢	○	×	×

	㉠	㉡	㉢
①	공동 시장	관세 동맹	자유 무역 협정
②	공동 시장	자유 무역 협정	관세 동맹
③	관세 동맹	공동 시장	자유 무역 협정
④	관세 동맹	자유 무역 협정	공동 시장
⑤	자유 무역 협정	공동 시장	관세 동맹

04 ⭐중요 지도에 표시된 (가), (나), (다) 경제 블록에 대한 설명으로 옳지 않은 것은?

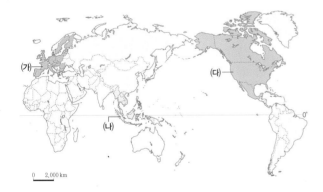

0 ___ 2,000 km

① (가)는 단일 화폐를 사용하며 역내 공동 경제 정책을 수행한다.

② (가)는 회원국 간 상품·노동력·자본의 자유로운 이동이 보장된다.

③ (나)는 회원국 간의 기술 및 자본 교류와 자원 공동 개발을 추진하고 있다.

④ (다)는 역외 국가들에 대해 공동 관세율을 적용한다.

⑤ (가)는 (나), (다)보다 정치·경제적 통합 수준이 높다.

05 ㉠에 들어갈 내용으로 적절한 것만을 〈보기〉에서 있는 대로 고른 것은?

1980년대 후반 브라질과 아르헨티나는 부에노스아이레스 협정을 통해 양국 간 경제 협력 증진과 시장 통합을 도모하였고, 1991년 파라과이와 우루과이까지 참여하여 아순시온 협약을 맺었다. 1995년 1월 1일 남아메리카 4개국이 무역 장벽을 전면 철폐하여 남아메리카 공동 시장이 출범하였다. 2012년에 베네수엘라 볼리바르까지 가입함으로써 이들 경제 블록은 _____㉠_____ 할 수 있게 되었다.

보기

ㄱ. 지역 내 무역 시 관세를 철폐
ㄴ. 역외 지역에 대한 공동 관세를 부과
ㄷ. 경제적 통합에 따라 제조업의 생산비가 증가
ㄹ. 세계 무역 환경이 변화할 경우 회원국 간 공동 대응 능력을 강화

① ㄱ, ㄴ 　　② ㄴ, ㄷ 　　③ ㄷ, ㄹ
④ ㄱ, ㄴ, ㄹ 　　⑤ ㄴ, ㄷ, ㄹ

06 (가), (나) 자료에 대한 옳은 설명을 〈보기〉에서 고른 것은?

(가)

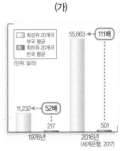

⬆ 1인당 국내 총생산 변화

(나)

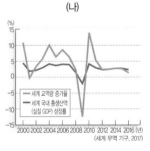

⬆ 세계 교역량 증가율 변화

보기

ㄱ. 1976년에 비해 2016년에 국가 간의 빈부 격차는 커졌다.
ㄴ. 세계 국내 총생산액 변화는 세계 교역량 증가율 변화와 반비례 양상을 보인다.
ㄷ. 세계 국내 총생산액 성장률이 증가한 시기는 자유 무역 협정 확산과 관련 있다.
ㄹ. 최상위 부국과 빈국의 평균 소득 격차는 1976년에 비해 2016년 세 배 정도 증가하였다.

① ㄱ, ㄴ 　　② ㄱ, ㄷ 　　③ ㄴ, ㄷ
④ ㄴ, ㄹ 　　⑤ ㄷ, ㄹ

07 다음에서 공통적으로 나타나는 현상에 대한 옳은 설명을 〈보기〉에서 고른 것은?

- 유럽 연합은 단일 시장과 단일 통화를 통한 유럽의 경제 발전을 도모하기 위해 출범하였다.
- 동남아시아 국가 연합은 동남아시아 국가 간 기술 및 자본의 상호 교류, 자원 공동 개발 추진을 위해 설립되었다.

보기

ㄱ. 경제력이 비슷한 국가들이 모여 경제 블록을 형성하고 있다.
ㄴ. 회원국 간 자유 무역을 통해 경제적 이익을 극대화하고자 한다.
ㄷ. 선진국을 중심으로 보호 무역주의를 추구하려는 움직임이 나타나고 있다.
ㄹ. 국가 간의 상호 의존성이 높아지고 각국의 경쟁력을 향상시키기 위해 경제 협력을 하고 있다.

① ㄱ, ㄴ   ② ㄱ, ㄷ   ③ ㄴ, ㄷ
④ ㄴ, ㄹ   ⑤ ㄷ, ㄹ

08 (가), (나) 현상에 대한 설명으로 옳지 <u>않은</u> 것은?

(가) (㉠) 체결 이후 멕시코는 세계 주요 자동차 기업의 생산 공장 거점이 되었다. 이에 따라 연간 약 10만 명의 자동차 제조 기술자들이 배출되고, 70만 개 이상의 자동차 관련 일자리가 창출되고 있다.
(나) 멕시코시티 소칼로 광장 주변 도로는 농사로 생계를 유지하지 못해 도시로 밀려온 남부 출신 농민들의 노점상이 들어서 있다. (㉠) 체결 후 ㉡ 멕시코의 농업은 위기를 맞이하였다.

① (가) 현상으로 멕시코는 고용 창출에 따른 산업 구조의 고도화가 이루어질 것이다.
② (가) 현상은 멕시코의 교역량이 증가하고 외국인 직접 투자가 증가하였기 때문이다.
③ (나) 현상은 소비자가 재화와 서비스를 더욱 저렴하게 이용할 수 있음을 보여주는 근거가 된다.
④ 외국에서 값싼 농산물이 수입되면 (나)에서 ㉡과 같은 위기가 발생할 수 있다.
⑤ (가), (나)의 ㉠에는 '북아메리카 자유 무역 협정(NAFTA)' 이 들어가야 한다.

01 (가), (나)는 세계 주요 경제 블록의 회원국을 나타낸 것이다. 이를 보고 물음에 답하시오.

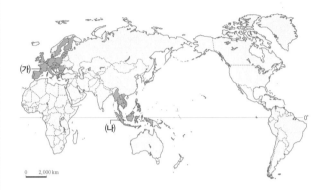

(1) (가), (나) 경제 블록의 명칭을 각각 쓰시오.

(2) (가), (나) 경제 블록의 공통점과 차이점을 서술하시오.

02 다음은 경제 블록에 관한 글이다. 물음에 답하시오.

경제 세계화는 경제적 또는 지리적으로 밀접한 국가 간에 (㉠)을/를 유발하기도 한다. 최근에는 (㉠)이/가 심화되면서 선진국 또는 지역 내 신흥 성장 국가들 중심으로 공동의 경제 이익을 추구하는 다양한 경제 블록이 형성되고 있다.

(1) ㉠에 공통으로 들어갈 용어를 쓰시오.

(2) 경제 블록에 의해 발생하는 긍정적, 부정적 영향에 대해 한 가지씩 서술하시오.

STEP 3 1등급 정복하기

정답친해 63쪽

1 그래프는 지도에 표시된 세 경제 블록의 무역액을 나타낸 것이다. (가)~(다)에 대한 옳은 설명을 〈보기〉에서 고른 것은?

> **경제 블록의 특징**
>
> ▌완자 사전 ▌
>
> • 무역 수지
> 상품 수출과 상품 수입의 차이를 나타낸 것이다.

┌ **보기** ┐

ㄱ. (가)는 (나)보다 세계 무역에서 차지하는 비중이 높다.
ㄴ. (가)는 무역 수지가 흑자, (나)는 무역 수지가 적자이다.
ㄷ. (다)는 (가)보다 회원국 수가 많다.
ㄹ. (가)~(다) 중에서 경제 통합의 정도는 (나)가 가장 높다.

① ㄱ, ㄴ   ② ㄱ, ㄷ   ③ ㄴ, ㄷ
④ ㄴ, ㄹ   ⑤ ㄷ, ㄹ

교육청 응용

2 경제 블록 ㉠과 비교한 ㉡의 상대적 특징을 아래 그림의 A~E에서 고른 것은?

> **경제 블록의 특징**
>
> **완자샘의 시험 꿀팁**
>
> 세계 주요 경제 블록의 특징을 비교하고 경제 블록화의 단계를 파악하는 문제가 출제된다. 주요 경제 블록의 단계와 특징, 체결 국가 등을 정리해 두어야 한다.

(㉠)은/는 동남아시아 국가 간의 기술 및 자본 교류와 공동 자원 개발을 추진하고 있어. 최근에는 협력을 강화하고 있어.

마스트리흐트 조약에 의해 결성된 (㉡)을/를 영국이 탈퇴하기로 결정하면서 영국에 있는 다국적 기업들이 독일이나 프랑스로 이전하는 것을 고려하고 있대.

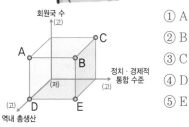

① A
② B
③ C
④ D
⑤ E

이것이 핵심!

환경 문제의 종류

지구 온난화	화석 연료 사용 증가에 따른 지구의 평균 기온 상승
사막화	과도한 방목과 삼림 벌채로 사막화가 가속화됨
산성비	공장이나 자동차의 오염 물질이 비에 흡수되어 내림
열대림 파괴	무분별한 벌목과 농경지 확대 등으로 열대림 파괴

★ 오존층
오존은 산소 원자 3개로 만들어진 분자로 대부분 성층권 내 고도 30km 부근에 집중적으로 분포한다. 오존층은 태양에서 방출하는 자외선을 흡수하여 지표 생명체를 보호하는 역할을 한다.

★ 염화플루오린화탄소
오존층을 파괴하는 주요 물질 중 하나로 주로 냉장고나 에어컨의 냉매제로 사용되었다.

중국과 몽골 내륙 지역에서 발생한 모래 먼지가 바람에 날려 이동하는 현상

---

1 지구적 환경 문제

1. 환경 문제의 종류 교과서 자료

─ 이산화 탄소, 메테인 등 지구 복사 에너지를 흡수하여 대기의 온도를 높이는 역할을 하는 기체

지구 온난화	• 발생: 산업화와 도시화로 인한 화석 연료 사용 증가, 삼림 파괴, 무분별한 농경지 확대 등의 인간 활동 → 대기 중 온실가스 증가 → 온실 효과 발생으로 지구 평균 기온 상승 • 영향: 극지방의 빙하 면적 감소, 해수면 상승으로 인한 해안 저지대 침수, 기상 이변 발생으로 자연재해 증가, 해충 개체 수의 증가 등 ─ 가뭄, 홍수, 한파, 폭설 등
사막화	발생: 이상 기후 현상이 증가하고 과도한 방목과 삼림 벌채로 일부 지역에서 사막화가 빠르게 진행 중임
산성비	• 발생: 공장이나 발전소에서 배출하는 매연이나 자동차에서 나오는 배기가스 등의 대기 오염 물질이 비에 흡수되어 내림 • 영향: 삼림과 농경지를 황폐화, 건축물이나 문화 유적을 부식시킴
열대림 파괴	발생: 생물종 다양성의 보고인 열대림이 벌목과 농경지 확대로 인해 빠른 속도로 파괴
★오존층 파괴	• 발생: *염화플루오린화탄소(CFCs)의 사용량 증가로 오존층이 감소되는 현상 • 영향: 자외선 투과량 증가로 피부암, 백내장 등의 질병 발병 증가 등

2. 오염 물질의 국제적 이동 ─ 일부 선진국들은 유해 폐기물을 자국 내에서 처리하지 않고 중앙 및 남아메리카와 아프리카 등지로 매각하거나 밀수출하고 있어.

(1) **산성비**: 서부 유럽에서 발생한 오염 물질이 바람을 타고 북유럽까지 이동해 삼림 파괴

(2) **황사와 미세 먼지**: 대기를 타고 이동하여 주변 지역에 피해 ─ 오염 물질이 대기나 해류의 흐름을 따라 이동하는 경우가 많아.

(3) **해양 쓰레기**: 바다에 버린 쓰레기가 해류를 타고 한곳에 모여 거대한 쓰레기 섬 형성
─ 화석 연료의 연소, 배기가스의 배출 등에 의해 발생해.
대부분 플라스틱이나 비닐로 구성되어 있어 해양 생태계를 파괴해.

이것이 핵심!

주요 환경 협약

람사르 협약	습지 보호
제네바 협약	산성비 문제 해결
몬트리올 의정서	오존층 보호
바젤 협약	폐기물 이동 규제
사막화 방지 협약	사막화 피해 지역 지원
교토 의정서, 파리 협정	온실가스 감축

★ 그린피스(Greenpeace)
1971년에 설립된 국제 환경 보호 단체로, 지구의 환경을 보존하고 평화를 증진시키기 위해 여러 활동을 펼치고 있다.

★ 생태 발자국
사람이 사는 동안 사용하는 모든 자원을 생산·처리하기 위해 드는 비용을 토지의 면적으로 나타낸 것

---

2 환경 문제 해결을 위한 노력

1. 국제적 노력

(1) **지속 가능한 발전 추구**: 경제 성장, 사회 안정과 통합, 환경 보전이 균형을 이루는 발전을 추구

(2) **주요 환경 협약** 자료①

람사르 협약(1971)	습지의 보호와 지속 가능한 이용을 목적으로 함
제네바 협약(1979)	산성비 문제를 해결하기 위해 국경을 넘어 이동하는 대기 오염 물질을 통제함
몬트리올 의정서(1987)	오존층 파괴를 막기 위해 염화플루오린화탄소(CFCs)의 사용을 규제
바젤 협약(1989)	유해 폐기물의 국가 간 이동에 관한 규제
사막화 방지 협약(1994)	심각한 사막화를 겪고 있는 개발 도상국을 재정적·기술적으로 지원함
교토 의정서(1997)	미국, 유럽 국가 등 선진국 38개국의 온실가스 감축 목표를 구체적으로 제시
파리 협정(2015)	선진국과 개발 도상국 모두 온실가스 감축 의무에 동참하도록 독려

(3) **비정부 기구(NGO)의 노력**: *그린피스, 세계 자연 보호 기금, 지구의 벗 등
─ Friends of the Earth

(4) **환경 지표 수립**: 생태 수용력, *생태 발자국, 가뭄 지수 등 자료②

2. 국가와 개인의 노력
─ 제품의 생산 및 소비 과정에서 환경 오염을 적게 유발시키는 상품에 마크를 부착해 주는 제도

(1) **국가의 노력**: 환경 친화적 정책 시행, 저탄소 에너지 구조 마련 예 환경 마크 제도, 쓰레기 종량제

(2) **개인의 노력**: 생활 속 환경 보전 활동 실천 예 대중교통 이용, 환경친화적 제품 사용 등

완자 자료 탐구

내 옆의 선생님

수능이 보이는 교과서 자료 · 세계의 주요 환경 문제

↑ 산성비의 피해 지역

↑ 사막화와 열대림 파괴 지역

□ 산성비 피해가 심한 지역 □ 산성비로 인한 토지 오염 가능 지역
⋯ 산성비 피해 지역 □ 산성비의 원인 물질 배출 지역
(옥스퍼드 학생 세계 지도, 2012)

□ 사막화 진행 지역 □ 열대림 파괴 지역
(옥스퍼드 학생 세계 지도, 2012)

산성비는 삼림과 농경지를 황폐화하고 건축물이나 문화 유적 등을 부식시킨다. 특히 산성비는 오염원 배출국과 피해국이 다른 경우가 많아 주변국과의 긴밀한 협조가 필요하다. 사막화는 전 세계 스텝 기후 지역에서 빠르게 진행 중이며, 열대 우림 지역에서는 경지 확대, 자원 개발 등으로 인한 열대림 파괴가 가속화되고 있다.

완자샘의 탐 구 강 의

• 산성비 피해가 심한 지역의 특징을 서술해 보자.
서부 유럽의 공업 지역에서 발생한 오염 물질이 스칸디나비아반도까지 이동하여 북유럽까지 산성비 피해가 심한 지역이 되었다. 이로 인해 산성비 원인 물질 배출 지역보다 피해 지역이 더 넓음을 알 수 있다.

함께 보기 216쪽, 1등급 정복하기 2

자료 1 주요 국제 환경 협약

오늘날 환경 문제는 전 지구적 차원에서 발생하고 있다. 따라서 세계 각국은 국제적인 협약을 체결하여 국가 간 협력과 규제를 통해 환경 문제를 해결하고자 노력하고 있다.

문제 로 확인할까?

오존층 보호를 위해 염화플루오린화탄소의 사용 규제를 명시한 협약은?
① 바젤 협약   ② 교토 의정서
③ 제네바 협약   ④ 람사르 협약
⑤ 몬트리올 의정서

⑤

자료 2 파머 가뭄 지수로 예측해 보는 세계 가뭄의 정도

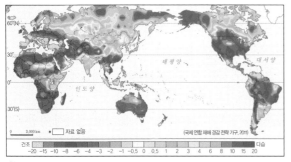

↑ 2090~2099 예상 파머 지수

파머 가뭄 지수는 기후 체계의 균형 유지에 필요한 강수량과 실제 강수량을 비교하여 가뭄을 판단한다. 파머 가뭄 지수의 수치가 클수록 습윤한 지역이며, 0 미만이면 가뭄 지역, −4 미만이면 극심한 가뭄 지역이다.

자료 하나 더 알고 가자!

생태 발자국 변화 추이

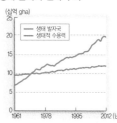

지속 가능한 발전을 위해서는 생태 발자국이 생태적 수용력과 같거나 그보다 작아야 한다. 그러나 인구 증가와 산업 발달로 생산과 소비가 증가함에 따라 지구의 생태 발자국 수치는 빠르게 증가하고 있다.

3 지역 분쟁과 국제 난민

1. 지역 분쟁의 발생 ── 최근에는 주체가 명확하지 않은 테러가 지구 평화에 큰 위협이 되고 있어.

(1) **발생 원인**: 영토 내 자원 확보를 둘러싸고 발생, 다른 종교 간 갈등이나 같은 종교 내의 교파 간 갈등으로 발생, 석유, 수자원 등 경제 가치가 있는 자원 확보를 위해 발생

(2) **세계의 분쟁 지역** (자료 ③)

영토 분쟁	쿠릴 열도 분쟁, 포클랜드 제도 분쟁 등
에너지 자원 분쟁	북극해 분쟁, 카스피해 분쟁, 아부무사섬 분쟁, 기니만 분쟁, 센카쿠 열도 분쟁, 난사 군도 분쟁 등
물 분쟁	티그리스·유프라테스강, 요르단강, 나일강, 갠지스강, 오리노코강 유역 국가들 간 분쟁
민족·종교 분쟁	북아일랜드 분쟁, 쿠르드족 자치권 확대 독립운동, *팔레스타인 분쟁, *카슈미르 분쟁, 신할리즈족과 타밀족 대립, 카탈루냐 지방의 분리 독립운동, 티베트족의 분리 독립운동, 모로족의 분리 독립운동, 구유고슬라비아의 민족 독립과 코소보 독립운동 등

2. 지역 분쟁으로 인한 난민 발생 ── 국제 사회는 난민의 신체적 안전과 개인의 기본권을 보장하기 위해 유엔 난민 기구(UNHCR)를 만들어 난민 문제에 대처하고 있어.

(1) **난민**: 인종, 종교 또는 정치적·사상적 차이로 인한 박해와 전쟁, 테러, 극도의 빈곤, 자연재해 등을 피해 외국이나 다른 지역으로 탈출하는 사람 → 잦은 갈등과 분쟁으로 일부 국가는 정치적·경제적 위기 상황, 난민 문제, 기아 문제 발생

(2) **난민 이동의 특징**: 내전과 종교적 갈등이 자주 발생하는 아프리카와 서남아시아, 중앙 및 남아메리카 지역의 자국에서 발생하여 가깝고 경제적 여건이 좋은 유럽, 미국 등지로 이동 → 국가 간 또는 국가 내 주민들 간 갈등 발생 (자료 ④)

4 분쟁 해결 노력과 세계 시민 의식 함양

1. 세계 평화를 위한 국제 사회의 노력

(1) **국제 연합(UN)** (자료 ⑤)

① 활동 내용: 세계 평화를 위한 초국가적 협의체, 국가 간의 상호 이해와 협력 증진 추구

② 산하 기구: *안전 보장 이사회, *국제 사법 재판소, 평화 유지군, 유엔 난민 기구(UNHCR) 등
── 분쟁 지역의 무력 충돌 감시, 주민 보호 ── 난민의 기본권 보장

(2) **비정부 기구(NGO)**

① 활동 내용: 개인이나 민간 단체를 중심으로 국제적 연대를 통해 범세계적 문제 해결, 환경 보호, 인도주의 의료 구호, 인권 향상 등을 목적으로 함 ── 인권 보호

② 대표 기구: 그린피스, 국경없는 의사회, 앰네스티, 국제 사면 위원회 등
── 재난 지역에서 긴급 구호 활동 ── 언론 및 종교 탄압 행위 비판, 인권 보호

2. 세계 시민으로서의 역할 ── 인류의 보편적 가치를 인식하고 이를 생활 속에서 어떻게 실천할지 고민하고 행동하는 사람

(1) **세계 시민 의식의 필요성**: 세계화의 영향으로 국가 간 상호 의존성이 높아짐에 따라 인류가 맞닥뜨린 문제들이 국경을 초월하는 경우가 많아졌음

(2) **세계 시민의 태도**: 국제 평화를 추구하고 보편적인 인권 존중 의식을 함양, 세계적 차원에서 문제의식을 공감하고 국제 사회의 개선과 발전을 위해 고민하며, 이를 지역적 수준에서 실천할 수 있는 세계 시민의 안목을 가져야 함

완자 자료 탐구

내 옆의 선생님

자료 ③ 세계 분쟁 지역과 난민 발생

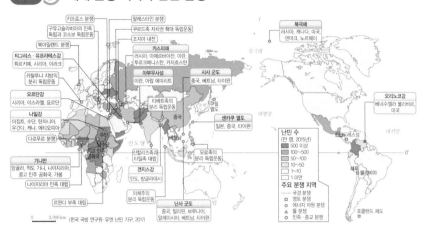

자료 하나 더 알고 가자!

쿠르드족 자치권 확대 독립운동

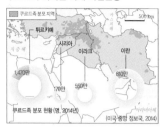

인구 3천만 명이 넘는 쿠르드족은 제1차 세계 대전 이후 튀르키예, 이란, 이라크, 시리아 등지에 흩어져 살고 있다. 쿠르드족은 독립운동 단체를 만들어 독립을 위한 투쟁을 벌이고 있지만, 각국의 이해관계가 얽혀 있어 주변 국가들과 갈등을 빚고 있다.

종교, 인종, 정치, 자원의 분배, 환경 등 다양한 문제를 둘러싸고 세계 여러 지역에서 분쟁이 계속되고 있으며 이에 따라 삶의 터전을 떠나야 하는 난민이 증가하고 있다.

자료 ④ 난민의 이동

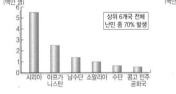

● 국제 난민 발생국   ● 국제 난민 수용국

세계 난민의 약 70%는 아프리카에 위치한 상위 6개 국가에서 발생하고 있으며, 6년째 내전이 진행되고 있는 시리아 출신 난민이 550만 명으로 가장 많다. 난민을 수용하는 상위 6개 국가는 튀르키예, 파키스탄 등 난민 발생 국가와 지리적으로 인접한 국가들이다.

자료 하나 더 알고 가자!

1분당 발생하는 세계 난민 수

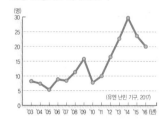

2005년 1분당 6명꼴로 발생했던 난민은 2016년에는 1분당 20명꼴로 크게 늘었다.

자료 ⑤ 국제 연합의 평화 유지 활동

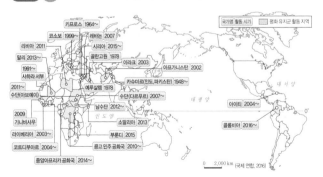

국제 연합(UN)은 분야별 전문 기관을 두고 경제적·사회적·문화적 차원에서의 국제 협력을 늘리고 있다. 평화 유지군은 분쟁 지역의 긴장 완화, 휴전 지역의 휴전 협정 위반 사항 감시 등을 목적으로 국제 연합에서 파견하는 군대이다.

문제 로 확인할까?

국제 연합의 산하 기관으로 옳지 <u>않은</u> 것은?

① 평화 유지군
② 유엔 난민 기구
③ 국제 사면 위원회
④ 안전 보장 이사회
⑤ 국제 사법 재판소

© 🏢

정답친해 64쪽

STEP 1 핵심 개념 확인하기

1 글의 ㉠, ㉡에 들어갈 용어를 각각 쓰시오.

> 산업화와 도시화로 인한 (㉠   )의 사용 증가에 따라 지구의 평균 기온이 상승하는 (㉡   ) 현상이 발생하였다. 이로 인해 극지방의 대륙 빙하의 면적이 감소하고 해수면이 상승하면서 일부 해안 저지대에서는 침수 피해가 발생한다.

2 다음에 해당하는 환경 협약을 〈보기〉에서 골라 기호를 쓰시오.

> **보기**
> ㄱ. 바젤 협약   ㄴ. 파리 협정
> ㄷ. 람사르 협약   ㄹ. 몬트리올 의정서

(1) 유해 폐기물의 국가 간 이동 및 처리를 통제   (   )

(2) 오존층 파괴 물질인 염화플루오린화탄소의 생산 및 사용 규제   (   )

(3) 기후 변화에 대응하기 위해 선진국과 개발 도상국이 모두 온실가스 감축 의무에 동참   (   )

(4) 생태적·사회적·경제적·문화적 가치를 지닌 습지의 보호와 지속 가능한 이용을 위해 체결   (   )

3 지역 분쟁과 유형을 옳게 연결하시오.

(1) 쿠릴 열도 분쟁 •   • ㉠ 자원 분쟁

(2) 카스피해 주변 국가 • 간 분쟁   • ㉡ 민족 분쟁

(3) 카탈루냐 지방의 분 • 리 독립운동   • ㉢ 영토 분쟁

4 다음에서 설명하는 국제 기구의 이름을 쓰시오.

(1) 비정부 기구 중 하나로 1971년에 설립된 국제 환경 보호 단체이다. 지구의 환경을 보존하고 평화를 증진시키기 위해 여러 활동을 펼치고 있다.   (   )

(2) 국제 연합의 주요 기관 중 하나로 미국, 영국, 러시아, 프랑스, 중국으로 구성된 5개의 상임 이사국과 국제 연합 총회에서 2년마다 선출되는 10개의 비상임 이사국으로 구성된다.   (   )

STEP 2 내신 만점 공략하기

01 그림과 같은 환경 문제가 지속될 경우 예상되는 현상에 대한 설명으로 옳은 것은?

① 난대성 식물의 재배 북한계가 남하할 것이다.

② 고산 지대의 만년설이 녹아 해수면이 하강할 것이다.

③ 연안 지역에서 한류성 어족의 어획량이 증가할 것이다.

④ 가뭄과 홍수, 한파와 같은 재해 발생 빈도가 높아질 것이다.

⑤ 동식물의 개체 수가 증가하고 해충의 개체 수가 감소할 것이다.

02 (가), (나)에 대한 설명으로 옳지 <u>않은</u> 것은?

> (가) 남극 상공의 오존층 두께가 각종 화학 물질에 의해 조금씩 얇아지고 있다.
> (나) 지구 표면의 약 12%를 덮고 있던 열대림은 현재 5% 정도 밖에 남지 않았는데, 이마저도 앞으로 40년 이내에 사라질 것으로 예상되고 있다.

① (가)는 염화플루오린화탄소의 사용이 감소하면서 발생하는 현상이다.

② (가)와 같은 현상이 발생하면 피부암, 백내장 같은 질병의 발병률이 증가한다.

③ (나) 현상이 지속되면 동식물의 서식지가 파괴되기도 한다.

④ (나)는 농경지 확대, 목재 생산을 위한 벌목으로 발생하고 있다.

⑤ (나)와 같은 현상이 지속되면 대기 중 온실가스 농도가 높아진다.

03 지도는 2090~2099년 예상 파머 가뭄 지수를 나타낸 것이다. 이에 대한 옳은 설명을 〈보기〉에서 고른 것은?

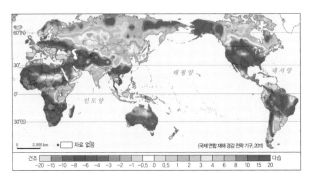

보기

ㄱ. 북반구 고위도로 갈수록 가뭄의 정도가 심화되고 있다.

ㄴ. 아마존강 유역은 가뭄 피해가 심화될 것으로 예상된다.

ㄷ. 세계 곳곳에서 물 부족이 장기화되고 기아, 난민 등이 증가할 것으로 예상된다.

ㄹ. 가뭄 지수가 클수록 건조한 지역이며, 가뭄 지수가 작을수록 습윤한 지역이다.

① ㄱ, ㄴ   ② ㄱ, ㄷ   ③ ㄴ, ㄷ
④ ㄴ, ㄹ   ⑤ ㄷ, ㄹ

04 다음 글의 밑줄 친 부분에 들어갈 내용으로 가장 적절한 것은?

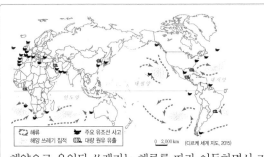

해양으로 유입된 쓰레기는 해류를 따라 이동하면서 거대한 쓰레기 섬을 형성하기도 한다. 이러한 문제를 해결하기 위해서는 _____

① 미세 플라스틱 사용량을 늘려 나가야 한다.

② 공기 청정기를 구매하고 마스크를 착용해야 한다.

③ 자동차 배기가스 배출을 줄이는 것이 급선무이다.

④ 특정 국가에서만 해결 노력 방안을 제시해야 한다.

⑤ 해류의 흐름을 이용하여 쓰레기를 한 곳에 모으는 시설물을 설치한다.

05 지도는 어느 환경 문제의 피해 지역을 나타낸 것이다. 이 환경 문제에 대한 옳은 설명을 〈보기〉에서 고른 것은?

보기

ㄱ. 호수 산성화 및 건물 부식 등의 피해를 유발한다.

ㄴ. 기후 변화로 인한 지속적인 가뭄이 큰 원인 중 하나이다.

ㄷ. 이 환경 문제 해결을 위해 국제 사회는 람사르 협약을 체결하였다.

ㄹ. 열대 우림 기후 지역보다 스텝 기후 지역에서 발생 가능성이 높다.

① ㄱ, ㄴ   ② ㄱ, ㄷ   ③ ㄴ, ㄷ
④ ㄴ, ㄹ   ⑤ ㄷ, ㄹ

06 지도는 환경 문제 중 A 문제의 피해 지역 및 오염 지역을 나타낸 것이다. 이와 관련된 탐구 주제로 가장 적절한 것은?

① 인구 증가와 과도한 농경에 따른 환경 문제

② A 문제 해결을 위한 파리 협정 체결의 효과

③ 중위도 무역풍이 A 문제 확산에 끼치는 영향

④ 해수면 상승에 따른 해안 저지대 주민들의 피해와 대책

⑤ 원인 물질 배출 지역과 피해 지역이 달라 발생하는 국가 간 갈등

07 자료에 대한 옳은 설명을 〈보기〉에서 고른 것은?

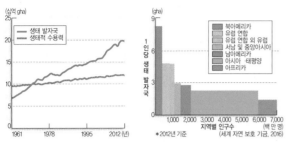

↑ 지구 생태 발자국 변화 추이 ↑ 지역별 인구와 1인당 생태 발자국

─ 보기 ─

ㄱ. 생태 발자국은 지구가 정화할 수 있는 자원의 양을 뜻한다.

ㄴ. 소득 수준이 높은 지역일수록 1인당 생태 발자국이 높은 편이다.

ㄷ. 생태 발자국의 총량은 아시아·태평양 지역이 북아메리카보다 많다.

ㄹ. 지속 가능한 발전을 위해서는 생태 발자국 수치가 생태적 수용력보다 높아야 한다.

① ㄱ, ㄴ   ② ㄱ, ㄷ   ③ ㄴ, ㄷ

④ ㄴ, ㄹ   ⑤ ㄷ, ㄹ

08 (가), (나)에서 공통으로 나타나는 갈등과 분쟁의 양상으로 가장 적절한 것을 밑줄 친 ㉠~㉤에서 고른 것은?

(가) 1950년 중국 인민 해방군이 티베트를 강제 합병하면서 티베트족의 독립 요구는 끊이지 않고 있다.

(나) 쿠르드족은 제1차 세계 대전 이후 튀르키예, 이란, 이라크, 시리아 등지에 흩어져 살고 있었으나 현재 독립을 위한 투쟁을 벌이고 있다.

영토 분쟁은 ㉠ 국경선이 명확하게 설정되지 않은 지역, ㉡ 한 국가가 다른 국가의 영역을 무력으로 점령한 역사가 있는 지역, ㉢ 한 국가 내에서 민족이나 종교의 차이를 보이는 소수 민족이 분리 독립하려는 지역에서 주로 발생한다. 특히 ㉣ 강대국의 이해관계에 따라 민족의 분포와는 무관하게 국경선이 설정된 지역 갈등은 지구 평화에 큰 영향을 미치고 있다. 최근에는 ㉤ 주체가 명확하지 않은 테러가 지구 평화에 위협이 되고 있다.

① ㉠   ② ㉡   ③ ㉢   ④ ㉣   ⑤ ㉤

09 지도의 A, B 갈등 지역을 오른쪽의 ㉠~㉢과 옳게 연결한 것은?

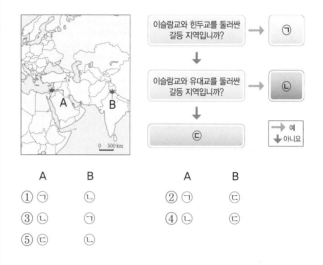

      A   B   A   B
① ㉠   ㉡   ② ㉠   ㉢
③ ㉡   ㉠   ④ ㉡   ㉢
⑤ ㉢   ㉡

10 지도는 세계의 분쟁 지역을 나타낸 것이다. A~E 지역에 대한 설명으로 옳은 것은?

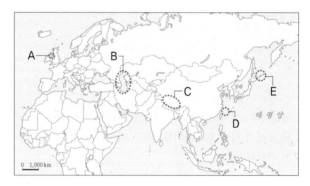

① A는 다양한 언어가 공존하여 분쟁이 발생하는 지역이다.

② B는 에너지 자원을 둘러싼 분쟁 지역이다.

③ C는 중국과 인도 간의 영토 분쟁 지역이다.

④ D는 불교와 힌두교 간의 종교 분쟁 지역이다.

⑤ E는 A~E 중에서 분쟁 당사국의 수가 가장 많은 지역이다.

11 자료에 나타난 지역 분쟁을 해결하기 위한 국제 사회의 활동으로 옳은 것을 〈보기〉에서 고른 것은?

> 시리아 남부의 알 누아이마 마을은 한때 약 1만 명의 사람들이 살던 곳이다. 그러나 시리아 정부군 및 반군 세력, 극단주의 단체 사이에 교전이 벌어져 많은 사람들이 이곳을 떠나야만 했다. 그러나 가진 돈이 거의 없고 찾아갈 안전한 곳도 없던 사람들은 다시 마을로 돌아와 훼손된 건물이나 천막 등 열악한 환경에서 살고 있다.
> – 국경 없는 의사회 누리집, 2017. –

보기

ㄱ. 유엔 난민 기구가 분쟁 지역의 난민 보호를 위해 노력한다.
ㄴ. 국경 없는 의사회가 부상자들을 위해 의료 구호 활동을 펼친다.
ㄷ. 그린피스가 드루즈인들의 인권 실태를 알리고 정부의 구호를 호소한다.
ㄹ. 국제 사법 재판소에서 분쟁 지역의 무력 충돌을 감시하고 주민을 보호한다.

① ㄱ, ㄴ　　② ㄱ, ㄷ　　③ ㄴ, ㄷ
④ ㄴ, ㄹ　　⑤ ㄷ, ㄹ

12 세계 평화를 위한 지구촌의 노력에 관한 수업 내용이다. 옳지 <u>않은</u> 내용을 말한 학생을 고른 것은?

> • 교사: 국가 간 분쟁 해결과 세계 평화를 위해서 국제 사회와 우리들은 어떤 노력을 하고 있을까요?
> • 갑: 세계 평화를 위한 초국가적 협의체로 국제 연합을 창설하였습니다.
> • 을: 5개의 상임 이사국과 10개의 비상임 이사국으로 구성된 안전 보장 이사회에서 국제 평화와 안전 유지를 위한 권한을 행사합니다.
> • 병: 국가 간 법적 분쟁을 해결하기 위해 평화 유지군을 파견하고 있습니다.
> • 정: 국경 없는 의사회, 국제 사면 위원회 등 비정부 기구들도 많은 노력을 하고 있습니다.
> • 무: 국제 사회의 노력뿐만 아니라 지구촌 공동체의 구성원임을 인식하고 국제 사회의 개선과 발전을 위해 고민하는 세계 시민으로서의 자세 또한 필요합니다.

① 갑　② 을　③ 병　④ 정　⑤ 무

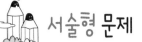 **서술형 문제**

● 정답 친해 65쪽

01 그림은 A 환경 문제의 발생 과정을 나타낸 것이다. 이를 보고 물음에 답하시오.

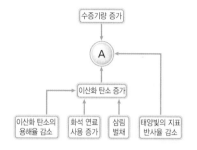

(1) A에 들어갈 환경 문제를 쓰시오.

(2) A 환경 문제가 지속될 경우 나타날 수 있는 현상을 <u>세 가지만</u> 서술하시오.

02 다음 자료를 보고 물음에 답하시오.

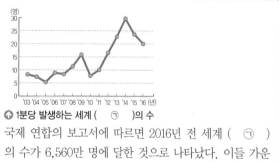

⬆ 1분당 발생하는 세계 (　㉠　)의 수

국제 연합의 보고서에 따르면 2016년 전 세계 (　㉠　)의 수가 6,560만 명에 달한 것으로 나타났다. 이들 가운데 약 2,000만 명은 국제 (　㉠　)이며, 약 4,000만 명은 국내 실향민이다.

(1) ㉠에 공통으로 들어갈 용어를 쓰시오.

(2) ㉠의 수가 증가하는 이유를 제시된 용어를 사용해 서술하시오.

• 갈등	• 분쟁	• 강제

STEP 3 1등급 정복하기

1 다음 자료에서 (가) 환경 문제가 심화될 경우 나타날 수 있는 변화를 그림의 A~E에서 고른 것은?

> 지구적 환경 문제

조사 주제: _____(가)_____으로 인한 순록 개체 수 감소

조사 내용

• 현상: 1994년 대비 2010년에 북극권 순록의 체중이 약 12% 줄어듦. 2013~2014년 러시아에 위치한 야말 반도에서 순록의 개체 수가 약 6만 마리 감소함, 약 21~27년 사이에 개체 수가 약 40% 감소한 것으로 추정함

• 원인: 북극권의 기후 변화로 눈이 비로 바뀌면서 겨울철의 초지가 눈 대신 얼음으로 뒤덮여, 순록들이 먹이를 구하기가 어려워졌기 때문임

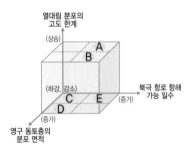

① A   ② B   ③ C   ④ D   ⑤ E

수능 응용

2 (가), (나) 환경 문제에 대한 교사의 질문에 옳지 <u>않은</u> 내용을 말한 학생을 고른 것은?

> 지구적 환경 문제

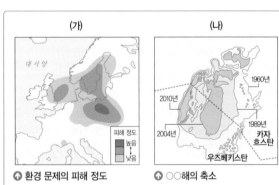

↑ 환경 문제의 피해 정도   ↑ ○○해의 축소

• 교사: (가), (나)는 두 가지 환경 문제를 나타낸 것입니다. 이에 대해 발표해 볼까요?
• 갑: (가) 문제가 지속될 경우 호수의 산성화가 나타납니다.
• 을: (가) 문제 해결을 위해 국제 사회는 몬트리올 의정서를 채택하였습니다.
• 병: (나) 현상으로 인해 ○○해는 평균 수심이 얕아졌습니다.
• 정: (나) 문제의 주요 원인은 지나친 관개 농업 때문입니다.
• 무: (나) 현상이 나타나는 ○○해 주변 지역에서는 토양 염류화가 진행되었습니다.

① 갑   ② 을   ③ 병   ④ 정   ⑤ 무

평가원 응용

3 다음 내용에 공통으로 해당되는 하천을 지도의 A~E에서 고른 것은?

- 이 하천은 국제 하천으로, 세계 4대 문명의 발상지 중 하나이며, 상류의 고원 및 산간 지대에서 흘러나오는 물이 유량의 대부분을 차지한다.
- 20세기 후반 이 하천의 상류 지역에서 22개의 댐을 건설하려는 아나톨리아 프로젝트가 추진되면서 상류와 하류 국가들 사이에 물 분쟁이 심화되었다.
- 이 하천의 상류에 있는 한 국가는 하류의 국가들이 원유 자원을 무기화할 경우 자국은 물을 무기화하겠다고 선언하기도 하였다.

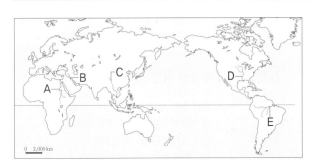

① A
② B
③ C
④ D
⑤ E

> **물 분쟁 지역**
>
> **|완자 사전|**
>
> **• 국제 하천**
> 두 국가 이상의 국경을 이루거나 여러 나라를 거쳐서 흐르는 하천

4 다음 계획서의 답사 경로로 옳은 것을 지도의 A~E에서 고른 것은?

- 답사 경로: (가) → (나) → (다)
- 답사 지역의 특징

(가)	팔레스타인 민족과 유대 민족 간에 갈등이 발생한 지역으로 두 민족의 종교 차이도 갈등의 원인이 되고 있다.
(나)	대량의 석유와 천연가스가 매장되어 있는 것으로 밝혀지면서 주변 국가들 간에 입장이 대립하고 있는 지역으로, 최근 이곳을 바다로 인정하기로 부분적 합의가 이루어졌다.
(다)	힌두교와 이슬람교 간 갈등 지역으로, 이 지역은 이슬람교도가 많았음에도 힌두교가 다수인 국가의 영토로 귀속되면서 갈등이 시작되었다.

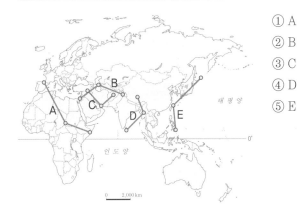

① A
② B
③ C
④ D
⑤ E

> **세계의 주요 분쟁 지역**
>
> **완자샘의 시험 꿀팁**
>
> 세계 주요 분쟁 지역을 민족, 종교, 자원, 영토 분쟁 등 주요 원인에 따라 분류하고 위치를 파악할 수 있어야 한다.

01 경제 세계화와 경제 블록의 형성

1. 경제 세계화

경제 세계화	교통과 통신이 발달하고 국가 간의 인적·물적 교류가 활발해지면서 경제적으로 상호 의존성이 커지고 국가의 경계를 넘어 하나로 통합되어 가는 현상
경제 세계화를 가속화시키는 요인	법적 권한과 구속력을 행사하면서 세계 무역 질서를 유지하는 (❶)와 (❷)의 공간적 분업이 경제 세계화를 이끎

2. 경제 세계화가 미치는 영향

긍정적 영향	경제적 상호 의존도가 높은 국가끼리 자유 무역 협정 체결로 자유 무역이 확대
부정적 영향	선진국과 개발 도상국 간 빈부 격차 심화, 역외국에 대한 차별 조치로 무역 분쟁 발생, 개발 도상국의 경쟁력이 취약한 산업은 고용과 생산량 감소 우려

3. 세계 주요 경제 블록의 형성

(1) **지역 주의**: 경제적·지리적으로 밀접한 국가 간에 나타남, 지역주의 심화로 다양한 경제 블록 형성

(2) 주요 경제 블록

북아메리카 자유 무역 협정(NAFTA)	캐나다, (❸), 멕시코 간의 자유 무역 협정
동남아시아 국가 연합 (ASEAN)	필리핀, 싱가포르 등 동남아시아 10개국 간의 기술 및 자본 교류 등을 추진
남아메리카 공동 시장 (MERCOSUR)	남아메리카의 브라질, 아르헨티나, 우루과이, 파라과이로 구성
(❹)	정치·경제·사회 분야에서 공동 정책 추진, 단일 화폐 유로화 사용

(3) 경제 블록의 특징과 영향

특징	경제적으로 공동의 이해관계에 놓인 지역 내 국가들은 대체로 (❺)와 수입 제한 철폐, 자본·노동력·서비스의 자유로운 이동을 보장함
영향	회원국 간 자원 분배의 효율성 증가로 생산비 절감, 투자의 활성화, 지역 내 정치적 안정 도모 등 ↔ 비회원국에 대해서는 차별적인 대우로 외교적인 마찰이 발생하기도 함

02 지구적 환경 문제와 국제 협력

1. 지구적 환경 문제

(❻)	화석 연료 사용 증가로 지구 평균 기온 상승 → 해수면 상승, 이상 기후 현상 발생 등
사막화	과도한 방목과 개간으로 빠르게 진행
(❼)	공장·발전소·자동차 등에서 나오는 오염 물질이 비에 섞여 내림 → 건물의 부식, 삼림 황폐화 등
열대 우림 파괴	무분별한 벌목과 농경지 확대 등 → 지구 온난화 심화, 생물 종 다양성 감소 등
오존층 파괴	염화플루오린화탄소(CFCs) 사용 증가로 오존층 감소 → 피부암, 백내장 등 질병 발생 증가

2. 환경 문제 해결을 위한 노력

국제적 노력	• 환경 협약 체결: (❽) 협약(산성비), 몬트리올 의정서(오존층 파괴), 교토 의정서 • 파리 협정(온실가스 감축) 등 • 환경 지표 수립: 생태 발자국, 가뭄 지수 등
국가의 노력	저탄소 에너지 구조 마련, 환경 마크 제도 등
개인의 노력	대중교통 이용, 환경친화적 제품 이용 등

03 세계 평화와 정의를 위한 노력

1. 지역 분쟁과 국제 난민

지역 분쟁	영역, 종교, 자원 등의 원인으로 분쟁 발생 ⓔ 팔레스타인 분쟁, 카슈미르 분쟁, 카스피해 분쟁, 쿠릴 열도 분쟁, 티베트족 분리 독립운동 등
난민	잦은 갈등과 분쟁으로 난민 문제, 기아 문제 발생 – 아프리카와 서남아시아 중앙 및 남아메리카 지역에서 가깝고 경제적 여건이 좋은 유럽, 미국 등지로 난민 이동

2. 평화를 위한 노력과 세계 시민 의식 함양

(1) 세계 평화를 위한 국제 사회의 노력

국제 연합	국제 사법 재판소, 평화 유지군, 유엔 난민 기구 등
(❾)	그린피스, 국경 없는 의사회, 앰네스티 등

(2) (❿)으로서의 역할: 세계적 차원에서 문제의식 공감, 지역적 수준에서 실천할 수 있는 세계 시민 안목 함양

01 ㉠에 들어갈 국제 기구에 대한 옳은 설명을 〈보기〉에서 고른 것은?

> 경제의 세계화가 본격적으로 확대되기 시작한 것은 1995년 (㉠)이/가 출범하면서부터이다. (㉠)의 출범으로 국제 거래가 확대되면서 소비자들은 다양한 제품을 선택할 수 있게 되었다.

보기
ㄱ. 자유 무역보다는 보호 무역을 추구한다.
ㄴ. 국가 간 교역에서 관세 및 비관세 장벽의 철폐를 추진한다.
ㄷ. 서비스 분야를 제외한 농산물, 공산품의 교역에 대한 완전한 개방을 추구한다.
ㄹ. 국가 간 무역 분쟁 조정, 불공정 행위 규제 등 법적 권한과 강제적 구속력의 행사가 가능하다.

① ㄱ, ㄴ ② ㄱ, ㄷ ③ ㄴ, ㄷ
④ ㄴ, ㄹ ⑤ ㄷ, ㄹ

02 ㉠~㉤에 대한 설명으로 옳지 않은 것은?

> 경제 블록은 (㉠) 등을 목적으로 한다. 따라서 활발한 교역을 통해 자원이 효율적으로 배분되고, (㉡)될 수 있다. 안정적인 시장이 확보되면 고용이 증가하고 실업은 감소하여 각 국가의 경제가 성장할 수 있다. 한편, ㉢ 개발 도상국은 선진국에 대한 경제적 의존도가 높아지거나, 다국적 기업의 생산 공장을 유치하기 위한 ㉣ 정부의 정책으로 많은 문제가 발생하기도 한다. 그리고 ㉤ 자유 무역 확대로 국가 간 빈부 격차가 커지기도 한다.

① ㉠에는 '넓은 시장 확보와 자본과 노동력의 자유로운 이동'이 들어간다.
② ㉡에는 '회원국 간 투자가 활성화'가 들어간다.
③ ㉢으로 개발 도상국의 경제적 자립성은 낮아진다.
④ ㉣으로 다국적 기업에 대한 세재 혜택 및 공장 부지 제공 등이 있다.
⑤ ㉤의 경우 선진국은 제조업, 개발 도상국은 금융 서비스 등을 담당하면서 경제적 격차가 커질 수 있다.

03 다음 글의 ㉠에 대한 설명으로 옳지 않은 것은?

> 경제의 세계화 확대에 따라 다국적 기업이 성장하고 있다. 다국적 기업은 노동, 기술, 경영 등 생산 요소를 고려하여 기업의 관리, 연구, 생산 기능을 분리 배치하는 것을 (㉠)(이)라고 한다.

① 제품 판매 시장을 확대하기 위한 방법이다.
② 경영 효율성 및 이윤을 극대화하기 위한 방법이다.
③ 연구 및 개발 센터는 경영상 필요한 곳에 배치한다.
④ 생산 기능은 주로 쾌적한 연구 환경을 갖춘 곳에 배치한다.
⑤ 모국에 본사를 두고 국외 여러 지역에 분산된 지사와 생산 공장을 관리한다.

04 (가)~(다)에 해당하는 경제 블록을 지도의 A~C에서 골라 옳게 연결한 것은?

> (가) 브렉시트의 영향으로 단일 통화의 가치가 하락하였으며, 다른 회원국들 사이에서도 탈퇴를 주장하는 여론이 일부 형성되고 있다.
> (나) 역내 관세 장벽 철폐와 대외 공동 관세 부과 등을 목적으로 하는데, 브라질과 우루과이는 최근 자동차에 대한 자유 무역 협정을 체결하였다.
> (다) 회원국 간 광범위한 자유 무역을 추진하기 위해 결성하였다. 높은 기술 수준, 풍부한 자본 및 자원, 값싼 노동력 등을 상호 보완적으로 결합하여 경제 발전을 추구하고 있다.

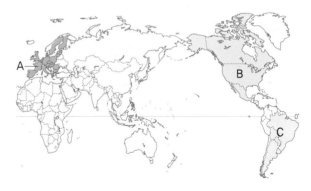

	(가)	(나)	(다)		(가)	(나)	(다)
①	A	B	C	②	A	C	B
③	B	A	C	④	B	C	A
⑤	C	B	A				

[05~06] 지도는 세계의 주요 경제 블록을 나타낸 것이다. 이를 보고 물음에 답하시오.

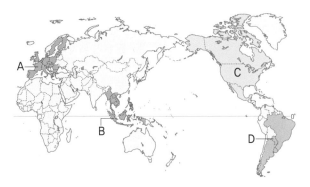

05 위 지도의 A, C 경제 블록에 해당하는 유형을 그림의 (가)~(라)에서 골라 옳게 연결한 것은?

유형	역내 관세 철폐	역외 공동 관세 부과	역내 생산 요소의 자유로운 이동	역내 공동 경제 정책 수행	초국가적 기구 설치·운영
(가)	←→				
(나)	←———→				
(다)	←————→				
(라)	←—————————————————→				

	A	C			A	C
①	(가)	(나)		②	(나)	(다)
③	(다)	(나)		④	(라)	(가)
⑤	(라)	(다)				

06 위 지도의 A~D 경제 블록에 대한 설명으로 옳은 것은?

① A는 회원국 간 자유 무역을 추구하지만 일부 생산 요소의 자유로운 이동을 제한한다.
② B는 모든 회원국들이 유로화를 단일 통화로 사용한다.
③ C는 회원국 간 관세 철폐 외에도 비회원국에 대한 회원국의 공동 관세 부과 등의 특징을 가지고 있다.
④ A는 B, C보다 경제적인 통합의 수준이 높다.
⑤ B는 A, C, D보다 회원국 간의 경제적 상호 보완성이 강하다.

07 (가), (나)에 해당하는 환경 문제를 도표의 A~D에서 골라 옳게 연결한 것은?

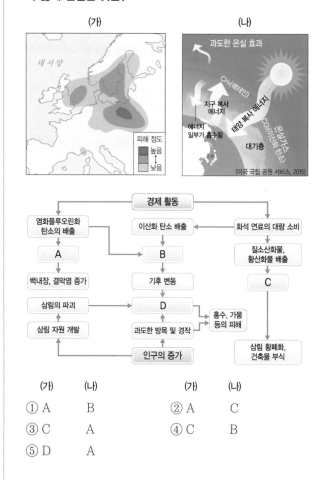

	(가)	(나)			(가)	(나)
①	A	B		②	A	C
③	C	A		④	C	B
⑤	D	A				

08 지도의 A~E 지역에서 발생하고 있는 환경 문제로 옳지 <u>않은</u> 것은?

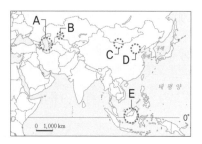

① A – 석유 자원 개발로 인한 수질 오염 심화
② B – 관개 농업 확대로 인한 호수 면적 감소
③ C – 대기 오염 물질의 이동에 따른 산성비 피해
④ D – 공업화에 따른 대기 중 미세 먼지 농도 증가
⑤ E – 과도한 벌목과 농경지 확대로 인한 열대림 파괴

09 세계 지리 시간에 환경 문제에 대해 정리한 노트의 일부이다. ⊙~ⓒ에 들어갈 내용을 옳게 연결한 것은?

환경 문제	주요 원인	영향	대책
사막화	⊙	사막 주변 지역 토양 황폐화	사막화 방지 협약
오존층 파괴	염화플루오린 화탄소의 사용량 증가	ⓒ	ⓒ

	⊙	ⓒ	ⓒ
①	과도한 방목	건축물 부식	교토 의정서
②	과도한 방목	백내장 환자 증가	몬트리올 의정서
③	온실가스 증가	빙하 면적 감소	교토 의정서
④	온실가스 증가	건축물 부식	몬트리올 의정서
⑤	오염 물질 이동	백내장 환자 증가	람사르 협약

10 지도는 세계의 생태 발자국을 나타낸 것이다. 이에 대한 옳은 설명을 〈보기〉에서 고른 것은?

(글로벌 풋 프린트 네트워크, 2016)

보기
ㄱ. 열대림이 풍부한 국가들은 모두 생태 발자국이 생태 수용력 이하이다.
ㄴ. 경제가 발달한 나라들은 대부분 생태 발자국이 생태 수용력을 초과한다.
ㄷ. 생활 속에서 자원 소비를 줄이면 생태 발자국을 늘리는 데 기여할 수 있다.
ㄹ. 지속 가능한 발전을 위해서는 생태 발자국이 생태 수용력과 같거나 작아야 한다.

① ㄱ, ㄴ ② ㄱ, ㄷ ③ ㄱ, ㄹ
④ ㄴ, ㄹ ⑤ ㄷ, ㄹ

11 지도는 A, B 환경 문제가 발생하고 있는 지역을 나타낸 것이다. 이에 대한 옳은 설명만을 〈보기〉에서 있는 대로 고른 것은?

■■A ■B
(옥스퍼드 학생 세계 지도, 2012)

보기
ㄱ. A는 사막 주변의 스텝 지역이 황폐화되는 현상이다.
ㄴ. A를 해결하기 위해 국제 사회는 2015년 파리 협정을 체결하였다.
ㄷ. B는 지구 온난화를 가속화시키는 원인 중 하나이다.
ㄹ. A, B의 주요 발생 원인은 과도한 농경지 개간, 방목 및 벌채 등이 있다.

① ㄱ, ㄴ ② ㄱ, ㄷ ③ ㄴ, ㄷ
④ ㄱ, ㄷ, ㄹ ⑤ ㄴ, ㄷ, ㄹ

12 표는 주요 국제 환경 협약에 대해 정리한 것이다. 밑줄 친 ⊙~ⓜ 중 옳은 내용만을 있는 대로 고른 것은?

환경 협약	협약 내용
파리 협정	⊙ 선진국과 개발 도상국 모두 온실가스 감축 의무에 동참하도록 독려함
교토 의정서	ⓒ 선진국의 온실가스 배출량 감축에 대한 구체적 이행 방안 추진, 온실가스 배출권 거래제 도입
람사르 협약	ⓒ 사막화를 겪고 있는 개발 도상국을 지원하기 위한 협약
제네바 협약	ⓔ 유해 폐기물의 국가 간 이동 및 처리의 통제에 관한 국제 규범 채택
몬트리올 의정서	ⓜ 오존층 파괴 물질의 생산 및 사용 규제

① ⊙, ⓒ ② ⓒ, ⓜ ③ ⊙, ⓒ, ⓜ
④ ⓒ, ⓔ, ⓔ ⑤ ⊙, ⓒ, ⓔ, ⓔ

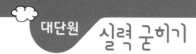
13 지도의 A~D 분쟁 지역에 해당하는 신문 기사 내용을 옳게 연결한 것은?

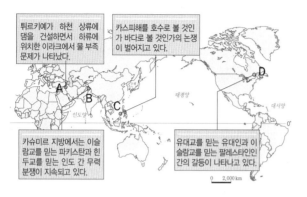

튀르키예가 하천 상류에 댐을 건설하면서 하류에 위치한 이라크에서 물 부족 문제가 나타났다.

카스피해를 호수로 볼 것인가 바다로 볼 것인가의 논쟁이 벌어지고 있다.

카슈미르 지방에서는 이슬람교를 믿는 파키스탄과 힌두교를 믿는 인도 간 무력 분쟁이 지속되고 있다.

유대교를 믿는 유대인과 이슬람교를 믿는 팔레스타인인 간의 갈등이 나타나고 있다.

① A, B
② A, C
③ A, D
④ B, C
⑤ B, D

14 지도의 A~D는 갈등 및 분쟁 지역을 나타낸 것이다. 이에 대한 설명으로 옳지 않은 것은?

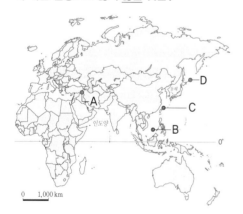

① A는 소수 민족의 독립 요구와 관련된 갈등이 발생하고 있다.
② B의 분쟁 당사국에는 필리핀이 포함되어 있다.
③ C는 현재 일본이 실효적으로 지배하고 있다.
④ D보다 B의 분쟁 당사국의 수가 많다.
⑤ B, C, D에서 발생한 분쟁은 모두 중국과 관련이 있다.

15 다음 사례를 활용한 학습 주제로 가장 적절한 것은?

• 국경 없는 의사회에서는 전쟁으로 피해를 입고 훼손된 건물이나 천막 등 열악한 환경에서 살고 있는 시리아의 알 누아이마 마을 주민들에게 위생 물품, 옷, 취사 도구, 담요 등 필수 구호품을 전달하였다.
• 세계 자연 보호 기금(WWF)은 매년 3월 마지막 주 토요일에 '지구촌 전등 끄기' 행사를 진행하고 있다. 이 행사는 4월 22일 '지구의 날'을 앞둔 2007년 3월 31일 시드니에서 한 시간 동안 전등을 끄면 지구에 어떠한 긍정적 변화가 나타나는지 보여 주기 위해 시작되었다.

① 전 지구적 차원의 환경 문제 발생
② 지속 가능한 발전을 위한 정부의 노력
③ 지구 온난화로 인한 지구 환경의 변화 모습
④ 평화와 안전 유지를 위한 국제 연합 산하 기구의 노력
⑤ 다양한 지구촌 문제의 해결을 위한 비정부 기구(NGO)의 활동

16 ㉠~㉣에 대한 설명으로 옳은 것만을 〈보기〉에서 있는 대로 고른 것은?

(㉠) 등을 피해 외국이나 다른 지역으로 탈출하는 사람들을 난민이라고 한다. 국제 사회는 난민의 신체적 안전과 개인의 기본권을 보장하기 위해 (㉡)을/를 만들어 난민 문제에 대처하고 있다. 세계 난민의 약 70%는 ㉢ 시리아, 아프가니스탄, 남수단, 소말리아 등 아프리카 국가에서 발생하고 있으며, 난민이 유럽 지역으로 유입되면서 난민 수용을 둘러싸고 ㉣ 갈등이 발생하기도 한다.

보기
ㄱ. ㉠에는 '인종, 종교 또는 정치적 차이로 인한 박해와 전쟁, 테러, 자연재해' 등이 들어갈 수 있다.
ㄴ. ㉡은 '유엔 난민 기구(UNHCR)'이다.
ㄷ. ㉢의 난민은 자국에서 멀리 떨어진 국가로 이동하는 경향이 있다.
ㄹ. ㉣을 해결하기 위해 세계적 차원에서 문제의식을 공감하는 세계 시민의 자세가 필요하다.

① ㄱ, ㄴ
② ㄱ, ㄷ
③ ㄴ, ㄷ
④ ㄱ, ㄴ, ㄹ
⑤ ㄴ, ㄷ, ㄹ

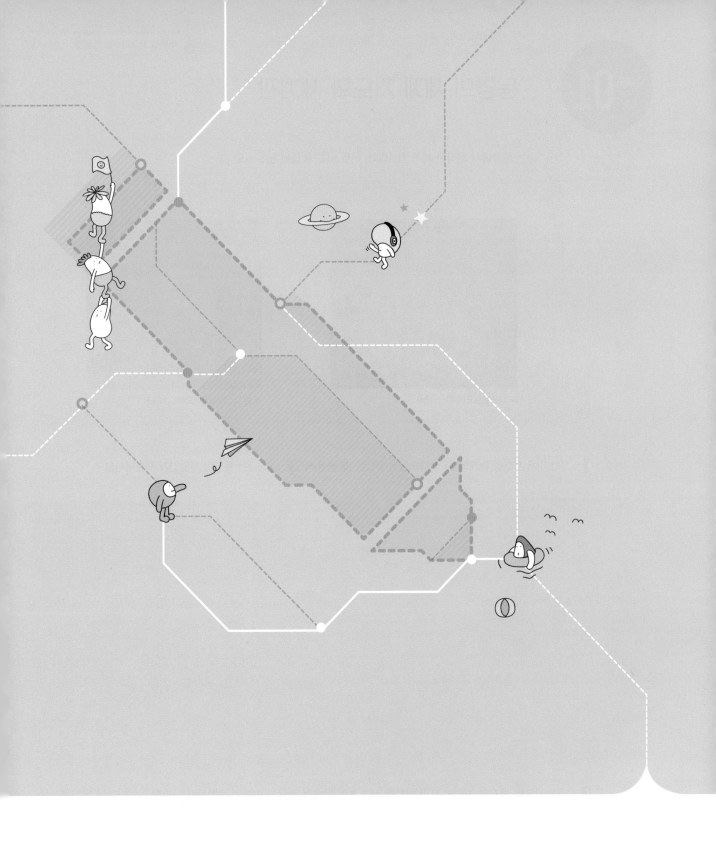

논술형 문제

>> 정답친해 69쪽

주제 01 동양의 세계 지도와 세계관

(가), (나)는 동양에서 제작된 세계 지도이다. 이를 보고 물음에 답하시오.

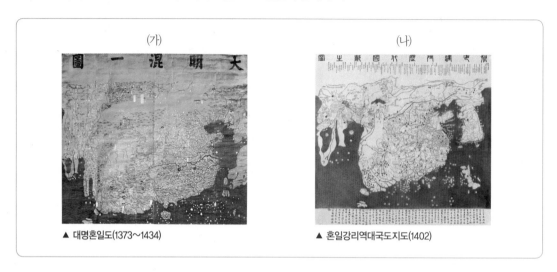

(가) ▲ 대명혼일도(1373~1434)

(나) ▲ 혼일강리역대국도지도(1402)

1 (가), (나) 지도를 현재의 세계 지도와 비교했을 때 공통적으로 나타나는 특징이 무엇인지 서술하시오.

2 (나) 지도의 특징과 지역의 표현 범위를 쓰고 **1**번 문제의 정답과 반대의 관점에서 바라본 (나) 지도의 특징을 서술하시오.

통합적 사고력

주제 02 기후 변화가 자연환경과 인간 생활에 미치는 영향

다음 자료를 보고 물음에 답하시오.

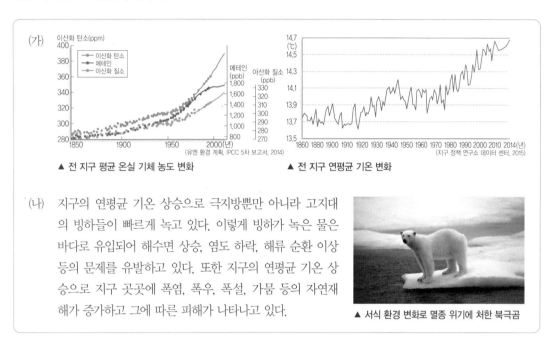

(가)

▲ 전 지구 평균 온실 기체 농도 변화

▲ 전 지구 연평균 기온 변화

(나) 지구의 연평균 기온 상승으로 극지방뿐만 아니라 고지대의 빙하들이 빠르게 녹고 있다. 이렇게 빙하가 녹은 물은 바다로 유입되어 해수면 상승, 염도 하락, 해류 순환 이상 등의 문제를 유발하고 있다. 또한 지구의 연평균 기온 상승으로 지구 곳곳에 폭염, 폭우, 폭설, 가뭄 등의 자연재해가 증가하고 그에 따른 피해가 나타나고 있다.

▲ 서식 환경 변화로 멸종 위기에 처한 북극곰

1 (가)를 보고 전 지구 연평균 기온 변화의 요인을 쓰고, 이러한 변화가 심화된 이유를 인간 활동과 관련하여 서술하시오.

2 (가), (나)를 참고하여 기후 변화에 대응할 수 있는 방안으로 개인, 정부, 국제 사회의 역할을 각각 서술하시오.

세계의 인구 문제와 해결 방안

그래프는 두 국가의 출생률과 사망률 변화를 나타낸 것이다. 이를 보고 물음에 답하시오.

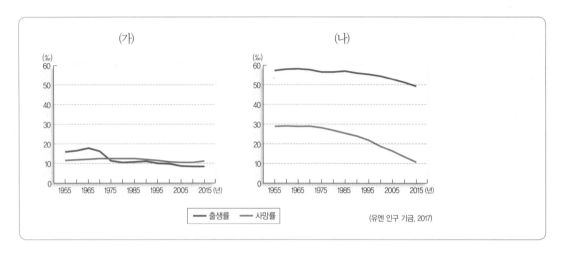

1 (가), (나) 국가에서 나타날 것으로 예상되는 인구 피라미드를 고르고, 그렇게 선택한 이유를 서술하시오.

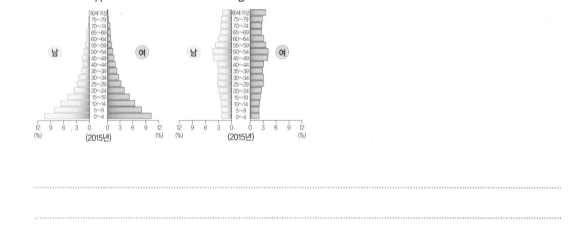

2 (가), (나) 국가에서 나타날 것으로 예상되는 인구 문제를 쓰고 그 대책에 대해 서술하시오.

몬순 아시아와 오세아니아 주요 국가의 산업 구조

자료는 몬순 아시아와 오세아니아의 경제 협력 및 산업 구조에 관한 것이다. 이를 보고 물음에 답하시오.

(가) 오스트레일리아는 1960년에 영국, 영국 연방 국가들, 유럽, 미국 등과의 무역이 주를 이루었다. 그러나 지난 50여 년간 이들 국가와의 무역 규모가 쇠퇴한 반면, 몬순 아시아와의 무역 규모는 꾸준히 성장하였다. 그에 따라 2016년 영국, 프랑스, 미국 등으로 수출하는 비율보다 중국, 일본, 대한민국 등 몬순 아시아로 수출하는 비율이 더 높아졌다.

1965년 63억 달러	영국 22.1(%)	미국 17.3	일본 12.9		독일 4.4 / 뉴질랜드 3.8	기타 39.5
1985년 459억 달러	일본 24.5(%)	미국 14.9	중국 5.1	독일 4.5 / 뉴질랜드 4.1		기타 46.9
2005년 2,247억 달러	일본 15.4(%)	중국 12.7	미국 10.5	대한민국 5.5 / 뉴질랜드 4.9		기타 51.0
2012년 5,067억 달러	중국 24.0(%)	일본 13.7	미국 7.7	대한민국 6.1 / 싱가포르 4.4		기타 44.1

(신상 지리 자료, 2016)

▲ 오스트레일리아의 주요 무역 상대국

(나)

중국 (22,845억 달러, 2015년)
| 기계류 42.1(%) | 의류 7.7 | | | 정밀 기계 3.4 | 기타 38.1 |
섬유 · 직물 4.8 ┘ └ 금속 제품 3.9

일본 (6,248억 달러, 2015년)
| 기계류 34.7(%) | 자동차 21.2 | | 철강 4.9 | 기타 29.9 |
정밀 기계 5.9 ┘ └ 화학 약품 3.4

오스트레일리아 (1,884억 달러, 2015년)
| 철광석 19.6(%) | 석탄 15.1 | 천연가스 6.6 | | 기타 47.6(%) |
금 5.8 ┘ └ 육류 5.3

(지리 통계 요람, 2017)

◀ 주요 국가의 수출 구조

1 (가)를 참고하여 오스트레일리아의 무역 상대국이 변화한 원인을 서술하시오.

....

....

....

2 (나)를 참고하여 오스트레일리아의 수출 구조를 중국, 일본과 비교하여 서술하고 이러한 수출 구조가 나타나는 이유를 서술하시오.

....

....

....

통합적 사고력 ✦ 문제 해결 능력

주제 **05**

건조 아시아와 북부 아프리카의 사막화

다음은 사헬 지대의 사막화에 대한 자료이다. 물음에 답하시오.

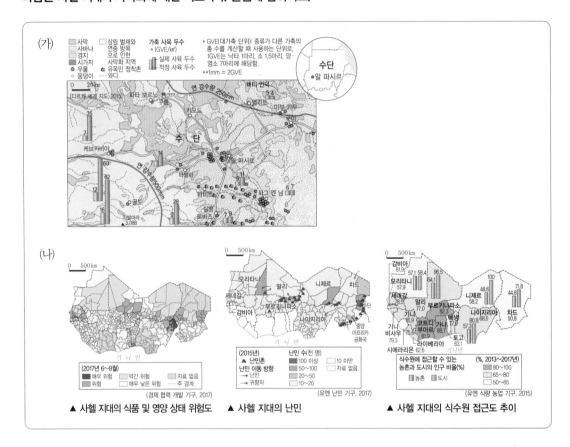

▲ 사헬 지대의 식품 및 영양 상태 위험도 　 ▲ 사헬 지대의 난민 　 ▲ 사헬 지대의 식수원 접근도 추이

1 (가)를 참고하여 사헬 지대 사막화의 원인을 인간 활동 측면에서 서술하시오.

....

....

....

2 (나)를 참고하여 사막화로 사헬 지대에서 나타나는 문제점을 논술하시오.

....

....

....

주제 **06**

북부 아메리카 공업 지역의 변화

다음 자료를 보고 물음에 답하시오.

미국은 2013년 7월 자동차 산업 불황 등의 여파로 파산한 디트로이트에 도시 재생 프로그램을 가동하였다. 2015년 민간 주도의 '미국 혁신 전략'을 발표하였고, 디트로이트의 에너지 효율화 사업을 추진하였다. 디트로이트가 포함된 미시간주는 자동차 산업과 연계한 신성장 동력 산업과 의료, 방산, 대체 에너지, 관광, 영화, 연료 전지 등 6개 전략 산업을 육성하였다. 이어 정부는 법인세 인하(최고 35%→25%) 등을 통해 디트로이트를 포함한 <u>러스트벨트</u>를 되살리는 데 주력하고 있다. 그 결과 2009년 16.3%까지 치솟았던 디트로이트의 실업률은 최근 4% 밑으로 떨어졌고, 최근 6년 동안 디트로이트 일대에 일자리 15만 개가 창출되었다.

– 서울신문. 2018. 11. 09 –

▲ 러스트벨트

1 위 글의 밑줄 친 '러스트벨트'의 의미를 서술하시오.

2 디트로이트의 공업이 쇠퇴한 원인을 서술하고, 지역 경제가 활성화된 또 다른 사례를 찾아 서술하시오.

중·남부 아메리카와 사하라 이남 아프리카의 저개발 문제

자료를 보고 물음에 답하시오.

(가)

순위	바나나 수출국	세계 비중(%)	순위	바나나 수입국	세계 비중(%)
1위	에콰도르	26.6	1위	미국	23.1
2위	필리핀	16.3	2위	러시아	6.8
3위	과테말라	9.7	3위	독일	6.8
4위	코스타리카	9.6	4위	벨기에	6.5
5위	콜롬비아	7.7	5위	영국	5.8
6위	벨기에	6.1	6위	일본	5.0
7위	온두라스	3.4	7위	이탈리아	3.3

(나) 서아프리카에서는 전 세계 카카오 소비량의 약 70%에 해당하는 카카오를 생산한다. 그러나 아프리카의 카카오 소비량은 전 세계 소비량의 3%에 불과하며, 전 세계 소비량의 80% 정도는 선진국에서 소비한다. 카카오 생산을 통해 얻은 이익의 대부분이 다국적 기업에게 돌아가기 때문에 카카오를 재배하는 농민들은 정당한 대가를 받지 못하고 가난하게 살아간다.

(다)

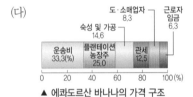

▲ 에콰도르산 바나나의 가격 구조

바나나 판매 금액에서 바나나 농장 근로자의 임금은 약 6% 정도이지만 플랜테이션 농장을 소유하고 운송까지 담당하는 다국적 기업의 몫은 약 60%에 달한다. 그래서 최근에는 생산자에게 공정한 가격을 지급하는 공정 무역의 비중이 높아지고 있다.

1 (가)에서 바나나의 수출과 수입이 많은 국가를 참고하여 플랜테이션 농업의 특징을 서술하시오.

....

....

....

2 (나)와 (다)를 참고하여 공정 무역이 나타나게 된 배경을 쓰고, 공정 무역이 활성화될 경우 생산자에게 어떤 점이 좋을지 서술하시오.

....

....

....

주제 08 난민 발생과 수용에 대한 입장

자료를 보고 물음에 답하시오.

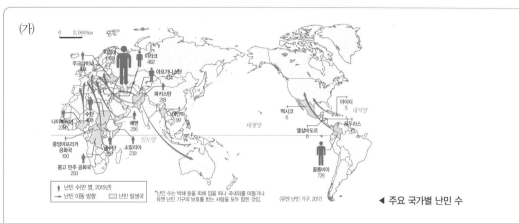

(가)

◀ 주요 국가별 난민 수

(나) 독일은 유럽에서 가장 적극적으로 난민을 수용하였다. 이러한 정책의 배경에는 독일의 경제 활동 인구가 줄어들어 노동력이 부족해지고 있기 때문이라는 해석이 많다. 독일로 유입한 난민들은 모국에서 닦은 기술로 창업을 시도하고 언어를 학습하여 취업에 도전하고 있다. 독일은 2015년 이후 난민 100만 명을 받아들였다.

– KBS 뉴스, 2016. 01. 11 –

(다) 영국 정부는 내전과 정치적 박해 등으로 당장 생존의 위기에 처한 난민들도 있지만 그 중에는 더 나은 경제적 조건을 찾아온 사람들도 있기 때문에 무조건 난민을 수용할 수 없다고 주장한다. 옥스팜이 2016년 발표한 경제 규모 대비 난민 수용 분담 리스트를 보면, 노르웨이가 249%, 캐나다가 239%, 독일이 114%인 반면 영국은 22%에 그쳤다.

– 시사저널, 2018. 07. 25 –

1 (가) 지도를 참고하여 난민 발생국의 주요 특징을 서술하시오.

2 (나)와 (다)를 읽고 난민 유입에 따른 장점과 단점을 각각 서술하시오.

·완벽한 자율학습서·

완자

완자네 새주소

자율학습시

비상구

정확한 답과 친절한 해설

정답친해로

53

정답친해로
오삼~

세 계 지 리

책 속의 가접 별책 (특허 제 0557442호)

'정답친해'는 본책에서 쉽게 분리할 수 있도록 제작되었으므로
유통 과정에서 분리될 수 있으나 파본이 아닌 정상제품입니다.

visang

ABOVE IMAGINATION

우리는 남다른 상상과 혁신으로
교육 문화의 새로운 전형을 만들어
모든 이의 행복한 경험과 성장에 기여한다

완자

자율학습시
비상구
정답친해로
53

정확한 **답**과 **친**절한 해설

세 계 지 리

I. 세계화와 지역 이해

01 세계화와 지역화

01 교통 발달에 따른 시간 거리의 단축

그래프를 보면 교통수단의 발달은 공간을 이동하는 시간 거리를
크게 단축시켰다. 1850년대 마차와 범선을 이용하여 세계 일주를
하는 데 360일 걸리던 것이 오늘날에는 제트 비행기를 이용하여
하루 이내로 가능하게 되었다. 이러한 교통수단의 발달로 사람들
의 일상생활이 이루어지는 공간의 범위가 확대되고, 사람과 물자
의 교류가 활발해졌다. 또한 국가 간의 교류가 빈번해지면서 국제
사회의 상호 의존성이 더욱 강화되고, 전 세계의 일일생활권 시대
가 현실화되고 있다.

┃ 바로 알기 ┃ ③ 물리적 거리는 교통수단의 발달로 극복되고 있기 때문에
물리적 거리보다 시간적 거리가 더욱 중요시되고 있다.

02 교통·통신의 발달과 생활의 변화

오늘날 세계는 교통수단의 발달로 이동에 필요한 시간 및 비용 거
리가 크게 단축되었고 국가 간 교류가 증가하였다. 광케이블, 인공
위성과 같은 정보 통신 기술의 발달도 세계를 하나로 묶어 주는
데 큰 역할을 하였다. 특히 시·공간적 제약을 받지 않는 초고속 인
터넷의 등장으로 전 세계가 하나로 연결된 것처럼 통합되고 있다.
이러한 교통과 통신의 발달로 사람들은 전자 상거래를 통해 세계
각국의 상품을 구입하고, 빠르게 배송받을 수 있게 되면서 생산과
소비의 공간의 범위도 전 세계로 확대되었다.

┃ 바로 알기 ┃ ㄱ. 교통수단의 발달로 접근성이 향상되고 생활 공간의 범위
가 넓어졌다. ㄷ. 지역 간 교류가 활발해지면서 국경의 의미가 쇠퇴하고 상
호 의존성이 증가하고 있다.

03 세계화의 배경

오늘날 생산 및 판매 활동을 국제적인 규모로 수행하는 다국적 기
업의 활동과 영향력 증대로 생산 요소의 자유로운 이동이 가능해

지면서 경제적 측면의 세계화가 촉진되었다. 또한 교통수단과 정
보·통신 기술의 발달은 국가 간 시·공간적 거리를 축소시켜 세계
화를 촉진시켰다.

┃ 바로 알기 ┃ ㄱ. 보호 무역주의는 특정 국가가 국내 산업의 보호를 위해 관
세, 수입 할당제 등의 수단을 활용하는 것으로, 세계화의 추세와는 거리가
멀다. ㄴ. 사회주의 체제가 붕괴되고 세계 무역 기구(WTO)의 출범으로 대표
되는 자유 무역 체계가 확산되면서 세계화는 더욱 촉진되었다.

04 세계화의 영향

첫 번째 사례는 항공 교통의 발달로 전염병의 전파 범위가 넓어지
고, 전파 속도가 빨라진다는 내용을 담고 있다. 두 번째 사례는 한
류 열풍을 타고 한국산 제품 수요가 아시아 각국을 중심으로 확대
되면서 국내 온라인 쇼핑몰들이 '해외 직판(역직구)'으로 시장 영역
을 넓혀 가고 있다는 내용을 담고 있다. 두 사례는 모두 세계화로
지역 간 상호 작용이 증가하고 있다는 내용을 담고 있다.

05 경제의 세계화

지도를 통해 미국의 A 기업은 본사를 자국에 두고, 임금이 저렴
한 개발 도상국에 생산 공장을 설립하고 있음을 알 수 있다. A 기
업은 이러한 기업 활동을 통해 여러 국가와 국제 협력하고 있으며,
생산 비용을 절감하고 있다. 이를 통해 오늘날 상품과 서비스, 자
본, 노동 등의 교류가 활발해지면서 세계가 하나의 시장으로 재편
되는 경제의 세계화가 나타나고 있다. 국경을 넘어 기업 활동이 더
욱 활발해지고 있으며, 이 과정에서 각국은 경제적 이득을 얻기도
하지만, 국가 간 경제적 격차가 심화되기도 한다.

┃ 바로 알기 ┃ ⑤ 다국적 기업의 활동으로 선진국의 자본이 개발 도상국에
투자되지만, 이익의 상당 부분이 본사가 있는 선진국으로 이동되므로 경제
적 격차가 없어지기는 어렵다.

06 세계화의 영향

제시된 글은 미국에 본점을 둔 S 커피 전문점이 세계 여러 국가에
진출하여 어디에서나 같은 서비스를 제공하는 세계화의 사례를 보
여 주고 있다. 이러한 경제의 세계화로 전 세계는 거대한 단일 시
장을 형성하여 기업은 많은 국가에서 상품을 생산 및 판매할 수
있다. 또한 문화의 세계화로 한 지역의 문화적 특징이 다른 지역에
서도 동일하거나 유사하게 나타나는 문화 동질화 현상이 나타나기
도 한다. S 커피 전문점은 세계 곳곳에서 동일한 간판, 비슷한 커
피와 서비스 등을 제공하고 있어 동질적인 경관을 형성하고 있다.

┃ 바로 알기 ┃ ② 세계화로 전 세계는 거대한 단일 시장을 형성하기 때문에
소비자가 다양한 문화와 상품을 접할 수 있는 기회가 늘어난다.

07 지역화와 지역화 전략

(가)의 미국 뉴욕의 'I♥NY'는 지역 브랜드화, (나)의 일본 삿포로
눈 축제는 장소 마케팅에 대한 사례를 담고 있다. 지역 브랜드화는
지역의 상품과 서비스, 축제 등을 특별한 브랜드로 인식시켜 지역
이미지를 높이고, 지역의 경제를 활성화하는 전략이다. 장소 마케

팅은 지역의 특정 장소를 하나의 상품으로 인식하고, 기업과 관광객에게 매력적으로 보일 수 있도록 지역 정부와 민간이 협력하여 이미지와 시설 등을 개발하는 것이다. 대표적인 사례로 국제 행사 개최, 랜드마크 개발 등이 있다.

┃ **바로 알기** ┃ ② 지역 브랜드의 가치가 높아지면 그 지명을 붙인 상품의 판매량이 증가하는 효과가 나타나며, 관광을 비롯한 다른 산업 분야에서도 상승 효과가 나타나 지역 경제가 활성화된다.

완자 정리 노트 　지역화 전략

지리적 표시제	특정 지역의 지리적 특성을 반영한 우수한 상품에 그 지역에서 생산·가공되었음을 증명하고 표시하는 제도
장소 마케팅	지역의 특정 장소를 하나의 상품으로 인식하고, 매력적으로 보일 수 있도록 이미지와 시설 등을 개발하는 전략
지역 브랜드화	지역의 상품과 서비스, 축제 등을 특별한 브랜드로 인식시켜 지역 이미지를 높이고, 지역의 경제를 활성화하는 전략

08 세계화와 지역화

─ 자 료 분 석 ─

이슬람교에서는 돼지고기를 금기시하고 있기 때문이야.
미국에서 판매가 시작된 햄버거는 전 세계로 전파되어 다양한 형태로 발달하였다. 그 예로 이슬람교를 믿는 지역에서는 화덕에서 구워 낸 얇은 빵인 난에 돼지고기 대신 소고기를, 힌두교도가 많은 인도에서는 소고기 대신 닭고기와 향신료를 넣은 햄버거가 판매된다. 쌀을 주식으로 하는 지역에서는 빵 대신 밥으로 만든 햄버거가 판매되기도 한다. 　힌두교에서는 소를 숭배하기 때문이야.

햄버거는 전 세계인이 즐겨 먹는 음식 중 하나로, 미국에서 상업적 판매가 시작된 이후 전 세계로 널리 퍼지면서 다양한 형태로 만들어졌다. 돼지고기를 금기시하는 이슬람교 지역에서는 돼지고기 대신 소고기를 사용한 햄버거가, 소를 숭배하는 힌두교 지역에서는 소고기 대신 닭고기를 사용한 햄버거가 판매되고 있다. 오늘날 햄버거는 둥근 빵에 햄버그스테이크와 야채 등을 끼워 먹는 방법만 같을 뿐, 그 지역 사람들의 다양한 입맛과 문화에 적응하며 변화하고 있다.

서술형 문제

014쪽

01 주제: 문화의 세계화

예시 답안 문화의 세계화로 세계 문화와 전통문화 간 갈등이 나타날 수 있으며, 이로 인해 소수 문화가 쇠퇴하거나 사라질 수 있다. 또한, 문화의 획일화가 나타나 문화의 다양성이 약화될 수 있다.

채점 기준

상	문화의 세계화로 인한 문제점 두 가지를 정확히 서술한 경우
하	문화의 세계화로 인한 문제점 한 가지만 서술한 경우

02 주제: 지역화 전략

(1) 지리적 표시제

(2) **예시 답안** 지리적 표시제는 특정 지역의 기후, 지형, 토양 등 지리적 특성을 반영한 우수한 상품에 대해 그 지역의 생산물임을 증명하는 상표를 사용할 수 있다. 이를 통해 지역 경제를 활성화하고 세계적인 경쟁력을 갖출 수 있다.

채점 기준

상	지리적 표시제의 지정 조건과 이를 통해 얻을 수 있는 효과를 모두 정확히 서술한 경우
하	지리적 표시제의 지정 조건과 이를 통해 얻을 수 있는 효과 중 한 가지만을 서술한 경우

STEP 3 　**1등급 정복하기**
015쪽

1 ①　　2 ③

1 세계화와 지역화

(가)는 오늘날 정치, 경제, 사회·문화 등 다양한 분야에서 교류가 많아지면서 세계가 하나로 통합되는 세계화 현상을 나타낸 것이다. 세계화의 사례로는 우리나라의 대중음악이 해외에서 선풍적인 인기를 끌면서 아시아는 물론 세계 전역으로 K-Pop 열기가 전파되고 있는 것을 들 수 있다. (나)는 어떤 한 지역이 세계적인 차원에서 가치를 지니게 되는 지역화 현상을 나타낸 것이다. 세계화와 지역화는 동시에 진행되는 현상이며, 모두 교통·통신의 발달에 따른 시간 거리 감소의 영향을 받았다. 세계화와 지역화로 인해 세계 관광객 수가 빠르게 증가하고 있다.

┃ **바로 알기** ┃ ① 세계화로 국가 간, 지역 간 상호 교류가 증가하여 여러 지역에서 비슷한 문화가 나타나면 문화가 획일화되거나 문화적 다양성이 약화되기도 한다.

2 세계화와 지역화

사례 1은 중국인들의 기호를 반영하여 미국의 치킨 업체와 피자 업체에서 새로운 메뉴를 출시한 것을 보여 준다. 사례 2는 인도 소비자들의 취향과 여건을 고려하여 우리나라의 자동차 회사가 제품을 출시한 것을 보여 준다. 이러한 미국의 치킨 업체나 피자 업체, 우리나라의 자동차 회사와 같은 다국적 기업은 이윤을 극대화하기 위해 현지의 문화적, 정치적, 사회적 특성에 맞춰 제품을 개발하고 판매하는 현지화 전략을 실시하고 있다. 따라서 두 사례를 통해 세계화에 따른 다국적 기업의 현지화 전략을 알 수 있다.

02~03 지리 정보와 공간 인식 ~ 세계의 지역 구분

STEP 1 핵심 개념 확인하기
020쪽

1 ㉠ 지도 ㉡ 세계관 **2** (1) ㄴ (2) ㄷ (3) ㄹ (4) ㄱ **3** ㉠ 티오(TO) 지도 ㉡ 원형 ㉢ 동쪽 ㉣ 이슬람교 **4** (1) 권역 (2) 문화적 (3) 원격 탐사

STEP 2 내신 만점 공략하기
020~022쪽

01 ① **02** ② **03** ② **04** ② **05** ① **06** ② **07** ②
08 ③

01 동양과 서양의 고지도 이해

(가)는 중국 송나라(남송) 시대에 제작된 화이도에 대한 설명이다. 화이도는 중국 전체가 표현된 가장 오래된 지도로 중화사상이 반영된 대표적인 세계 지도이다. (나)는 1569년에 제작된 메르카토르의 세계 지도에 대한 설명이다. 이 지도는 항해를 위해 제작되어 항해 시 선원들이 나침반을 이용하면 쉽게 직선 항로를 찾을 수 있었다.

| 바로 알기 | ② 프톨레마이오스의 세계 지도는 로마 시대에 제작된 것으로, 최초로 경위선 개념과 투영법을 사용하였다. ③ 대명혼일도는 중국 명나라 때 제작된 세계 지도이다. ⑤ 곤여만국전도는 이탈리아의 마테오 리치가 제작한 세계 지도로, 이 지도가 중국에 소개되면서 중국인의 세계 인식 범위가 유럽 및 아메리카까지 확대되었다.

02 동서양 고지도의 제작 시기

(가)는 바빌로니아 점토판 지도로 기원전 600년경에 제작된 현존하는 가장 오래된 세계 지도이다. (나)는 대항해 시대 유럽에서 만든 메르카토르 세계 지도로 1569년에 제작되었다. (다)는 중세 이슬람교 세계관이 반영된 알 이드리시 세계 지도로, 1154년에 제작되었다. (라)는 조선 전기(1402년)에 제작된 혼일강리역대국도지도이다. 따라서 제작된 순서대로 나열하면 (가) – (다) – (라) – (나)이다.

03 조선 시대의 세계 지도

자료 분석

– 지도의 중심에 중국이 있고 주변에 상상의 국가들이 표현되어 있어.

– 지구전도에는 아시아, 유럽, 아프리카가 그려져 있고. 지구후도에는 아메리카 대륙이 그려져 있어.

(가)는 조선 중기 이후 민간에서 그려진 천하도이고, (나)는 조선 후기 실학자인 최한기에 의해 제작된 지구전후도이다. 천하도는 중화사상을 바탕으로 만들어져 대륙의 중심에 중국이 있고, 중국의 주변에 조선을 비롯한 몇 개의 국가가 표기되어 있다. 바깥쪽 대륙에는 수많은 나라 이름이 표기되어 있으나 대부분 상상 속의 나라들이다. 지구전후도는 서양의 과학 기술을 받아들여 구대륙과 신대륙을 동서 양반구로 나누어 두 개의 지도로 세계를 표현하였다. 중화사상을 극복한 사실적 세계 지도로, 조선 실학자들의 근대 의식의 성장과 더불어 변화한 세계관을 반영하고 있다. 따라서 (가)와 비교한 (나)의 상대적 특징은 지도에 표현된 지표 공간의 범위가 넓고, 세계관이 사실적이며, 제작 시기가 늦으므로 B에 해당한다.

04 프톨레마이오스 지도와 티오(TO) 지도의 특징

(가)는 프톨레마이오스의 세계 지도이다. 이 지도가 제작된 150년경 로마 시대는 지도 제작에 있어 과학적 접근이 중시되었다. 이에 따라 프톨레마이오스는 지구를 구형으로 인식하고 경선과 위선을 설정한 후 투영법을 사용하여 세계 지도를 제작하였다. 이 지도에는 지중해 연안이 비교적 정확하고 자세하게 그려져 있는 반면, 아메리카와 오세아니아 지역은 표현되어 있지 않다. (나)는 중세 유럽에서 제작된 티오(TO) 지도이다. 크리스트교의 영향을 받은 중세 유럽에서는 종교적 영향으로 과학적, 실용적 지도 제작이 어려워졌다. 이 시기에 제작된 티오(TO) 지도는 크리스트교적 세계관을 반영하여 지도의 중심에 예루살렘을 두고 위쪽에는 에덴 동산을 그려 놓았다.

| 바로 알기 | ㄴ. 티오(TO) 지도는 크리스트교 세계관이 반영되었다. 이슬람교 세계관이 반영된 지도는 알 이드리시의 세계 지도이다. ㄹ. 프톨레마이오스의 세계 지도는 지도의 위쪽이 북쪽이지만, 티오(TO) 지도는 지도의 위쪽이 동쪽을 가리킨다.

05 지리 정보

제시된 자료는 지리 정보에 대한 설명이다. 지리 정보의 수집 방법은 크게 직접 조사와 간접 조사로 나뉘는데, 직접 조사는 조사 지역을 직접 찾아가서 관찰, 실측, 면담, 설문 조사 등을 통해 정보를 수집하는 방법이다. 간접 조사는 지도, 문헌, 인터넷 등을 이용하여 조사 지역을 직접 방문하지 않고 자료를 수집하는 방법이다. 최근에는 원격 탐사 기술이 발달하면서 지리 정보를 더욱 효율적으로 수집할 수 있게 되었다. 또한 컴퓨터로 제작한 다양한 지도의 활용이 늘어나면서 지리 정보 체계(GIS)를 통해 지리 정보를 종합적으로 관리할 수 있게 되었다. 지리 정보 체계는 초기에는 공공 기관을 중심으로 사용해 왔으나 위성 위치 확인 시스템(GPS)의 발달로 실생활에서 사용 범위가 확대되고 있다.

| 바로 알기 | ① 지리 정보는 장소나 현상의 위치와 형태에 대한 정보인 공간 정보, 장소의 자연적·인문적 특성을 나타내는 속성 정보, 다른 장소나 지역과의 상호 관계를 보여주는 관계 정보로 구분할 수 있다.

06 지리 정보의 수집 방법

제시된 신문 기사는 미국 캘리포니아에서 발생한 산불에 대한 내용을 다루고 있다. 인터넷 검색을 활용하면 해당 지역에서 어떠한 피해가 발생했는지 쉽게 찾아 볼 수 있으며, 원격 탐사를 통해 획득한 위성 사진을 비교해 보면 화재 전과 후의 피해 상황을 확인할 수 있다.

┃ 바로 알기 ┃ 을. 피해 상황에 대한 주민들의 인식은 면담 또는 설문 조사 등을 통해서 확인할 수 있다. 정. 원격 탐사 기술을 활용하면 사람이 접근하기 어려운 곳의 정보를 실시간으로 수집할 수 있다.

07 지역과 권역의 의미

지역은 지리적 특성이 다른 곳과 구별되는 지표상의 공간 범위이다. 일반적으로 지역을 구분할 때는 지형, 기후 등의 자연적 기준이나 종교, 언어 등의 문화적 기준, 인구, 산업 소득 수준 등의 사회·경제적 기준에 따른다. 지역을 구분하는 기준 중 세계를 큰 규모로 나눈 공간 단위를 권역이라고 하며, 적도를 기준으로 나뉘는 북반구와 남반구가 대표적인 권역이라고 할 수 있다. 권역은 복합적인 지표로 구분되므로 권역의 경계는 명확한 선보다는 두 지역의 특성이 섞여 있는 점이 지대 형태로 나타나는 경우가 많다.

┃ 바로 알기 ┃ ② 세계의 지역을 구분할 때 대륙을 기준으로 삼으면, 아시아, 유럽, 아프리카, 북아메리카, 남아메리카, 오세아니아, 남극 등으로 구분할 수 있다. 이에 따라 오스트레일리아는 오세아니아 대륙에 속한다.

08 문화적 특성에 따른 세계 권역 구분

세계 여러 지역은 각각 다양한 문화를 이루고 있지만, 지리적으로 가까운 지역은 서로 교류가 잦아 비슷한 문화가 나타나기도 한다. 이처럼 종교, 언어, 민족 등 같은 문화 요소나 유사한 문화 경관이 나타나는 지역을 하나의 공간적 범위로 묶은 것을 문화 지역 또는 문화권이라고 한다. A 지역은 서로 인접한 두 지역의 특성이 함께 나타나는 점이 지대에 해당한다.

┃ 바로 알기 ┃ ㄱ, ㄹ. 제시된 지도는 의식주, 종교, 언어, 사회 제도, 가치관 등의 문화적 요소를 기준으로 권역을 구분한 것이다.

서술형 문제

022쪽

01 주제: 바빌로니아 점토판 지도의 특징

(1) 바빌로니아 점토판 지도

(2) **예시 답안** 바빌로니아 점토판 지도는 현존하는 가장 오래된 세계 지도로 기원전 600년경에 제작되었다. 당시 바빌로니아 사람들은 육지가 바다 위에 떠 있다고 생각하였다. 따라서 지도에서는 바다로 둘러싸인 육지의 중심에 왕국의 수도인 바빌론이 있고, 그 바깥쪽은 미지의 세계로 표현되어 있다.

채점 기준

상	제시된 세 가지 내용을 모두 포함하여 정확하게 서술한 경우
중	제시된 세 가지 내용 중 두 가지만 정확하게 서술한 경우
하	제시된 세 가지 내용 중 한 가지만 정확하게 서술한 경우

02 주제: 생활 속의 지리 정보 체계

(1) ㉠ – 지리 정보 체계(GIS), ㉡ – 위성 위치 확인 시스템(GPS)

(2) **예시 답안** 길안내기(내비게이션)를 활용한 길 찾기 서비스, 인터넷과 연결된 웹 GIS를 이용한 날씨 정보 안내, 음식점이나 숙소, 관광 명소 등을 알려 주는 여행 정보 서비스 등

채점 기준

상	일상생활에서 활용하는 공간 정보 서비스 두 가지를 모두 정확하게 서술한 경우
중	일상생활에서 활용하는 공간 정보 서비스 두 가지를 제시했으나 서술이 미흡한 경우
하	일상생활에서 활용하는 공간 정보 서비스를 한 가지만 서술한 경우

STEP 3 1등급 정복하기

023~025쪽

1 ③　　2 ④　　3 ③　　4 ⑤　　5 ⑤　　6 ④

1 티오(TO) 지도와 천하도에 나타난 세계 인식

(가)는 중세 유럽의 티오(TO) 지도, (나)는 조선 중기에 제작된 천하도이다. 티오(TO) 지도는 크리스트교 세계관이 반영된 지도로 지도의 중심에 예루살렘이 위치하며, 지중해, 나일강, 돈강이 T자를 이루고, 대륙을 둘러싼 바다를 O자 모양으로 표현하고 있다. 천하도는 티오(TO) 지도와 같이 세계를 원으로 표현한 것처럼 보이나, 실제로는 하늘은 둥글고 땅은 네모지다는 동양의 천원지방 사상이 반영된 지도이다. 바다는 내해와 외해, 대륙은 내대륙과 외대륙으로 나뉘어 있으며, 내대륙의 가운데는 중화사상의 영향으로 중국이 표현되어 있다. 또한 도교의 영향을 받아 외대륙에는 상상 속의 세계가 그려져 있다.

┃ 바로 알기 ┃ ㄱ. 프톨레마이오스의 세계 지도에 대한 설명이다. ㄹ. 천하도의 중심(A)에는 실존하는 국가인 중국이 위치하고 있다.

완자 정리 노트　　티오(TO) 지도와 천하도 비교

구분	티오(TO) 지도	천하도
제작 시기	9~13세기	17~18세기(조선 중기)
세계관	크리스트교	도교
지도의 위쪽	동쪽	북쪽
지도의 중앙	예루살렘이 위치	중국이 위치

2 서양의 세계 지도와 세계관

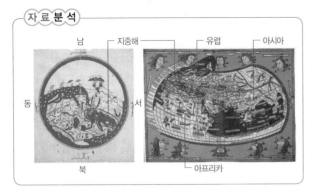

자료 분석

(가)는 알 이드리시의 세계 지도이며, (나)는 프톨레마이오스의 세계 지도이다. 알 이드리시의 세계 지도는 12세기경에 제작되었으며, 이슬람교의 세계관이 반영되어 지도의 중앙에 메카가 표현되어 있다. 또한 지도의 위쪽은 남쪽이다. 프톨레마이오스의 세계 지도는 150년경에 제작되었으며, 유럽, 아시아, 아프리카가 표현되어 있다. 프톨레마이오스는 지구를 구형으로 인식하고 경위선망을 설정하였으며, 이 경위선망을 평면에 투영하는 방법으로 세계 지도를 제작하였다. 원으로 표시된 알 이드리시의 세계 지도에서 오른쪽 아프리카 대륙 아래에 있는 바다, 프톨레마이오스의 세계 지도에서 왼쪽 유럽 아래에 있는 바다는 지중해이다.

▌바로 알기▐ ④ 프톨레마이오스의 세계 지도에는 유럽, 아시아, 북부 아프리카가 표현되어 있으며, 아메리카 대륙은 표현되어 있지 않다.

3 동서양의 세계 지도의 특징

A는 메르카토르의 세계 지도, B는 곤여만국전도이다. (가)는 그리스·로마 시대에 투영법과 경위도 개념을 활용했다는 내용을 통해 프톨레마이오스에 대한 설명임을 알 수 있다. 프톨레마이오스는 로마의 영토 확장 과정에서 얻은 지리적 지식과 지도 제작 기술을 집대성하여 세계 지도를 제작하였으며, 이는 근대 세계 지도 제작의 기반이 되었다. (나)는 항해를 위해 지도상에서 방위가 정확하도록 고안한 메르카토르에 대한 설명이다. 메르카토르 도법이 지도 제작에 이용되면서 상인과 탐험가들은 비교적 정확한 직선 항로를 찾을 수 있게 되었다. (다)는 이탈리아의 선교사인 마테오 리치에 대한 설명이다. 그가 중국에서 제작한 곤여만국전도는 당시 동양의 지식인에게 서양의 지리학과 지도 제작 수준, 서양 세계에 대한 다양한 정보를 시각적으로 알려 주는 역할을 하였다.

4 지리 정보

제시문은 자메이카의 커피 생산지인 블루마운틴에 대한 내용을 담고 있다. ① 위도와 경도로 자메이카의 위치를 알려 주는 공간 정보에 해당한다. ② 자메이카는 1655년부터 약 300년 동안 영국의 식민지였으며, 이로 인해 영어를 공용어로 사용한다. ③ 장소의 자연적 특성을 나타내므로 속성 정보에 해당한다. ④ 지리적 표시제

는 상품의 품질과 특성 등이 본질적으로 그 상품의 원산지로 인해 생겼을 경우, 그 원산지의 이름을 상표권으로 인정해 주는 제도이다. 지리적 표시제에 등록되면 다른 곳에서 함부로 상표권을 이용하지 못하도록 하는 법적 권리가 부여되므로 지역 특산물의 가치를 높일 수 있다.

▌바로 알기▐ ⑤ 커피 수출 현황 등의 산업 특성을 나타내는 정보는 원격 탐사 기법을 통해 수집할 수 없다.

5 규모에 따른 지역 구분

제시된 지도는 규모에 따른 세계 지역 구분을 보여 주고 있다. 대륙을 기준으로 세계를 구분할 때 아시아 대륙은 하나의 지역으로 구분할 수 있다. 아시아 대륙을 더 작은 규모로 구분하면 중앙·서남·남부·동남·동부 아시아로 나눌 수 있으며, 동남아시아는 다시 미얀마, 타이, 베트남, 필리핀, 말레이시아, 인도네시아 등의 국가 단위로 구분할 수 있다. (가)에서 (다)로 갈수록 권역이 더 세분화되어 구체적인 지리 정보를 얻기에 유리하다.

▌바로 알기▐ ⑤ (가)에서 (다)로 갈수록 지역의 규모가 작아지므로, 표현되는 지리적 범위도 좁아진다.

6 아메리카의 지역 구분

제시된 지도는 아메리카 대륙을 각각 문화적 측면과 지리적 측면을 강조하여 구분한 것이다. 언어, 종교 등의 문화적 기준으로 아메리카 대륙을 구분할 때는 리오그란데강을 경계로 앵글로아메리카(A)와 라틴 아메리카(B)로 나눌 수 있다. 지리적 기준으로 아메리카 대륙을 구분할 때는 파나마 지협을 경계로 북아메리카(C)와 남아메리카(D)로 나눌 수 있다. 이 기준에 따르면 멕시코는 북아메리카, 콜롬비아는 남아메리카에 속한다.

▌바로 알기▐ ㄷ. 언어와 같은 문화적 요소를 기준으로 아메리카를 구분한 것은 A와 B이다. 영어를 주로 사용하는 앵글로아메리카(A)와 에스파냐어, 포르투갈어를 주로 사용하는 라틴 아메리카(B)로 구분된다.

01 교통·통신의 발달에 따른 생활의 변화

교통과 통신 기술의 발달로 자동차, 비행기 등 새로운 교통수단이 등장하였고, 교통수단이 점차 대형화, 고속화됨에 따라 사람이나 물자의 이동은 더욱 빠르고 편리해졌다. (가) 시기에 비해 (나) 시기에는 주요 교통수단의 평균 속도가 매우 빨라졌다. 따라서 동일한 거리라고 해도 시간 거리는 훨씬 짧아졌다. 이 때문에 세계 각 지역 간의 인적·물적 자원이 더욱 신속하고 저렴하게 이동할 수 있게 되어 먼거리 간 물자·정보 이동량이 많아졌다. 이와 같은 변화에 따라 사람들의 생활권 범위는 크게 확대되었다. 이는 그림의 D에 해당한다.

02 국제적 분업

제시된 그림을 통해 A 기업은 국제적 분업을 통해 항공기를 생산한다. 대부분의 부품은 생산비를 절감하기 위해 유럽과 아시아 등지의 협력업체에서 공급받아 항공기를 생산한다. A 기업처럼 전 세계적으로 부품을 공급받고 생산 및 판매하는 기업을 다국적 기업이라고 한다.

∥ 바로 알기 ∥ ㄴ. 생산비에서 운송비의 비중이 크다면 다양한 국가에서 생산된 부품을 사용하기 어렵다. 항공기 제조와 같은 첨단 산업은 생산비에서 운송비가 차지하는 비중이 상대적으로 적은 편이다. ㄷ. 항공기 부품을 생산하는 국가들은 미국, 영국, 프랑스, 일본 등 대부분 선진국들이다.

03 세계화와 지역화의 특징

세계화란 정치, 경제, 사회, 문화 등의 활동 범위가 전 세계로 확대되는 현상을 말한다. 교통과 통신의 발달로 시공간적 거리가 단축됨에 따라 국가 간 교류가 매우 활발해졌으며, 세계 여러 지역은 서로 밀접한 관계를 맺게 되어 국가 간 상호 의존성이 증가하고 있다. 경제적 측면에서는 자본과 노동력 등 생산 요소의 국제 이동이 자유로워 여러 국가가 협력하기도 하지만, 국가 간 경쟁이 치열해지기도 한다. 세계화로 지구촌이 빠르게 변화하는 가운데, 지역 고유의 전통이나 특성을 살려 다른 지역과 차별화된 경쟁력을 갖추기 위해 노력하는 모습이 나타나고 있다. 이처럼 지역적인 것이 세계적인 차원에서 가치를 지니는 현상을 지역화라고 한다. 지역화 전략에는 지리적 표시제, 지역 브랜드, 장소 마케팅 등이 있다.

∥ 바로 알기 ∥ ① 세계화로 국가 간 인적·물적 이동이 활발해지고 국경의 의미가 약화되면서 국가 간 상호 의존성은 증가하고 있다.

04 문화의 세계화

(가)는 S 커피 전문점이 전 세계 곳곳에 지점을 설립하고 전 세계의 매장에서 비슷한 품질의 커피와 서비스를 제공하는 사례를 보여 준다. 이로 인해 세계 곳곳에서 유사한 경관을 볼 수 있다. 이러한 현상이 지속되면 국가 간 문화적·경제적 불평등이 나타날 수도 있다. (나)는 확산된 문화가 각 지역의 특성에 맞게 지역 문화와 섞이는 사례를 보여 준다. 이러한 현상이 지속되면 새로운 음식 문화가 나타날 수도 있다. 커피나 피자는 세계화에 따른 음식 문화의 전파를 나타내는 대표적인 사례이다.

∥ 바로 알기 ∥ ③ (가) 현상이 지속되면 개별 국가의 문화적 고유성이 약화될 수도 있다.

05 지역화 전략

제시된 글은 지역화 전략의 사례를 담고 있다. 미국 뉴욕의 'I♥NY'는 지역 브랜드, 프랑스 샹파뉴 지역의 '샴페인(Champagne)'은 지리적 표시제의 사례이다. 세계화 과정에서 경제적·문화적 교류 증가로 지역 간 경쟁이 치열해지면서 각 지역은 차별화된 경쟁력을 확보하고, 지역 경제 활성화를 위해 다양한 지역화 전략을 추진하고 있다.

06 세계 주요 고지도의 특징

화이도는 중국 송나라 때(1136년) 만들어진 세계 지도로, 중국 전체가 표현된 가장 오래된 지도이다. 중화사상이 반영되어 중국을 지도의 중심에 두고, 오른쪽 위에는 한반도, 왼쪽 아래에는 아프리카를 표현하였다.

∥ 바로 알기 ∥ ① 지구전후도는 조선 후기에 제작된 근대적인 세계 지도이며 지구후도와 지구전도로 구성되어 있다. ③ 곤여만국전도는 17세기 이후에 제작되었으며, 경도와 위도를 사용한 근대적 세계 지도이다. ④ 프톨레마이오스의 세계 지도는 그리스·로마 시대의 지리적 지식과 지도 제작 기술을 집대성하여 만든 지도로 경위선 개념과 투영법이 사용되었다. ⑤ 바빌로니아 점토판 지도는 기원전 600년경에 제작된 현존하는 가장 오래된 세계 지도이다.

07 지구전후도의 특징

지구전후도는 1834년 실학자 최한기가 제작한 지도로, 목판본으로 제작되었으며 중국 중심의 세계관에서 벗어난 사실적 세계 지도이다. 남북과 동서를 각각 18등분하여 경위선을 나타냈으며, 구대륙과 신대륙을 동서 양반구로 구분하여 그렸다는 특징이 있다. 지구전도에는 아시아, 유럽, 아프리카 등이 표현되어 있으며 지구후도에는 아메리카 대륙이 표현되어 있다.

∥ 바로 알기 ∥ ㄱ. 지구전후도에서 지도의 위쪽은 북쪽을 가리킨다. ㄹ. 지구전후도는 조선 후기의 실학자 최한기가 제작한 것이다. 이탈리아의 마테오 리치가 만든 세계 지도는 곤여만국전도이다.

08 메르카토르 지도의 특징

제시된 지도는 메르카토르가 1569년 제작한 것으로 '메르카토르 도법'이라는 지도 제작 방법을 따른 것이다. 이 지도는 경선과 위선이 수직으로 만나 어느 지점에서든 정확한 각도가 표현되므로 항해 시 선원들이 나침반을 이용하여 직선 항로를 쉽게 찾을 수 있다. 그러나 적도 부근의 면적은 정확하지만, 극지방으로 갈수록 면적이 실제보다 더 크게 표현되는 단점이 있다.

▌바로 알기▐ 병. 메르카토르 세계 지도는 15세기 대항해 시대에 범선의 항해를 목적으로 제작되어 상인과 탐험가들의 항해에 널리 사용되었다. 정. 메르카토르 세계 지도는 신대륙 발견 이후에 제작되어 아메리카 대륙까지 표현되어 있다.

09 알 이드리시 지도와 천하도에 나타난 세계 인식

(가)는 중세 이슬람 세계의 대표적인 세계 지도인 알 이드리시 세계 지도이며, (나)는 조선 중기 이후에 제작된 천하도이다. ③ 천하도는 주로 민간에서 제작된 관념적인 세계 지도로, 도교적 세계관이 반영되어 지도 외곽에 상상 속의 지명이나 국가들이 표현되어 있다.

▌바로 알기▐ ① 알 이드리시 세계 지도는 지도의 위쪽이 남쪽이다. ② 알 이드리시 세계 지도는 이슬람교 세계관이 반영되어 성지인 메카가 지도 중심에 자리한다. ④ 천하도의 외곽에는 상상의 국가가 그려져 있지만 지도의 중심에는 실재하는 국가인 중국이 표현되어 있으며, 조선과 일본도 그려져 있다. ⑤ 알 이드리시 세계 지도는 지구가 둥글다는 지구 구체설을 토대로 제작되었으나, 천하도는 하늘은 둥글고 땅은 네모지다는 천원지방 사상이 반영된 지도이다.

10 혼일강리역대국도지도와 프톨레마이오스 지도의 특징 비교

(가)는 조선 전기에 제작된 혼일강리역대국도지도이고, (나)는 150년경 로마 시대에 제작된 프톨레마이오스의 세계 지도이다. 혼일강리역대국도지도는 지도의 위쪽이 북쪽을 가리키며 경위선은 표현되어 있지 않으므로 그림의 B에 해당한다. 프톨레마이오스의 세계 지도는 지도의 위쪽이 북쪽을 가리키며, 경위선의 개념을 지도 제작에 활용하였다. 그러나 중화사상은 반영되어 있지 않으므로 그림의 C에 해당한다.

11 원격 탐사의 특징

오늘날에는 원격 탐사 기술과 지리 정보 체계(GIS)의 발전으로 다양한 지리 정보를 수집할 수 있게 되었다. 원격 탐사는 항공기나 인공위성을 이용하여 지표의 영상 정보를 수집하는 방법으로, 지리 정보를 매우 사실적으로 보여 준다. 원격 탐사 기술을 지리 조사에 활용하면 넓은 지역의 정보를 실시간으로 수집할 수 있으며, 극지방이나 열대림 등 인간이 접근하기 어려운 지역의 자료도 수집할 수 있다는 장점이 있다. 또한 동일한 지역을 반복하여 주기적으로 탐사할 수 있으므로 지역의 변화 과정을 파악하는 데도 용이하다.

▌바로 알기▐ 정. 원격 탐사는 관측 대상과 직접적인 접촉 없이 항공기, 인공위성 등을 이용하여 먼 거리에서 지리 정보를 수집한다.

12 세계의 권역 구분

자료 분석

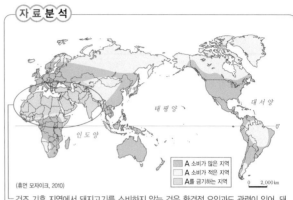

(휴먼 모자이크, 2010)

┌ 건조 기후 지역에서 돼지고기를 소비하지 않는 것은 환경적 요인과도 관련이 있어. 돼지는 체온 조절 능력이 낮기 때문에 키우기 위해서 충분한 물과 그늘이 필요해. 따라서 건조 기후 지역에서는 돼지를 사육하기 힘든 거야.

제시된 지도는 세계의 다양한 권역 구분 중 돼지고기 소비를 기준으로 지역을 구분한 것이다. 따라서 A는 돼지고기이다. 이슬람교에서는 돼지를 불결한 동물로 여겨 돼지고기를 금기하고 있다. 지도를 보면 이슬람교를 주로 믿으며 건조 기후가 나타나는 북부 아프리카 및 서남아시아 지역은 대부분 돼지고기를 먹지 않는다.

▌바로 알기▐ ㄱ. 제시된 지도는 식생활에 따라 권역을 구분하였으며, 이러한 분포는 종교적인 요인과도 관련이 있다. 의식주나 종교 등은 권역을 구분하는 주요 지표 중 문화적 요소에 해당한다. ㄷ. 일반적으로 경제가 발달한 국가가 그렇지 않은 국가보다 육류를 많이 섭취하지만, 돼지고기의 소비는 종교와 같은 문화적인 영향을 받기도 하기 때문에 국가마다 소비 특징이 다르다.

Ⅱ. 세계의 자연환경과 인간 생활

01~02 열대 기후 환경 ~ 온대 기후 환경

STEP 1 핵심 개념 확인하기   038쪽

1 (1) 작게 (2) 많다   **2** ㉠ 무역풍 ㉡ 편서풍   **3** (1) 열대 우림 (2)
사바나   **4** (1) × (2) ○ (3) ○   **5** (1) ㄷ (2) ㄱ (3) ㄹ

STEP 2 내신 만점 공략하기   038~042쪽

01 ①	02 ⑤	03 ②	04 ②	05 ⑤	06 ①	07 ②
08 ②	09 ①	10 ②	11 ⑤	12 ①	13 ⑤	14 ⑤
15 ⑤	16 ②					

01 지구의 대기 대순환

지구상에서는 지표면의 불균등한 열 분포를 해소하기 위해 대기 순환이 일어난다. 그림의 A는 적도 저압대, B는 아열대 고압대, C 는 고위도 저압대이다. ① 적도 부근에서는 강한 일사에 따른 지표면의 가열로 대기가 상승하는 적도 저압대가 형성된다.

▎바로 알기 ▎ ② 하강 기류가 발생하여 강수량이 적은 곳은 북위 30° 부근의 아열대 고압대이다. ③ 아열대 고압대에서 적도 저압대로 부는 바람은 무역풍이다. ④ 아열대 고압대에서 고위도 저압대로 부는 바람은 편서풍이다. ⑤ 연평균 기온은 A > B > C 순으로 높다.

02 기후 차이에 영향을 주는 기후 요인

병. 칠레의 산티아고는 연안에 흐르는 한류(페루 해류)의 영향으로 대기가 안정되어 연 강수량이 적게 나타난다. 따라서 우루과이의 몬테비데오에 비해 연 강수량이 적은 것은 해류의 영향 때문이다. 정. 포르투갈의 리스본과 우리나라의 서울은 비슷한 위도에 있지만 수륙 분포의 차이로 대륙 서안에 위치한 리스본이 대륙 동안에 위치한 서울보다 연평균 기온이 높게 나타난다.

▎바로 알기 ▎ 갑. 인도의 체라푼지는 히말라야 산맥의 바람받이 지역으로 연 강수량이 많다. 을. 적도 부근에 위치한 브라질의 벨렝은 중위도에 위치한 미국의 뉴욕보다 단위 면적당 태양 에너지를 많이 받기 때문에 연평균 기온이 높다.

03 쾨펜의 기후 구분

나무가 자랄 수 있으며, 최한월 평균 기온이 18℃ 미만, –3℃ 이상 인 기후는 온대 기후이다. 이 중에서 연중 습윤하며, 최난월 평균 기온이 22℃ 미만인 기후는 서안 해양성 기후이다. 이와 가장 관계 깊은 것은 ② 런던의 기후 그래프이다.

▎바로 알기 ▎ ① 열대 우림 기후 지역의 키상가니의 기후 그래프이다. ③ 냉대 습윤 기후 지역의 모스크바의 기후 그래프이다. ④ 지중해성 기후 지역의 로마의 기후 그래프이다. ⑤ 건조 기후 지역의 카이로의 기후 그래프이다.

04 열대 기후의 분포

A는 열대 우림 기후, B는 열대 몬순 기후, C는 사바나 기후에 해당한다. 열대 우림 기후 지역의 연 강수량은 보통 2,000mm 이상이며, 월 강수량이 가장 적은 달도 60mm 이상이다. 열대 몬순 기후는 사바나 기후보다 계절풍의 영향을 많이 받아 긴 우기와 짧은 건기가 번갈아 나타난다.

▎바로 알기 ▎ ㄴ, ㄹ. 열대 우림 기후는 연중 적도 수렴대의 영향을 받지만, 사바나 기후는 계절에 따라 적도 수렴대와 아열대 고압대의 영향을 번갈아 받는다.

완자 정리 노트	열대 기후의 구분
열대 우림 기후(Af)	• 연중 적도 수렴대의 영향을 받아 일 년 내내 비가 많이 내림 • 거의 매일 오후에 일시적인 강수(스콜) 발생
사바나 기후(Aw)	• 건기와 우기가 뚜렷하게 구분됨 • 건기: 아열대 고압대의 영향으로 하강 기류가 발달하여 맑고 건조한 날씨 지속 • 우기: 적도 수렴대의 영향으로 많은 비가 내림
열대 몬순 기후(Am)	• 계절풍의 영향을 받아 긴 우기와 짧은 건기가 번갈아 나타남 • 우기의 강수량은 같은 시기의 열대 우림 기후보다 많은 편

05 사바나 기후와 열대 우림 기후

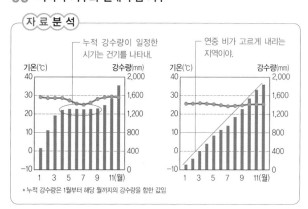

자료 분석

누적 강수량이 일정한 시기는 건기를 나타내.

연중 비가 고르게 내리는 지역이야.

* 누적 강수량은 1월부터 해당 월까지의 강수량을 합한 값임

(가), (나)는 모두 최한월 평균 기온이 18℃를 넘으므로 열대 기후 지역에 속한다. (가)는 6~8월에 강수량이 적은 건기가 나타나므로 남반구의 사바나 기후 지역, (나)는 연중 고른 강수 분포가 나타나므로 열대 우림 기후 지역이다. ㄷ. 열대 우림 기후 지역은 연중 적도 수렴대의 영향을 받는다. ㄹ. 사바나 기후 지역과 열대 우림 기후 지역은 연중 태양 복사 에너지를 많이 받아 일 년 내내 기온이 높기 때문에 기온의 연교차가 작다. 또한 밤이 되어도 기온이 크게 떨어지지 않기 때문에 기온의 일교차가 작지만, 기온의 연교차보다는 기온의 일교차가 크다.

| 바로 알기 | ㄱ. (가)는 남반구의 사바나 기후 지역이므로 6~8월에 아열대 고압대의 영향을 받아 거의 비가 내리지 않는다. ㄴ. 일 년 내내 기온이 높고 강수량이 많은 열대 우림 기후 지역은 키가 크고 작은 나무들과 다양한 종류의 식물들이 분포한다. 사바나 기후 지역에는 키가 큰 풀이 자라는 초원에 관목이 드문드문 분포한다. 따라서 열대 우림 기후 지역이 사바나 기후 지역에 비해 단위 면적당 수목 밀도가 높다.

06 열대 우림 기후 지역의 특징
자료의 지역은 오후 2시~5시 사이의 짧은 시간 동안 집중적으로 비가 쏟아지며, 빗물이 잘 흘러내리도록 지붕의 경사가 급한 것으로 볼 때 연중 강수량이 많음을 알 수 있다. 이와 같은 강수 특성을 보이는 지역은 열대 우림 기후 지역이다. 열대 우림 기후 지역은 적도를 중심으로 남·북회귀선 사이의 저위도 지역에 주로 분포하며, 오후에는 일시적으로 강풍과 천둥, 번개 등을 동반한 소나기가 발생한다. 이 지역은 연중 높은 기온과 많은 강수의 영향으로 푸르고 키가 크고 작은 나무들이 다층의 숲을 이루며 다양한 종의 식물이 열대 우림을 이루고 있다. 열대 우림 기후 지역에서는 전통적으로 수렵과 채집 생활을 하거나 이동식 화전 농업으로 얌, 카사바, 타로 등을 재배하였다.

| 바로 알기 | ① 연중 아열대 고압대의 영향을 받는 지역은 대체로 연 강수량 500mm 미만의 건조 기후가 나타난다.

07 열대 고산 기후와 열대 우림 기후 지역의 특징
(가)는 열대 고산 기후 지역, (나)는 열대 우림 기후 지역에 해당한다. ①, ④ 저위도의 열대 고산 기후 지역은 해발 고도가 높아 월평균 기온이 10~15℃ 정도로 연중 일정하게 나타난다. 이는 우리나라의 봄과 같이 온화한 기후이다. ③ 열대 우림 기후 지역은 일 년 내내 비가 많이 내려 열대 고산 기후 지역보다 연 강수량이 많다. ⑤ 열대 우림 기후는 적도 부근의 저지대, 아프리카의 콩고 분지, 인도네시아 등지에서 나타난다. 반면, 열대 기후 지역에서도 남아메리카의 안데스 산지, 아프리카의 아비시니아고원 등 해발 고도가 높은 고산 지역에서는 열대 고산 기후가 나타난다. 따라서 열대 우림 기후가 열대 고산 기후보다 분포 면적이 더 넓다.

| 바로 알기 | ② 열대 우림 기후 지역은 연중 적도 수렴대의 영향을 받아 일 년 내내 비가 많이 내린다.

08 적도 수렴대의 위치 변동
(가)는 적도 수렴대가 남회귀선 근처에 있는 것으로 볼 때 1월로, 북반구는 겨울(건기), 남반구는 여름(우기)이다. (나)는 적도 수렴대가 북회귀선 근처에 있는 것으로 볼 때 7월로, 북반구는 여름(우기), 남반구는 겨울(건기)이다. ㄱ. A는 적도 수렴대가 가까이 위치하는 (나) 시기에 (가) 시기보다 강수량이 더 많다. ㄷ. 남반구에 위치한 B는 겨울이 되는 (나) 시기에 (가) 시기보다 밤의 길이가 길다.

| 바로 알기 | ㄴ. A는 북반구에 위치하므로 (가) 시기에 겨울, (나) 시기에 여름이다. 따라서 (나)보다 (가) 시기에 평균 기온이 낮다. ㄹ. 남반구에 위치한 B는 (가) 시기에 우기, (나) 시기에 건기이다.

09 열대 기후 지역의 농업
㉠은 이동식 화전 농업, ㉡은 플랜테이션이다. 이동식 화전 농업은 삼림이나 초지를 태워 그 재를 거름으로 삼아 얌, 카사바, 타로 등 농사를 짓다 3~4년 정도 지나 지력이 소진되면 다른 지역으로 이동하여 다시 화전을 일구어 농사를 짓는 방식이다. 한편 플랜테이션은 선진국의 자본과 기술, 원주민의 값싼 노동력을 이용하는 상업적 농업 방식이다. 주로 고무, 카카오, 커피, 목화 등의 상품 작물을 대규모로 재배한다. 전통적 농업 방식인 이동식 화전 농업은 선진국의 자본과 기술에 의해 운영되는 플랜테이션보다 경작지의 규모가 작은 편이다. 플랜테이션은 이동식 화전 농업보다 대규모로 이루어지기 때문에 기계화율이 높은 편이다. 한편 가족 노동력에 대한 의존도가 높은 것은 원주민을 중심으로 이루어지는 이동식 화전 농업이다.

| 바로 알기 | ② 기호 작물 또는 원료 작물을 대규모로 재배하는 플랜테이션은 이동식 화전 농업에 비해 식량 작물의 재배 비중이 낮다.

10 온대 서안과 온대 동안 기후의 특성
유라시아 대륙 서안에 있는 (가)는 여름철에는 아열대 고압대의 영향으로 덥고 건조하며, 겨울철에는 해양에서 불어오는 편서풍의 영향으로 비교적 따뜻하고 비가 자주 내린다. 유라시아 대륙 동안에 있는 (나)는 여름철에는 고온 다습한 남동 및 남서 계절풍의 영향으로 덥고 습하지만, 겨울철에는 한랭 건조한 북서 계절풍의 영향으로 춥고 건조하다. 따라서 (나)는 (가)보다 기온의 연교차가 크고 여름 강수 집중률이 높으며, 아열대 고압대의 영향을 받는 기간이 짧다. 이는 그림의 B에 해당한다.

11 온대 기후 지역의 특징
지도의 A는 서안 해양성 기후 지역, B는 지중해성 기후 지역, C는 온대 겨울 건조 기후 지역, D는 온난 습윤 기후 지역이다. ㄷ. 온대 겨울 건조 기후 지역은 여름 기온이 높고 강수량이 풍부하며, 겨울이 춥고 건조하여 기온의 연교차와 강수의 계절 차가 매우 크다. ㄹ. 온난 습윤 기후 지역은 온대 겨울 건조 기후 지역에 비해 해양의 영향을 많이 받아 일 년 내내 강수가 비교적 고르게 분포하며 건기는 뚜렷하지 않다.

| 바로 알기 | ㄱ. 아열대 고압대의 영향으로 여름철에 고온 건조한 곳은 지중해성 기후 지역이다. ㄴ. 연중 해양에서 불어오는 편서풍의 영향을 받아 강수량이 고르게 나타나는 곳은 서안 해양성 기후 지역이다.

완자 정리 노트   온대 기후의 구분

온대 서안 기후	• 서안 해양성 기후: 기온의 연교차가 작고 연중 강수가 고르게 분포함 • 지중해성 기후: 여름에 고온 건조, 겨울에 온난 습윤함
온대 동안 기후	• 온난 습윤 기후: 연중 습윤하나 여름에 덥고 비가 많이 내림 • 온대 겨울 건조 기후: 여름에 덥고 온난 습윤 기후에 비해 겨울이 더욱 건조함

12 주요 온대 기후의 특징

자 료 분 석

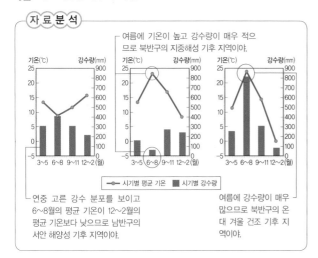

여름에 기온이 높고 강수량이 매우 적으므로 북반구의 지중해성 기후 지역이야.

연중 고른 강수 분포를 보이고 6~8월의 평균 기온이 12~2월의 평균 기온보다 낮으므로 남반구의 서안 해양성 기후 지역이야.

여름에 강수량이 매우 많으므로 북반구의 온대 겨울 건조 기후 지역이야.

(가)는 서안 해양성 기후 지역, (나)는 지중해성 기후 지역, (다)는 온대 겨울 건조 기후 지역이다. ① 남반구에 위치한 (가)는 북반구에 위치한 (나)보다 북회귀선과의 최단 거리가 멀다.

▎바로 알기▎ ② 대륙 서안에 위치한 (나)는 대륙 동안에 위치한 (다)보다 계절풍의 영향을 적게 받는다. ③ 온대 겨울 건조 기후 지역은 서안 해양성 기후 지역보다 기온의 연교차가 크다. ④ 지중해성 기후가 나타나는 (나)는 대륙 서안에 위치하고, 온대 겨울 건조 기후가 나타나는 (다)는 대륙 동안에 위치한다. ⑤ 세 지역 중에서 연 강수량은 (다)가 가장 많다.

13 유럽의 온대 기후 지역

지도의 A는 서안 해양성 기후가 나타나는 런던, B는 지중해성 기후가 나타나는 로마이다. (가) 시기는 (나) 시기보다 지중해 연안 지역의 강수량이 많은 것으로 볼 때 1월, (나) 시기는 7월이다. ① 고위도에 위치한 런던이 로마보다 연평균 기온이 낮다. ② 여름철에 건조한 로마는 연중 습윤한 런던보다 여름 강수 집중률이 낮다. ③ 로마는 여름철에는 아열대 고압대의 영향을, 겨울철에는 편서풍 및 전선대의 영향을 받는다. 반면, 런던은 연중 바다에서 불어오는 편서풍의 영향을 받는다. ④ 런던은 로마보다 고위도에 있어 1월에 낮의 길이가 짧다.

▎바로 알기▎ ⑤ 여름철에 로마는 런던보다 아열대 고압대의 영향을 많이 받아 고온 건조하다.

14 사바나 기후 지역과 지중해성 기후 지역의 식생

우기가 되면 키가 큰 풀과 관목이 드문드문 분포하는 (가)는 사바나 기후 지역이다. 잎이 작고 단단한 경엽수림이 분포하는 (나)는 지중해성 기후 지역이다. ㄷ. 열대 기후에 속하는 사바나 기후 지역은 온대 기후에 속하는 지중해성 기후 지역보다 최한월 평균 기온이 높다. ㄹ. 사바나 기후 지역과 지중해성 기후 지역은 모두 건기와 우기의 구분이 뚜렷하다.

▎바로 알기▎ ㄱ. 냉대 기후 지역에 대한 설명이다. ㄴ. 지중해성 기후 지역은 중위도 대륙 서안에 주로 분포한다.

15 대륙 동안의 온대 기후 특징

(가)는 대륙에서 한랭 건조한 바람이 불어오는 1월, (나)는 해양에서 고온 다습한 바람이 불어오는 7월이다. (나) 시기에 A 지역은 바다에서 육지 쪽으로 불어오는 남서 계절풍의 영향으로 비가 많이 내린다. 이로 인해 홍수가 자주 발생한다.

▎바로 알기▎ ㄴ. 고온 다습한 계절풍의 영향으로 (가) 시기보다 (나) 시기에 월평균 기온이 높다.

16 지중해성 기후 지역의 경관

자 료 분 석

최한월 평균 기온이 −3~18℃이므로 온대 기후 지역이야.

월	1	2	3	4	5	6
평균 기온(℃)	8.4	9.0	10.9	13.2	17.2	21.0
강수량(mm)	74.0	73.9	60.7	60.0	33.5	21.4
월	7	8	9	10	11	12
평균 기온(℃)	23.9	24.0	21.1	16.9	12.1	9.4
강수량(mm)	8.5	32.7	74.4	98.2	93.3	86.3

여름철 기온이 높고, 강수량이 매우 적은 것으로 볼 때 지중해성 기후 지역이야.

제시된 표는 지중해성 기후 지역인 로마의 기후 값을 나타낸 것이다. 지중해성 기후 지역에서는 여름철 강수량이 적은 환경에서도 잘 자라는 올리브나무, 포도나무 등 경엽수를 이용한 수목 농업이 이루어진다.

▎바로 알기▎ ① 열대 기후 지역, ③ 사막 기후 지역, ④ 사바나 기후 지역, ⑤ 열대 몬순 기후 지역에서 주로 볼 수 있는 모습이다.

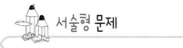

서술형 문제

042쪽

01 주제: 사바나 기후 지역의 특징

(1) (가) − 12~2월, (나) − 6~8월

(2) **예시 답안** A 지역은 (가) 시기에는 적도 수렴대의 영향으로 강수량이 많은 우기이다. (나) 시기에는 아열대 고압대의 영향으로 강수량이 적고 맑은 날씨가 이어지는 건기이다.

채점 기준

상	제시어를 모두 사용하여 사바나 기후 지역의 (가), (나) 시기의 기후 특징을 정확히 서술한 경우
중	제시어를 세 가지 사용하여 사바나 기후 지역의 (가), (나) 시기의 기후 특징을 서술한 경우
하	제시어를 두 가지만 사용하여 사바나 기후 지역의 (가), (나) 시기의 기후 특징을 서술한 경우

02 주제: 지중해성 기후 지역의 가옥

예시 답안 지중해성 기후 지역. 지중해 연안에서는 여름철 고온에 대비하기 위해 벽을 흰색으로 칠해 햇빛 반사율을 높이고, 창문을 작게 만들어 외부의 열기를 막는다.

채점 기준

상	지중해성 기후 지역이라고 쓰고, 가옥 외벽을 흰색으로 칠하고 창문을 작게 만든 이유를 기후 특색과 관련지어 정확히 서술한 경우
중	지중해성 기후 지역이라고 썼으나, 외부의 열이 집안으로 들어오는 것을 막기 위해서 라고만 서술한 경우
하	지중해성 기후 지역이라고만 쓴 경우

STEP 3 1등급 정복하기
043~045쪽

1 ③ 2 ③ 3 ④ 4 ④ 5 ③ 6 ③

1 쾨펜의 기후 구분

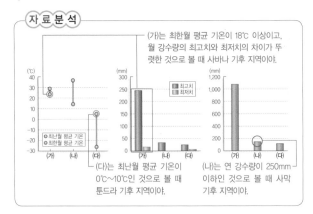

자료 분석

(가)는 최한월 평균 기온이 18℃ 이상이고, 월 강수량의 최고치와 최저치의 차이가 뚜렷한 것으로 볼 때 사바나 기후 지역이야.

(다)는 최한월 평균 기온이 0℃~10℃인 것으로 볼 때 툰드라 기후 지역이야.

(나)는 연 강수량이 250mm 이하인 것으로 볼 때 사막 기후 지역이야.

(가)는 사바나 기후 지역, (나)는 사막 기후 지역, (다)는 툰드라 기후 지역이다. ③ 툰드라 기후는 연 강수량이 500mm 미만인 지역이 많지만, 기온이 낮아 강수량이 증발량보다 많다.

바로 알기 ① 사바나 기후 지역은 열대 기후에 속하며, 주로 적도를 중심으로 분포하는 열대 우림 기후 지역의 주변에 분포한다. ② 주로 상록 활엽수림이 분포하는 곳은 열대 기후 지역이다. ④ 사바나 기후 지역은 사막 기후 지역보다 기온의 연교차가 작다. ⑤ 사바나 기후는 수목 기후에, 툰드라 기후는 무수목 기후에 해당한다.

2 열대 기후 지역의 특성

(가)~(다) 지역은 모두 최한월 평균 기온이 18℃ 이상이므로 열대 기후 지역에 속한다. (가)는 1월을 중심으로 우기가, 7월을 중심으로 건기가 나타나는 것으로 볼 때 세 지점 중 남반구에 위치한 사바나 기후 지역이다. (나)는 연중 고른 강수 분포를 보이는 것으로 볼 때 적도에 인접한 열대 우림 기후 지역이다. (다)는 5~9월까지 우기가 길게 나타나고 우기의 강수량이 매우 많은 것으로 볼 때 북

반구에 위치한 열대 몬순 기후 지역이다. ③ 아시아의 열대 몬순 기후 지역인 (다)는 남반구의 사바나 기후 지역인 (가)보다 벼의 2기작이 활발하다.

바로 알기 ① 남반구에 위치한 (가)는 적도 근처에 위치한 (나)보다 북회귀선으로부터의 거리가 멀다. ② 일 년 내내 비가 많이 내리는 (나)는 여름에 강수가 집중되는 (다)보다 강수의 계절적 편차가 작다. ④ 1월의 낮 길이는 (가) > (나) > (다) 순으로 길기 때문에 1월의 밤 길이는 (다) > (나) > (가) 순으로 길다. ⑤ 세 지역 중에서 춘분 때 태양의 남중 고도는 적도 인근에 위치한 (나)가 가장 높다.

3 열대 기후 지역의 특성

〈출발지〉는 연중 월평균 기온이 15℃ 내외인 것으로 볼 때 저위도에 위치한 열대 고산 기후 지역이다. 〈도착지〉는 연중 월평균 기온이 18℃ 이상이고, 월 강수량이 60mm 이상인 것으로 볼 때 열대 우림 기후 지역이다. D의 〈출발지〉는 저위도의 안데스 산지에 위치하므로 열대 고산 기후 지역, 〈도착지〉는 동남아시아 적도 부근에 위치하므로 열대 우림 기후 지역이다.

바로 알기 ① A에서 〈출발지〉는 이탈리아로 지중해성 기후가, 〈도착지〉는 스텝 기후가 나타난다. ② B에서 〈출발지〉는 에티오피아고원으로 고산 기후가, 〈도착지〉는 남아프리카 공화국으로 지중해성 기후가 나타난다. ③ C에서 〈출발지〉는 티베트고원으로 고산 기후가, 〈도착지〉는 베트남의 북부 지역으로 온대 겨울 건조 기후가 나타난다. ⑤ E에서 〈출발지〉는 캐나다 북부로 툰드라 기후가, 〈도착지〉는 미국 동부 지역으로 온난 습윤 기후가 나타난다.

4 온대 기후 지역의 특징

자료 분석

최한월 평균 기온은 최난월 평균 기온에서 기온의 연교차를 빼면 구할 수 있어.

구분	기온의 연교차 (℃)	최난월 평균 기온 (℃)	최한월 평균 기온 (℃)	연 강수량 (mm)	1월 강수량 (mm)	7월 강수량 (mm)
(가)	13.0	18.7	5.7	640.3	55.0	46.8
(나)	15.6	24.0	8.4	716.9	74.0	8.5
(다)	28.1	25.7	-2.4	1,450.5	20.8	394.7

(가)~(다) 모두 최한월 평균 기온이 -3~18℃이므로 온대 기후 지역이야.

(가)는 기온의 연교차가 작고, 연중 강수량이 고른 것으로 볼 때 서안 해양성 기후 지역이다. (나)는 1월 강수량에 비해 7월 강수량이 매우 적은 것으로 볼 때 지중해성 기후 지역이다. (다)는 기온의 연교차가 크고, 1월 강수량에 비해 7월 강수량이 매우 많은 것으로 볼 때 온대 겨울 건조 기후 지역이다. 을. 온대 겨울 건조 기후 지역은 서안 해양성 기후 지역에 비해 강수량의 계절 차가 크다. 정. (가)~(다) 지역은 모두 최한월 평균 기온이 -3℃~18℃로, 온대 기후에 속한다.

바로 알기 갑. (가)의 최한월 평균 기온은 5.7℃, (나)의 최한월 평균 기온은 8.4℃이다. 따라서 (가)는 (나)보다 최한월 평균 기온이 낮다. 병. (나)보다 (다)의 기온의 연교차가 크고, 연 강수량이 많은 것으로 볼 때 (나)는 대륙 서안, (다)는 대륙 동안에 위치한다.

5 온대 기후 지역의 특성

(가)는 연중 온난하고 습윤한 서안 해양성 기후 지역의 푸른 초원과 구름 낀 하늘을 보여 주고 있다. (나)는 여름철에 고온 다습한 온대 동안 기후 지역의 풍경을 보여 주고 있다. (다)는 여름철에 고온 건조한 지중해성 기후 지역의 풍경을 보여 주고 있다. ① 서안 해양성 기후 지역은 연중 강수량이 고르고 겨울이 온화하여 목초지 조성에 유리하여 낙농업이 발달하였다. ② 온대 동안 기후 지역은 여름에 기온이 높고 강수량이 풍부하여 농업 발달에 유리하며, 특히 동아시아와 동남아시아 지역에서는 벼농사가 활발하다. ④ 온대 동안 기후 지역은 계절풍의 영향을 받아 서안 해양성 기후 지역보다 강수량의 계절적 차이가 크다. ⑤ 지중해성 기후 지역에서는 고온 건조한 여름에도 자랄 수 있는 코르크·올리브·오렌지 나무 등과 같은 경엽수를 이용한 수목 농업이 활발하다.

┃바로 알기┃ ③ 지중해성 기후 지역은 수목 농업이 발달하였다. 혼합 농업은 연중 습윤하여 목초지 조성에 유리한 서안 해양성 기후 지역에서 주로 발달하였다.

6 온대 지역의 기후 특성

지도에 표시된 세 지역은 중국의 칭다오, 미국의 로스앤젤레스, 오스트레일리아의 멜버른이다. 칭다오는 온대 겨울 건조 기후(Cw), 로스앤젤레스는 지중해성 기후(Cs), 멜버른은 서안 해양성 기후(Cfb)가 나타난다. 1월에는 남반구가 여름철, 7월에는 북반구가 여름철이다. 따라서 1월에 기온이 가장 높고, 7월에 기온이 가장 낮은 C가 멜버른이다. 유라시아 대륙 동안에 위치한 칭다오는 지중해성 기후 지역보다 기온의 연교차가 크다. 따라서 1월에 기온이 가장 낮고, 7월에 기온이 가장 높은 A가 칭다오이다. B는 로스앤젤레스이다. ㄴ. 아열대 고압대는 태양의 회귀에 따라 사바나 기후와 지중해성 기후 지역에 건기가 나타나는 데 영향을 미친다. 즉, 아열대 고압대는 북반구에서는 1월에 사바나 기후 지역, 7월에 지중해성 기후 지역에 영향을 미친다. 따라서 7월에 로스앤젤레스는 남반구의 멜버른보다 아열대 고압대의 영향을 많이 받아 건기가 나타난다. ㄷ. 1월은 남반구가 북반구보다 태양의 고도가 높기 때문에 낮의 길이는 북반구에 위치한 A, B 지역보다 남반구에 위치한 C가 길다.

┃바로 알기┃ ㄱ. 여름철에 칭다오(A)는 습윤한 계절풍의 영향으로 우기가 나타나고, 로스앤젤레스(B)는 아열대 고압대의 영향으로 건기가 나타난다. 따라서 칭다오가 로스앤젤레스보다 여름 강수 집중률이 높다. ㄹ. 연중 강수 분포는 바다에서 불어오는 편서풍의 영향을 받는 멜버른(C)이 가장 고르다.

03 건조 기후 환경과 냉대 및 한대 기후 환경

STEP 1 핵심 개념 확인하기　050쪽

1 ㉠ 사막 ㉡ 스텝　2 (1) - ㉠ (2) - ㉡ (3) - ㉢ (4) - ㉣　3 (1) 페디먼트 (2) 선상지 (3) 삼릉석　4 (1) ○ (2) ○ (3) ×　5 (1) ㄱ, ㄴ, ㅁ (2) ㄷ, ㄹ, ㅂ

STEP 2 내신 만점 공략하기　050~052쪽

01 ③　02 ②　03 ②　04 ③　05 ④　06 ⑤　07 ①
08 ④

01 사막 기후와 스텝 기후

(가)는 사막 기후 지역인 카이로, (나)는 스텝 기후 지역인 샌디에이고의 기후 그래프이다. ㄴ. 스텝 기후 지역은 강수에 의한 유기물의 유실이 적어 비옥한 흑색토가 분포한다. ㄷ. 사막 기후 지역은 연 강수량이 250mm 미만, 스텝 기후 지역은 연 강수량이 250mm 이상 500mm 미만이다. 따라서 사막 기후 지역이 스텝 기후 지역보다 연 강수량이 적다.

┃바로 알기┃ ㄱ. 건기와 우기가 뚜렷하게 구분되는 지역은 스텝 기후 지역이다. ㄹ. 사막 기후 지역은 매우 건조하여 식생의 성장이 어렵다. 스텝 기후 지역은 짧은 우기 동안 키가 작은 풀이 자라 초원을 이룬다. 따라서 자연 상태에서 식생이 자라기에 더 유리한 지역은 (나)이다.

02 사막의 형성

(가)는 아열대 고압대의 영향으로 연중 하강 기류가 발생하여 사막이 형성되는 모습을 나타낸 것이다. (나)는 대륙 내부에 위치하여 바다로부터 수분 공급이 적어 사막이 형성되는 모습을 나타낸 것이다. (가)의 대표적인 사례는 사하라 사막(B)이고, (나)의 대표적인 사례는 고비 사막(C)이다.

┃바로 알기┃ A는 나미브 사막, D는 아타카마 사막이다. 이들은 차가운 바닷물이 상승 기류의 형성을 막아 사막이 형성되었다. E는 파타고니아 사막으로 고온 건조한 바람이 지속적으로 불어와 사막이 형성되었다.

완자 정리 노트	사막의 형성 원인
아열대 고압대 지역	대기 대순환에 따라 하강 기류가 발달함 ⓔ 사하라 사막, 룹알할리 사막
대륙 내부 지역	바다와 멀리 떨어져 있어 수분 공급이 어려움 ⓔ 고비 사막, 타커라마간 사막
대륙 서안의 한류 연안 지역	연중 한류가 흘러 상승 기류가 형성되지 못함 ⓔ 아타카마 사막, 나미브 사막
탁월풍의 바람그늘 지역	지형성 강수 발생 이후 건조한 공기가 산지를 넘어옴 ⓔ 파타고니아 사막

03 건조 지형

그림의 A는 사구, B는 플라야, C는 와디, D는 메사, E는 선상지이다. ① 사구는 바람에 모래가 날려 퇴적된 모래 언덕이다. ③ 와디는 평상시에 말라 있으며, 교통로로 이용되기도 한다. ④ 메사는 경암층과 연암층이 차별 침식을 받아 꼭대기는 평탄하고 주변부는 급사면을 이루는 탁자 모양의 지형이다. ⑤ 선상지는 급경사의 좁은 골짜기의 입구에 자갈과 모래가 부채 모양으로 퇴적된 지형이다. 여러 개의 선상지가 연속적으로 발달한 것을 바하다라고 한다.

⫾ 바로 알기 ⫾ ② 플라야의 물은 염분이 많아 관개용수나 식수로 사용되기 어렵다.

04 건조 지형과 빙하 및 주빙하 지형

(가)는 버섯 바위, (나)는 삼릉석, (다)는 구조토, (라)는 호른이다. ③ 주로 툰드라 기후 지역에서 볼 수 있는 구조토는 토양 속 수분의 결빙과 융해가 반복되는 동안 큰 자갈은 바깥쪽으로 밀려 나가고, 작은 자갈과 모래는 안쪽에 쌓이면서 형성된 다각형의 지형이다.

⫾ 바로 알기 ⫾ ① 버섯 바위는 입자가 큰 모래가 바람에 날려 암석의 아랫부분을 집중적으로 깎아 만든 것으로 바람에 의한 침식 작용으로 만들어진 지형이다. ② 삼릉석은 바람에 날린 모래의 침식으로 여러 개의 평평한 면과 모서리가 생긴 돌이다. ④ 호른은 빙하의 침식을 받아 산정상에 형성된 뾰족한 봉우리이다. ⑤ (가)와 (나)는 건조 지형, (다)는 주빙하 지형, (라)는 빙하 지형이다. 이러한 지형은 모두 화학적 풍화 작용보다 물리적 풍화 작용이 활발한 지역에서 잘 나타난다.

05 냉대 및 한대 기후 지역의 특징

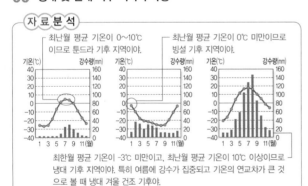

⫾ 자 료 분 석 ⫾

최난월 평균 기온이 0~10℃이므로 툰드라 기후 지역이야.

최난월 평균 기온이 0℃ 미만이므로 빙설 기후 지역이야.

최한월 평균 기온이 -3℃ 미만이고, 최난월 평균 기온이 10℃ 이상이므로 냉대 기후 지역이야. 특히 여름에 강수가 집중되고 기온의 연교차가 큰 것으로 볼 때 냉대 겨울 건조 기후야.

(가)는 툰드라 기후 지역인 배로, (나)는 빙설 기후 지역인 맥머도, (다)는 냉대 겨울 건조 기후 지역인 하바롭스크의 기후 그래프이다. ④ (가)는 1월 평균 기온보다 7월 평균 기온이 높은 것으로 볼 때 북반구에 위치하며, (나)는 7월 평균 기온보다 1월 평균 기온이 높은 것으로 볼 때 남반구에 위치한다. 따라서 북반구에 위치한 (가)는 남반구에 위치한 (나)보다 7월의 낮 길이가 길다.

⫾ 바로 알기 ⫾ ① 건조 기후에 대한 설명이다. 툰드라 기후 지역은 극고기압의 영향을 받아 연 강수량이 적고, 증발량도 적은 편이다. ② 냉대 기후 지역에 대한 설명이다. ③ 열대 몬순 기후 지역에 대한 설명이다. ⑤ 기온의 연교차는 대륙의 영향을 많이 받는 (다)가 가장 크다.

06 빙하 지형

그림의 A는 호른, B는 권곡, C는 에스커, D는 드럼린, E는 모레인이다. 호른(A)은 빙하의 침식을 받아 산 정상부에 형성된 뾰족한 봉우리이다. 권곡(B)은 빙식곡의 상류에 형성되는 반원 모양의 오목한 지형이다. 에스커(C)는 빙하가 녹은 물(융빙수)이 빙하 밑을 흐르면서 형성된 좁고 긴 제방 모양의 지형이다. 드럼린(D)은 빙하의 이동 방향을 따라 빙하 퇴적물이 마치 숟가락을 엎어 놓은 듯이 쌓여 있는 지형이다.

⫾ 바로 알기 ⫾ ⑤ 모레인은 빙하가 운반한 많은 양의 모래, 자갈로 구성되어 있어 퇴적물의 크기가 제각각이다.

완자 정리 노트 **빙하 지형**

빙하 침식 지형	권곡	빙식곡의 상류에 형성되는 반원 모양의 와지
	호른	빙하의 침식을 받아 산 정상부에 형성된 뾰족한 봉우리
빙하 퇴적 지형	빙퇴석(모레인)	빙하에 의해 운반된 퇴적물이 퇴적된 지형
	드럼린	빙하에 의해 형성된 지형으로 숟가락을 엎어 놓은 것과 비슷한 모양의 언덕
	에스커	융빙수에 의해 형성된 제방 모양의 퇴적 지형

07 냉대 및 한대 기후 지역의 특성

A는 캐나다 동부의 툰드라 기후 지역, B는 러시아 동부의 냉대 겨울 건조 기후 지역, C는 스웨덴의 냉대 습윤 기후 지역, D는 남극 대륙의 빙설 기후 지역이다. ㄱ. A는 북반구에 위치한 툰드라 기후 지역이기 때문에 여름철인 7월에 녹은 활동층이 경사면을 따라 흘러내리는 솔리플럭션 현상을 볼 수 있다. ㄴ. B는 냉대 겨울 건조 기후 지역이기 때문에 침엽수림과 포드졸이 분포한다.

⫾ 바로 알기 ⫾ ㄷ. 연중 눈과 얼음으로 덮여 있는 곳은 빙설 기후 지역이다. ㄹ. 남극 대륙은 연중 눈과 빙하로 덮여 있기 때문에 빙력토 평원과 모레인을 볼 수 없다. 빙력토 평원과 모레인 등의 빙하 지형은 과거 빙기 때 빙하가 덮여 있었으나 현재는 빙하로 덮여 있지 않은 지역에서 볼 수 있다.

08 툰드라 기후 지역의 특징

사진은 툰드라 기후 지역에서 볼 수 있는 가옥과 송유관을 나타낸 것이다. 툰드라 기후 지역에서는 인공 열이나 여름철의 높은 기온으로 활동층이 녹아 흘러 내리면서 가옥이 붕괴되기도 하고, 송유관이 휘어져 파손되기도 한다. 이러한 피해를 막기 위해 바닥을 지면으로부터 띄워 집을 짓거나 바닥에 자갈이나 콘크리트를 깔아 열이 전달되지 못하게 한다. ④ 툰드라 기후 지역은 춥고 긴 겨울과 짧고 따뜻한 여름이 있어 지층의 동결과 융해가 반복되기 때문에 물리적(기계적) 풍화 작용이 화학적 풍화 작용보다 활발하다.

⫾ 바로 알기 ⫾ ① 툰드라 기후 지역은 기온이 낮아 나무가 자라지 못하고 이끼류, 지의류 등이 자란다. ② 건조 기후 지역에 대한 설명이다. ③ 라테라이트는 고온 다습한 열대 기후 지역에 분포한다. ⑤ 툰드라 기후 지역은 식물 생장이 어려워 순록 유목, 수렵·어업 등의 경제 활동을 한다.

서술형 문제

052쪽

01 주제: 건조 기후 지역의 특징

(1) (가) – 사막 기후, (나) – 스텝 기후

(2) **예시 답안** 건조 기후는 연 강수량 250mm 미만인 사막 기후, 연 강수량 250mm 이상 500mm 미만인 스텝 기후로 구분된다. 사막 기후 지역의 주민은 유목을 하거나, 물을 구할 수 있는 오아시스나 외래 하천 주변에서 오아시스 농업과 관개 농업을 한다. 스텝 기후의 일부 지역에서는 유목 및 대규모로 밀, 옥수수 등을 재배하거나 소, 양 등을 사육하는 기업적 농목업이 이루어진다.

채점 기준

상	사막 기후와 스텝 기후를 구분하는 기준과 이들 지역의 농업 특징을 각각 정확히 서술한 경우
중	사막 기후와 스텝 기후를 구분하는 기준을 썼으나, 이들 지역의 농업 특징 중 한 가지만 서술한 경우
하	사막 기후와 스텝 기후를 구분하는 기준만 쓴 경우

02 주제: 주빙하 지형

(1) 구조토

(2) **예시 답안** 영구 동토층의 활동층에서 토양 속 수분의 결빙과 융해가 반복되는 동안 큰 자갈은 바깥쪽으로 밀려 나가고, 작은 자갈과 모래는 안쪽에 쌓이면서 구조토가 형성된다.

채점 기준

상	토양의 결빙과 융해가 반복되는 과정에서 큰 자갈은 바깥쪽으로 밀려 나가고, 작은 자갈과 모래는 안쪽에 쌓이면서 형성된다고 정확히 서술한 경우
중	토양의 결빙과 융해가 반복되는 과정에서 큰 자갈이 밀려 올라와 형성된다고 서술한 경우
하	토양의 결빙과 융해가 반복되는 과정에서 형성된다고만 서술한 경우

포함된 물이 주변보다 낮은 분지로 모여 들어 증발되기 때문에 염분이 많이 집적되어 있다. ⑤ 사구는 주로 모래, 선상지는 주로 자갈과 모래로 구성되어 있어 구성 물질의 평균 입자 크기는 선상지가 더 크다.

바로 알기 ② 선상지는 경사 급변점에서 유속의 감소로 하천 운반 물질이 퇴적되어 형성되는 지형이다. 따라서 경사 급변점이 많은 신기 습곡 산지 주변에서 주로 발달한다.

2 다양한 기후 지역의 특징

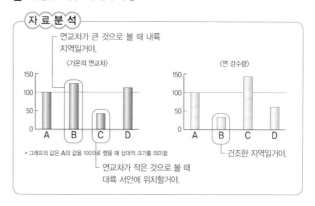

(가)는 내륙에 위치한 스텝 기후 지역이다. 내륙 지역이기 때문에 기온의 연교차가 매우 크며, 스텝 기후 지역이라서 강수량이 매우 적은 B에 해당한다. (나)는 유라시아 대륙의 동안에 위치한 냉대 겨울 건조 기후 지역으로 기온의 연교차가 비교적 크며, 계절풍의 영향을 받아 연 강수량이 대체로 많은 편이다. 이는 A에 해당한다. (다)는 대륙의 서안에 위치한 지중해성 기후 지역이다. 기온의 연교차가 가장 작으며, 해안에 위치하여 연 강수량이 많은 편이다. 이러한 특징을 나타낸 것은 C이다. 한편, (라)는 내륙에 위치한 냉대 습윤 기후 지역으로 기온의 연교차가 크며, 연 강수량이 대체로 적다. 이를 나타낸 것이 D이다.

STEP 3 1등급 정복하기

053쪽

1 ②   2 ③

1 건조 지형의 특징

㉠은 사구, ㉡은 선상지, ㉢은 메사와 뷰트, ㉣은 플라야이다. ① 사구는 바람에 날린 모래가 쌓여 형성된 지형으로 바람의 방향에 따라 모양이 바뀔 수 있다. ③ 연암층 위에 경암층이 퇴적된 지역에서 암석이 차별 침식을 받아 형성된 탁자 모양의 지형을 메사, 탑 모양의 지형을 뷰트라고 한다. ④ 플라야는 비가 오면 염분이

04~05 세계의 주요 대지형 ~ 독특하고 특수한 지형들

STEP 1 핵심 개념 확인하기 058쪽

1 (1) 신 (2) 안 (3) 고 2 (1) – ㉡ (2) – ㉢ (3) – ㉠ 3 (1) ㄴ (2)
ㄱ (3) ㄷ 4 ㉠ 리아스 ㉡ 피오르 5 (1) 해식애 (2) 석호 (3) 해안
단구

STEP 2 내신 만점 공략하기 058~061쪽

| 01 ① | 02 ③ | 03 ③ | 04 ⑤ | 05 ② | 06 ① | 07 ④ |
| 08 ① | 09 ⑤ | 10 ⑤ | 11 ② | 12 ④ | | |

01 세계의 대지형

발트 순상지, 시베리아(안가라) 순상지, 로렌시아 순상지, 아프리카
순상지가 속해 있는 (가)는 안정육괴이다. 스칸디나비아산맥, 우랄
산맥, 애팔래치아산맥, 그레이트디바이딩산맥이 속해 있는 (나)는
고기 조산대이며, 알프스–히말라야 조산대와 환태평양 조산대가
속해 있는 (다)는 신기 조산대이다.

02 세계의 대지형

(가)는 안정육괴, (나)는 고기 조산대, (다)는 신기 조산대이다. ㄴ.
신기 조산대는 중생대 말~신생대에 조산 운동으로 형성되었다.
ㄷ. 고기 조산대에 속한 고기 습곡 산지는 고생대 조산 운동으로
형성되어 오랜 기간 침식을 받았다. 따라서 신기 조산대에 속한 신
기 습곡 산지에 비해 해발 고도가 낮고 경사가 완만하다.

┃ 바로 알기 ┃ ㄱ. 신기 조산대에 대한 설명이다. ㄹ. 지진 발생 빈도는 판의
경계에 위치한 신기 조산대가 가장 높다.

03 판 구조 운동

자료 분석

유라시아판 내부에 위치하므로 안정육괴에 해당해.

히말라야산맥 일대로, 인도·오
스트레일리아판과 유라시아판
이 충돌하는 경계에 해당해.

안데스산맥 일대로, 나스카판
과 남아메리카판이 충돌하는
경계에 해당해.

제시된 지도는 판의 경계와 이동을 나타낸 것이다. 지각판이 서로
만나는 경계 지역에서는 판들이 이동하거나 충돌하면서 높은 산
맥, 해구 등이 형성되며, 지각이 불안정하여 지진과 화산 활동이
자주 발생한다. A는 시베리아(안가라) 순상지, B는 히말라야산맥,
C는 안데스산맥 일대이다. ③ 대륙판과 대륙판의 충돌로 형성된
히말라야산맥 일대는 지진은 자주 발생하지만, 지각이 두꺼워 화
산 활동은 미약한 편이다. 반면 안데스산맥 일대는 지진과 함께 지
각이 녹아 형성된 마그마가 분출하여 화산 활동이 활발하다.

┃ 바로 알기 ┃ ① C는 대륙판과 해양판이 충돌하는 경계이고, 동아프리카
지구대는 두 개의 판이 갈라지는 경계에 해당한다. ② 안정육괴인 시베리아
(안가라) 순상지(A)는 히말라야산맥 일대(B)보다 평균 해발 고도가 낮다. ④
'불의 고리'는 환태평양 조산대를 일컫는 말이다. 안데스산맥은 환태평양 조
산대에 속해 있지만, 히말라야산맥은 알프스–히말라야 조산대에 속해 있
다. ⑤ 조산 운동을 받은 시기는 안정육괴인 A가 가장 이르다.

04 판의 경계 유형

판의 경계는 판이 상대적으로 움직이는 방향에 따라 두 판이 서로
갈라지는 경계, 두 판이 서로 충돌하는 경계, 두 판이 서로 어긋나
서 미끄러지는 경계 유형으로 구분할 수 있다. (가)는 두 개의 판이
어긋나서 미끄러지는 경계에 해당하므로 샌안드레아스 단층이 위
치한 지도의 C에 해당한다. (나)는 해양판과 대륙판이 충돌하는 경
계에 해당하므로 안데스산맥이 위치한 지도의 D에 해당한다.

┃ 바로 알기 ┃ A는 아이슬란드 일대로 두 개의 판이 갈라지는 경계에 해당한
다. B는 히말라야산맥 일대로 두 개의 대륙판이 충돌하는 경계에 해당한다.

05 신기 습곡 산지와 고기 습곡 산지

스칸디나비아산맥, 우랄산맥, 그레이트디바이딩산맥, 애팔래치아
산맥이 속한 (가)는 고기 습곡 산지이다. 알프스산맥, 아틀라스산
맥, 히말라야산맥, 로키산맥, 안데스산맥이 속한 (나)는 신기 습곡
산지이다. 신기 습곡 산지인 (나)는 고기 습곡 산지인 (가)보다 평균
해발 고도가 높고, 지진 발생 가능성이 높으며, 조산 운동을 받은
시기가 늦다. 따라서 그림의 B에 해당한다.

완자 정리 노트 신기 습곡 산지와 고기 습곡 산지

구분	신기 습곡 산지	고기 습곡 산지
형성	중생대 말~신생대	고생대~중생대 초
특징	• 해발 고도가 높고 험준함 • 지각이 불안정하여 지진과 화 산 활동이 자주 발생함	• 오랜 기간 풍화·침식을 받아 해 발 고도가 낮고 경사가 완만함 • 지각이 비교적 안정되어 있음
주요 산맥	알프스산맥, 히말라야산맥, 로 키산맥, 안데스산맥 등	스칸디나비아산맥, 우랄산맥, 애팔래치아산맥 등

06 화산 지형

화산 활동이 시작되면 용암이 땅 위로 분출하면서 다양한 화산 지
형이 만들어진다. 화산 지형은 화산 분출 양상이나 흘러나온 용암
의 특성에 따라 순상 화산, 종상 화산, 성층 화산 등으로 구분되

며, 화산 폭발로 화구의 함몰이 이루어지면 본래의 화구보다 지름이 큰 분지 형태의 칼데라가 형성된다. 또한 유동성이 큰 용암이 지각의 갈라진 틈새를 따라 열하 분출하여 용암 대지를 형성하기도 한다. 화산 지역은 위험하지만 화산재가 쌓여 형성된 토양이 매우 비옥하여 농업 활동에 유리하기 때문에 주민들이 화산의 혜택을 이용하며 살아간다. 또한, 이탈리아, 뉴질랜드, 일본 등지에서는 뜨거운 지하수를 이용한 지열 발전을 통해 전기를 생산하기도 한다.

바로 알기 ① 순상 화산은 점성이 작은 현무암질 용암이 주변에 널리 퍼져 흐르면서 형성되며, 경사가 완만한 방패 모양을 이룬다.

07 화산 활동으로 인한 피해

화산이 폭발하면 분화구에서 화산 가스, 용암, 화산 쇄설물 등이 분출하면서 큰 피해를 주기도 한다. ㄱ. 화산재가 하늘을 뒤덮어 햇빛을 차단하면 기온이 내려가고 항공기 운항이 어려워진다. ㄴ. 화쇄류는 화산 쇄설물과 화산 가스 등이 뒤섞여 빠른 속도로 사면을 따라 흘러내리는 현상으로 화재나 화상 등의 피해를 유발한다. ㄹ. 화산 이류는 화산재와 물이 섞여 흘러내리는 것을 말한다.

바로 알기 ㄷ. 용암류는 비교적 느린 속도로 이동하기 때문에 인명 피해는 크지 않지만, 농경지와 인공 구조물 등에 심각한 피해를 준다.

08 카르스트 지형

제시된 그림은 카르스트 지형의 형성 과정을 나타낸 것이다. 석회암이 지표수에 용식되면 움푹 파인 웅덩이 모양의 돌리네(A)가 형성되며, 지하로 침투한 빗물과 지하수에 석회암층이 용식되면 석회동굴(B)이 만들어진다. 석회동굴 내부에는 종유석, 석순, 석주 등의 독특한 동굴 생성물이 발달한다. 중국의 구이린, 베트남의 할롱 베이 등지에는 봉우리 형태의 탑 카르스트(C)가 나타난다. 탑 카르스트는 석회암이 차별적인 용식 작용을 받아 형성되는데, 풍화와 침식을 견디고 남은 부분이 가파른 탑 모양을 이룬다.

바로 알기 ① 돌리네가 여러 개 성장하여 결합된 지형은 우발라라고 한다. 카렌은 석회암이 지표에 노출되어 그 틈을 타고 흘러내린 빗물에 용식된 후 남아 뾰족하게 돌출된 암석을 말한다.

완자 정리 노트 다양한 카르스트 지형

돌리네	석회암이 용식 작용을 받아 움푹 파인 웅덩이 모양의 땅
우발라	여러 개의 돌리네가 성장하여 결합된 지형
카렌	지표에 노출된 석회암이 차별적 용식을 받은 후 용식에 강한 암석이 뾰족한 형태로 남은 지형
탑 카르스트	석회암이 물의 용식 작용을 받아 거의 수직에 가까운 절벽을 이루게 된 봉우리
석회화 단구	석회암의 탄산칼슘 성분이 물에 용해된 채 흘러가던 중 침전되면서 만들어진 접시 모양의 지형이 높이를 달리하여 계단 모양을 이루게 된 지형
석회동굴	빗물이나 지표수가 땅속으로 흘러들면서 석회암층이 용식되어 만들어진 동굴

09 리아스 해안과 피오르 해안

(가)는 노르웨이 서부의 피오르 해안, (나)는 에스파냐 북서부의 리아스 해안이다. ㄷ. 피오르 해안은 빙하의 침식으로 형성된 골짜기(U자곡)가 침수되어 형성된 해안이므로 리아스 해안보다 빙하의 영향을 많이 받았다. ㄹ. 피오르 해안과 리아스 해안 모두 해수면 상승으로 침수되어 형성되었다.

바로 알기 ㄱ. 하천의 침식을 받던 골짜기(V자곡)가 침수되어 형성된 해안은 (나)의 리아스 해안이다. ㄴ. 뉴질랜드 남섬의 남서 해안에서는 (가)와 같은 피오르 해안을 볼 수 있다.

10 주요 해안 지형

제시된 그림에서 A는 사빈, B는 파식대, C는 해식애, D는 시 스택, E는 해식동굴이다. ⑤ 해식동굴은 해식애의 약한 부분이 파랑에 의해 침식되어 형성된 동굴이다.

바로 알기 ① 사빈은 주로 파랑과 연안류의 퇴적 작용으로 형성된다. ② 파식대는 파랑 에너지가 집중되는 곳에 잘 형성된다. ③ 해식애는 만보다 곶에서 잘 발달한다. ④ 시 스택은 파랑의 차별 침식으로 단단한 부분이 남아서 형성된 돌기둥이나 바위섬을 말한다.

완자 정리 노트 해안 침식 지형과 해안 퇴적 지형

해안 침식 지형	• 파랑 에너지가 집중되는 곳에 발달 → 암석 해안 • 해식애, 파식대, 시 스택, 해식동굴 등
해안 퇴적 지형	• 파랑 에너지가 분산되는 만에 발달 → 모래 해안, 갯벌 해안 • 사빈, 해안 사구, 사주, 석호, 갯벌 등

11 주요 해안 지형

A는 오스트레일리아 북동부의 산호초 해안, B는 석호, C는 뉴질랜드 남섬 남서부의 피오르 해안, D는 남알프스 산맥 정상부의 빙하호이다. ① 오스트레일리아 북동부 해안에는 대규모 산호초 군락지(대보초)가 분포하여 관광 자원으로 활용되고 있다. ③ 피오르 해안은 빙하의 침식을 받던 골짜기가 후빙기 해수면 상승으로 침수되어 형성되었다. ④ 석호는 바닷물이 드나들기 때문에 담수호인 빙하호보다 물의 염도가 높다. ⑤ 피오르 해안과 빙하호는 모두 과거에 빙하의 영향을 받았다.

바로 알기 ② 석호로 유입되는 하천에 의해 운반된 물질이 석호의 바닥에 쌓이면서 석호의 면적은 시간이 흐를수록 점차 축소된다.

12 주요 해안 지형

제시된 사진에서 A는 시 스택, B는 해식애, C는 사빈이다. ㄴ. 해식애는 파랑의 침식을 받아 형성된 해안 절벽으로, 이후 파랑의 침식이 계속되면 육지 쪽으로 후퇴한다. ㄹ. 시 스택과 해식애는 암석 해안에 발달하는 지형으로, 암석 해안은 파랑 에너지가 분산되는 만보다 파랑 에너지가 집중되는 곳에서 잘 나타난다.

바로 알기 ㄱ. 시 스택은 암석이 파랑에 의한 차별 침식을 받아 형성되었다. 기반암이 빗물의 용식을 받아 형성되는 지형은 카르스트 지형이 대표적이다. ㄷ. 사빈은 주로 파랑과 연안류의 퇴적 작용으로 형성된다.

01 주제: 세계의 대지형

(1) (가) – 고기 습곡 산지, (나) – 신기 습곡 산지

(2) **예시 답안** 신기 습곡 산지는 고기 습곡 산지보다 평균 해발 고도가 높고 험준하며, 지각이 불안정하여 지진이 발생할 가능성이 높다.

채점 기준

상	평균 해발 고도, 지진 발생 가능성 두 가지 내용을 모두 정확하게 비교하여 서술한 경우
하	평균 해발 고도, 지진 발생 가능성 중 한 가지만 정확하게 서술한 경우

02 주제: 해안 지형의 형성

(1) 해안 단구

(2) **예시 답안** 해안 단구는 과거의 파식대가 지반의 융기나 해수면 하강으로 현재의 해수면보다 높은 곳에 위치하게 된 계단 모양의 지형이다.

채점 기준

상	해안 단구의 형성 원인인 지반 융기와 해수면 하강을 모두 포함하여 형성 과정을 정확하게 서술한 경우
중	해안 단구의 형성 원인인 지반 융기나 해수면 하강 중 한 가지만 제시하여 형성 과정을 서술한 경우
하	해안 단구의 형성 원인을 정확히 제시하지 않고, 계단 모양으로 형성되었다고만 서술한 경우

STEP 3 **1등급 정복하기**
062~063쪽

1 ⑤ 2 ⑤ 3 ④ 4 ⑤

1 세계의 대지형

자료 분석

- (나)는 북위 60° 이상의 고위도에 위치해 있으며, 인구가 매우 적은 것으로 보아 아이슬란드야.
- (가)는 (다) 다음으로 인구가 많은 곳으로, 히말라야 산지에 위치한 네팔이야.

국가	수도의 위치	인구(만 명)	면적(천 km²)
(가)	27°42′N, 85°20′E	2,962	147
(나)	64°08′N, 21°55′W	34	103
(다)	35°41′N, 139°41′E	12,719	388
(라)	41°18′S, 174°46′E	471	268

- 남반구에 위치하고 날짜 변경선에 가장 가깝이 있는 (라)는 뉴질랜드야.
- (다)는 우리나라와 위치적으로 가깝고, 인구가 가장 많은 것으로 보아 일본이야.

ㄷ. 히말라야산맥은 대륙판과 대륙판이 충돌하여 형성된 습곡 산맥으로, 이 주변에서는 지진이 자주 발생하지만 지각이 두꺼워 화산 활동은 드문 편이다. 따라서 히말라야산맥 일대에 위치한 네팔은 대서양 중앙 해령상에 위치한 아이슬란드보다 활화산의 수가 적다. ㄹ. 네팔은 알프스–히말라야 조산대, 아이슬란드는 대서양 중앙 해령, 일본과 뉴질랜드는 환태평양 조산대에 속한다.

┃바로 알기┃ ㄱ. 세계에서 해발 고도가 가장 높은 산지는 히말라야산맥에 위치한 에베레스트산이다. ㄴ. 중위도에 위치한 뉴질랜드에서 화산이 폭발하면 화산재는 편서풍을 타고 확산된다.

2 세계의 대지형

(가)는 아이슬란드의 열곡, (나)는 샌안드레아스 단층, (다)는 동아프리카 지구대의 단층호인 말라위 호수, (라)는 히말라야산맥이다. 이 지역들은 모두 지각판이 서로 만나는 경계에 해당하는 곳으로, 지각이 불안정하여 지진이나 화산 활동이 자주 발생한다. ⑤ 대륙판과 대륙판의 충돌로 형성된 히말라야산맥은 지각이 두꺼워 지하의 마그마가 이를 뚫고 나오기가 어렵기 때문에 화산 활동은 미약한 편이다. 따라서 아이슬란드 열곡 주변이 히말라야산맥 일대보다 화산 활동이 활발하다.

┃바로 알기┃ ① 샌안드레아스 단층은 두 개의 판이 어긋나서 미끄러지는 경계에 발달하였다. ② 동아프리카 지구대 내부에는 단층으로 형성된 저지대에 물이 고여 형성된 단층호가 많은데, 이곳의 물은 담수이다. ③ 히말라야산맥은 중생대 말~신생대에 조산 운동을 받아 형성되었다. ④ 아이슬란드 열곡은 대서양 중앙 해령에 속하므로 '불의 고리'라고 불리는 환태평양 조산대에 위치한다고 볼 수 없다.

완자 정리 노트 **판의 경계 유형**

대륙판끼리 충돌하는 경우	대규모의 습곡 산맥 형성 예 히말라야산맥
해양판과 대륙판이 충돌하는 경우	해양판이 대륙판 아래로 밀려들어가면서 습곡 산지 및 해구 형성 예 안데스산맥
두 개의 판이 어긋나는 경우	판과 판이 서로 미끄러질 때의 마찰로 지진이 빈번하게 발생 예 샌안드레아스 단층
해양판이 갈라지는 경우	판 사이로 마그마가 흘러나와 해령을 형성 예 대서양 중앙 해령(아이슬란드)
대륙판이 갈라지는 경우	대규모 지구대 형성 예 동아프리카 지구대

3 카르스트 지형의 특징

(가)는 석회동굴, (나)는 카렌, (다)는 석회화 단구, (라)는 탑 카르스트에 해당한다. ㄱ. 기반암인 석회암의 절리 밀도가 높으면 빗물이나 지하수의 침투력이 높아져 용식 작용이 활발하게 일어나며, 이 과정에서 석회동굴이 형성된다. ㄷ. 석회화 단구는 탄산칼슘이 함유된 온천수가 내려오면서 형성된 계단 모양의 독특한 지형으로 튀르키예의 파묵칼레가 유명하다. 탑 카르스트는 흐르는 물의 용식 작용을 받아 거의 수직에 가까운 절벽을 이루는 봉우리들로, 중국의 구이린이 유명하다. ㄹ. 네 지역의 기반암은 모두 석회암이며, 석회암은 시멘트 공업의 원료로 이용된다.

4 세계의 주요 해안 지형

자료 분석

- 에스파냐의 리아스 해안이야.
- 캐나다의 펀디만으로 갯벌이 넓게 발달해 있어.
- 곶
- 사주
- 만
- 칠레 남부의 피오르 해안이야.

A는 리아스 해안, B는 갯벌 해안, C는 곶, D는 만, E는 사주, F는 피오르 해안이다. ⑤ 곶(C)은 육지가 바다 쪽으로 돌출한 부분으로 파랑 에너지가 집중되어 침식 작용이 활발하다. 반면, 만(D)은 바다가 육지 쪽으로 들어간 부분으로 파랑 에너지가 분산되어 퇴적 작용이 활발하다.

바로 알기 ① 캐나다의 펀디만(B)은 세계에서 조차가 가장 큰 지역이다. ② 사주(E)는 파랑과 연안류의 퇴적 작용으로 형성된다. ③ 우리나라의 남서 해안은 리아스 해안에 해당한다. 피오르 해안은 노르웨이 북서 해안, 칠레 남부 해안, 캐나다 서부 해안 등에서 볼 수 있다. ④ 하천의 침식을 받은 골짜기가 침수되어 형성된 리아스 해안(A)은 빙하의 침식을 받은 골짜기가 침수되어 형성된 피오르 해안(F)보다 빙하의 영향을 적게 받았다.

대단원 실력 굳히기   066~069쪽

01 ①   02 ④   03 ②   04 ⑤   05 ⑤   06 ④   07 ③
08 ④   09 ③   10 ②   11 ⑤   12 ②   13 ⑤   14 ①
15 ①   16 ④

01 열대 기후 지역의 특징

(가)는 1월과 7월의 평균 기온이 18℃를 넘으므로 열대 기후 지역이다. 1월의 강수량은 매우 적고, 7월의 강수량이 매우 많은 것으로 볼 때 건기와 우기의 구분이 뚜렷한 북반구의 사바나 기후 지역이다. (나)는 1월과 7월 평균 기온이 10~15℃ 정도인 것으로 볼 때 열대 고산 기후 지역이다. (다)는 1월과 7월의 평균 기온이 18℃를 넘으므로 열대 기후 지역이다. 1월과 7월의 강수량이 60mm 이상인 것으로 볼 때 열대 우림 기후 지역이다. ① 북반구의 사바나 기후 지역은 6~8월에 적도 수렴대의 영향을 받는다.

바로 알기 ② 열대 고산 기후 지역은 사바나 기후 지역보다 연평균 기온이 낮다. ③ 열대 우림 기후 지역보다 열대 고산 기후 지역이 해발 고도가 높다. ④ 사바나 기후 지역과 열대 우림 기후 지역은 일 년 내내 기온이 높기 때문에 기온의 연교차가 작다. 또한 밤이 되어도 기온이 크게 떨어지지 않기 때문에 기온의 일교차가 작지만, 기온의 연교차보다는 기온의 일교차가 크다. ⑤ (가)~(다) 중에서 연 강수량이 가장 많은 곳은 열대 우림 기후가 나타나는 (다)이다.

02 열대 우림 기후와 사바나 기후

지도의 (가)는 적도를 중심으로 분포하는 것으로 볼 때 열대 우림 기후 지역이고, (나)는 열대 우림 기후 지역 주변에 분포하는 것으로 볼 때 사바나 기후 지역이다. ㄴ, ㄹ. 열대 우림 기후 지역은 연중 적도 수렴대의 영향을 받는 반면, 사바나 기후 지역은 적도 수렴대와 아열대 고압대의 영향을 교대로 받는다. 사바나 기후 지역은 적도 수렴대의 영향을 받아 비가 자주 내리는 우기가 되며, 아열대 고압대의 영향을 받아 맑고 건조한 날씨가 지속되는 건기가 된다. 따라서 사바나 기후 지역은 열대 우림 기후 지역보다 강수의 계절 차가 크고, 아열대 고압대의 영향을 받는 기간이 길다.

바로 알기 ㄱ. 일 년 내내 기온이 높고 강수량이 많은 열대 우림 기후 지역에는 상록 활엽수가 다층의 숲을 이루고 있는 반면, 사바나 기후 지역은 키가 큰 풀이 초원을 이루며, 관목이 드문드문 분포한다. 따라서 사바나 기후 지역은 열대 우림 기후 지역에 비해 수목의 밀도가 낮다. ㄷ. 연중 습윤한 열대 우림 기후 지역은 건기와 우기가 번갈아 나타나는 사바나 기후 지역에 비해 대류성 강수의 발생 빈도가 높다.

03 열대 및 온대 기후 지역의 특징

지도에 표시된 세 지역은 북반구의 지중해성 기후 지역, 열대 고산 기후 지역, 열대 우림 기후 지역이다. 세 지역 중 7월 평균 기온이 가장 낮은 (다)는 열대 고산 기후 지역이다. (가), (나)는 북반구의 지중해성 기후 지역과 열대 우림 기후 지역 중 하나인데, (가)는 (나)보다 7월 평균 기온이 높고, 1월 강수량이 많다. 따라서 (가)는 열대 우림 기후 지역, (나)는 북반구의 지중해성 기후 지역이다. ㄱ. (가)는 적도 부근에 위치해 있고, (나)는 북반구 중위도에 위치해 있다. 따라서 (가)는 (나)보다 1월의 낮 길이가 길다. ㄷ. 열대 고산 기후 지역인 (다)는 열대 우림 기후 지역인 (가)보다 연평균 기온이 낮다.

▮바로 알기▮ ㄴ. 지중해성 기후 지역인 (나)는 열대 고산 기후 지역인 (다)보다 해발 고도가 낮다. ㄹ. 세 지역 중에서 기온의 연교차는 온대 기후가 나타나는 (나)가 가장 크다.

04 온대 기후 지역의 특징
그래프의 월 기온 편차와 표의 연평균 기온을 통해 특정 월의 평균 기온을 구할 수 있다. (가), (나) 지역의 최한월 평균 기온과 최난월 평균 기온은 아래 표와 같다.

구분	최한월 평균 기온(℃)	최난월 평균 기온(℃)
(가)	− 5 + 14.5 = 약 9.5	4 + 14.5 = 약 18.5
(나)	− 12 + 13.2 = 약 1.2	12 + 13.2 = 약 25.2

(가), (나)의 최한월 평균 기온이 −3℃~18℃인 것으로 볼 때, 두 지역은 온대 기후에 해당한다. 또한 그래프의 월 강수 편차와 표의 연 강수량을 통해 특정 월의 평균 강수량을 구할 수 있다. (가), (나) 지역의 1월 강수량과 7월 강수량은 아래 표와 같다.

구분	1월 강수량(mm)	7월 강수량(mm)
(가)	55 + (517÷12) = 약 98	− 44 + (517÷12) = 약 1
(나)	− 12 + (1,145÷12) = 약 83	16 + (1,145÷12) = 약 111

이를 종합해보면 (가) 지역은 기온이 높은 7월의 여름철에 강수량이 적고, 기온이 낮은 1월의 겨울철에 강수량이 많은 지역임을 알 수 있다. 이와 같은 기후 특성을 보이는 지역은 북반구의 지중해성 기후 지역이다. (나) 지역은 최난월 평균 기온과 최한월 평균 기온의 차이인 기온의 연교차가 약 25℃로 매우 크다. 그러나 월 강수 편차는 비교적 작음을 알 수 있다. 이와 같은 기후 특성을 보이는 지역은 북반구의 대륙 동안에서 주로 나타나는 온난 습윤 기후 지역이다. 따라서 (가)는 북아메리카 대륙 서안에 위치한 D, (나)는 북아메리카 대륙 동안에 위치한 E이다.

▮바로 알기▮ 지도의 A는 사바나 기후 지역, B는 건조 기후 지역, C는 남반구의 지중해성 기후 지역이다.

05 사막의 형성 원인
지도의 A는 나미브 사막, B는 룹알할리 사막, C는 타커라마간 사막, D는 그레이트빅토리아 사막, E는 파타고니아 사막이다. 사막은 아열대 고압대 지역, 중위도 대륙 서안의 한류 연안 지역, 바다로부터 수분 공급이 적은 중위도 대륙 내부 지역, 탁월풍의 바람그늘 지역에 주로 형성된다. ⑤ E는 안데스산맥의 바람그늘 지역에 해당되는 파타고니아 사막이다. 이는 안데스산맥을 넘어온 건조한 바람의 지속적인 영향을 받아 형성되었다.

▮바로 알기▮ ① 나미브 사막은 한류인 벵겔라 해류로 인한 대기의 안정으로 형성되었다. ② 룹알할리 사막은 아열대 고압대에 의한 하강 기류의 영향으로 맑고 건조한 날씨가 이어지면서 형성되었다. ③ 타커라마간 사막은

바다와 멀리 떨어져 있어 바다로부터의 수분 공급이 어려워 비가 적게 내리면서 형성되었다. ④ 그레이트빅토리아 사막은 위도 20°~30° 부근에 발달한 아열대 고압대의 영향으로 형성되었다.

06 건조 기후 지역의 특성
건조 기후 지역은 강수량이 적고 기온의 일교차가 커서 물리적 풍화 작용이 활발하다. 바람에 의한 침식 작용으로 사막 포도가 형성되고, 바람에 날리는 모래가 쌓이는 곳에서는 바르한과 같은 사구가 형성된다. 사막 기후 지역의 주민은 유목을 하거나, 물을 구할 수 있는 오아시스나 외래 하천 주변에서 오아시스 농업과 관개 농업을 한다.

▮바로 알기▮ ④ 플라야는 폭우가 내린 후 일시적으로 물이 고이는 호수로, 시간이 지나면 물이 증발하면서 호수 내 염도가 높아져 관개용수나 식수로 사용하기 어렵다.

07 건조 지형
(가)는 버섯 바위, (나)는 사구, (다)는 삼릉석, (라)는 와디이다. ③ 삼릉석은 바람에 날린 모래에 의한 침식으로 여러 개의 마모된 면을 갖게 된 바위로, 바람의 방향에 따라 다양한 평면을 갖는다.

▮바로 알기▮ ① 버섯 바위는 입자가 큰 모래가 바람에 날려 암석의 아랫부분을 집중적으로 깎아 만들어진 지형이다. ② 바하다는 선상지가 연속적으로 분포하는 지형이다. 사구는 바람의 퇴적 작용으로 형성된 모래 언덕이다. 주로 초승달 모양으로 발달하며, 바람이 불어가는 쪽으로 조금씩 천천히 움직인다. ④ 와디는 비가 내릴 때만 일시적으로 물이 흐르는 건천으로, 평소에는 교통로로 활용된다. ⑤ (가)~(라)는 모두 건조 지형이며, 건조 지형이 발달하는 사막은 증발량보다 강수량이 적다.

08 툰드라 기후 지역과 냉대 기후 지역의 특징
(가)는 최난월 평균 기온이 0~10℃에 해당하므로 툰드라 기후 지역이다. (나)는 최한월 평균 기온이 −3℃ 미만, 최난월 평균 기온이 10℃ 이상이므로 냉대 기후 지역이다. ④ 무수목 기후에 속하는 툰드라 기후 지역에서는 짧은 여름 동안 작은 풀과 이끼류 등이 자란다. 냉대 기후 지역에는 타이가라고 불리는 넓은 침엽수림대가 분포한다. 따라서 냉대 기후 지역인 (나)는 툰드라 기후 지역인 (가)보다 수목의 밀도가 높다.

▮바로 알기▮ ① 빙설 기후 지역에 대한 설명이다. ② 냉대 기후는 대륙의 영향을 많이 받아 기온의 연교차가 크다. ③ 12월의 누적 강수량이 연 강수량이므로 (가)는 (나)보다 연 강수량이 적다. ⑤ (가), (나) 지역 모두 1월 평균 기온보다 7월 평균 기온이 높으므로 북반구에 위치한다. 따라서 두 지역 모두 1월의 낮 길이보다 7월의 낮 길이가 길다.

09 빙하 퇴적 지형
그림의 A는 빙하호, B는 모레인, C는 에스커, D는 드럼린, E는 빙력토 평원이다. ③ 드럼린은 빙하가 이동하면서 운반해 온 물질이 볼록한 언덕 모양으로 퇴적된 지형이다. 드럼린의 형태를 통해 대략적인 빙하의 이동 방향을 알 수 있다.

▮바로 알기▮ ① 플라야에 대한 설명이다. 빙하호는 빙하가 녹은 물로 이루어진 담수호이다. ② 에스커는 융빙수에 의해 제방 모양으로 퇴적된 지형

이다. ④ 빙력토 평원은 토양이 척박하여 농경에 불리하다. ⑤ 빙하에 의해 운반된 물질이 퇴적된 모레인은 분급이 불량한 반면, 융빙수에 의해 운반된 물질이 퇴적된 에스커는 분급이 양호한 편이다.

10 툰드라 기후 지역의 가옥 구조

제시된 그림은 툰드라 기후 지역의 가옥 건축 방식을 나타낸다. 툰드라 기후 지역에서는 난방 열기나 여름철의 높은 기온으로 활동층이 녹아 흘러내리는 솔리플럭션 현상이 나타난다. 따라서 툰드라 기후 지역에서는 건축물이 붕괴되는 것을 막기 위해 가옥 밑에 자갈이나 콘크리트를 깔아 열을 차단하거나, 바닥을 높인 고상 가옥을 지어 지표면으로 열이 전달되지 못하게 한다.

‖ **바로 알기** ‖ ① 툰드라 기후는 강수량이 적은 편이지만, 기온이 매우 낮아 증발량은 더 적다. ③ 상록 활엽수가 넓게 분포하는 곳은 열대 기후 지역이다. ④ 라테라이트는 열대 기후 지역에 분포하는 토양으로, 영양분이 대부분 빗물에 씻겨 나가 척박하다. ⑤ 수목 농업은 강수 일수가 적고 여름이 건조한 지중해성 기후 지역에서 이루어지는 농업 형태이다.

11 세계의 대지형

제시된 지도에서 A는 알프스산맥, B는 동아프리카 지구대, C는 뉴질랜드 북섬, D는 로렌시아 순상지, E는 안데스산맥이다. ⑤ 안데스산맥은 대륙판과 해양판이 충돌하는 곳에서 형성된 습곡 산지이다.

‖ **바로 알기** ‖ ① 알프스산맥은 대륙판과 대륙판이 충돌하는 경계에서 형성된다. ② 동아프리카 지구대의 호수는 대부분 단층으로 형성된 저지대에 물이 고여 형성된 단층호이다. ③ 뉴질랜드는 편서풍대에 속하므로 화산 폭발 시 화산재는 주로 편서풍을 타고 확산된다. ④ 캐나다 로렌시아 순상지는 안정육괴에 해당하므로 지진과 화산 활동이 거의 일어나지 않는다.

12 판의 경계 유형

(가)는 해양판과 대륙판이 만나는 경계에 해당하고, (나)는 대륙판과 대륙판이 만나는 경계에 해당한다. ㄱ. 해양판과 대륙판이 만나는 경계의 사례로는 나스카판(해양판)과 남아메리카판(대륙판)이 만나서 형성된 안데스산맥을 들 수 있다. ㄷ. 대륙판과 대륙판이 만나는 경계는 지각이 두꺼워 지하의 마그마가 지각을 뚫고 지표로 올라오기 어렵기 때문에 화산 활동이 미약하다. 따라서 (가)가 (나)보다 화산 폭발 가능성이 높다.

‖ **바로 알기** ‖ ㄴ. 동아프리카 지구대는 판이 서로 갈라지는 경계에 형성된 지형이다. ㄹ. 해구는 대륙판과 해양판이 충돌하는 곳에서 해양판이 대륙판 밑으로 들어가면서 형성된다. 따라서 대륙판과 대륙판이 만나는 (나)에서는 해구가 형성되지 않는다.

13 아메리카의 대지형

제시된 지도에서 캐나다의 로렌시아 순상지, 브라질 순상지가 속한 A는 안정육괴이다. 또한 애팔래치아산맥이 속한 B는 고기 조산대, 로키산맥과 안데스산맥이 속한 C는 신기 조산대이다. ⑤ 판의 경계부에 위치한 신기 조산대(C)는 안정육괴(A)보다 지각이 불안정하여 지진이 발생할 가능성이 높다.

‖ **바로 알기** ‖ ① 고기 조산대(B)에 대한 설명이다. ② 신기 조산대(C)인 환태평양 조산대에 대한 설명이다. ③ 안정육괴(A)에 대한 설명이다. ④ 고기 조산대(B)는 오랜 기간 침식 작용을 받아 신기 조산대(C)보다 평균 해발 고도가 낮게 경사가 완만하다.

14 카르스트 지형

지표에서 빗물에 의해 석회암이 용식되어 형성된 움푹 파인 와지는 돌리네(㉠)이다. 돌리네가 두 개 이상 연결되어 확장된 지형을 우발라(㉡)라고 한다. 석회암이 지표에 노출된 경사지에서 차별적으로 용식을 받아 용식에 강한 암석이 뾰족한 형태로 남게 된 지형은 카렌(㉢)이다. 석회암이 평지나 바다 위에 가파르게 치솟아 돌산의 형태를 띠고 있는 지형은 탑 카르스트(㉣)이다.

15 리아스 해안과 피오르 해안

(가)는 리아스 해안, (나)는 피오르 해안을 나타낸 것이다. ① 리아스 해안은 하천의 침식을 받던 골짜기(V자곡)가 바닷물에 침수되어 형성되었다.

‖ **바로 알기** ‖ ② 피오르 해안은 빙하의 발달이 수반되므로 고위도 지역의 해안에서 주로 나타난다. ③ 리아스 해안보다 피오르 해안이 빙하의 영향을 많이 받았다. ④ A의 물은 해수이므로 염도가 높아 식수원으로 이용하기 어렵다. ⑤ 리아스 해안과 피오르 해안 모두 해수면 상승으로 침수되는 과정에서 형성된 해안이다.

16 다양한 해안 지형

제시된 그림에서 A는 석호, B는 사주, C는 사빈, D는 해식애, E는 시 스택이다. ④ 해식애(D)는 해안의 산지나 구릉이 파랑의 침식을 받아 형성된 해안 절벽으로, 파랑의 침식 작용이 계속되면 점차 육지 쪽으로 후퇴한다.

‖ **바로 알기** ‖ ① 석호(A)의 물은 염도가 높아 농업용수로 이용할 수 없다. ② 갯벌 해안에 대한 설명이다. 사주(B)는 주로 파랑과 연안류의 퇴적 작용으로 형성되었다. ③ 사빈(C)은 대부분 모래로 이루어져 있다. ⑤ 시 스택(E)은 파랑의 차별 침식으로 형성된 지형으로 만보다 파랑 에너지가 집중되는 곳에서 잘 나타난다.

Ⅲ. 세계의 인문 환경과 인문 경관

01 주요 종교의 전파와 종교 경관

STEP 1 핵심 개념 확인하기 074쪽

1 ㉠ 보편 종교 ㉡ 민족 종교 2 (1) ㄱ (2) ㄷ (3) ㄴ (4) ㄹ 3 ㉣ -
㉢ - ㉡ - ㉠ 4 (1) 갠지스 (2) 서남, 남부 (3) 이슬람교 5 예루살렘

STEP 2 내신 만점 공략하기 074~076쪽

01 ③ 02 ④ 03 ① 04 ④ 05 ④ 06 ⑤ 07 ②
08 ②

01 세계의 종교 분포

제시된 그래프에서 (가)는 특정한 민족을 중심으로 포교되는 종교
인 민족 종교, (나)는 전 인류를 포교 대상으로 삼고 교리를 전파
하는 종교인 보편 종교이다. 또한 A는 보편 종교 중 신자 수 비중
이 가장 낮으므로 불교이며, B는 다수의 수니파와 소수의 시아파
를 포함하는 종교이므로 이슬람교, C는 가톨릭교, 개신교 등이 포
함되는 종교이므로 크리스트교이다. ③ 이슬람교 신자들은 쿠란의
가르침에 따라 하루에 다섯 번 성지인 메카를 향해 기도하는 신앙
실천의 의무가 있다.

┃바로 알기┃ ① 전 세계로 널리 전파된 종교는 (나) 보편 종교이다. ② 일부
민족의 범위 내에서 교리를 전파하는 종교는 (가) 민족 종교이다. ④ 전통적
으로 소를 신성시하여 소고기를 먹지 않는 종교는 힌두교이다. ⑤ 윤회 사
상은 깨달음의 경지에 도달하지 못한 사람이 깨달음에 도달할 때까지 계속
하여 이 세상에 태어난다는 내용을 담은 사상으로 불교와 힌두교의 교리에
나타나며, 이슬람교와는 관련이 없다.

02 지역별 종교 분포

라틴 아메리카와 앵글로아메리카에서 신자 수 비율이 높게 나타나
는 A는 크리스트교이고, 서남아시아·북부 아프리카에서 신자 수
비율이 높게 나타나는 B는 이슬람교이다. D는 C보다 아시아·오세
아니아에서 신자 수 비율이 높으므로 힌두교이며, C는 불교이다.
(1) (가)는 (나)보다 이슬람교 신자 수 비율이 낮으므로 유럽이고, 상
대적으로 이슬람교 신자 수 비율이 높은 (나)는 중·남부 아프리카
이다. (3) 크리스트교(A)는 이슬람교(B)보다 아메리카로의 전파 시
기가 이르다. (4) 크리스트교(A), 이슬람교(B), 불교(C)는 모두 보편
종교이고, 힌두교(D)는 민족 종교이다.

┃바로 알기┃ (2) 군사적 정복 활동과 상업 활동을 바탕으로 전파된 종교는
이슬람교(B)이다.

03 주요 종교의 전파 경로

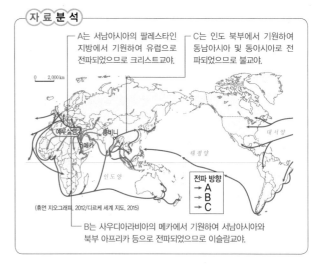

┃자료 분석┃

A는 서남아시아의 팔레스타인 지방에서 기원하여 유럽으로 전파되었으므로 크리스트교야.

C는 인도 북부에서 기원하여 동남아시아 및 동아시아로 전파되었으므로 불교야.

B는 사우디아라비아의 메카에서 기원하여 서남아시아와 북부 아프리카 등으로 전파되었으므로 이슬람교야.

ㄱ. 크리스트교는 유일신교로 예수를 구원자로 믿으며 이웃 사랑
을 실천한다. ㄴ. 이슬람교의 대표적인 종교 경관으로는 돔형의 지
붕과 첨탑이 어우러진 모스크를 들 수 있으며, 이러한 건축물은 우
상 숭배를 금지하는 교리에 따라 사람이나 동물 대신 꽃, 나무 덩
굴, 문자 등을 기하학적으로 배치한 아라베스크 무늬로 장식한다.

┃바로 알기┃ ㄷ. 이슬람교(B)와 관련된 설명이다. ㄹ. 이슬람교(B)가 불교(C)
보다 세계 신자 수가 많다.

04 주요 종교의 특징 이해

㉠은 무함마드가 메카에서 창시한 종교이므로 이슬람교이다. ㉡은
팔레스타인 지방에서 기원해 신항로 개척 이후 아메리카, 오세아
니아 등으로 전파된 종교이므로 크리스트교이다. ㉢은 인도 북부
지역에서 발생한 다신교이므로 힌두교이다.

05 불교와 이슬람교의 분포

(가)는 '자비와 평등, 해탈, 나무아미타불, 관세음보살' 등의 내용을
통해 불교임을 알 수 있다. (나)는 '알라, 무함마드, 쿠란, 메카' 등의
내용을 통해 이슬람교임을 알 수 있다. 제시된 지도에서 불교 신자
수의 비율이 가장 높은 국가는 동남아시아에 위치한 타이(C)이며,
이슬람교 신자 수의 비율이 가장 높은 국가는 서남아시아에 위치
한 사우디아라비아(A)이다.

┃바로 알기┃ B는 인도로 힌두교 신자 수 비율이 가장 높으며, D는 오스트
레일리아로 크리스트교 신자 수 비율이 가장 높다.

06 불교와 이슬람교의 특징

부다가야는 불교의 성지로 석가모니가 깨달음을 얻은 곳이다. 따
라서 (가)는 불교의 대표적인 종교 경관이다. 메카는 이슬람교의 성
지로 무함마드가 탄생한 곳이다. 따라서 (나)는 이슬람교의 대표적
인 종교 경관이다. ⑤ 불교의 기원지는 인도 북부로 남부 아시아에
속하며, 이슬람교의 기원지는 서남아시아의 메카이다.

| 바로 알기 | ① 이슬람교와 관련된 설명이다. ② 힌두교와 관련된 설명이다. ③ 불교는 기원전 6세기경, 이슬람교는 기원후 7세기 초에 창시되었다. 따라서 불교가 이슬람교보다 발생 시기가 이르다. ④ 이슬람교가 불교보다 세계 신자 수가 많다.

07 힌두교와 이슬람교의 특징

(가)는 갠지스강에서 종교 의식이 이루어지는 것으로 보아 힌두교, (나)는 첨탑이 있는 모스크 등을 통해 이슬람교에 해당함을 알 수 있다. ㉠ 힌두교는 민족 종교에 해당하므로 '아니요'에 ✔표 되어야 한다. ㉢ 이슬람교 신자들은 신앙 실천의 다섯 가지 의무에 따라 라마단 기간 동안 금식해야 하므로 '예'에 ✔표 되어야 한다.

| 바로 알기 | ㉡ 다양한 신들이 땅에 내려와 머무는 곳이라는 상징이 있는 종교는 다신교인 힌두교이므로, '아니요'에 ✔표 되어야 한다. ㉣ 민족 종교인 힌두교가 보편 종교인 이슬람교보다 유럽에서 신자 수 비율이 낮으므로 '예'에 ✔표 되어야 한다.

08 크리스트교와 불교의 특징

(가)는 종교 경관으로 독일의 쾰른 성당을 제시하고 있으므로 크리스트교이며, (나)는 종교 경관으로 미얀마의 쉐다곤 파고다를 제시하고 있으므로 불교이다. ㉠ 크리스트교는 유럽의 신항로 개척 시대를 거치면서 아메리카로 확산되었다. ㉢ 예루살렘은 예수가 십자가에 못 박혀 죽은 성스러운 곳으로 크리스트교의 성지이다. ㉣ 네팔의 룸비니는 석가모니가 태어난 곳이며, 인도의 부다가야는 불교의 최고 성지로 석가모니가 깨달음을 얻은 곳이다. ㉤ 불교의 종교 경관은 불상을 모시는 불당, 사리를 안치한 탑 등이 주변의 자연과 어우러져 있는 것이 특징이다.

| 바로 알기 | ㉡ 수니파와 시아파로 분파되는 종교는 이슬람교이다.

완자 정리 노트   주요 종교의 경관

크리스트교	종파에 따른 다양한 교회, 십자가, 종탑 등
이슬람교	중앙의 둥근 지붕과 양쪽의 첨탑이 발달한 모스크, 아라베스크 무늬
힌두교	각양각색 신들의 모습이 조각된 사원
불교	불상, 탑, 불당 등

서술형 문제
076쪽

01 주제: 크리스트교와 이슬람교의 전파

(1) A – 크리스트교, B – 이슬람교

(2) **예시 답안** 크리스트교는 서남아시아의 예루살렘에서 발생하여 지중해 일대로 전파되었으며, 유럽의 신항로 개척 이후 전 세계로 확산되었다. 이슬람교는 서남아시아의 메카에서 발생하였으며, 군사적 정복 활동과 상업 활동을 바탕으로 북부 아프리카와 서남아시아 전역, 동남 및 남부 아시아 일대로 전파되었다.

채점 기준

상	크리스트교와 이슬람교의 발상지와 전파 과정을 모두 정확하게 서술한 경우
중	크리스트교와 이슬람교의 발상지를 정확하게 썼으나, 전파 과정에 대한 서술이 미흡한 경우
하	크리스트교와 이슬람교의 발상지만 쓴 경우

02 주제: 이슬람교와 힌두교의 특징

(1) ㉠ – 이슬람교, ㉡ – 힌두교

(2) **예시 답안** 이슬람교는 전 인류를 포교 대상으로 삼고 교리를 전파하는 보편 종교이고, 힌두교는 특정한 민족을 중심으로 포교되는 민족 종교이다. 이슬람교는 힌두교보다 세계 신자 수가 많다.

채점 기준

상	이슬람교와 힌두교의 특징을 제시된 용어를 모두 사용해 논리적으로 서술한 경우
중	이슬람교와 힌두교의 특징을 제시된 용어를 사용해 서술하였으나 일부 잘못된 내용이 포함된 경우
하	이슬람교와 힌두교의 특징을 제시된 용어를 사용해 서술하지 못한 경우

STEP 3   **1등급 정복하기**
077쪽

1 ③   2 ②

1 지역별 주요 종교 분포

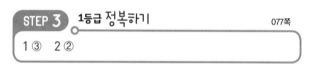

자료 분석

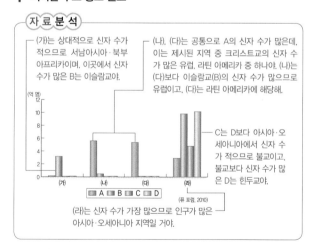

(가)는 상대적으로 신자 수가 적으므로 서남아시아·북부 아프리카이며, 이곳에서 신자 수가 많은 B는 이슬람교야.

(나), (다)는 공통으로 A의 신자 수가 많은데, 이는 제시된 지역 중 크리스트교의 신자 수가 많은 유럽, 라틴 아메리카 중 하나야. (나)는 (다)보다 이슬람교(B)의 신자 수가 많으므로 유럽이고, (다)는 라틴 아메리카에 해당해.

C는 D보다 아시아·오세아니아에서 신자 수가 적으므로 불교이고, 불교보다 신자 수가 많은 D는 힌두교야.

(라)는 신자 수가 가장 많으므로 인구가 많은 아시아·오세아니아 지역일 거야.

(가)는 서남아시아·북부 아프리카, (나)는 유럽, (다)는 라틴 아메리카, (라)는 아시아·오세아니아이고, A는 크리스트교, B는 이슬람교, C는 불교, D는 힌두교이다. ③ 돔형의 지붕과 첨탑이 어우러진 모스크는 이슬람교의 대표적인 종교 경관이다. 모스크에는 꽃, 나무 덩굴, 문자 등을 기하학적으로 배치한 아라베스크 문양이 장식되어 있는 경우가 많다.

┃바로 알기┃ ① 크리스트교(A)와 이슬람교(B)의 기원지는 모두 서남아시아로 (가)에 위치한다. ② 크리스트교(A)의 신자 수 1위 국가는 미국으로 앵글로아메리카에 위치한다. ④ 유럽이 서남아시아·북부 아프리카보다 1인당 돼지고기 소비량이 많다. 서남아시아·북부 아프리카는 돼지고기를 금기시하는 이슬람교 신자 수 비율이 높으므로 1인당 돼지고기 소비량이 적다. ⑤ 크리스트교(A)와 불교(C)는 모두 보편 종교에 해당한다.

2 국가별 주요 종교 분포

┌자료 분석┐

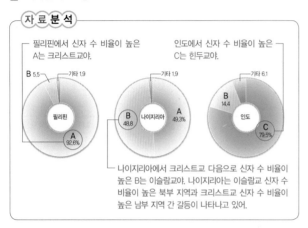

필리핀에서 신자 수 비율이 높은 A는 크리스트교야.

인도에서 신자 수 비율이 높은 C는 힌두교야.

나이지리아에서 크리스트교 다음으로 신자 수 비율이 높은 B는 이슬람교야. 나이지리아는 이슬람교 신자 수 비율이 높은 북부 지역과 크리스트교 신자 수 비율이 높은 남부 지역 간 갈등이 나타나고 있어.

A는 크리스트교, B는 이슬람교, C는 힌두교이다. ② 이슬람교(B)의 여성 신도들은 전통적으로 부르카, 니캅, 히잡 등으로 불리는 복장을 착용해 얼굴 혹은 전신을 가린다.

┃바로 알기┃ ① 이슬람교(B)에 대한 설명이다. 이슬람교는 군사적 정복 활동과 상업 활동을 바탕으로 북부 아프리카와 서남아시아 전역, 동남 및 남부 아시아 일대에 급속히 전파되어 건조 기후 지역의 중요한 문화 요소가 되었다. ③ 룸비니와 부다가야는 모두 불교의 성지이다. ④ 크리스트교(A)와 이슬람교(B)는 모두 유일신을 섬긴다. 다양한 신을 인정하고 숭배하는 종교는 힌두교(C)이다. ⑤ 전 세계의 신자 수는 크리스트교(A) > 이슬람교(B) > 힌두교(C) 순으로 많다.

세계의 인구 변천과 인구 이주 ~ 세계 도시와 세계 도시 체계

STEP 1 핵심 개념 확인하기   082쪽

1 (1) 2단계 (2) 5단계 (3) 3단계   **2** (1) – ⓒ (2) – ⓒ (3) – ㉠   **3** (1) 아프리카 (2) 유입   **4** (1) 최상위 (2) 도시화 (3) 세계 도시 체계 **5** ㉠ 세계 도시 ⓒ 생산자

STEP 2 내신 만점 공략하기   082~085쪽

| 01 ⑤ | 02 ⑤ | 03 ④ | 04 ① | 05 ⑤ | 06 ④ | 07 ④ |
| 08 ⑤ | 09 ④ | 10 ② | 11 ④ | 12 ⑤ | | |

01 지역별 인구 분포 및 특성

(가)는 세계에서 차지하는 인구 비율이 가장 높으므로 아시아, (나)는 2015년에 아시아 다음으로 인구 비율이 높으므로 아프리카, (다)는 1950년~2015년 사이에 세계에서 차지하는 인구 비율이 낮아졌으므로 유럽, 따라서 (라)는 앵글로아메리카이다. ① 세계에서 인구가 가장 많은 국가는 중국으로 (가)의 아시아에 위치한다. ② (나) 아프리카는 (다) 유럽보다 세계 인구에서 차지하는 비율이 높아진 것으로 보아 인구의 자연 증가율이 높다. ③ 선진국이 많은 유럽은 출생률의 지속적인 감소로 인구의 자연 증가율이 낮으며, 저출산과 인구 고령화, 노동력 부족 등의 문제가 나타나고 있다. 따라서 노년층 인구 비율은 (다) 유럽이 (가) 아시아보다 높다. ④ (라) 앵글로아메리카는 (나) 아프리카보다 경제 발전 수준이 높으므로 도시화율이 높다.

┃바로 알기┃ ⑤ (나)는 아프리카, (다)는 유럽이다.

02 세계 인구 분포 요인

┌자료 분석┐

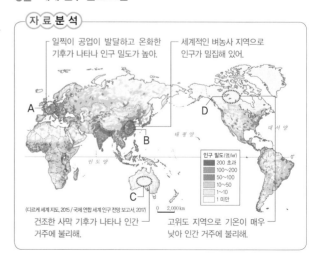

일찍이 공업이 발달하고 온화한 기후가 나타나 인구 밀도가 높아.

세계적인 벼농사 지역으로 인구가 밀집해 있어.

(디르케 세계 지도, 2015 / 국제 연합 세계 인구 전망 보고서, 2017)

건조한 사막 기후가 나타나 인간 거주에 불리해.

고위도 지역으로 기온이 매우 낮아 인간 거주에 불리해.

ㄴ. 서부 유럽(A)은 인간 거주에 유리한 온대 기후를 바탕으로 일찍부터 산업이 발달하면서, 도시를 중심으로 인구가 밀집하였다. ㄷ. B는 아시아 계절풍 기후 지역으로 벼농사에 유리하여 인구 밀도가 높다. ㄹ. C는 강수가 적은 건조 기후, D는 기온이 낮은 한대 및 냉대 기후가 나타나는 지역으로, 모두 인간 거주에 불리한 기후가 나타나 인구 밀도가 낮다.

인구 부양력이 높은 쌀을 많이 생산할 수 있기 때문이야

‖ 바로 알기 ‖ ㄱ. 세계 인구는 남반구보다 육지 면적이 넓은 북반구에 많이 분포하며, 특히 기후가 온화한 북위 20°~40°의 중위도 지역에 밀집해 있다.

03 인구 변천 모형

인구 변천 모형은 출생률과 사망률의 변화에 따라 인구 성장을 단계별로 나타낸 것으로 국가별 경제 발전 수준에 따른 인구 성장 과정을 파악하는 데 이용한다. ④ 1단계에서 5단계로 갈수록 경제 발전 수준이 높아지므로 (가) 단계의 국가는 (라) 단계의 국가보다 경제 발전 수준이 낮다.

‖ 바로 알기 ‖ ① 인구 증가율이 가장 높은 단계는 (나)의 2단계이다. ② 여성의 사회 활동이 확대되면 출생률이 감소하므로, 3단계인 (다)와 관련 있다. ③ 출생률 감소로 사망률이 출생률보다 높아 인구의 자연적 감소가 나타나는 단계는 (라)의 5단계이다. ⑤ (가)에서 (라) 단계로 갈수록 출생률과 사망률이 모두 낮아지므로 노년층의 인구 비율이 증가한다.

04 선진국과 개발 도상국의 인구 특성

(가)는 (나)에 비해 0~14세의 유소년층 인구 비율이 낮고, 65세 이상 노년층의 인구 비율이 높게 나타난다. 따라서 (가)는 선진국, (나)는 개발 도상국에 해당하며, 실제로 (가)는 독일, (나)는 니제르의 인구 피라미드이다. 개발 도상국인 (나)는 선진국인 (가)에 비해 인구의 자연 증가율이 높고, 유소년층 인구에 대한 노년층 인구의 비율인 노령화 지수가 낮으며, 합계 출산율이 높다. 따라서 (가)와 비교한 (나) 국가의 상대적 특성은 그림의 A에 해당한다.

완자 정리 노트   경제 수준에 따른 인구 특성 비교

구분		선진국	개발 도상국
인구 변천 모형		4, 5단계	2, 3단계
인구 특성	유소년층 인구 비율	낮음	높음
	노년층 인구 비율	높음	낮음
	중위 연령, 노령화 지수	높음	낮음
	합계 출산율	낮음	높음
	인구의 자연 증가율	낮음	높음
기타	도시화율	높음	낮음
	3차 산업 종사자 비율	높음	낮음

05 지역(대륙)별 인구 변천 특성

(가)는 2010~2015년 인구의 자연 증가율이 가장 높으므로 경제 발전 수준이 낮은 개발 도상국이 많이 위치한 아프리카이다. (나)는 (다)보다 1950~1955년, 2010~2015년 모두 인구의 자연 증가율이 높

으므로 아시아이고, (다)는 2010~2015년 인구의 자연 증가율이 0 미만이므로 저출산 문제가 심각한 유럽이다.

06 인구 이주의 유형 및 사례

(가)는 경제적㉠, (나)는 종교적, (다)는 환경적㉡ 이주에 해당한다. 경제적 이주의 대표적 사례로는 멕시코 노동자들의 미국으로의 이주가 있다㉢. 환경적 이주의 사례인 투발루 난민의 이동㉤은 지구 온난화로 인한 해수면 상승의 영향으로 나타났다.

‖ 바로 알기 ‖ ㉣ 종교적 이주의 사례로는 영국의 청교도들이 종교적 자유를 찾아 아메리카로 이동한 것과 이슬람교도들이 성지 순례를 위해 사우디아라비아의 메카로 이동한 것 등을 들 수 있다.

완자 정리 노트   다양한 요인에 의한 인구 이주

경제적 요인	개발 도상국에서 선진국으로의 이동 ⑩ 동부 유럽 및 아프리카 노동자의 유럽으로의 이동
정치적 요인	정치적 억압, 전쟁 등으로 인한 이동 ⑩ 시리아 난민의 이동
종교적 요인	종교의 자유를 찾아 이동, 성지 순례 등
환경적 요인	쾌적한 기후 지역으로의 휴가, 기후 변화나 자연재해 등으로 인한 이동

07 세계의 인구 이주

(가)는 아프리카에서 유럽으로, 라틴 아메리카에서 앵글로아메리카로, 동남 및 남부 아시아에서 서남아시아나 동아시아 등지로 이동하는 것이므로 경제적 요인에 의한 인구 이주이다. (나)는 아프리카와 남부 아시아 등 저개발국에서 주로 나타나므로 정치적 요인에 의한 인구 이주에 해당한다. ④ (가)의 경제적 요인에 의해 인구 유출이 발생하는 지역은 대체로 경제 발전 수준이 낮은 개발 도상국으로, 인구 유입이 발생하는 선진국보다 인구의 자연 증가율이 높다. 인구 유입 지역은 대부분 저출산으로 인해 노동력 부족 문제가 나타난다.

‖ 바로 알기 ‖ ① 총인구가 많은 중국, 인도는 인구 순 유출이 나타난다. ② 아프리카, 아시아, 라틴 아메리카는 공통적으로 노동력 순 유출 경향이 강하다. ③ (나)의 정치적 요인에 의한 인구 이주와 관련된 설명이다. ⑤ (가)의 경제적 요인에 의한 인구 이주에 해당한다.

08 국가별 인구 이주 특징

지도에 표시된 국가는 독일, 니제르, 사우디아라비아, 인도이다. (가)는 인구의 자연 증가율이 가장 낮고 인구 순 유입이 나타나고 있으므로 유럽에 위치한 독일이다. (나)는 인구 순 유입이 나타나고 인구의 자연 증가율이 (가)보다 높으므로 사우디아라비아이다. (다)는 인구의 자연 증가율이 가장 높으므로 경제 발전 수준이 낮은 저개발국임을 알 수 있다. 따라서 북부 아프리카에 위치한 니제르이다. (라)는 인구 순 유출이 가장 많으므로 경제 발전 수준이 상대적으로 낮고 노동력이 풍부한 인도이다. A는 유소년 부양비가 가장 높으므로 출생률이 높은 니제르이고, 유소년 부양비가 가장 낮

은 C는 저출산·고령화 문제가 나타나고 있는 독일이다. D는 B보다 성비가 높은데, 이는 남성 노동력의 유입으로 성비가 높게 나타나는 사우디아라비아이며, 나머지 B는 인도이다. 따라서 (가) 독일은 C, (나) 사우디아라비아는 D, (다) 니제르는 A, (라) 인도는 B와 연결된다.

09 세계 각국의 도시화율과 도시 인구

④ 경제 발전 수준이 높은 미국과 캐나다가 위치한 앵글로아메리카는 선진국인 일본, 개발 도상국인 인도 등 다양한 경제 수준을 갖는 국가들이 위치한 아시아보다 국가별 도시화율 차이가 작다.

▌바로 알기▐ ① 유럽에 위치한 대부분의 국가들은 도시화율이 50%를 넘으므로 촌락 인구보다 도시 인구가 많다. ② 아시아는 오세아니아보다 인구 규모가 큰 도시들이 많이 분포하므로 도시 인구가 많다. ③ 라틴 아메리카에 위치한 국가가 아프리카에 위치한 국가보다 대부분 도시화율이 높으므로, 라틴 아메리카가 아프리카보다 도시화율이 높다. ⑤ 개발 도상국인 인도는 유럽의 선진국보다 인구 규모 천만 명 이상의 도시 수가 많다.

10 지역(대륙)별 도시화율 비교

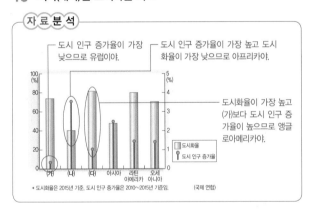

자료 분석

(가)는 유럽, (나)는 아프리카, (다)는 앵글로아메리카이다. ㄱ. 유럽은 앵글로아메리카보다 도시화율은 다소 낮지만, 총인구가 많기 때문에 도시 인구가 많다. ㄷ. 경제 발전 수준이 높은 앵글로아메리카는 아프리카보다 3차 산업 종사자 비율이 높다.

▌바로 알기▐ ㄴ. 도시화의 역사가 오래된 유럽이 도시화율이 낮은 아프리카보다 도시화의 가속화 단계에 진입한 시기가 이르다. ㄹ. 도시 인구 증가율이 가장 낮은 (가)는 유럽, 도시화율이 가장 높은 (다)는 앵글로아메리카이다.

11 세계 도시의 선정 기준

제시된 자료는 사업 활동, 인적 자본, 정보 교류, 문화 활동, 정치 참여를 기준으로 세계에서 가장 영향력 있는 세계 도시를 선정한 것이다. ㄴ. 런던은 공연 및 문화 활동의 중심지로 문화 활동 분야에서 가장 높은 점수를 받았다. ㄹ. 그래프를 통해 파리는 인적 자본, 정보 교류, 문화 활동 기능이 골고루 발달한 문화·예술의 중심지임을 알 수 있다.

▌바로 알기▐ ㄱ. 베이징은 사업 활동 분야에서 점수가 매우 높지만 사업 활동 분야에서 점수가 낮은 싱가포르, 시카고, 로스앤젤레스 등에 비해 순위

가 낮다. ㄷ. 1~15위 내에 포함된 세계 도시 중 유럽에 위치한 도시는 다섯 곳(런던, 파리, 브뤼셀, 마드리드, 베를린)이며, 아시아에 위치한 도시 역시 다섯 곳(도쿄, 홍콩, 싱가포르, 베이징, 서울)이다.

12 세계 도시 체계의 계층

세계 도시 체계는 국제 금융 영향력, 다국적 기업 본사의 수, 생산자 서비스업 부문의 집중도, 국제기구 본부의 수, 국제 항공 승객의 수, 인구 규모, 주요 교통·통신의 결절 등을 기준으로 계층을 나눈 것이다. 전 세계적인 영향력을 갖추고 있는 런던, 뉴욕, 도쿄 등이 속한 (가)는 최상위 세계 도시이고, 샌프란시스코, 부에노스아이레스, 시드니 등이 속한 (나)는 하위 세계 도시에 해당한다. 하위 세계 도시는 최상위 세계 도시보다 선진국에 분포하는 비율이 낮으며, 국제 금융에 미치는 영향력이 작다. 또한 자본과 정보의 집중도와 생산자 서비스업 종사자 비율도 최상위 세계 도시에 비해 낮은 편이다.

▌바로 알기▐ ⑤ 하위 세계 도시는 최상위 세계 도시보다 그 수가 많으므로, 가장 인접한 동일 계층 세계 도시와의 거리가 가깝다.

완자 정리 노트 세계 도시의 계층 체계

최상위 세계 도시	세계 경제 중심지  뉴욕, 런던, 도쿄 등
상위 세계 도시	권역별 중심지  파리, 로스앤젤레스 등
하위 세계 도시	지역 중심지  토론토, 시드니 등

서술형 문제

085쪽

01 주제: 지역(대륙)별 인구 순 이동

(1) A – 아프리카, B – 아시아, C – 유럽

(2) **예시 답안** 유럽, 앵글로아메리카, 오세아니아는 인구 순 유입이, 아프리카, 라틴 아메리카, 아시아는 인구 순 유출이 나타나고 있다. 이는 소득 수준이 낮고 고용 기회가 적은 개발 도상국에서 소득 수준이 높고 고용 기회가 많은 선진국으로의 경제적 인구 이주가 많기 때문이다.

채점 기준

상	국제적 인구 이주의 특징을 지역별 인구 순 이동과 관련해 논리적으로 서술한 경우
하	인구 유입 지역과 인구 유출 지역만 간략하게 쓴 경우

02 주제: 세계 도시 체계

예시 답안 뉴욕, 런던, 도쿄 등의 최상위 세계 도시는 인터넷 통신량 및 연결 국가가 많다. 반면 시드니, 상하이 등의 하위 세계 도시는 인터넷 통신량과 연결 국가가 상대적으로 적게 나타난다.

STEP 3 1등급 정복하기

086~087쪽

1 ⑤   2 ④   3 ②   4 ③

1 지역(대륙)별 인구 특성

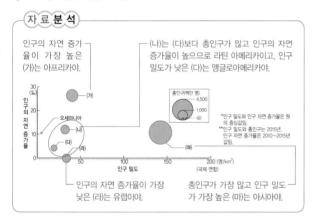

자료 분석

인구의 자연 증가율이 가장 높은 (가)는 아프리카야.

(나)는 (다)보다 총인구가 많고 인구의 자연 증가율이 높으므로 라틴 아메리카이고, 인구 밀도가 낮은 (다)는 앵글로아메리카야.

*인구 밀도와 인구 자연 증가율은 원의 중심값임.
**인구 밀도와 총인구는 2015년, 인구 자연 증가율은 2010~2015년 값임.

인구의 자연 증가율이 가장 낮은 (라)는 유럽이야.

총인구가 가장 많고 인구 밀도가 가장 높은 (마)는 아시아야.

(가)는 아프리카, (나)는 라틴 아메리카, (다)는 앵글로아메리카, (라)는 유럽, (마)는 아시아이다. ㄴ. 대부분의 국가가 가톨릭교를 믿는 라틴 아메리카는 아시아보다 주민 중 크리스트교 신자의 비율이 높다. ㄷ. 인구의 자연 증가율이 높은 아프리카는 유소년층 인구 비율이 높고, 인구의 자연 증가율이 낮은 유럽은 노년층 인구 비율이 높다. ㄹ. 앵글로아메리카는 최근 아프리카보다 지리적으로 인접한 라틴 아메리카로부터 경제적 요인에 의한 인구 유입이 활발하다.

바로 알기 ㄱ. 저개발국과 개발 도상국이 많이 위치한 아프리카는 앵글로아메리카보다 도시화율이 낮다.

2 국가별 인구 이주 특성

석유 자원 수출로 사회 간접 자본 및 기간산업에 대한 투자가 늘어나면서 많은 외국인 노동자가 유입되고 있어.

지도에 표시된 세 국가는 알제리, 시리아, 인도이다. (가)는 주변 지역에 위치한 튀르키예, 레바논, 사우디아라비아 등으로의 이주 비율이 높고, 성비 또한 100에 가까워 남성과 여성이 함께 이주한 특성이 나타나는 곳이다. 이곳은 내전 등 정치적 요인에 의한 인구 이주가 나타나는 시리아이다. (나)는 아랍 에미리트, 사우디아라비아와 같이 외국인 노동자의 유입이 활발한 지역으로의 이주가 많

고, 미국 등 경제 발전 수준이 높은 지역으로의 이주가 많다. 이곳은 상대적으로 인구가 많고 경제 발전 수준이 낮은 인도이다. 한편, 알제리는 과거 식민 지배를 받았던 프랑스로의 인구 유출이 많다. ④ (가)는 남성과 여성의 해외 이주 인구 비율이 비슷하지만, (나)는 남성 인구의 이주가 많았다. 따라서 해외 이주 인구의 성비는 (나)가 (가)보다 높다.

바로 알기 ① 시리아는 내전으로 인한 난민의 이주가 주를 이루므로 정치적 요인에 의한 인구 이주가 많다. ② 인도는 경제적 요인에 의한 인구 이주가 대부분이므로 자발적 요인에 의한 인구 이주가 많다. ③ 시리아는 내전을 피해 주변 국가로 이동한 인구가 많은 반면, 인도는 취업 등을 목적으로 소득 수준이 높고 고용 기회가 많은 선진국으로 이동한 인구가 많다. ⑤ 시리아와 인도는 모두 인구 순 유출이 나타난다.

3 지역(대륙)별 도시화율 특성

(가)는 2015년에 도시화율이 가장 낮으므로 아프리카이다. (나)는 1970년과 2015년 모두 촌락 인구가 가장 많으므로 아시아이고, 2015년 도시화율이 가장 높은 (마)는 앵글로아메리카이다. (다)와 (라)는 유럽과 라틴 아메리카 중 하나인데, (다)가 (라)보다 2015년 도시화율이 낮은 반면 촌락 인구는 많으므로 상대적으로 인구 규모가 큰 유럽이고, (라)는 라틴 아메리카이다. ② 도시화율과 촌락 인구를 통해 도시 인구를 유추할 수 있는데, 인구 규모가 큰 (나) 아시아는 (마) 앵글로아메리카보다 도시화율이 낮지만 촌락 인구가 월등히 많은 것을 통해 도시 인구도 많음을 알 수 있다.

바로 알기 ① 아프리카에는 최상위 계층에 해당하는 세계 도시가 없다. ③ (다) 유럽은 (라) 라틴 아메리카보다 산업화의 시작 시기가 이르다. ④ 1970~2015년 (가) 아프리카의 촌락 인구 증가율은 약 145%로 촌락 인구가 2배 이상 증가했지만, (라) 라틴 아메리카의 촌락 인구 증가율은 3%도 되지 않는다. ⑤ (마) 앵글로아메리카는 (나) 아시아보다 국가의 수가 적다.

4 세계 도시 체계의 구분과 특징

제시된 지도에서 (가)는 런던, 도쿄, 뉴욕 등이 포함되어 있으므로 최상위 세계 도시, (나)는 로마, 방콕, 시드니 등이 포함되어 있으므로 하위 세계 도시이다. ③ 최상위 세계 도시인 (가)는 하위 세계 도시인 (나)보다 도시당 다국적 기업 본사 수가 많으며, 생산자 서비스업 종사자 비율이 높다. 한편, 하위 세계 도시인 (나)는 상위 세계 도시인 (가)보다 도시 인구의 자연 증가율이 높고, 도시의 수가 많다.

04~05 주요 식량 자원과 국제 이동 ~ 주요 에너지 자원과 국제 이동

STEP 1 핵심 개념 확인하기
092쪽

1 (1) 쌀 (2) 옥수수 (3) 밀 **2** (1) ㄷ (2) ㄴ **3** (1) × (2) ○ **4** (1) 많다 (2) 증가 (3) 석유 **5** ㉠ 지열 ㉡ 태양광(열)

STEP 2 내신 만점 공략하기
092~095쪽

01 ③ 02 ④ 03 ⑤ 04 ② 05 ② 06 ③ 07 ④
08 ④ 09 ③ 10 ③ 11 ② 12 ④

01 쌀, 밀, 옥수수의 국가별 생산량

(가)는 아시아의 계절풍 기후 지역에 위치한 중국, 인도, 인도네시아, 방글라데시, 베트남 등에서 생산 비중이 높으므로 쌀이다. (나)는 중국, 인도, 미국 순으로 생산 비중이 높고 전 세계적으로 재배되므로 밀이다. (다)는 미국, 브라질, 아르헨티나 등 주로 아메리카 대륙에 위치한 국가에서 생산 비중이 높으므로 옥수수이다. ③ 최근 옥수수가 바이오 에탄올의 원료로 이용되는 비중이 크게 늘어나면서 수요가 급증하고 있다.

| 바로 알기 | ① 재배 범위가 넓어 세계 각지에서 연중 수확되는 작물은 밀이다. ② 쌀과 관련된 설명이다. ④ 쌀은 밀보다 단위 면적당 생산량이 많아 인구 부양력이 높다. ⑤ (가)는 쌀, (나)는 밀, (다)는 옥수수이다.

02 주요 식량 자원의 국제 이동

지도의 A는 주로 중국, 인도, 인도네시아 등 기온이 높고 강수량이 많은 지역에서 재배되는 것으로 볼 때 쌀이다. B는 비교적 기온이 낮고 건조한 지역에서도 재배되는 것으로 볼 때 밀이다. ㄱ. 쌀은 남반구보다 북반구에서 생산량이 많다. ㄷ. 쌀은 대부분의 생산량을 아시아에서 소비하기 때문에 밀, 옥수수 등 다른 식량 작물에 비해 국제 이동량이 적다. 따라서 쌀은 밀보다 생산량 대비 수출량 비중이 낮다. ㄹ. 쌀과 밀의 세계 최대 생산국은 중국이다. 중국은 아시아에 위치한다.

| 바로 알기 | ㄴ. 밀의 재배지 중 미국, 캐나다. 오스트레일리아 등 신대륙에 위치한 국가에서는 주로 기계화된 영농 방식으로 밀을 대량 생산하여 수출한다.

완자 정리 노트 쌀과 밀의 특징

쌀	아시아 계절풍 기후 지역의 충적 평야에서 주로 재배됨 → 생산지와 소비지가 거의 일치하여 국제 이동량이 적음
밀	비교적 기온이 낮고 건조한 지역에서도 재배가 가능함 → 전 세계 여러 지역에서 재배, 국제 이동량이 많음

03 주요 식량 작물의 특징

자료 분석

미국, 아르헨티나, 브라질 등 아메리카에서 절반 이상을 수출하는 것으로 볼 때 옥수수야.

구분	(가) 지역	비중(%)	(나) 지역	비중(%)
1	미국	35.5	미국	21.6
2	아르헨티나	14.2	프랑스	12.9
3	브라질	13.2	캐나다	12.8
4	우크라이나	8.9	오스트레일리아	11.7
5	프랑스	5.7	러시아	9.0

오스트레일리아의 수출량 비중이 높은 것으로 볼 때 밀이야.

(가)는 옥수수, (나)는 밀이다. ① 옥수수의 원산지는 아메리카로 알려져 있다. ② 밀은 주요 생산지와 소비지가 다른 경우가 많아 식량 작물 중에서 국제 이동량이 가장 많다. ③ 밀은 신대륙에서 기계화된 농업 방식으로 재배된다. ④ 밀은 식량으로 주로 이용되지만, 옥수수는 바이오 에탄올의 원료, 가축 사료 등으로 이용되기도 한다. 따라서 옥수수가 밀보다 식용 이외의 소비 비중이 높다.

| 바로 알기 | ⑤ 밀은 옥수수보다 단위 면적당 생산량이 낮기 때문에 인구 부양력이 낮다.

04 소, 양, 돼지의 국가별 사육 현황

(가)는 브라질, 인도, 미국 등에서 사육 비중이 높은 것으로 볼 때 소이다. (나)는 중국, 미국, 브라질 등에서 사육 비중이 높은 것으로 볼 때 돼지이다. (다)는 다른 가축에 비해 오스트레일리아에서의 사육 비중이 높은 것으로 볼 때 양이다.

05 주요 가축의 사육 지역 및 육류의 이동

(가)는 브라질, 인도 등에서 주로 사육되는 것으로 볼 때 소이다. (나)는 중국과 유럽에서 주로 사육되는 것으로 볼 때 돼지이다. ② 힌두교도는 소를 신성시하여 소고기를 먹지 않는다.

| 바로 알기 | ① 돼지와 관련된 설명이다. ③ 돼지는 북부 아프리카보다 유럽에서 많이 사육된다. ④ 소와 관련된 설명이다. ⑤ 소의 사육 두수가 가장 많은 국가는 브라질로 아메리카에 위치하고, 돼지의 사육 두수가 가장 많은 국가는 중국으로 아시아에 위치한다.

06 국가별 식량 자원의 수출입 현황

제시된 그래프를 보면 일본은 인도네시아보다 곡물 순 수입량이 많으며(①), 서남아시아는 곡물 순 수입국이 대부분이므로 곡물 수출량보다 곡물 수입량이 많다(②). 독일, 프랑스, 우크라이나는 공통으로 곡물 순 수출국이다(④). 아프리카는 남아프리카공화국, 잠비아 등을 제외하고는 대부분 곡물 순 수입국이므로 곡물의 국제 가격이 상승할 경우 식량 부족 문제가 발생할 가능성이 높다(⑤).

| 바로 알기 | ③ 곡물 순 수출량이 가장 많은 국가는 미국으로 아메리카에 위치한다.

07 세계 1차 에너지 소비 구조 변화

세계 1차 에너지 소비 비중은 2016년 기준 석유 > 석탄 > 천연가스 > 수력 > 원자력 순으로 높다. 따라서 그래프의 A는 석유, B는 석탄, C는 천연가스, D는 원자력, E는 수력이다. ④ 원자력 발전은 우라늄이나 플루토늄의 핵분열 시 발생하는 열에너지를 이용하여 전력을 생산하는 방식이다. 적은 연료로 많은 양의 전력을 생산할 수 있어 에너지 효율이 높지만, 방사능 유출 사고 위험과 방사성 폐기물 처리 등의 문제점이 있다.

｜ 바로 알기 ｜ ① 냉동 액화 기술의 발달로 소비량이 급증한 것은 천연가스이다. ② 오늘날 주로 수송용 연료로 이용되는 것은 석유이다. ③ 산업 혁명 당시 주요 에너지원은 석탄이다. ⑤ 수력은 고갈 위험이 적은 재생 에너지이다.

08 석탄과 석유의 이동 및 특징

(가)는 전 세계적으로 고르게 분포하고 있으며, 오스트레일리아와 인도네시아 등지에서 수출되는 것으로 볼 때 석탄이다. (나)는 서남아시아에서 주로 수출되는 것으로 볼 때 석유이다. 석탄은 주로 고생대 지층에 매장되어 있으며, 제철 공업 등 공업의 원료나 발전용 연료로 이용된다. 석유는 주로 신생대 제3기층 배사 구조 지층에 분포하며, 수송용·화학 공업의 원료 등 많은 분야에서 이용된다. 일부 석유 생산 국가는 석유 수출국 기구(OPEC)를 결성하여 자국의 이익을 위해 석유의 생산량 및 가격을 조절하기도 한다.

｜ 바로 알기 ｜ ④ 석탄은 비교적 세계 여러 지역에 고르게 매장되어 있어 석유에 비해 국제 이동량이 적은 편이다.

완자 정리 노트 석탄과 석유의 특징

구분	석탄	석유
분포	고기 조산대에 주로 매장	신생대 제3기층의 배사 구조에 주로 매장
국제 이동	석유보다 국제 이동량이 적음	매장 지역의 편재가 심해 국제 이동량이 많음

09 석유, 석탄, 천연가스의 지역별 생산과 소비 특징

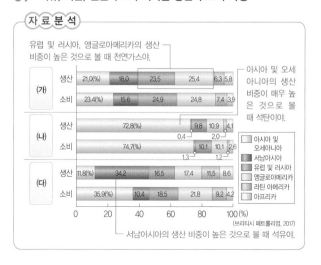

자료 분석

유럽 및 러시아, 앵글로아메리카의 생산 비중이 높은 것으로 볼 때 천연가스야.

아시아 및 오세아니아의 생산 비중이 매우 높은 것으로 볼 때 석탄이야.

서남아시아의 생산 비중이 높은 것으로 볼 때 석유야.

(브리티시 페트롤리엄, 2017)

(가)는 천연가스, (나)는 석탄, (다)는 석유이다. ㄴ. 천연가스는 석탄보다 연소 시 대기 오염 물질 배출량이 적다. ㄷ. 18세기 산업 혁명 당시 주요 에너지원으로 이용되었던 석탄은 19세기 내연 기관의 발명으로 본격적으로 이용되기 시작한 석유보다 상용화된 시기가 이르다.

｜ 바로 알기 ｜ ㄱ. 천연가스의 최대 생산국은 미국으로 앵글로아메리카에 위치한다. ㄹ. 오늘날 세계 1차 에너지 소비량은 (다) 석유 > (나) 석탄 > (가) 천연가스 순으로 많다.

10 석탄과 석유의 특징

산업용으로 주로 소비되는 (가)는 석탄, 수송용으로 주로 소비되는 (나)는 석유이다. 석탄은 석유보다 연소 시 대기 오염 물질 배출량이 많고, 세계 에너지 소비량에서 차지하는 비중이 낮으며, 상용화된 시기가 이르다. 이는 그림의 C에 해당한다.

11 신·재생 에너지의 특성과 이용

신·재생 에너지는 석유, 석탄 등 화석 연료에 비해 오염 물질 배출이 적고 재생이 가능하여 전 세계적으로 사용 비중이 증가하고 있다. 태양광 발전은 주로 일사량이 풍부한 지역에서, 지열 발전은 지각판의 경계 지역에서 유리하다. 한편, 신·재생 에너지는 에너지 효율이 낮고, 지역별로 소규모 발전이 이루어지기 때문에 경제성이 낮은 편이다.

｜ 바로 알기 ｜ ② 신·재생 에너지는 지형이나 기후의 제약이 커서 지역별 편재가 심한 편이다.

12 주요 국가의 신·재생 에너지 생산 비중

(가)는 빙하 지형이 발달한 캐나다, 노르웨이와 열대 기후 지역에 위치해 연 강수량이 많은 브라질 등에서 생산 비중이 높은 것을 볼 때 수력이다. (나)는 미국, 에스파냐 등 비가 적고 일사량이 풍부한 지역에서 생산 비중이 높은 것으로 볼 때 태양광(열)이다. (다)는 화산 활동이 활발한 필리핀, 인도네시아, 뉴질랜드 등에서 생산 비중이 높은 것으로 볼 때 지열이다. ④ 태양광(열) 발전은 기후 조건, 지열 발전은 지형 조건이 발전소 입지에 영향을 끼친다.

｜ 바로 알기 ｜ ① 수력은 하천 유량이 풍부하며 계절별 유량 변동이 적고 큰 낙차를 확보할 수 있는 지역에서 유리하다. ② 태양광(열)은 주로 일사량과 일조 시수가 많은 지역에서 유리하다. ③ 지열은 지각판의 경계 지역에서 유리하다. ⑤ 세계의 신·재생 에너지 생산 비중이 가장 높은 것은 수력이다.

완자 정리 노트 주요 신·재생 에너지의 이용

수력	• 연 강수량이 많아 유량이 풍부한 지역에서 유리함 • 빙하 지형과 높은 산지가 있어 큰 낙차를 확보할 수 있는 지역에서 유리함
태양광(열)	비가 적고 일사량이 풍부한 지역에서 유리함
지열	신기 조산대, 지각판의 경계 지역에서 유리함

서술형 문제

 095쪽

01 주제: 옥수수의 특징

(1) 옥수수

(2) **예시 답안** 옥수수는 재배 조건이 까다롭지 않아 현재 전 대륙에서 생산되고 있다. 최근에는 가축 사료용 작물과 바이오 에탄올의 원료로 이용되면서 수요가 증가하였다.

채점 기준

상	옥수수의 특징 두 가지를 정확히 서술한 경우
하	옥수수의 특징을 한 가지만 서술한 경우

02 주제: 천연가스와 석탄의 지역별 생산 현황 및 특징

(1) (가) – 천연가스, (나) – 석탄

(2) **예시 답안** 천연가스(가)는 석탄(나)에 비해 상용화된 시기가 늦고, 연소 시 대기 오염 물질 배출량이 적으며, 세계 에너지 소비량에서 차지하는 비중이 적다.

채점 기준

상	제시어를 모두 사용하여 천연가스와 석탄의 특징을 정확히 비교하여 서술한 경우
중	제시어를 두 가지 사용하여 천연가스와 석탄의 특징을 비교하여 서술한 경우
하	제시어를 한 가지만 사용하여 천연가스와 석탄의 특징을 비교하여 서술한 경우

STEP 3 1등급 정복하기

096~097쪽

1 ④   2 ③   3 ④   4 ⑤

1 대륙별 밀, 옥수수의 생산 및 수출 현황

(가)는 앵글로아메리카와 라틴 아메리카의 생산량과 수출량 비중이 높은 것으로 볼 때 옥수수이다. (나)는 (가)와 달리 오세아니아의 생산량과 수출량 비중이 특징적으로 높은 것으로 볼 때 밀이다. A는 옥수수와 밀의 생산량 비중은 높지만, 수출량 비중이 매우 낮으므로 인구가 많은 아시아이다. B는 밀의 수출량 비중이 가장 높으므로 유럽이다. ④ 옥수수는 밀보다 가축의 사료로 이용되는 비중이 높다.

▌바로 알기 ▌ ① 아시아(A)의 계절풍 기후 지역에서 주로 재배되는 작물은 쌀이다. ② 밀은 비교적 기온이 낮고 건조한 지역에서도 잘 자라기 때문에

고위도 지역과 건조 기후 지역에서도 재배가 이루어져 식량 작물 중에서 재배 면적이 가장 넓다. ③ 북반구에 위치한 유럽(B)과 남반구에 위치한 오세아니아는 계절이 반대이기 때문에 밀의 수확 시기가 서로 다르다. ⑤ 옥수수는 밀보다 바이오 에탄올의 원료로 많이 이용된다.

2 주요 가축의 사육 현황 및 특성

(가)는 중국에서 가장 많이 사육되는 것으로 볼 때 돼지이다. (나)는 오스트레일리아가 사육 두수 상위 국가에 포함되는 것으로 볼 때 양이다. (다)는 (가)~(다) 중에서 총 사육 두수가 가장 많으며, 브라질과 인도 등에서 사육 두수가 많은 것으로 볼 때 소이다. ③ 강수량이 비교적 풍부한 지역에서는 소를, 작물 재배가 어려운 건조 기후 지역에서는 양을 주로 사육한다.

▌바로 알기 ▌ ① 오스트레일리아는 양과 소를 주로 대규모 농장에서 기업적인 목축 형태로 사육한다. ② 이슬람 문화권에서는 종교적인 이유로 돼지를 기르거나 먹는 것을 금하고 있다. ④ 털이 모직 공업의 원료로 이용되는 가축은 양이다. ⑤ 서남아시아에서 유목 형태로 많이 사육되는 것은 양이다. 돼지와 소는 건조 기후 지역에서 사육하기 부적합하다.

3 주요 화석 에너지의 특성

A는 (가), (나) 화석 에너지의 소비량 비중이 모두 B보다 높다. 따라서 A는 아시아·태평양, B는 서남아시아이다. (가)는 서남아시아(B)의 생산량 비중이 매우 높고, 아시아·태평양(A)의 소비량 비중이 가장 높으므로 석유이다. (나)는 앵글로아메리카와 유럽·러시아의 생산량 비중이 높고, 유럽·러시아의 소비량 비중이 가장 높으므로 천연가스이다. ㄴ. 천연가스는 냉동 액화 기술의 발달과 수송관 건설로 운반과 사용이 편리해졌다. ㄹ. 서남아시아(B)는 석유의 소비량 비중이 약 10%이고, 생산량 비중이 약 33%이다. 따라서 서남아시아는 석유의 소비량 대비 생산량 비중이 가장 높다.

▌바로 알기 ▌ ㄱ. 산업 혁명 시기에 주요 동력 자원으로 이용된 것은 석탄이다. ㄷ. A는 아시아·태평양이다.

4 유럽 주요 국가의 신·재생 에너지 이용 특성

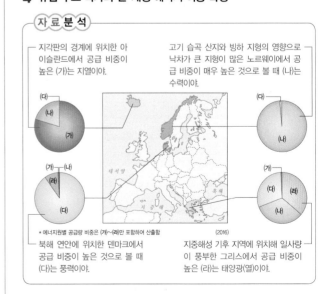

자료 분석

지각판의 경계에 위치한 아이슬란드에서 공급 비중이 높은 (가)는 지열이야.

고기 습곡 산지와 빙하 지형의 영향으로 낙차가 큰 지형이 많은 노르웨이에서 공급 비중이 매우 높은 것으로 볼 때 (나)는 수력이야.

대서양   아프리카

* 에너지원별 공급량 비중은 (가)~(라)만 포함하여 산출함   (2016)

북해 연안에 위치한 덴마크에서 공급 비중이 높은 것으로 볼 때 (다)는 풍력이야.

지중해성 기후 지역에 위치해 일사량이 풍부한 그리스에서 공급 비중이 높은 (라)는 태양광(열)이야.

(가)는 지열, (나)는 수력, (다)는 풍력, (라)는 태양광(열)이다. 지열 발전은 지구 내부의 열 에너지를 이용해 전력을 생산하는 방식으로, 지각판의 경계 부근에서 유리하다. 수력 발전은 하천 유량이 풍부하며 계절별 유량 변동이 적고 큰 낙차를 확보할 수 있는 지역에서 유리하다. 풍력 발전은 바람으로 터빈을 돌려 전력을 생산하기 때문에 항상 강한 바람이 많이 부는 산지, 해안, 도서 지역 등에서 유리하다. 태양광(열) 발전은 강수량이 적고 일사량이 풍부한 지역에서 유리하다.

┃ **바로 알기** ┃ ⑤ 수력은 지열보다 세계 전체 에너지 공급량에서 차지하는 비중이 높다.

대단원 실력 굳히기
100~103쪽

01 ⑤	02 ④	03 ⑤	04 ②	05 ③	06 ②	07 ③
08 ①	09 ④	10 ②	11 ②	12 ①	13 ⑤	14 ④
15 ②	16 ②					

01 세계의 종교 분포

A는 유럽, 아메리카, 오세아니아 등에 분포하므로 크리스트교, B는 서남아시아와 북부 아프리카를 중심으로 분포하므로 이슬람교, C는 동아시아와 동남아시아 일대에 주로 분포하므로 불교, D는 인도에 제한되어 분포하므로 힌두교이다. ⑤ 힌두교는 민족 종교이지만 보편 종교인 불교보다 세계 신자 수가 많다.

┃ **바로 알기** ┃ ①, ③ 힌두교와 관련된 설명이다. ② 크리스트교와 관련된 설명이다. ④ 이슬람교와 관련된 설명이다.

02 이슬람교의 특성

사진의 부르카, 니캅, 히잡은 이슬람교 여성 신자들의 전통 복장이다. ㄴ. 이슬람교는 군사적 정복 활동과 상업 활동을 바탕으로 북부 아프리카와 서남아시아, 동남 및 남부 아시아 일대에 전파되었다. ㄹ. 이슬람교에서는 기하학적 모양이나 식물의 덩굴, 줄기를 일정한 모양으로 도안하여 사용하는데 이를 아라베스크라고 한다. 이슬람교의 종교 경관은 중앙의 돔형 구조물과 첨탑, 아라베스크 문양 등이 어우러진 모스크가 대표적이다.

┃ **바로 알기** ┃ ㄱ. 룸비니와 부다가야는 불교의 성지이다. 이슬람교의 주요 성지로는 메카와 메디나가 있다. ㄷ. 이슬람교는 서남아시아의 메카에서 발생하였다.

03 대륙별 종교 분포

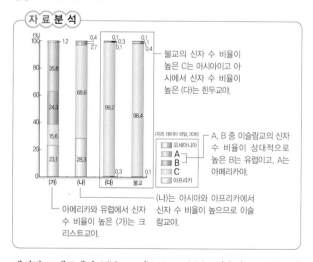

자료분석

불교의 신자 수 비율이 높은 C는 아시아이고 아시에서 신자 수 비율이 높은 (다)는 힌두교야.

A, B 중 이슬람교의 신자 수 비율이 상대적으로 높은 B는 유럽이고, A는 아메리카야.

(나)는 아시아와 아프리카에서 신자 수 비율이 높으므로 이슬람교야.

아메리카와 유럽에서 신자 수 비율이 높은 (가)는 크리스트교야.

제시된 그래프에서 (가)는 크리스트교, (나)는 이슬람교, (다)는 힌두교이며, A는 아메리카, B는 유럽, C는 아시아이다. ⑤ 크리스트교는 로마의 국교로 지정되면서 지중해 일대로 전파되었고, 유럽의 신항로 개척 시대를 거치며 세계로 확산되었다. 따라서 아메리카

(A)는 유럽(B)보다 크리스트교의 전파 시기가 늦다.

바로 알기 ① 크리스트교는 전 인류를 포교 대상으로 삼고 교리를 전파하는 보편 종교이다. ② 힌두교와 관련된 설명이다. ③ 이슬람교와 관련된 설명이다. ④ 크리스트교의 신자 수가 가장 많은 국가는 미국으로 아메리카(A)에 위치한다.

04 국가별 종교 분포 파악

동남아시아에 위치한 타이는 불교가 국교로 지정되어 있고, 불교의 신자 수 비율이 높으므로 ㉠에 들어갈 종교는 불교이다. 서남아시아에 위치한 사우디아라비아는 이슬람교 신자 수 비율이 높으며, 제시문의 '알라, 무함마드' 등의 내용을 통해 ㉡은 이슬람교임을 알 수 있다.

05 지역(대륙)별 인구 구조

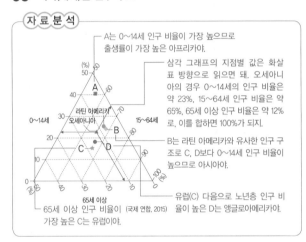

자료 분석

- A는 0~14세 인구 비율이 가장 높으므로 출생률이 가장 높은 아프리카야.
- 삼각 그래프의 지점별 값은 화살표 방향으로 읽으면 돼. 오세아니아의 경우 0~14세의 인구 비율은 약 23%, 15~64세의 인구 비율은 약 65%, 65세 이상 인구 비율은 약 12%로, 이를 합하면 100%가 되지.
- B는 라틴 아메리카와 유사한 인구 구조로 C, D보다 0~14세 인구 비율이 높으므로 아시아야.
- 유럽(C) 다음으로 노년층 인구 비율이 높은 D는 앵글로아메리카야.
- 65세 이상 인구 비율이 (국제 연합, 2015) 가장 높은 C는 유럽이야.

A는 아프리카, B는 아시아, C는 유럽, D는 앵글로아메리카이다. ① 아프리카는 유럽보다 열대 기후 지역이 넓게 분포한다. ② 아시아는 앵글로아메리카보다 총인구가 많다. ④ 경제 발전 수준이 높은 앵글로아메리카는 아시아보다 3차 산업 종사자 비율이 높다. ⑤ 유소년 인구에 대한 노년층 인구 비율인 노령화 지수는 유럽이 가장 높고 아프리카가 가장 낮다.

바로 알기 ③ 유럽은 아프리카보다 15~64세의 인구 비율이 높으므로 총인구 부양비가 낮다. 인구 부양비는 청장년층 인구에 대한 유소년층 인구와 노년층 인구의 비율로, 청장년층 인구 비율과 반비례 관계이다.

06 선진국과 개발 도상국의 인구 구조 파악

제시된 그래프를 보면 (가)는 출생률이 매우 높게 나타나고, (나)는 출생률과 사망률이 모두 낮게 나타난다. 따라서 (가)는 개발 도상국, (나)는 선진국임을 알 수 있다. 실제로 (가)는 니제르, (나)는 독일의 출생률과 사망률의 변화를 나타낸 것이다. ㄱ. (나)는 (가)보다 출생률이 낮으므로 중위 연령이 높다. ㄷ. 인구의 자연 증가율은 출생률에서 사망률을 뺀 값으로, (나)는 (가)보다 인구의 자연 증가율이 낮다.

바로 알기 ㄴ. 유소년 부양비는 출생률이 높아 유소년층 인구 비율이 높

은 (가)가 (나)보다 높다. ㄹ. 1인당 국내 총생산(GDP)은 선진국인 (나)가 (가)보다 많다.

07 국가별 인구 이주 특성

(가)는 인구 순 유출이 나타나고 있으므로 상대적으로 경제 발전 수준이 낮은 국가임을 알 수 있다. 제시된 지도에서 찾으면 B에 위치한 리비아가 이에 해당한다. (나)와 (다)는 모두 인구 순 유입이 나타나고 있는데, (나)는 (다)보다 청장년층의 성비가 높다. 따라서 (나)는 석유 수출로 사회 간접 자본에 대한 투자가 증가하면서 남성 노동력의 유입이 활발하게 나타난 사우디아라비아로, 지도의 C에 위치한다. 반면, 상대적으로 성비가 낮고 인구 순 유입이 가장 많은 (다)는 지도의 A에 위치한 독일이다.

08 세계 도시의 특징

제시문의 ㉠은 세계화 시대에 국가의 경계를 넘어 세계적인 중심지 역할을 수행하는 대도시인 세계 도시이다. 세계 도시는 세계 경제의 중요한 의사 결정이 이루어지는 곳으로, 세계 자본이 집중·축적되는 중심지이며, 세계의 다양한 정보·문화가 생산되고 전달되는 핵심적인 결절지이다. 또한 세계 도시에서는 전 세계적인 관리와 통제 기능을 수행하기 위해 고차의 생산자 서비스업이 성장하고 있다.

바로 알기 ① 세계 도시에는 다국적 기업의 본사가 주로 밀집해 있으며, 다국적 기업의 생산 공장은 저렴한 노동력이 풍부한 개발 도상국에 주로 입지한다.

09 지역(대륙)별 도시화율과 도시 인구 증가율 변화

그래프에서 두 시기 모두 도시화율이 가장 낮고 도시 인구 증가율이 가장 높은 A는 아프리카이다. B는 아프리카 다음으로 도시화율이 낮으므로 아시아이다. C는 2010~2015년 도시 인구 증가율이 가장 낮으므로 유럽이다. 2015년 도시화율이 가장 높은 D는 앵글로아메리카이다. E는 1950~1955년에는 C보다 도시화율이 낮았지만 짧은 시간에 도시화율이 크게 증가한 라틴 아메리카이다. ④ 그래프를 보면 라틴 아메리카(E)는 아시아(B)보다 1950~2015년 사이에 도시화율이 크게 증가하였다.

바로 알기 ① 아시아(B)는 앵글로아메리카(D)보다 국가의 수가 많다. ② 유럽(C)은 아프리카(A)보다 3차 산업 종사자 비율이 높다. ③ 앵글로아메리카(D)는 라틴 아메리카(E)보다 에스파냐어를 쓰는 주민의 비율이 낮다. ⑤ 2010~2015년에 도시 인구 증가율은 아프리카(A)가 가장 높고, 인구의 자연 증가율이 가장 낮은 유럽(C)이 가장 낮다.

10 주요 세계 도시

제시문의 ㉠은 뉴욕, ㉡은 런던, ㉢은 파리이다. ㄱ. 뉴욕은 세계 도시 체계의 최상위 계층을 차지한다. ㄹ. 뉴욕, 런던, 파리는 모두 세계 도시에 해당한다. 세계 도시에는 전 세계적인 관리·통제·중추 기능이 집중되어 있으며, 고도의 정보 통신 네트워크와 최신의 교통 체계가 발달해 있다.

┃바로 알기┃ ㄴ. 우리나라는 135°E를 표준 경선으로 사용하므로, 본초 자오선이 지나는 런던(ⓒ)이 74°W에 위치한 뉴욕(㉠)보다 우리나라와의 시차가 작다. ㄷ. 뉴욕(㉠)은 앵글로아메리카에 위치하고, 런던(ⓒ)과 파리(ⓒ)는 유럽에 위치한다.

11 주요 식량 작물의 특징

A는 밀, B는 쌀, C는 옥수수이다. 밀은 신대륙에서 상업적으로 재배되는 비중이 높아 신대륙에서 구대륙으로의 국제 이동량이 많은 편이다. 쌀은 대체로 생산지와 소비지가 일치하여 밀, 옥수수 등 다른 식량 작물에 비해 국제 이동량이 적은 편이다. 쌀과 밀이 주로 식량 자원으로 소비되는 것과 달리 옥수수는 식량 자원뿐만 아니라 가축의 사료, 바이오 에너지의 원료로 이용되는 비중이 높다. 세계 주요 식량 작물의 단위 면적당 생산량은 옥수수 〉 쌀 〉 밀 순으로 많다.

┃바로 알기┃ ② 쌀은 성장기에 높은 기온과 많은 강수량이 필요한 작물이기 때문에 아시아 계절풍 기후 지역의 충적 평야 지역에서 주로 재배된다. 반면, 밀은 비교적 기온이 낮고 건조한 지역에서도 재배가 이루어져 쌀보다 재배 면적이 넓다.

12 대륙별 인구 분포 및 곡물 생산 현황

세계 인구는 지구상에 고르게 분포하지 않으며, 식량 생산은 세계 여러 지역의 자연환경과 경제 발전 수준, 사회 조건 등의 차이에 따라 다르게 나타난다. 그래프를 보면 아시아와 아프리카는 인구 규모에 비해 곡물 생산 비중이 낮고, 아메리카와 유럽, 오세아니아는 높게 나타난다. 특히 오세아니아는 인구 규모 대비 곡물 생산 비중이 가장 높은 대륙이다. 이와 같은 대륙별 식량 생산 및 수요의 차이로 인해 식량 자원의 국제 이동이 발생한다.

┃바로 알기┃ 병. 국제 곡물 가격의 변동으로 식량 부족 문제가 발생할 수 있는 지역은 인구 규모 대비 곡물 생산 비중이 낮은 아시아, 아프리카 등이다. 정. 곡물의 종류에 따라 차이가 있지만 주요 곡물의 국제 이동은 주로 아메리카, 오세아니아에서 아시아, 아프리카로 이동하는 경향이 나타난다.

13 주요 가축의 국가별 사육 두수 현황

중국, 오스트레일리아, 인도 등에서 사육 두수가 많은 (가)는 양이다. 브라질, 인도, 미국 등에서 사육 두수가 많은 (나)는 소이다. 중국, 미국, 브라질 등에서 사육 두수가 많은 (다)는 돼지이다. ⑤ 주요 가축 중에서 사육 마리 수는 소, 양, 돼지 순으로 많고, 육류 생산량은 돼지가 가장 많다.

┃바로 알기┃ ① 이슬람교도가 많은 파키스탄에서는 종교적 이유로 돼지의 식용을 금기시한다. ② 주로 유목의 형태로 사육되는 것은 양이다. ③ 전통적인 농경 사회에서 노동력 대체 효과가 큰 것은 소이다. ④ 강수량이 비교적 풍부한 지역에서는 소를, 강수량이 적은 건조 기후 지역에서는 양을 주로 사육한다.

14 지역별 1차 에너지 소비 구조

A는 대부분의 지역에서 소비량이 많은데, 특히 서남아시아에서 소비 비중이 높으므로 석유이다. B는 아시아·오세아니아에서 소비

량이 가장 많으므로 석탄이다. C는 북아메리카와 유럽·유라시아에서 소비량이 많으므로 천연가스이다. ① 석유는 편재성이 심하고 주요 생산지와 소비지가 달라 국제 이동량이 다른 자원에 비해 많다. ② 천연가스는 석탄이나 석유보다 연소 시 대기 오염 물질을 적게 배출하기 때문에 도시가스로 공급되어 일반 가정에서 사용된다. ③ 상업적으로 이용되기 시작한 시기는 석탄, 석유, 천연가스 순으로 빠르다. ⑤ 오늘날 세계 1차 에너지 소비량에서 차지하는 비중은 석유 > 석탄 > 천연가스 순이다.

┃바로 알기┃ ④ 운송용 연료로 사용되는 비중이 가장 높은 것은 석유이다.

15 석탄의 이동과 특징

지도는 석탄의 분포와 이동을 나타낸 것이다. 석탄은 18세기 산업 혁명 시기에 증기 기관의 연료로 이용되기 시작하였다. 대체로 석탄은 중국의 푸순 지방, 오스트레일리아의 그레이트디바이딩산맥, 미국의 애팔래치아산맥 등 고기 조산대 주변에 주로 매장되어 있으며, 이들 지역에서 생산량이 많다.

┃바로 알기┃ ㄴ. 석탄의 주요 수출국은 오스트레일리아, 인도네시아, 러시아 등이고, 주요 수입국은 제철 산업이 발달한 중국, 인도, 일본, 우리나라 등이다. ㄹ. 냉동 액화 기술의 발달과 수송관 건설로 소비량이 급증한 것은 천연가스이다.

16 국가별 신·재생 에너지의 이용

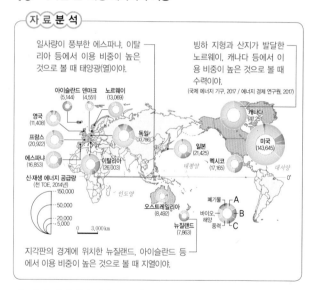

자료 분석

일사량이 풍부한 에스파냐, 이탈리아 등에서 이용 비중이 높은 것으로 볼 때 태양광(열)이야.

빙하 지형과 산지가 발달한 노르웨이, 캐나다 등에서 이용 비중이 높은 것으로 볼 때 수력이야.
(국제 에너지 기구, 2017 / 에너지 경제 연구원, 2017)

아이슬란드(5,144) 덴마크 노르웨이(13,069)
(4,551)
영국(11,408)
프랑스(20,922)
에스파냐(16,853)
독일(33,786)
이탈리아(26,003)
캐나다(47,251)
미국(143,645)
일본(21,425)
멕시코(17,165)
오스트레일리아(8,492)
뉴질랜드(7,863)

폐기물 ─ A
바이오·해양 ─ B
풍력 ─ C

신·재생 에너지 공급량
(천 TOE, 2014년)
─ 150,000
─ 50,000
─ 20,000
─ 5,000
0 3,000 km

지각판의 경계에 위치한 뉴질랜드, 아이슬란드 등에서 이용 비중이 높은 것으로 볼 때 지열이야.

신·재생 에너지의 이용은 국가별 경제적·기술적 여건과 자연 조건 등에 따라 다양하게 나타난다. 지도의 A는 수력, B는 지열, C는 태양광(열)이다. ② 지열 발전은 신기 조산대에 위치하여 화산 활동이 활발한 뉴질랜드, 아이슬란드 등에서 주로 이루어진다.

┃바로 알기┃ ① 태양광(열)과 관련된 설명이다. ③ 수력과 관련된 설명이다. ④ 태양광(열)이 지열보다 발전소 입지에 기후 조건의 영향을 많이 받는다. ⑤ 수력은 지열 및 태양광(열)에 비해 상용화된 시기가 이르다.

IV. 몬순 아시아와 오세아니아

01 자연환경에 적응한 생활 모습

STEP 1 핵심 개념 확인하기   108쪽

1 계절풍 **2** (1) 데칸고원 (2) 충적 평야 (3) 히말라야산맥 **3** (1) ㄴ
(2) ㄱ (3) ㄹ **4** 인구 부양력 **5** (1) ㄱ (2) ㄴ

STEP 2 내신 만점 공략하기   108~110쪽

01 ①   02 ⑤   03 ④   04 ④   05 ①   06 ②   07 ③
08 ③

01 몬순 아시아의 기후

자료 분석

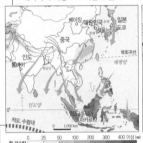

겨울에는 비열이 작은 대륙이 빨리 냉각되어 고기압이 되고, 상대적으로 비열이 큰 해양이 저기압이 되어 대륙에서 해양으로 바람이 불어.

태양의 회귀에 따라 적도 수렴대가 남반구로 이동하는 1월로 이 때 북반구는 겨울, 남반구는 여름이야.

여름에는 비열이 작은 대륙이 빨리 가열되어 저기압이 되고, 상대적으로 비열이 큰 해양이 고기압이 되어 해양에서 대륙으로 바람이 불어.

태양의 회귀에 따라 적도 수렴대가 북반구로 이동하는 7월로 이 때 북반구는 여름, 남반구는 겨울이야.

(가)는 적도 수렴대가 남반구에 위치해 있으며 대륙에서 해양으로 계절풍이 불고 있으므로 북반구가 겨울일 때이다. (나)는 적도 수렴대가 북반구에 위치해 있으며 해양에서 대륙으로 계절풍이 불고 있으므로 북반구가 여름일 때이다. ㄱ. (가) 시기는 고위도의 대륙이 고기압, 해양이 저기압이 되어 고위도의 대륙에서 해양으로 한랭 건조한 바람이 불어온다. ㄴ. 동남아시아는 (나) 시기에 여름철의 고온 다습한 기후를 이용해 벼농사가 활발하다.

바로 알기 ㄷ. (가)는 겨울, (나)는 여름이다. ㄹ. 여름 계절풍은 많은 비를 동반하므로 (나) 시기가 (가) 시기보다 홍수 위험이 크다.

02 계절풍 기후

지도에 표시된 A 지역은 인도 북동부 체라푼지 지역으로, 여름철

고온 다습한 계절풍이 히말라야산맥을 타고 올라가면서 지형성 강수가 발생하는 곳이다. 이로 인해 많은 비가 내려 세계적으로 연 강수량이 많은 곳이다.

바로 알기 ㄱ. 체라푼지의 강수량이 많은 이유는 여름 계절풍과 지형의 영향으로 볼 수 있다. ㄴ. 체라푼지는 주변 지역보다 해발 고도가 높지 않고, 히말라야산맥의 바람받이 사면에 위치한다.

03 몬순 아시아의 지형

① A는 타커라마간 사막으로 바다와 멀리 떨어진 대륙 내부에 위치해 수증기를 공급받기 어려워 사막이 형성되었다. ② 대륙판과 대륙판의 충돌로 형성된 B는 히말라야산맥으로, 지각이 불안정하여 지진이 자주 발생한다. ③ C는 데칸고원으로 유동성이 큰 현무암질 용암이 지표를 덮어 형성된 넓고 평탄한 용암 대지이다. ⑤ E는 필리핀으로 환태평양 조산대에 속해 있으며 많은 화산섬이 분포한다.

바로 알기 ④ D는 창장강으로 세계 4대 문명의 발상지가 아니다. 중국의 황허강이 세계 4대 문명 중 하나인 황허 문명의 발상지이다.

04 몬순 아시아의 농업

ㄴ. B는 중국 창장강 유역이다. 이 지역은 여름철 홍수로 하천이 자주 범람하여 충적 평야가 발달하였으며, 토양이 비옥하여 곡창 지대를 이룬다. ㄹ. D는 필리핀으로, 신기 조산대에 속해 산지가 많지만 풍부한 강수량과 비옥한 화산회토를 바탕으로 경사지를 계단식 논으로 개간하여 벼농사를 짓는다.

바로 알기 ㄱ. A는 유목이 이루어지는 곳이며, 화전 농업은 동남아시아의 열대 우림 지역에서 주로 이루어진다. ㄷ. C는 플랜테이션 농업이 이루어지는 지역으로, 열대 기후가 나타나고 노동력이 풍부해 상품 작물 재배에 유리하다. 커피, 카카오, 차 등의 기호 작물을 재배한다.

05 몬순 아시아의 농업

제시문은 유목에 대한 설명이다. 히말라야산맥과 티베트고원, 몽골 지역은 가축을 기르며 이동하는 유목이 이루어진다. 지도의 A는 유목, B는 화전, C는 벼농사, D는 자급 농업, E는 플랜테이션 지역이다.

06 몬순 아시아의 의복 문화

ㄱ. (가)의 아오자이는 중국의 치파오에서 유래하였으나 베트남의 무더운 기후에 맞추어 얇은 비단을 주로 사용한다. ㄷ. (나)의 바롱은 주변에서 구하기 쉬운 열대 과일이나 식물에서 얻은 섬유를 사용하여 만든 전통 의복은 주변 환경에서 쉽게 구할 수 있는 것을 사용한다.

바로 알기 ㄴ. (가)의 모자인 '농'은 햇빛을 가리는 데 유용하다. 베트남은 주로 열대 기후가 나타나 겨울철 많은 눈이 내리지 않는다. ㄹ. (가), (나)는 겨울철의 추위보다 여름철의 더위를 극복하기 위해 발달한 전통 의복이다.

07 몬순 아시아의 전통 가옥

(가)는 일본 서부 산간 지방의 합장 가옥(갓쇼즈쿠리)으로 겨울철에 눈이 많이 내려 지붕에 쌓인 눈이 쉽게 흘러내리도록 지붕의 경사가 가파른 것이 특징이다. 따라서 (가)는 지도에서 일본에 위치한 B이다.

(나)는 몽골의 전통 가옥인 '게르'로 나무로 된 뼈대에 동물의 털로 짠 천이나 가죽을 덮어서 만든 이동식 천막이다. 따라서 (나)는 지도에서 몽골에 위치한 A이다. (다)는 동남 및 남부 아시아의 열대 기후 지역에서 쉽게 볼 수 있는 고상 가옥이다. 고상 가옥은 지면에서 올라오는 열기를 피하고, 호우 때의 침수를 방지하며 해충의 침입을 막기 위해 지면으로부터 바닥을 띄워 짓는다. 따라서 (다)는 지도에서 인도네시아에 위치한 C이다.

완자 정리 노트   몬순 아시아 열대 기후 지역의 주민 생활

의복	얇고 가벼운 옷차림, 통풍이 잘 되는 재료 사용
음식	쌀을 이용한 음식 발달, 기름에 볶거나 튀긴 음식 발달, 향신료 사용
전통 가옥	더위를 극복하기 위한 개방적 가옥 구조, 고상 가옥과 수상 가옥 발달
농업	벼농사, 플랜테이션, 이동식 화전 농업

08 몬순 아시아의 주민 생활과 기후 특성

(가)는 티베트고원, (나)는 동남아시아 지역의 음식 문화를 나타낸 것이다. 티베트고원은 해발 고도가 높아 여름철에는 서늘하고 겨울철에는 한랭하며, 동남아시아는 고온 다습한 여름 계절풍 기후를 이용해 벼농사가 주로 이루어진다. 연 강수량은 연중 고온 다습한 기후가 주로 나타나는 (나)가 (가)보다 많다. (나)는 연중 기온이 높아 최난월 평균 기온과 최한월 평균 기온의 차이인 연교차가 (가)보다 작다. 최한월 평균 기온은 해발 고도가 높은 (가)가 (나)보다 낮다. 따라서 (나) 지역과 비교한 (가) 지역의 기후 특징을 그래프에서 찾으면 C가 된다.

서술형 문제
110쪽

01 주제: 몬순 아시아의 기후

예시 답안 몬순 아시아는 여름철에는 해양에서 불어오는 여름 계절풍의 영향으로 강수량이 많은 반면, 겨울철에는 대륙에서 불어오는 겨울 계절풍의 영향으로 강수량이 적다. 이로 인해 톤레사프호의 호수 면적은 우기인 여름에는 늘어나고 건기인 겨울에는 줄어든다.

채점 기준

상	계절풍의 영향을 받는다고 서술하였으며 여름철 강수량과 겨울철 강수량을 비교하여 정확하게 서술한 경우
중	계절풍의 영향을 서술하지 않고 여름철 강수량과 겨울철 강수량만 비교하여 서술한 경우
하	계절풍의 영향을 받는다고만 서술한 경우

02 주제: 몬순 아시아의 가옥 문화

예시 답안 우리나라는 온대 기후 지역에 위치하여 여름과 겨울의 기온 차이가 크기 때문에 우리나라 전통 가옥에는 여름철 더위와 겨울철 추위에 대비한 시설이 함께 나타난다.

채점 기준

상	여름과 겨울의 기온 차이가 큰 온대 기후의 특성으로 더위와 추위에 대비한 시설이 공존한다고 정확하게 서술한 경우
하	기온 차이가 크다고만 서술한 경우

03 주제: 몬순 아시아의 농업

예시 답안 단위 면적당 생산량이 많아 인구 부양력이 높은 작물로, 경작 과정에서 많은 노동력이 필요하다.

채점 기준

상	인구 부양력이 높고 경작 과정에서 많은 노동력이 필요하다고 정확하게 서술한 경우
하	인구 부양력이 높고 경작 과정에서 많은 노동력이 필요하다는 내용 중 한 가지만 서술한 경우

STEP 3   1등급 정복하기
111쪽

1 ③   2 ②

1 몬순 아시아의 지형

지도에 표시된 하천은 왼쪽부터 인도의 갠지스강, 미얀마의 이라와디강, 베트남의 메콩강, 중국의 창장강이다. 동남아시아와 남부 아시아는 덥고 습한 남서 계절풍이 산지에 부딪쳐 많은 비가 내리는데, 이때 하천이 범람하면서 강 주변에 퇴적물이 쌓여 충적 평야가 형성된다. 넓고 비옥한 충적 평야 지역에서는 벼농사를 하는 곳이 많아 곡창 지대를 이루기도 한다.

▌바로 알기▐ 플랜테이션 농업은 동남 및 남부 아시아의 열대 기후 지역에서 발달하며, 계단식 벼농사는 경사지가 많은 필리핀에서 주로 이루어진다.

2 몬순 아시아의 주민 생활

(가)는 가장 추운 달의 평균 기온이 18℃ 이상이며 연중 강수량이 많은 열대 우림 기후이다. 동남 및 남부 아시아의 열대 기후 지역에서는 점성이 약한 쌀로 밥을 지어 향신료에 볶아 먹는 경우가 많다. 따라서 (가)는 B이다. (나)는 연평균 기온이 약 8℃로 온화한 편으로 해발 고도가 높은 내륙 지역이다. 따라서 (나)는 A이다. (다)는 가장 추운 달의 평균 기온이 −20℃ 이하이며 가장 더운 달의 평균 기온이 20℃ 이하이므로 기온의 연교차가 매우 큰 대륙성 기후가 나타나는 지역이다. 따라서 (다)는 C이다.

01 몬순 아시아와 오세아니아의 자원 분포 및 이동

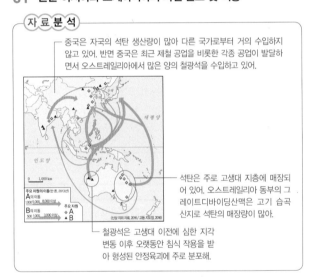

자료 분석

중국은 자국의 석탄 생산량이 많아 다른 국가로부터 거의 수입하지 않고 있어. 반면 중국은 최근 제철 공업을 비롯한 각종 공업이 발달하면서 오스트레일리아에서 많은 양의 철광석을 수입하고 있어.

석탄은 주로 고생대 지층에 매장되어 있어. 오스트레일리아 동부의 그레이트디바이딩산맥은 고기 습곡 산지로 석탄의 매장량이 많아.

철광석은 고생대 이전에 심한 지각 변동 이후 오랫동안 침식 작용을 받아 형성된 안정육괴에 주로 분포해.

A는 오스트레일리아의 그레이트디바이딩 산맥 주변에 주로 분포하며, 오스트레일리아에서 일본, 대한민국 등으로 수출되고 있으므로 석탄이다. B는 오스트레일리아 서북부의 안정육괴에 주로 분포하며, 오스트레일리아에서 일본, 대한민국, 중국 등으로 수출되고 있으므로 철광석이다.

02 몬순 아시아와 오세아니아의 자원 분포

(가)는 중국의 생산량이 다른 국가에 비해 월등히 많으므로 석탄이다. 중국은 세계에서 석탄 생산량이 가장 많은 국가이다. (나)는 중국, 오스트레일리아의 생산량이 많으며 말레이시아와 인도네시아의 생산량 역시 많으므로 천연가스이다. ㄴ. 석탄은 제철 공업의 원료나 화력 발전의 연료로 이용된다. ㄹ. 천연가스는 석탄, 석유와 같은 다른 화석 에너지에 비해 연소 시 대기 오염 물질의 배출이 적다.

바로 알기 ㄱ. 석탄은 주로 고생대 지층에 분포한다. 신생대 제3기층에 주로 분포하는 자원은 석유와 천연가스이다. ㄷ. 석탄은 산업 혁명 당시의 주요 동력원으로 사용되었으며 천연가스는 최근 본격적으로 사용되고 있다. 따라서 (가)는 (나)보다 상업적으로 사용된 시기가 이르다.

03 오스트레일리아의 산업

몬순 아시아와 오세아니아 국가 중 석탄과 철광석의 수출 비중이 가장 높은 A는 오스트레일리아이다. 오스트레일리아는 남반구에 위치해 있어 북반구와 계절이 반대이다. 그리고 내륙의 건조한 지역에서는 기업적 농목업이 발달해 있으며, 높은 임금과 작은 국내 시장 규모 때문에 제조업은 크게 발달하지 못하였다.

바로 알기 ① 오스트레일리아는 철광석 수출액이 국가 총 상품 수출액의 약 20%를 차지할 정도로 광물 자원에 대한 수출 의존도가 높다.

04 몬순 아시아와 오세아니아 주요 국가의 산업 구조

(가)는 (가)~(다) 중 1차 산업이 차지하는 비중이 가장 낮고, 3차 산업이 차지하는 비중이 가장 높으므로 산업 구조가 고도화된 선진국인 일본(B)이다. (나)는 (다)보다는 1차 산업 비중이 낮고, 3차 산업의 비중이 높으므로 최근 많은 인구와 넓은 영토를 바탕으로 각종 공업이 발달하고 있는 중국(A)이다. (다)는 (가)~(다) 중 1차 산업이 차지하는 비중이 가장 높고, 3차 산업이 차지하는 비중이 가장 낮으므로 개발 도상국에 해당하는 인도네시아(C)이다.

05 몬순 아시아와 오세아니아 주요 국가의 산업 구조

(가)는 다이아몬드와 같은 광물과 의류, 섬유·직물과 같은 경공업이 수출 비중에서 차지하는 비중이 높다. (나)는 기계류, 자동차, 철강, 화학 약품, 정밀 기계가 차지하는 비중이 높으므로 중화학 공업과 첨단 산업이 발달해 있음을 알 수 있다. 따라서 (가)보다 (나)가 산업 구조가 고도화된 선진국임을 알 수 있다. 1차 산업 종사자 비중은 (가)가 (나)보다 높으며, 섬유와 같은 경공업 종사자 비중 역시 (가)가 (나)보다 높다. 첨단 산업 종사자 비중은 (나)가 (가)보다 높다. 따라서 그래프에서 E가 된다.

06 몬순 아시아와 오세아니아의 경제 협력

역내 포괄적 경제 동반자 협정(RCEP)은 동남아시아 국가 10개국과 우리나라, 중국, 일본, 인도, 오스트레일리아, 뉴질랜드가 포함된 총 16개국의 지역 내 무역 자유화를 위한 협정이다. 오스트레일리아는 역내 포괄적 경제 동반자 협정을 추진 중인 국가들과의 무역 비중이 65%를 차지하여 앞으로의 경제 협력이 기대된다.

바로 알기 ①, ② 오스트레일리아는 1960년에는 영국, 유럽, 미국 등과의 무역이 주를 이루었으나 2016년에는 중국, 일본 등 몬순 아시아 국가들과의 무역이 크게 증가하였다. ③ 미국이나 유럽 국가들과는 거리가 멀어 운송비 측면에서는 불리하다. ⑤ 앞으로 중국, 일본, 대한민국 등 몬순 아시아와의 경제 협력이 증가할 것으로 보인다.

07 몬순 아시아와 오세아니아의 종교 분포

(가)는 파키스탄, (나)는 인도, (다)는 스리랑카이다. 파키스탄은 이슬람교의 비율이 가장 높으므로 A는 이슬람교이다. 인도는 힌두교의 비율이 가장 높으므로 B는 힌두교이다. 스리랑카는 불교의 비율이 가장 높으므로 C는 불교이다. ㄱ. 이슬람교는 라마단 기간 동안 금식을 하는데 이는 이슬람교의 5대 의무 중 하나이다. ㄴ. 힌두교는 다신교이기 때문에 인도에서는 다양한 신들의 조각상이 있는 사원을 볼 수 있다. ㄷ. 불교의 주요 경관으로는 사리가 봉안된 탑과 불교 사원이 있다.

▌**바로 알기**▐ ㄹ. 이슬람교(A)와 불교(C)는 세계 3대 종교에 해당하며 보편 종교이다. 반면 힌두교(B)는 민족 종교이다.

완자 정리 노트 종교 분포

힌두교	인도에서 주로 신봉
불교	• 스리랑카, 타이, 라오스, 미얀마, 베트남 등지에서 주로 신봉 • 중국, 일본, 대한민국은 전통적으로 불교와 유교의 영향을 받음
이슬람교	파키스탄, 방글라데시, 인도네시아, 말레이시아 등지에서 주로 신봉
크리스트교	• 필리핀: 과거 에스파냐의 식민 지배 영향으로 주로 신봉 • 오스트레일리아, 뉴질랜드: 과거 유럽 국가의 식민 지배 영향으로 주로 신봉

08 몬순 아시아와 오세아니아의 종교 분포

(가)는 둥근 지붕과 뾰족한 첨탑이 있는 것으로 보아 이슬람 사원이다. (나)는 둥근 지붕에 뾰족한 탑이 있으며 건물 벽에 세워진 조각상이 특징인 크리스트교의 성당이다. 타이(A)와 베트남(B)에서는 주로 불교를 믿는다. 인도네시아(C)에서는 이슬람교를 주로 믿으며 필리핀(D)에서는 크리스트교를 주로 믿는다. 따라서 (가)는 C, (나)는 D를 여행하면서 촬영한 사진이다.

09 몬순 아시아와 오세아니아의 민족 분포

남부 아시아에는 오래전부터 드라비다족이 거주하고 있었으나, 아리아인의 침입 이후 남부에는 드라비다족이, 중부와 북부에는 아리안족에 주로 분포하게 되었다. 이외에도 타밀족, 안드라족 등 700개 이상의 민족이 함께 거주하고 있어 동남아시아와 마찬가지로 민족 구성이 복잡하다.

10 몬순 아시아와 오세아니아의 민족 및 종교 분쟁 지역

A는 파키스탄, 인도, 중국의 국경에 위치한 카슈미르 지역이다. 인도가 영국으로부터 독립하는 과정에서 이슬람교도가 많은 카슈미르 지역이 인도에 속하게 되면서 분쟁이 발생하고 있다. 따라서 A는 (나)에 해당한다. B는 스리랑카이다. 스리랑카는 차 재배를 위해 인도에서 건너간 힌두교도인 타밀족과 원주민이자 불교도인 신할

리즈족과의 갈등이 발생하고 있다. 따라서 B는 (다)이다. C는 필리핀의 민다나오섬으로 크리스트교가 다수를 이루는 필리핀 정부와 이슬람교를 주로 믿는 모로족 간의 갈등이 발생하고 있다. 따라서 C는 (가)이다.

11 몬순 아시아와 오세아니아의 민족 및 종교 분쟁 지역

ㄴ. 인도네시아(B)는 자바족을 비롯해 여러 민족이 공존하고 있으며 최근 모든 종교를 믿을 수 있는 신앙의 자유를 보장하는 등 '통일 속의 다양성'을 국가적 지향점으로 삼고 있다. ㄷ. 오스트레일리아는 유럽인이 유입되면서 원주민과 유럽계 백인 이주민 간의 갈등이 오랫동안 지속되었다. ㄹ. 중국은 주요 민족인 한족과 소수 민족 간의 갈등이 발생하고 있다. 그리고 오스트레일리아 역시 주요 민족인 유럽계 백인과 소수 민족인 애버리지니 간의 갈등이 발생하고 있다.

▌**바로 알기**▐ ㄱ. 신도는 일본의 전통 종교이다.

12 몬순 아시아와 오세아니아의 지역 갈등 해소를 위한 노력

원주민인 말레이인들이 주로 거주하며 이슬람교를 믿고 있는 국가는 말레이시아(C)이다. 말레이시아는 이슬람교 외에도 불교, 크리스트교, 힌두교 등 종교가 다양하다. 말레이시아는 문화와 종교의 다양성을 존중하면서 다양한 종교 축제일을 공휴일로 지정하였다.

▌**바로 알기**▐ A는 불교를 주로 믿는 타이, B는 불교를 주로 믿는 베트남, D는 이슬람교를 주로 믿는 인도네시아, E는 크리스트교를 주로 믿는 필리핀이다.

서술형 문제

119쪽

01 주제: 인도의 산업 구조

(1) 인도

(2) **예시 답안** 풍부한 전문 인력, 유창한 영어 구사 능력, 상대적으로 저렴한 임금 수준 등

채점 기준

상	정보 기술 산업의 성장 배경 세 가지를 정확하게 서술한 경우
중	정보 기술 산업의 성장 배경을 두 가지만 서술한 경우
하	정보 기술 산업의 성장 배경을 한 가지만 서술한 경우

02 주제: 중국 소수 민족의 분리 독립 운동

예시 답안 ㉠, ㉡. ㉠은 위구르족이 거주하는 신장웨이우얼 자치구이며, ㉡은 티베트족이 거주하는 시짱 자치구로, 두 지역은 중국으로부터의 분리 독립을 시도하면서 중국 정부와 갈등이 발생하고 있다.

채점 기준

상	㉠, ㉡에 해당하는 민족과 자치구 이름을 정확히 쓰고, 중국으로부터 분리 독립을 한다고 서술한 경우
중	㉠, ㉡에 해당하는 민족만 서술하고 독립을 주장한다고만 서술한 경우
하	㉠, ㉡에 해당하는 민족만 서술한 경우

STEP 3 1등급 정복하기
120~121쪽

1 ② 2 ⑤ 3 ② 4 ②

1 몬순 아시아와 오세아니아의 자원 분포 및 이동

(가)는 오스트레일리아의 그레이트디바이딩 산맥 주변에 주로 분포하며 오스트레일리아에서 일본, 대한민국 등으로 수출되고 있으므로 석탄이다. (나)는 오스트레일리아 서북부의 안정육괴에 주로 분포하며 오스트레일리아에서 일본, 대한민국, 중국 등으로 수출되고 있으므로 철광석이다. ㄱ. 석탄은 고생대 지층에 주로 매장되어 있다. ㄷ. 철광석은 제철 공업의 주요 원료로 제철 공업이 발달한 일본, 대한민국, 중국 등에서 주로 소비된다.

▌바로 알기 ▌ ㄴ. 냉동 액화 기술 개발로 소비량이 크게 증가한 자원은 천연가스이다. ㄹ. 오스트레일리아에서 중국으로의 수출 비중이 가장 높다. 중국은 전 세계 철강 제품 생산량의 절반 정도를 생산하는 데, 많은 양의 철광석을 오스트레일리아로부터 수입하고 있다.

2 몬순 아시아와 오세아니아 주요 국가의 산업 구조

(가)는 의류와 섬유·직물과 같은 경공업 제품을 수출함과 동시에 기계류, 금속 제품과 같은 중화학 공업 제품과 정밀 기계와 같은 첨단 산업 제품 역시 수출하고 있는 것으로 보아 최근 경공업뿐만 아니라 중화학 공업 및 첨단 산업이 발달하고 있는 중국이다. (나)는 자동차가 수출 비중에서 차지하는 비중이 높으며 (가)와 달리 경공업 제품을 거의 수출하지 않고 있으므로 중화학 공업과 첨단 산업이 발달한 일본이다. (다)는 석탄, 원유와 같은 자원과 팜유와 같은 농산물의 수출 비중이 높으므로 인도네시아이다. 인도네시아는 일본에 비해 노동 집약적 공업인 경공업의 비중이 높을 것이다.

▌바로 알기 ▌ ① 중국은 일본보다 1인당 국민 소득이 적을 것이다. ② 중국은 인도네시아보다 1차 상품의 수출 비중이 낮을 것이다. ③ 일본은 인도네시아보다 서비스업 종사자 비율이 높을 것이다. ④ 일본은 중국보다 첨단 산업 제품의 수출 비중이 높을 것이다.

3 몬순 아시아와 오세아니아의 종교 분포

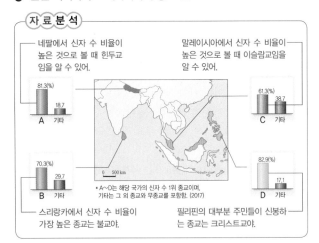

자료 분석

네팔에서 신자 수 비율이 높은 것으로 볼 때 힌두교임을 알 수 있어.
81.3(%) A / 18.7 기타

말레이시아에서 신자 수 비율이 높은 것으로 볼 때 이슬람교임을 알 수 있어.
61.3(%) C / 38.7 기타

스리랑카에서 신자 수 비율이 가장 높은 종교는 불교야.
70.3(%) B / 29.7 기타

필리핀의 대부분 주민들이 신봉하는 종교는 크리스트교야.
82.9(%) D / 17.1 기타

0 500 km
※ A~D는 해당 국가의 신자 수 1위 종교이며, 기타는 그 외 종교와 무종교를 포함함. (2017)

A는 힌두교, B는 불교, C는 이슬람교, D는 크리스트교이다. ㄱ. 힌두교의 신자수가 가장 많은 국가는 인도이다. 인도는 세계에서 인구가 두 번째로 많으며 인구의 대부분이 힌두교를 믿고 있다. ㄷ. 이슬람교의 성지는 서남아시아의 사우디아라비아에 위치한 메카와 메디나이다.

▌바로 알기 ▌ ㄴ. 불교의 대표적인 종교 경관은 불교 사원과 불탑이다. 둥근 지붕이 있는 모스크는 이슬람교의 대표적인 종교 경관이다. ㄹ. 힌두교는 소를 신성시하여 소고기를 먹는 것을 금기시한다. 돼지고기를 먹는 것을 금기시하는 종교는 이슬람교이다.

4 몬순 아시아와 오세아니아의 민족 및 종교 분쟁 지역

(가)에 해당하는 지역은 지도의 A인 카슈미르 지역으로, 인도가 영국으로부터 독립하는 과정에서 이슬람교도가 많은 카슈미르 지역이 인도에 속하게 되면서 분쟁이 발생하고 있다. (나)에 해당하는 지역은 지도의 C인 스리랑카이다. 스리랑카는 차 재배를 위해 인도에서 건너간 힌두교도인 타밀족과 원주민이자 불교도인 신할리즈족과의 갈등이 발생하고 있다.

▌바로 알기 ▌ B는 미얀마로 이슬람교를 믿는 로힝야족이 불교를 믿는 미얀마 정부로부터 배척과 탄압을 받고 있다.

01 몬순 아시아의 기후

(가), (나) 바람은 계절풍으로, (가)는 대륙에서 해양으로 바람이 불고 있으므로 1월, (나)는 해양에서 대륙으로 바람이 불고 있으므로 7월의 계절풍이다. ② 일본 서북부 해안은 겨울철 북서 계절풍과 지형의 영향으로 많은 눈이 내린다. ③ 하천의 범람 피해는 고온 다습한 기후가 나타나 강수량이 많은 (나) 시기에 발생한다. ④ 북반구는 1월이 겨울, 7월이 여름으로 (가)보다 (나) 시기의 기온이 높다. ⑤ 계절풍은 대륙과 해양의 비열 차에 의해 계절별로 기압 배치가 달라지면서 풍향이 바뀐다.

‖ 바로 알기 ‖ ① 여름 계절풍은 저위도 바다에서 불어와 고온 다습한 특징이 있으며, 여름 계절풍의 영향을 받는 시기에는 기온이 높고, 강수량이 많다. 타이의 송크란 축제는 이러한 자연환경과 연관된 대표적인 물 축제이다.

02 몬순 아시아의 기후

자료 분석

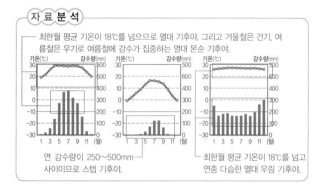

— 최한월 평균 기온이 18℃를 넘으므로 열대 기후야. 그리고 겨울철은 건기, 여름철은 우기로 여름철에 강수가 집중하는 열대 몬순 기후야.

연 강수량이 250~500mm 사이이므로 스텝 기후야.

— 최한월 평균 기온이 18℃를 넘고 연중 다습한 열대 우림 기후야.

지도에서 (가)는 몽골의 울란바토르로, 대륙 내부에 위치해 수증기를 공급받기 어려워 건조 기후가 나타난다. 따라서 (가)의 기후 그래프는 B이다. (나)는 방글라데시의 다카로, 적도와 가까이 위치해 있어 열대 기후가 나타나며 고온 다습한 여름 계절풍의 영향으로 여름철 강수량이 많다. 따라서 (나)의 기후 그래프는 A이다. (다)는 싱가포르로, 적도 부근에 위치해 있어 연중 고온 다습한 열대 우림 기후가 나타난다. 따라서 (다)의 기후 그래프는 C이다.

03 몬순 아시아의 지형

(다)는 히말라야산맥으로 대륙판과 대륙판의 충돌로 형성된 신기 습곡 산지이다. (라)는 인도의 데칸고원으로 유동성이 큰 현무암질 용암이 유출하여 형성된 용암 대지이다.

‖ 바로 알기 ‖ (가)는 고비 사막으로 바다와 멀리 떨어진 대륙 내부에 위치해 수증기를 공급받기 어려워 형성된 사막이다. 한류에 의해 형성된 사막은 아타카마 사막, 나미브 사막이 대표적이다. (나)는 티베트고원으로 대륙판과 대륙판의 충돌에 의해 형성된 고원이다.

04 몬순 아시아의 농업

(가) 벼는 성장기에 높은 기온과 많은 강수량이 필요한 작물이기 때문에 아시아 계절풍 기후 지역의 충적 평야에서 주로 재배된다. 동남 및 남부 아시아는 열대 기후가 주로 나타나 벼의 2기작이나 3기작이 이루어진다. (나) 가축을 기르며 이동하고, 가축으로부터 우유, 고기를 얻는 유목은 연 강수량이 250~500mm인 초원 지역에서 주로 이루어진다. 따라서 벼농사가 이루어지는 지역에 비해 유목이 이루어지는 지역은 연 강수량이 적으며 식생 밀도가 낮다. 또한 벼농사 지역은 연중 기온이 높아 연교차가 작은 반면 유목이 이루어지는 몽골 지역은 대륙 내부에 위치해 연교차가 크다. 따라서 C가 답이 된다.

05 몬순 아시아의 전통 가옥

고상 가옥은 지면에서 올라오는 열기를 피하고, 호우 때의 침수를 방지하고 해충의 침입을 막기 위해 지면으로부터 바닥을 띄워 집을 짓는다. 동남아시아 및 남부 아시아는 연중 고온 다습한 기후가 나타나 통풍에 유리하도록 창문을 크게 내는 등 개방적인 가옥 구조가 나타난다. 또한 연 강수량이 많아 지붕이 붕괴되지 않도록 하기 위해 지붕의 경사를 급하게 지어 빗물이 잘 흘러내리도록 한다.

‖ 바로 알기 ‖ ㄴ. 겨울철 지붕에 쌓인 눈이 쉽게 흘러내리도록 지붕의 경사를 가파르게 만든 가옥은 겨울철 북서 계절풍과 지형에 의해 많은 눈이 내리는 일본 서북부 지역에서 볼 수 있다. ㄹ. 유목이 이루어지는 지역에서 볼 수 있는 이동식 천막인 '게르'에 대한 설명이다.

06 몬순 아시아의 주민 생활과 기후 특성

벼는 다른 곡물에 비해 성장기에 높은 기온과 많은 강수량이 필요한 작물이기 때문에 여름철 고온 다습한 기후가 나타나는 몬순 아시아 지역에서 주로 재배된다. 몬순 아시아의 대부분 지역에서는 쌀을 주식으로 하며, 지역에 따라 쌀의 종류와 조리법이 달라 다양한 음식이 발달하였다. 그리고 기온이 높아 자연 상태로 음식 보관이 어렵기 때문에 향신료를 사용한 음식이 발달하였다.

07 몬순 아시아와 오세아니아의 자원 분포 및 이동

(가)는 중국의 생산량이 월등히 많은 것으로 보아 석탄이다. (나)는 오스트레일리아에서 생산량이 가장 많고 중국, 인도 등에서 생산되는 것으로 보아 철광석이다. ⑤ 석탄과 철광석은 공업이 발달한 국가에서 수요가 많다.

‖ 바로 알기 ‖ ① 석탄은 고기 습곡 산지에 많이 분포한다. ② 중국은 석탄 매장량이 풍부하지만, 국내 사용량이 많아서 오스트레일리아 등지에서 수입하고 있다. ③ 최근 사용량이 빠르게 증가하고 있는 자원은 천연가스이다. ④ 석탄과 철광석은 오세아니아 지역에서 아시아 지역으로 수출되고 있다.

08 몬순 아시아와 오세아니아의 농축산물 분포와 이동

몬순 아시아에서는 높은 기온과 풍부한 강수량을 이용한 벼농사가 활발하여 전 세계 쌀 생산량의 90% 이상을 몬순 아시아에서 생산하고 있다. 쌀은 생산지에서 주로 소비되어 국제 이동량은 적은 편이다. 밀은 인도, 중국, 오스트레일리아에서 생산되는데, 상대적으로 강수량이 적고 기온이 낮은 지역에서 밀 농사가 이루어진다. 오스트레일리아의 건조한 내륙 지역에서는 찬정을 이용한 기업적 농목업이 발달하여 육류, 양모, 유제품 등을 수출하고 있다.

바로 알기 ⓔ 몬순 아시아는 열대 기후가 나타나는 지역을 중심으로 커피, 사탕수수 등 각종 기호 작물이 생산되고 있다. 베트남과 인도네시아에서 주로 커피를 재배하며, 목화는 인도의 데칸고원에서 주로 재배된다.

09 몬순 아시아와 오세아니아 주요 국가의 산업 구조

(가)는 일본의 산업 구조를 나타낸 것으로 1차 산업의 비중이 매우 낮으며 2차와 3차 산업이 차지하는 비중이 높다. (나)는 인도의 산업 구조를 나타낸 것으로 1차 산업의 비중이 높으며 일본에 비해 3차 산업의 비중이 낮다. (가)와 (나)의 산업 구조를 통해 (가)가 (나)보다 산업 구조가 고도화된 선진국임을 알 수 있다. A는 (가)가 (나)보다 높게 나타나는 항목으로 1인당 국민 총소득, 도시화율이 해당된다. B는 (나)가 (가)보다 높게 나타나는 항목으로 유소년층 비중, 1차 산업 종사자 비율이 해당된다.

10 몬순 아시아와 오세아니아 주요 국가의 산업 구조

(가)는 자동차를 비롯한 중화학 공업 제품을 수출하고 있으며 원유, 천연가스와 같은 자원을 수입하고 있으므로 선진국임을 알 수 있다. (나)는 원유, 천연가스와 같은 자원과 팜유와 같은 농산물을 주로 수출하고 있으며 철강, 기계류와 같은 공업 제품을 수입하고 있으므로 공업이 크게 발달하지 않은 개발 도상국임을 알 수 있다. (가)는 일본의 무역 구조, (나)는 인도네시아의 무역 구조를 나타낸 것이다. (가)는 (나)보다 수출액과 수입액을 합한 무역액이 더 크다. ㄴ. (가)는 (나)보다 정밀 기계와 같은 기술 집약적인 공업이 발달해 있다. ㄷ. 산업 구조가 고도화될수록 서비스 산업이 산업 구조에서 차지하는 비중이 높다. 따라서 (나)는 (가)보다 서비스업 종사자 비율이 낮을 것이다. ㄹ. (나)는 원유, 천연가스와 같은 연료와 각종 제품의 원료로 쓰이는 팜유의 수출 비중이 높다. 따라서 (나)는 (가)보다 원료 및 연료 중심의 수출이 이루어지고 있다.

바로 알기 ㄱ. (가)는 수출액은 6,903억 달러이며 수입액은 8,119억 달러로 무역 적자액이 1,216억 달러이다. (나)는 수출액은 1,763억 달러이며 수입액은 1,781억 달러로 무역 적자액이 18억 달러이다. 따라서 (가)는 (나)보다 무역 수지 적자액이 많다.

11 몬순 아시아와 오세아니아의 경제 협력

(가)는 철광석, 석탄, 양모 등을 수출하는 오스트레일리아이며, (나)는 전자 제품과 섬유 의류 등을 수출하는 중국이다. 오스트레일리아는 지하자원이 풍부하여 각종 원자재를 수출하고 있다. 중국은 세계적인 공업 지역으로 각종 공업 제품을 오스트레일리아로 수출하고 있다.

12 몬순 아시아와 오세아니아의 종교 분포

A는 파키스탄에서 다수가 믿는 이슬람교, B는 타이에서 다수가 믿는 불교, C는 필리핀에서 다수가 믿는 크리스트교이다. ② 이슬람교는 아랍 상인의 활발한 교역 활동으로 동남아시아에 전파되었다. ③ 불교는 타이, 라오스, 미얀마에서 주로 신봉한다. ④ 크리스트교는 전 세계에서 가장 많은 사람이 믿는 보편 종교이다. ⑤ 불교(B)는 인도 북부 지역에서 기원하였으며, 크리스트교(C)는 서남아시아의 팔레스타인 지역에서 기원하였다.

바로 알기 ① 유럽 문화의 형성에 큰 형성에 큰 영향을 미친 종교는 크리스트교이다.

13 몬순 아시아와 오세아니아의 종교 및 민족 분포

갑. 중국(A)의 신장 웨이우얼 자치구에는 이슬람교를 주로 믿는 위구르족이 거주하고 있다. 을. 인도(B)는 다양한 민족이 분포해 언어 역시 다양하다. 힌디어 외에도 100만 명 이상이 사용하는 언어가 30개가 넘는다. 인도에서는 22개 언어를 공용어로 지정하여 통합에 힘쓰고 있다. 병. 오스트레일리아(C)와 뉴질랜드(D)는 18세기 영국인이 이주한 이후 영어를 사용하고 있다.

바로 알기 정. 뉴질랜드(D)의 원주민은 마오리족이며 오스트레일리아(C)의 원주민은 애버리지니이다.

14 몬순 아시아와 오세아니아의 민족 및 종교 분쟁 지역

필리핀에서 두 번째로 큰 섬인 민다나오섬은 이슬람교도가 살던 곳이었다. 하지만 필리핀이 에스파냐와 미국의 식민지를 거치며 크리스트교가 유입되면서 이슬람교도와 크리스트교도 간의 갈등이 발생하고 있다.

15 몬순 아시아와 오세아니아의 민족 및 종교 분쟁 지역

(가)는 이슬람교를 믿는 로힝야족이 불교를 믿는 정부에 의해 탄압을 받고 있는 미얀마로 지도의 B이다. (나)는 이슬람교와 힌두교 간의 갈등이 발생하고 있는 카슈미르 지역으로 지도의 A이다.

바로 알기 C는 스리랑카로 불교를 믿는 신할리즈족과 힌두교를 믿는 타밀족 간의 분쟁이 발생하고 있다. D는 오스트레일리아로 오랜 민족(인종) 차별 정책에 항의하는 원주민(애버리지니)과 유럽계 백인 간의 갈등이 발생하고 있다.

16 몬순 아시아와 오세아니아의 지역 특색

① A는 인도로 주민들은 다신교인 힌두교를 주로 믿는다. 힌두교는 갠지스강을 신성시하고, 인도에는 향신료를 사용한 음식인 카레가 발달해 있다. ② B는 스리랑카로 차 재배가 활발하며 주민들은 주로 불교를 믿고 있다. ④ D는 인도네시아로 적도 주변에 위치해 대부분 지역에서 열대 기후가 나타나 고상 가옥과 수상 가옥이 발달해 있다. 인도네시아는 볶음밥인 나시고렝을 비롯한 각종 쌀 요리가 발달해 있다. ⑤ E는 뉴질랜드로 환태평양 조산대에 위치해 화산 지형이 발달해 있으며 지열 발전이 이루어진다.

바로 알기 ③ C는 베트남으로 전통 의상인 아오자이를 입으며, 주민들은 주로 불교를 믿는다.

V. 건조 아시아와 북부 아프리카

01 자연환경에 적응한 생활 모습

STEP 1 핵심 개념 확인하기　132쪽

1 ⊙ 건조 ⓒ 일교차　2 (1) 사막 (2) 나일강　3 ㄱ, ㄷ, ㄹ　4 (1) ○ (2) ○　5 대상

STEP 2 내신 만점 공략하기　132~134쪽

01 ①　02 ②　03 ④　04 ⑤　05 ④　06 ①　07 ①
08 ④

01 건조 아시아와 북부 아프리카의 지형 특성

A는 아틀라스산맥, B는 사하라 사막, C는 나일강, D는 티그리스·유프라테스강, E는 카자흐 초원이다. ② 사하라 사막은 아프리카 북부의 대부분을 차지하는 세계 최대 규모의 사막이다. ③ 나일강 하구에는 주기적인 범람으로 비옥한 삼각주 평야가 형성되어 있다. ④ 티그리스·유프라테스강 유역의 충적 평야 지대는 고대 문명의 발상지로, 인구가 밀집하여 일찍부터 도시가 발달하였다. ⑤ 카자흐 초원은 스텝 기후가 나타나 전통적으로 유목이 발달하였다.

┃바로 알기┃ ① 아틀라스산맥은 지각이 불안정하고 지진이 잦으며, 구릉지에는 마을이 형성되어 있다.

02 건조 아시아와 북부 아프리카의 인구 분포

건조 아시아와 북부 아프리카의 건조 기후 지역은 연 강수량이 적어 대부분의 사람들은 물을 구하기 쉬운 곳에 주로 거주한다. 지도의 A는 지중해 연안, B는 사하라 사막, C는 나일강 하구, D는 티그리스·유프라테스강 유역이다. ㄱ. 지중해와 접한 북부 아프리카의 해안 지역과 흑해 연안 지역은 비교적 강수량이 많아 인구가 밀집해 있다. ㄷ. 나일강 하구의 삼각주는 하천의 퇴적 작용에 의해 형성된 충적 평야로 농업 활동에 유리하여 인구가 밀집해 있다.

┃바로 알기┃ ㄴ. 사하라 사막(B)은 연 강수량이 250mm 이하로 매우 건조하기 때문에 인구가 희박하다. ㄹ. 티그리스·유프라테스강 유역(D)에는 농경지가 발달하여 인구 밀도가 높게 나타난다.

03 건조 아시아와 북부 아프리카의 주민 생활

건조 아시아와 북부 아프리카는 대부분 건조 기후에 속하는데, 건조 기후는 일 최고 기온과 일 최저 기온의 차이인 기온의 일교차가 크다. 건조 기후 지역의 주민들은 기온이 떨어지는 밤에 보온을 위해 융단을 바닥에 깔거나 실내 장식을 위해 융단을 벽에 걸어둔다.

또한 건조 아시아와 북부 아프리카에서는 연 강수량이 적어 소량의 수분으로도 조리가 가능한 '타진'이라는 냄비를 요리에 이용한다.

04 건조 아시아와 북부 아프리카의 전통 가옥

사진은 사막 기후 지역에서 볼 수 있는 흙집이다. 이 지역에서는 나무를 구하기 어려워 주민들은 흙을 이용하여 집을 짓는다. 흙집은 극심한 일교차, 강한 햇볕과 모래바람을 막을 수 있도록 창문은 작고 벽은 두껍다. 또한 이 지역은 비가 거의 오지 않기 때문에 지붕이 평평하다.

┃바로 알기┃ ⑤ 흙집 간의 거리가 가까운 것은 가옥과 가옥 사이를 좁혀 강한 햇볕을 피할 수 있는 그늘을 만들기 위해서이다.

05 건조 아시아와 북부 아프리카의 토지 이용

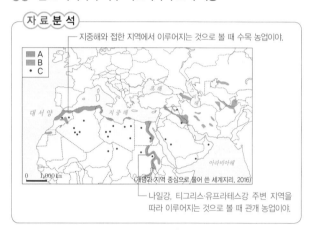

┃자료 분석┃
지중해와 접한 지역에서 이루어지는 것으로 볼 때 수목 농업이야.

나일강, 티그리스·유프라테스강 주변 지역을 따라 이루어지는 것으로 볼 때 관개 농업이야.

（내담과 지역 중심으로 풀어 쓴 세계지리, 2016)

지도의 A는 수목 농업, B는 관개 농업, C는 오아시스 농업 지역이다. ④ 대추야자는 염분에 잘 견디는 내염성 작물이기 때문에 건조 기후 지역 주민의 중요한 식량 자원이 되었다. 따라서 사막의 오아시스 농업 지역에서 가장 많이 재배하는 작물이다.

┃바로 알기┃ ① 수목 농업 지역에서는 고온 건조한 여름 기후를 견딜 수 있는 올리브, 오렌지 나무 등 경엽수를 주로 재배한다. 물과 풀을 찾아 이동하며 가축을 사육하는 유목은 사막 주변의 초원 지대에서 주로 이루어진다. ② 관개 농업 지역에서는 농업용수를 관개 수로를 이용해 끌어와 밀, 목화 등을 재배한다. ③ 오아시스 농업 지역에서는 대추야자, 밀, 보리 등을 재배한다. 커피, 카카오 등의 기호 작물은 열대 기후 지역에서 주로 재배된다. ⑤ 이동식 화전 농업은 열대 기후 지역에서 주로 이루어진다.

06 건조 아시아와 북부 아프리카의 주민 생활 모습

케밥은 초원 지대와 사막을 누비던 유목민들이 간단하게 육류를 요리해 먹던 것에서 비롯된 전통 음식이다. 케밥은 돼지고기를 금기시하는 이슬람교의 영향으로 주로 양고기를 사용한다. 유목민들은 낙타, 양, 염소 등의 가축을 기르는데, 이들 가축으로부터 젖과 고기 등의 음식을 비롯하여 털과 가죽, 집을 짓는 데 필요한 재료 등을 얻는다. 유목민들은 케밥 뿐만 아니라 밀로 반죽하여 구운 얇은 빵을 많이 먹는다. 빵은 저장과 운반이 편리하고 잘 상하지 않아 이동 생활을 하는 유목민들에게 적합한 음식이다.

▎바로 알기 ▎ ① 이동 생활을 하는 유목민들은 조립과 분해가 쉬운 이동식 가옥을 짓고 산다.

07 건조 아시아와 북부 아프리카의 주민 생활 모습

(가)는 연 강수량이 250mm 이하인 사막 기후 지역, (나)는 연 강수량이 250~500mm인 스텝 기후 지역이다. ㄱ. 사막 기후 지역에서는 물을 쉽게 얻을 수 있는 외래 하천이나 오아시스를 중심으로 대추야자, 밀, 보리 등을 재배한다. ㄴ. 사막 기후 지역은 강한 일사와 모래바람이 나타나며 일교차가 크다. 따라서 이 지역 주민들은 통풍이 잘되면서도 보온 기능이 뛰어나도록 헐렁하게 늘어지는 천으로 온몸을 감싸는 형태의 옷을 입는다.

▎바로 알기 ▎ ㄷ. 스텝 기후가 나타나는 지역에서는 주로 유목 생활에 적합한 이동식 천막에서 생활한다. 그늘이 생기도록 집들을 촘촘하게 붙여 짓는 지역은 (가) 사막 기후 지역이다. ㄹ. 여름철 고온 건조한 기후를 이용해 올리브 등을 재배하는 수목 농업은 주로 지중해성 기후 지역에서 이루어진다.

완자 정리 노트   건조 아시아와 북부 아프리카의 생활 모습

의식주 문화	• 의복: 천으로 온몸을 감싸는 헐렁한 옷 • 음식: 밀로 만든 빵, 가축에서 얻은 고기와 유제품 • 가옥: 흙집, 유목민의 이동식 가옥
경제 활동	• 오아시스 농업: 오아시스 주변에서 대추야자, 밀 등을 재배 • 관개 농업: 지하 관개 수로(카나트 등)를 이용해 작물 경작 • 유목: 사막 주변의 초원 지대에서 이루어짐

08 건조 아시아와 북부 아프리카 지역의 변화

건조 기후 지역의 관개 농업은 외래 하천 및 오아시스 주변에서 주로 이루어졌으나, 관개 기술의 발달로 농업 가능 지역이 내륙 사막까지 확대되고 있다. 농업 가능 지역뿐만 아니라 해수 담수화 설비의 보급으로 거주 지역이 점차 확대되고 있다. 비가 자주 오지 않아 태양열을 활용하기 좋은 기후 조건을 이용하여 태양열 발전소를 설치하기도 한다. 최근에는 건조 기후 지역의 자연환경을 활용한 생태 관광이 발달하고 있다. 관광객들은 사막에서 샌드 보딩, 낙타 타기, 초원에서 말 타기 등의 체험을 하기도 한다.

▎바로 알기 ▎ 정. 오늘날 건조 기후 지역의 전통적인 유목은 제2차 세계 대전 이후 국경의 설정, 도시화와 산업화, 자원 개발, 사막화에 따른 목초지 감소 등의 영향으로 쇠퇴하고 있다.

서술형 문제
134쪽

01 주제: 건조 아시아와 북부 아프리카의 주민 생활 모습

예시 답안 건조 기후 지역은 강수량보다 증발량이 많으며 모래가 많아 물이 잘 스며든다. 따라서 물 손실을 최소화하기 위해 지하에 수로를 설치하여 관개수가 증발하거나 모래로 스며드는 것을 막는다.

채점 기준

상	증발량이 많고 모래로 물이 잘 스며드는 건조 기후 지역의 특징과 연관 지어 정확하게 서술한 경우
하	증발량이 많기 때문이라고만 서술한 경우

02 주제: 건조 기후 지역의 음식

(1) 난

(2) **예시 답안** 밀은 건조하고 척박한 환경에서도 잘 자라며, 난을 만들 때 비교적 물이 적게 든다. 또한 난은 모양이 납작하여 저장 및 보관이 편리하고 쉽게 상하지 않아 유목민의 음식으로 적합하다.

채점 기준

상	난을 만들 때 물이 적게 들고, 모양이 납작하여 저장과 운반이 편리함을 정확히 서술한 경우
하	난을 만들 때 물이 적게 듦 또는 모양이 납작하여 저장과 운반이 편리함 중 한 가지만 서술한 경우

STEP 3 1등급 정복하기
135쪽

1 ⑤   2 ③

1 건조 아시아와 북부 아프리카의 주민 생활 모습

밑줄 친 '이 지역'은 건조 기후가 넓게 나타나는 건조 아시아와 북부 아프리카 지역이다. ㄴ. 건조 기후 지역에서는 나무를 구하기 어려워 주변에서 쉽게 구할 수 있는 흙이나 돌을 이용하여 흙집을 짓는다. ㄷ. 강수량이 적은 건조 기후 지역에서는 물을 쉽게 얻을 수 있는 오아시스나 외래 하천 주변에서 대추야자, 밀, 보리 등을 재배한다. ㄹ. 유목민들은 사용하고 남은 육류와 유제품 등을 대상을 통해 다른 지역의 특산품과 교환하였다.

▎바로 알기 ▎ ㄱ. 야마와 알파카는 중·남부 아메리카의 안데스산맥에서 주로 기르는 가축이다. 건조 아시아와 북부 아프리카에서는 주로 양, 낙타를 기른다.

2 건조 아시아와 북부 아프리카의 주민 생활 모습

(가)는 사막 기후 지역에서 볼 수 있는 흙집, (나)는 스텝 기후 지역에서 볼 수 있는 이동식 가옥이다. 사막 지역 주민들은 사막에서 쉽게 구할 수 있는 흙을 이용하여 흙집을 짓는다. 흙집은 큰 기온의 일교차를 극복하고 강한 햇볕을 차단하기 위해 벽이 두껍고 창문이 작은 것이 특징이다. 이동식 가옥은 조립과 분해가 쉬워 이동하기 유리하기 때문에 전통적으로 유목 생활을 해 온 스텝 기후 지역 사람들의 주거 양식이 되었다. 스텝 기후 지역은 강수에 의한 유기물의 유실이 적어 비옥한 흑색토(체르노젬)가 분포한다.

▎바로 알기 ▎ ③ 흙집은 사막 기후 지역에서 볼 수 있으며, 사막 기후 지역은 스텝 기후 지역보다 강수량 대비 증발량 비율이 높다.

02~03 주요 자원의 분포 및 이동과 산업 구조 ~ 사막화의 진행

STEP 1 핵심 개념 확인하기   140쪽

1 (1) × (2) ○   2 ㉠ 자원 민족주의 ㉡ 석유 수출국 기구(OPEC)
3 (1) ㄱ (2) ㄴ   4 사막화   5 (1) 사헬 지대 (2) 아랄해

STEP 2 내신 만점 공략하기   140~143쪽

01 ②   02 ②   03 ⑤   04 ①   05 ③   06 ②   07 ②
08 ③   09 ④   10 ③   11 ④   12 ③

01 화석 에너지 자원의 분포

(가)는 페르시아만 연안에 위치한 사우디아라비아, 이란, 이라크, 쿠웨이트, 아랍 에미리트 등에 집중적으로 매장되어 있는 것으로 볼 때 석유이다. (나)는 페르시아만 연안과 카스피해 연안에 위치한 이란, 카타르 등에 많이 매장되어 있는 것으로 볼 때 천연가스이다.

02 주요 화석 에너지 자원 분포와 이동

A는 사우디아라비아, 이란의 생산량이 많은 것으로 볼 때 석유이다. B는 석유가 생산되는 인근 지역에서 생산되는 것으로 볼 때 천연가스이다. ㄱ. 석유의 서남아시아 생산량 비중은 32.1%, 북부 아프리카의 생산량 비중은 2.9%이다. 따라서 석유는 서남아시아의 생산량 비중이 북부 아프리카의 생산량 비중보다 높다. ㄷ. 세계 총 석유 생산량에서 서남아시아와 북부 아프리카가 차지하는 비중은 약 35%이다. 세계 총 천연가스 생산량에서 서남아시아와 북부 아프리카가 차지하는 비중은 약 22%이다. 따라서 석유가 천연가스보다 세계 총 생산량에서 건조 아시아와 북부 아프리카가 차지하는 비중이 높다.

┃ 바로 알기 ┃ ㄴ. 천연가스의 주요 생산국은 이란, 카타르, 투르크메니스탄 등이다. ㄹ. A는 석유, B는 천연가스이다.

03 화석 에너지 자원 개발의 영향

지도에 표시된 지역은 화석 에너지 자원의 매장량과 생산량이 많은 서남아시아의 사우디아라비아, 이란, 이라크, 쿠웨이트, 아랍 에미리트, 카타르 등이다. 이들 국가는 석유 수출로 얻은 수익으로 도로, 항만, 공항 등 사회 기반 시설을 확충하고 교육 및 의료 분야에 투자하여 주민들의 생활 수준이 향상되었다. 그러나 개발로 발생한 이익이 일부 계층에 집중되어 빈부 격차가 심해졌으며, 소비재·사치품 등의 수입이 증가하면서 해외 경제 의존도가 심화되었다. 또한 부족한 노동력을 보충하기 위해 외국인 노동자들이 유입되면서 전통적 가치관이 변화하고 있다.

┃ 바로 알기 ┃ ⑤ 도시화 및 산업화가 진행되면서 오아시스 농업, 유목 등 전통적 농목업은 쇠퇴하였다.

04 건조 아시아와 북부 아프리카의 자원 개발의 영향

(가)는 요르단, (나)는 사우디아라비아의 인구 구조를 나타낸 것이다. 요르단은 15~64세인 청장년층에서 남성보다 여성이 많은 반면, 사우디아라비아는 청장년층에서 여성에 비해 남성이 많다. 사우디아라비아는 석유 수출로 얻은 이익을 사회 간접 자본 확충, 대규모 지역 개발 사업 등에 투자하고 있다. 이 과정에서 부족한 노동력을 충당하기 위해 외국인 노동자가 많이 유입되었다. 따라서 사우디아라비아(나)는 요르단(가)에 비해 청장년층 남성의 비중이 높고, 석유 생산량이 많으며, 외국인 근로자 비중이 높은 편이다. 이는 그림의 A에 해당한다.

05 주요 국가의 산업 구조

(가)는 국내 총생산에서 1차 산업이 차지하는 비중이 매우 작고, 2차 산업이 차지하는 비중이 큰 것으로 볼 때 사우디아라비아이다. (나)는 국내 총생산에서 1차 산업이 차지하는 비중이 크고, 3차 산업의 비중이 높은 것으로 볼 때 관광 산업이 발달한 튀르키예이다. 지도의 A는 튀르키예, B는 사우디아라비아, C는 예멘이다. 따라서 (가)는 B, (나)는 A이다.

06 주요 국가의 무역 구조

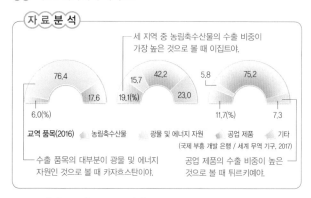

┌─ 자료 분석 ───────────────────────
세 지역 중 농림축수산물의 수출 비중이 가장 높은 것으로 볼 때 이집트야.

76.4   17.6   15.7   42.2   19.1(%)   23.0   5.8   75.2   11.7(%)   7.3

6.0(%)   7.3

교역 품목(2016)   ◆ 농림축수산물   광물 및 에너지 자원   공업 제품   기타

(국제 부흥 개발 은행 / 세계 무역 기구, 2017)

수출 품목의 대부분이 광물 및 에너지 자원인 것으로 볼 때 카자흐스탄이야.

공업 제품의 수출 비중이 높은 것으로 볼 때 튀르키예야.
────────────────────────────────

(가)는 카자흐스탄, (나)는 이집트, (다)는 튀르키예이다. ① 카자흐스탄은 이집트보다 공업 제품의 수출 비중이 낮다. ③ 최근 이집트는 석유와 천연가스가 생산되면서 원유와 석유 정제품을 수출하고 있지만, 카자흐스탄보다 광물 및 에너지 자원의 수입 비중이 높다. ④ 이집트는 튀르키예보다 농림축수산물의 수출 비중이 높은 것으로 볼 때 1차 산업 종사자 비중이 높음을 알 수 있다. ⑤ 튀르키예는 이집트보다 부가 가치가 높은 공업 제품의 수출 비중이 높은 것으로 볼 때 수출액이 많음을 알 수 있다.

┃ 바로 알기 ┃ ② 카자흐스탄은 대규모 유전 개발이 이루어지면서 수출 품목의 대부분이 광물 및 에너지 자원이다. 따라서 카자흐스탄은 튀르키예보다 원유 생산량이 많다.

07 건조 아시아와 북부 아프리카 산업 구조의 문제점

제시된 그래프를 통해 국제 석유 가격이 낮아지면 총 수출액이 줄어들어 주요 산유국의 1인당 국내 총생산도 감소함을 알 수 있다. 이는 주요 산유국에서 석유 의존도가 높은 산업 구조가 나타나기 때문이다. 따라서 이들 지역에서는 석유 생산 이외의 다른 경제 부분에서의 성장을 유도하여 정부 재정 수입원을 다변화하기 위해 노력해야 한다.

┃ 바로 알기 ┃ ② 주요 산유국들이 국제 석유 가격을 담합하면 일시적인 재정 수입 증가가 나타날 수 있을 것이다. 그러나 화석 에너지 자원의 고갈, 비전통 석유의 생산 증가 등 에너지 시장을 둘러싼 구조적 변화로 미래 경제 구조가 불투명하기 때문에 이를 위한 근본적인 대책이 필요하다.

08 건조 아시아와 북부 아프리카의 지역 발전을 위한 노력

(가)는 신·재생 에너지 산업을 육성하고 있는 이집트이다. 이집트는 일조량과 바람이 풍부하여 태양광과 풍력 발전에 적합하다. (나)는 부가 가치가 높은 정유 공업 및 석유 화학 공업을 육성하고 있는 사우디아라비아이다. (다)는 관광 산업에 투자를 늘리고 있는 아랍 에미리트이다. 걸프 협력 회의 회원국인 사우디아라비아, 아랍 에미리트와 이집트는 모두 화석 에너지 중심의 경제 구조에서 벗어나려는 정책을 펼치고 있다.

┃ 바로 알기 ┃ ③ 고대 문화 유적이 풍부하여 관광 산업이 발달한 국가는 이집트, 튀르키예 등이다.

09 건조 아시아와 북부 아프리카 사막화의 원인

A는 사막화이다. 사막화는 사막 주변과 초원 지역의 토양이 황폐화되어 점차 사막으로 변하는 현상이다. 대표적인 사막화 지역은 아프리카 사하라 사막 남쪽의 사헬 지대와 중앙아시아의 아랄해 일대이다. 사막화는 기후 변화로 인한 기상 이변으로 장기간 가뭄이 지속되어 발생한다. 그러나 사막화를 가속화하고 있는 것은 과도한 목축과 땔감 확보를 위한 삼림 훼손, 인구 증가에 따른 거주 공간 및 경작지 확대 등의 인위적 요인이다.

┃ 바로 알기 ┃ ㄴ. 사막화는 지나친 관개로 인한 토지의 염도 상승으로 발생한다.

완자 정리 노트   **사막화의 의미와 발생 원인**

사막화	사막 주변과 초원 지역의 토양이 황폐화되어 점차 사막으로 변하는 현상
발생 원인	• 자연적 요인: 기후 변화에 따른 장기간의 가뭄 발생 • 인위적 요인: 인구 증가에 따른 거주 공간 및 경작지의 확대, 과도한 목축과 땔감 확보를 위한 삼림 훼손, 지나친 관개로 인한 토지의 염도 상승 등

10 사막화에 따른 분쟁

제시된 글은 수단(ⓒ)의 다르푸르 분쟁을 담고 있다. 다르푸르 분쟁은 표면적으로 '아랍계 유목민'과 '아프리카계 정착 농민' 사이의 민족 갈등이지만, 사막화에 따른 목초지 및 농경지 확보를 위한 경제 문제가 얽히면서 갈등이 더욱 증폭되었다. 지도의 A는 알제리, B는 이집트, C는 수단, D는 오만, E는 아랍 에미리트이다.

11 아랄해의 변화

세계에서 네 번째로 큰 호수였던 아랄해는 목화를 재배하는 과정에서 과도한 관개 농업 및 수자원의 남용으로 사막화가 진행되었다. 아랄해의 면적과 수량이 과거보다 크게 줄어들었고, 호수 주변의 토양이 황폐해졌다. 이로 인해 아랄해의 생태계는 점차 파괴되어 주민들은 어업 활동을 할 수 없게 되었다. 또한 사막화로 토양의 결합력이 약해지면서 모래 먼지가 자주 발생하여 주민들은 호흡기 질환 등의 건강 문제가 나타나고 있다.

┃ 바로 알기 ┃ ㄱ. 아랄해로 흘러드는 물의 양이 70% 이상 감소하면서 호수의 염분 농도가 증가하였다. ㄷ. 아랄해로 흘러드는 아무다리야강과 시르다리야강 주변에 관개 시설이 확대되면서 지하수가 감소하였다.

12 사막화 해결을 위한 노력

기후 변화와 지속적인 사막화로 황폐해진 사헬 지대를 복구하기 위해 사하라 사막 남쪽에 긴 숲을 만드는 '그레이트 그린 월' 프로젝트가 진행되고 있다. 이 프로젝트가 끝나면 5,000만 ha의 사막화 지역이 복구되고, 인근 지역 2,000만 명에게 식량 제공이 가능할 뿐 아니라, 숲 유지와 개발을 위해 30만 개의 일자리를 생산해 낼 수 있다고 한다. 따라서 그레이트 그린 월(Great Green Wall) 프로젝트가 확산될수록 북부 아프리카의 토양의 비옥도는 향상되고, 식량 재배지의 면적이 확대되므로 'C' 화살표 방향으로 지표가 변화하게 된다.

서술형 문제

143쪽

01 주제: 건조 아시아와 북부 아프리카 산업 구조의 문제점

(1) 석유 수출국 기구(OPEC)

(2) **예시 답안** 산유국은 국제 원유 가격 변동에 따라 국가 재정 및 경제 상황의 변화가 커 석유 가격이 낮아지면 국가 경제가 침체될 수 있다. 이러한 문제를 해결하기 위해 산업 구조의 다변화를 추구해야 한다.

채점 기준

상	국제 석유 가격 변동에 따른 문제점과 이를 대응하기 위한 대책을 모두 정확히 서술한 경우
중	국제 석유 가격 변동에 따른 문제점 또는 이를 대응하기 위한 대책 중 한 가지만 서술한 경우
하	국가 경제가 침체된다고만 쓴 경우

02 주제: 사막화의 영향

(1) 사막화

(2) **예시 답안** 곡물 재배 가능 지역이 감소하여 물과 식량이 부족해진다. 식량 확보 및 수자원을 둘러싼 국가 및 부족 간의 갈등이 발생한다. 토양 침식이 가속화되어 모래 먼지가 자주 발생하여 주민 건강에 악영향을 미친다.

채점 기준

상	사막화로 인한 지역 문제 세 가지를 정확히 서술한 경우
중	사막화로 인한 지역 문제 두 가지를 서술한 경우
하	사막화로 인한 지역 문제 한 가지만을 서술한 경우

STEP 3 1등급 정복하기

144~145쪽

1 ⑤   2 ②   3 ⑤   4 ④

1 건조 아시아와 북부 아프리카의 화석 에너지 자원 분포

자료 분석

페르시아만 연안과 카스피해 연안에 매장되어 있는 것으로 볼 때 천연가스야.

■ (가)
■ (나)
□ (가), (나) 모두 해당

0 ___ 1,000 km

페르시아만 연안을 중심으로 매장되어 있는 것으로 볼 때 석유야.

건조 아시아와 북부 아프리카는 화석 에너지 자원이 풍부한 곳으로, 석유와 천연가스 전체 매장량의 절반 이상이 이 지역에 매장되어 있다. (가)는 이란, 카타르, 투르크메니스탄 등에 많이 매장되어 있는 것으로 볼 때 천연가스이다. (나)는 사우디아라비아, 이란, 이라크, 쿠웨이트 등에 많이 매장되어 있는 것으로 볼 때 석유이다. ⑤ 오늘날 석유는 세계 1차 에너지 소비량에서 차지하는 비중이 가장 높다. 따라서 석유가 천연가스보다 1차 에너지 소비량에서 차지하는 비중이 높다.

┃ **바로 알기** ┃ ① 산업 혁명 시기의 주요 에너지원으로 사용된 화석 에너지는 석탄이다. ② 천연가스는 최근 냉동 액화 기술의 발달과 대형 수송관의 건설 등으로 본격적으로 사용되었다. ③ 석유는 각 교통수단의 에너지원으로 사용되며 천연가스는 주로 가정용으로 사용된다. 따라서 석유가 천연가스보다 운송용으로 사용되는 비중이 높다. ④ 천연가스가 석탄이나 석유보다 연소 시 대기 오염 물질의 배출량이 적다.

2 화석 에너지 자원의 개발과 영향

(가) 국가군은 (나) 국가군보다 화석 에너지의 생산량이 많고, 1인당 국내 총생산이 많다. 이에 따라 (가) 국가군은 (나) 국가군보다 화석 에너지의 개발과 수출이 활발한 지역임을 알 수 있다. (가) 국가군은 도시를 중심으로 석유와 천연가스 개발이 진행되면서 도시화율이 높아 도시 인구 비중이 높은 편이다. 또한 화석 에너지 수출을 통해 얻은 이익을 대규모 개발 사업에 투자하면서 아시아와 아프리카 등으로부터 청장년층 남성이 많이 유입되었다. (나) 국가군은 (가) 국가군에 비해 화석 에너지 생산량이 적어 상대적으로 1차 산업 종사자 비중이 높고, 인구의 자연 증가율이 높은 편이다. 그래프에서 A는 (가) 국가군에서 높게 나타나는 항목이며, B는 (나) 국가군에서 높게 나타나는 항목이다. 따라서 A에는 도시 인구 비중, 청장년층 성비가 들어갈 수 있다. B에는 인구의 자연 증가율, 1차 산업 종사자 비중이 들어갈 수 있다.

3 건조 아시아와 북부 아프리카의 사막화 영향

A는 사헬 지대이다. 사헬 지대는 1960년대 이후 인구가 증가하면서 많은 경작지가 개간되었고, 가축을 과도하게 방목하면서 초지가 황폐화되었다. 한번 황폐화된 땅은 비가 오더라도 수분이 땅속에 저장되지 않고 오히려 토양 침식이 증가되어 사헬 지대의 사막화를 가속화하였다. 사막화로 식량과 물이 부족해지면서 많은 사람이 굶주리고 있으며, 더는 자신의 고향에서 살기 어려워진 사람들은 삶터를 버리고 다른 지역, 국가로 이주하고 있다. 물이 부족하여 오염된 물 자원을 이용할 수밖에 없어 콜레라 등의 수인성 질병이 창궐하기도 하며, 수자원 확보를 두고 인접 국가나 부족 간 갈등이 일어나기도 한다.

┃ **바로 알기** ┃ ⑤ 사막화로 토양의 결합력이 약해지면 거대한 모래 먼지가 자주 발생한다. 모래 먼지는 바람을 타고 이동하여 주변 지역이나 멀리 떨어진 지역에도 피해를 입힌다.

4 건조 아시아와 북부 아프리카의 환경 문제

A는 사막화이다. 사막화는 지구 온난화로 오래 지속된 가뭄과 인간의 과도한 농경지 개간과 방목 등이 원인이 되어 발생한다. 중앙아시아의 아랄해 연안은 과도한 관개 농업 및 수자원의 남용으로 사막화가 진행되면서 호수 주변의 토양이 황폐해졌다. 또한 관개 시설 확대의 영향으로 아랄해로 들어오는 물의 양이 70% 이상 감소하였고, 과거 호수였던 지역이 사막으로 변하고 소금으로 뒤덮이게 되면서 호수의 염분이 증가하였다.

┃ **바로 알기** ┃ ㄱ. 람사르 협약은 물새 서식지로 중요한 습지를 보호하기 위한 협약이다. 사막화를 해결하기 위한 협약은 1994년 프랑스 파리에서 맺은 사막화 방지 협약이다. ㄷ. 사막화 피해를 줄이기 위해서는 지나친 방목과 경작을 규제하고, 숲과 초지를 조성해야 한다.

01 건조 아시아와 북부 아프리카의 기후

(가)는 연 강수량 250mm 이하인 사막 기후, (나)는 연 강수량 250~500mm인 스텝 기후이다. ㄱ. 사막 기후는 북부 아프리카 일대와 아라비아반도, 이란고원 등지에서 주로 나타난다. ㄹ. (가) 와 (나)의 건조 기후가 나타나는 지역은 강수량보다 증발량이 많아 물이 부족해 인간 거주에 불리하다.

┃바로 알기┃ ㄴ. (나)는 스텝 기후로, 북부 아프리카와 아라비아반도 등의 사막 주변에서 나타난다. ㄷ. (가)는 (나)보다 그늘이 생기도록 집들을 촘촘하게 짓기 때문에 가옥 간 거리가 가깝다.

02 건조 아시아와 북부 아프리카의 지형 특성

건조 아시아와 북부 아프리카에는 아틀라스산맥, 아나톨리아고원, 알타이·톈산산맥 등의 높고 험준한 산지가 분포한다. 이러한 대산 맥의 남쪽에는 대규모 하천과 하천 유역에 형성된 충적 평야가 펼 쳐져 있다. 나일강은 습윤 지역에서 발원하여 사막을 통과하는 대 표적인 외래 하천으로 하구에는 하천의 퇴적에 의한 충적 평야인 삼각주가 형성되어 있다. 북부 아프리카의 중·남부와 서남아시아 의 아라비아반도 일대에는 사막이 넓게 분포한다.

03 건조 아시아와 북부 아프리카의 주민 생활

일부 서남아시아 지역의 가옥에는 카나트를 활용하여 공기를 정화 하고 온도를 조절하는 바드기르를 볼 수 있다. 서남아시아 지역은 대부분 건조 기후가 나타나며, 이러한 지역에서는 물을 이용할 수 있는 오아시스나 관개 시설을 갖춘 곳에서 대추야자를 재배한다. 최근 서남아시아 지역에서는 바닷물에서 염분을 제거하여 생활용 수 등을 얻을 수 있는 해수 담수화 시설을 볼 수 있다. 건조 기후 지역은 기온의 일교차가 크기 때문에 가옥의 벽이 두껍고 창문의 크기는 작으며, 추운 밤을 견디기 위한 난방 및 조리 겸용 난로를 갖춘 집들이 많다.

┃바로 알기┃ ⑤ 소, 돼지는 주로 습윤한 기후가 나타나는 지역에서 사육하 며, 건조 기후 지역에서는 주로 양과 염소, 낙타 등의 가축을 사육한다.

04 건조 기후 지역의 관개 시설

그림은 지하 관개 수로를 나타낸 것이다. 강수량이 적고 증발량이 많은 건조 아시아 및 북부 아프리카 지역의 높은 산지 부근에서는 산지에 내린 강수가 산기슭을 흘러 지하수층을 형성한다. 이를 활 용하기 위해 지하수층까지 수직으로 굴을 판 다음 수평으로 지하 수로를 연결하여 필요한 지점까지 물을 보내는 지하 관개 시설이 발달하였다. 수로를 지하에 건설하는 이유는 수분 증발을 막기 위 해서이다. 이란에서는 이러한 관개 시설을 카나트라고 한다.

┃바로 알기┃ ㄹ. 대수층의 물은 염분이 없어 농업용수와 생활용수로 이용 한다.

05 건조 아시아와 북부 아프리카의 전통 생활

건조 아시아와 북부 아프리카의 건조 기후는 주민 생활에 큰 영향 을 주었다. 주민들은 헐렁하게 늘어지는 천으로 온몸을 감싸는 형 태의 옷을 입는다. 이러한 의복은 통풍이 잘되면서도 보온 기능이 뛰어나 일교차가 큰 환경에 적합하다. 주민들이 주로 먹는 대표적 인 전통 음식으로는 밀로 만든 빵과 가축에게서 얻은 고기 등이 있다. 또한 이들은 양이나 염소의 젖을 발효시켜 유제품을 만들어 먹는다. 건조 기후 지역에서는 생활 필수품을 구하기 어려워 대상 을 통해 필요한 상품을 거래하였다.

┃바로 알기┃ ㄱ. 건조 아시아와 북부 아프리카는 강수량이 적어 물을 쉽게 얻을 수 있는 외래 하천이나 오아시스 주변에서 대추야자, 밀, 보리 등을 재 배한다. 쌀은 강수량이 많은 지역에서 재배하는 작물이다.

06 건조 아시아와 북부 아프리카의 가옥 구조

(가)는 흙집으로 연 강수량 250mm 이하인 사막 기후 지역의 전통 가옥 구조이다. (나)는 연 강수량 250~500mm인 스텝 기후 지역 에서 주로 이루어지는 유목 생활에 적합한 이동식 가옥이다. (가) 가옥 구조가 나타는 지역에 비해 (나) 가옥 구조가 나타나는 지역 은 연 강수량이 많고 식생 밀도가 높으며 유목에 종사하는 인구 비율이 높다. 이는 그림의 A에 해당한다.

07 건조 아시아와 북부 아프리카의 자원 분포

건조 아시아와 북부 아프리카 지역은 세계적으로 석유와 천연가스 의 매장량과 생산량이 많다. 특히 서남아시아는 석유와 천연가스 의 매장량 비중이 가장 높다. 중앙아시아에 비해 북부 아프리카의 매장량 비중이 높은 (가)는 석유이며, 중앙아시아의 매장량 비중 이 높은 (나)는 천연가스이다. (가)와 (나) 모두 재생이 불가능한 화 석 에너지로 신생대 제3기층 배사 구조가 발달한 지역에 매장되어 있다. 석유는 현재 세계 1차 에너지 소비 구조에서 가장 큰 비중을 차지한다. 따라서 석유(가)는 D, 천연가스(나)는 C에 해당한다.

08 건조 아시아와 북부 아프리카의 자원 개발의 영향

석유와 천연가스가 세계의 주요 에너지원으로 사용되면서 이러한 자원이 풍부한 지역의 경제는 급격하게 성장하였다. 많은 국가가 석유 수출을 통해 축적한 막대한 오일 머니를 이용하여 사회 간접 자본을 확충하였다. 또한 주민들의 생활 수준뿐만 아니라 교육, 의 료 등 복지 수준이 크게 향상되었다. 그러나 도시를 중심으로 개 발이 진행되면서 도시로 인구가 집중하여 도시와 농촌 간의 격차 가 커지고, 오아시스 농업과 유목 등 전통적 농목업은 쇠퇴하였다.

┃바로 알기┃ 정. 석유 개발로 발생한 이익이 일부 계층에 집중되면서 빈부 격차가 심해졌다.

09 이집트와 카자흐스탄의 산업 구조 변화

(가)는 오늘날 2차 산업 중 광업 종사자 비중이 상대적으로 높은 것으로 볼 때 대규모 유전 개발이 이루어지고 있는 카자흐스탄이다. (나)는 오늘날 1차 산업 종사자 비중이 상대적으로 높은 것으로 볼 때 이집트이다. ② 이집트는 1995~2015년 사이 산업별 종사자 비중 중 1차 산업 종사자 비중이 가장 많이 감소하였다.

▮ 바로 알기 ▮ ① 2015년 이집트가 카자흐스탄보다 1차 산업 종사자 비중이 높다. ③ 카자흐스탄은 1995~2015년 사이 광업 종사자 비중은 증가하고, 제조업 종사자 비중은 감소하였다. ④ 2015년 2차 산업 종사자 비중은 카자흐스탄보다 이집트가 더 높다. ⑤ 카자흐스탄은 이집트보다 자원 매장량이 풍부하다.

10 건조 아시아와 북부 아프리카 주요 국가의 수출 품목

(가)는 사우디아라비아, (나)는 튀르키예이다. ① 석유나 천연가스 생산량이 많은 국가일수록 소득 수준이 높게 나타난다. 따라서 사우디아라비아가 튀르키예보다 1인당 국내 총생산이 많을 것이다. ② 사우디아라비아는 수출 품목의 80% 이상이 원유 및 석유 제품인 것으로 볼 때 튀르키예보다 화석 에너지 자원의 매장량이 많을 것이다. ③ 석유 중심의 산업 구조가 나타나는 국가는 국제 석유 가격 변동에 따라 국가 재정 및 경제 상황의 변화가 크다. 따라서 사우디아라비아가 튀르키예보다 국제 석유 가격이 국가 재정에 미치는 영향이 클 것이다. ⑤ 튀르키예는 기계, 자동차, 철강과 같은 제조업 제품의 수출 비중이 높다. 따라서 튀르키예는 사우디아라비아보다 제조업 종사자가 총 종사자에서 차지하는 비중이 높을 것이다.

▮ 바로 알기 ▮ ④ 사우디아라비아는 도시를 중심으로 개발이 이루어져 튀르키예보다 도시 인구 비중이 높다.

11 건조 아시아와 북부 아프리카의 자원 개발의 영향

아랍 에미리트는 석유 개발을 통해 축적한 부를 통해 활발한 지역 개발이 이루어지고 있다. 이에 따라 아시아와 아프리카 등으로부터 많은 인구가 유입되고 있는데, 특히 건설업이 발달하여 청장년층 남성이 많이 유입되었다.

▮ 바로 알기 ▮ ㄱ. 두바이는 관광 산업을 국가 기간산업으로 지정하여 대규모 쇼핑몰과 휴양 시설 등을 건설하였다. 따라서 두바이를 방문하는 관광객 수는 증가하고 있다. ㄹ. 도시를 중심으로 지역 개발이 진행되면서 도시로 인구가 집중하여 도시와 농촌 간의 격차가 커졌다.

12 건조 아시아와 북부 아프리카 산업 구조의 문제점

갑. 비전통 석유의 생산 증가, 각종 신·재생 에너지 활용 등으로 최근 에너지 시장이 다변화되면서 석유에 대한 의존도가 낮아지고 있다. 을. 석유 중심의 산업 구조가 나타나는 국가는 국제 석유 가격이 하락할 경우 총수출액이 줄어들어 국가 재정이 악화되는 문제가 나타날 수 있다. 병. 최근 각국에서는 지구 온난화의 원인이 되는 화석 에너지 소비를 줄이려는 노력이 이루어지고 있다.

▮ 바로 알기 ▮ 정. 석유는 최근 비전통 석유의 생산이 증가하고 신·재생 에너지의 소비 역시 증가하면서 가격이 하락하고 있다.

13 건조 아시아와 북부 아프리카의 사막화

① 지구 온난화 현상은 사막화를 가속화하기 때문에 건조 지역의 강수량과 증발량 변화를 통해 사막화에 영향을 주는 자연적 요인을 파악할 수 있다. ② 사막화의 원인은 인구 증가에 따른 과잉 방목, 무분별한 삼림 벌채 등과 같은 인위적 요인을 들 수 있다. 따라서 사헬 지대 인근 국가의 가축 사육 두수 변화를 통해 사막화에 영향을 주는 인위적 요인을 파악할 수 있다. ③ 사막화는 아프리카 사하라 사막 남쪽의 사헬 지대와 중앙아시아의 아랄해 일대와 같이 주로 건조 및 반건조 지역에서 나타난다. ④ 사막화로 식량과 수자원이 부족해지면서 많은 사람이 굶주리고 있다. 따라서 사막화 피해 지역 주민들의 영양 상태 및 전염병 발생 위험도를 조사하면 사막화로 인한 지역 문제를 알 수 있다.

▮ 바로 알기 ▮ ⑤ 다르푸르 지역은 사막화가 진행되면서 물과 목초지를 둘러싸고 부족 간 갈등이 발생한 곳이다. 따라서 '사막화로 인한 지역 문제'를 조사하는 4모둠에서 사례로 다루는 것이 적절하다.

14 아랄해의 사막화

중앙아시아의 아랄해 주변 지역에서는 1960년대 이후 대규모 목화 재배를 위한 과도한 관개 농업이 이루어졌다. 아무다리야강과 시르다리야강의 물을 끌어와 관개 농업에 이용하면서 아랄해로 유입되는 유량이 70% 이상 감소하였다. 이로 인해 호수의 면적이 많이 축소되었으며 바닥이 드러나 사막으로 변하였다.

▮ 바로 알기 ▮ ①, ⑤ 아랄해로 들어오는 하천의 유량이 감소하여 호수의 면적이 줄어들게 되었다. 이로 인해 아랄해의 생태계는 파괴되고 주민들은 어업 활동을 할 수 없게 되었다. ②, ④ 사막화로 과거 호수였던 지역이 사막으로 변하고 소금으로 뒤덮이게 되어 농경지로 사용할 수 없게 되었다.

15 사헬 지대의 사막화

그래프를 통해 1960년 이후 사헬 지대의 강수량이 감소하여 가뭄이 빈번하게 발생했음을 알 수 있다. 더불어 사헬 지대는 인구의 급격한 증가로 숲과 초지가 주거지 및 경작지로 바뀌고, 가축의 수도 증가하면서 초원이 점차 사라지게 되었다. 따라서 (나) 시기는 (가) 시기보다 인근 주민의 영양 상태 위험도가 높고, 난민 발생 수가 많으며, 토양의 비옥도가 낮다. 이는 그림의 B에 해당한다.

16 사막화 피해를 줄이기 위한 대책

사막화가 빠르게 진행 중인 지역에서는 사막화 방지를 위해 지나친 방목과 경작을 규제해야 한다. 특히 건조 지역의 재래종 풀은 건조함과 바람을 극복하기 위해 뿌리를 깊게 내려 토양을 보존하도록 진화해 왔다. 따라서 재래종 풀을 보존하면 사막화 피해를 줄이는 데 도움이 된다. 또한 연료용 목재 채취 감소를 위한 태양광 시설 보급 등의 노력을 해야 한다.

▮ 바로 알기 ▮ 갑. 대규모 농경지와 목장을 조성하면 사막화를 더욱 심화시킨다. 정. 밀은 뿌리가 얕아 바람과 물에 의한 토양 침식을 막지 못하고, 토양 속 양분을 소비만 하기 때문에 지속적인 농업을 어렵게 한다.

VI. 유럽과 북부 아메리카

01 주요 공업 지역의 형성과 최근 변화

STEP 1 핵심 개념 확인하기   156쪽

1 석탄   2 (1) ㄹ (2) ㄱ (3) ㄴ (4) ㄷ   3 (1) 임해 지역 (2) 선벨트
4 산업 클러스터   5 (가) 실리콘밸리, (나) 소피아 앙티폴리스

STEP 2 내신 만점 공략하기   156~158쪽

01 ⑤   02 ②   03 ④   04 ⑤   05 ②   06 ④   07 ②
08 ③

01 유럽의 주요 공업 지역

유럽은 공업 발달 초기에 석탄이 주요 동력 자원으로 이용되면서 전통적 공업 지역은 석탄 산지를 중심으로 발달하였다. 지도에서 A는 루르, 로렌, 자르 등 유럽의 전통 공업 지역을 표시한 것으로, 원료 산지를 중심으로 공업이 발달한 지역임을 알 수 있다. 석탄 산지에 형성된 공업 지역은 많은 양의 석탄을 광산에서 공장까지 옮기는 데 드는 운송비를 최소화할 수 있었다.

바로 알기 ① 표시된 지역은 모두 대도시 지역으로 볼 수 없다. ②, ③, ④ 첨단 산업에 해당하는 내용이다.

02 유럽의 주요 공업 지역

자료 분석

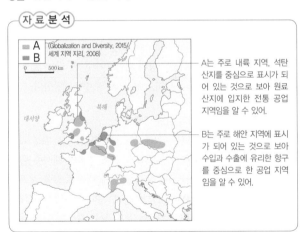

A는 주로 내륙 지역, 석탄 산지를 중심으로 표시가 되어 있는 것으로 보아 원료 산지에 입지한 전통 공업 지역임을 알 수 있어.

B는 주로 해안 지역에 표시가 되어 있는 것으로 보아 수입과 수출에 유리한 항구를 중심으로 한 공업 지역임을 알 수 있어.

A는 원료(석탄, 철광석) 산지를 중심으로 발달한 전통 공업 지역이며, B는 원료의 수입과 제품의 수출에 편리한 해안 지역을 중심으로 형성된 공업 지역이다. ㄱ. 유럽의 전통 공업 지역은 석탄, 철광석과 같은 자원이 공업 발달의 주요한 요인이었다. ㄷ. 공업 지역의

성립 시기는 A가 B보다 이르다.

바로 알기 ㄴ. B는 해외 원료 수입을 위해 공업이 이전되어 형성된 지역이므로 내륙 수운의 이용률이 높지 않다. ㄹ. B는 석유나 철광석의 수입과 수출에 유리한 항구를 중심으로 한 공업 지역으로, 첨단 산업 지역으로 보기 어렵다.

03 유럽 공업 지역의 변화

일찍부터 석탄 산지를 중심으로 발달하였던 서부 유럽의 전통적인 공업 지역은 석탄이 고갈되고 새로운 에너지원으로 석유가 중요해지면서 점차 쇠퇴하였다. 20세기 이후 대량의 원료와 제품의 수송이 편리한 내륙 수로 연안과 원료의 수입과 제품의 수출에 유리한 해안 지역이 새로운 공업 지대로 등장하였다. 영국의 미들즈브러, 프랑스의 됭케르크, 네덜란드의 로테르담, 독일의 라인강 주변 공업 지역은 내륙 수로나 해안에 새롭게 발달한 대표적인 공업 지역이다.

04 유럽의 첨단 산업 지역

지도에 표시된 케임브리지 사이언스 파크, 소피아 앙티폴리스, 시스타 사이언스 파크 등은 유럽의 대표적인 첨단 산업 지역이다. 1980년대 이후 철강, 제철, 자동차 산업 등 중화학 공업이 아시아, 중앙 및 남아메리카의 신흥 공업국으로 이동함에 따라 유럽 공업 지역에서 첨단 산업을 육성하기 시작하였다. 이에 따라 고급 인력을 확보할 수 있는 대학과 연구소, 쾌적한 환경 등을 바탕으로 첨단 산업 클러스터가 형성되고 있다.

바로 알기 ①, ④ 풍부한 자원(철광석과 석탄)을 배경으로 중화학 공업이 발달한 곳은 유럽의 전통 공업 지역인 독일의 루르, 프랑스의 로렌, 영국의 랭커셔 및 요크셔 공업 지역 등이다. 이들 지역은 산업 혁명 이후부터 발달한 공업 지역으로 역사가 오래되었다. ② 시장 지향 공업이 발달한 지역은 런던, 파리 등 대도시를 배경으로 발달한 공업 지역이다. ③ 적환지를 이점으로 하는 대규모 공업 단지가 조성된 곳은 라인강 등의 주요 하천 연안과 대서양 연안에 발달하였다.

완자 정리 노트	유럽의 첨단 산업 지역의 성장
원인	새로운 지식과 기술 창출을 통한 산업 경쟁력 강화
입지	• 기업, 대학, 연구소 등이 근접 입지하여 협력하는 첨단 산업 클러스터 형성, 고급 인력 확보와 쾌적한 환경을 바탕으로 함 • 정보 통신 기술, 생명 공학, 우주 항공 산업 등이 발달 • 영국의 케임브리지 사이언스파크, 프랑스의 소피아 앙티폴리스, 스웨덴의 시스타 사이언스시티, 핀란드의 오울루 테크노폴리스 등

05 북부 아메리카의 공업 지역

미국의 오대호 연안 공업 지역은 설비 노후화, 해외 자원 의존도 증가, 산업 구조 변화 등으로 쇠퇴하였고 최근 미국 남부 지역, 태평양 연안의 선벨트 지역을 중심으로 첨단 산업이 발달하고 있다. 이 지역은 온화한 기후, 풍부한 석유와 천연가스, 풍부한 노동력, 각종 세금 혜택 등으로 첨단 산업이 입지하기에 유리하다. 태평양 연안의 공업 지역(A)은 샌프란시스코와 로스앤젤레스를 중심으로

항공, 영화, 컴퓨터 관련 산업이 발달하였다. 멕시코만 연안 공업 지역(F)에서는 석유 화학 및 항공·우주 산업이 발달하였다.

‖ **바로 알기** ‖ B는 중서부 공업 지역, C는 오대호 연안 공업 지역, D는 뉴잉글랜드 공업 지역, E는 중부 대서양 연안 공업 지역이다.

06 오대호 연안 공업 지역

C는 오대호 연안 공업 지역으로, 이 지역은 메사비 광산의 철광석과 애팔래치아 탄전의 석탄, 오대호의 수운, 저렴하고 풍부한 노동력 등을 바탕으로 발달하였다. 시카고, 디트로이트, 피츠버그를 중심으로 중화학 공업이 발달하였다.

‖ **바로 알기** ‖ ㄱ. 신흥 공업 국가들의 제조업 성장으로 오대호 연안 공업 지역은 경쟁력이 약화되었다. ㄷ. 뉴잉글랜드 공업 지역에 대한 설명이다.

완자 정리 노트 　북부 아메리카의 주요 공업 지역

뉴잉글랜드 공업 지역	북부 아메리카에서 가장 먼저 공업 발달, 유럽과의 지리적 인접성, 이민자들의 저렴한 노동력 등을 바탕으로 공업 발달
오대호 연안 공업 지역	메사비 광산의 철광석과 애팔래치아 탄전의 석탄, 오대호의 편리한 수운, 저렴하고 풍부한 노동력 등을 바탕으로 성장
멕시코만 연안 공업 지역	휴스턴은 항공·우주 산업 발달, 텍사스주 일대는 석유 화학 공업 발달
태평양 연안 공업 지역	항공, 영화, 컴퓨터 관련 산업 발달, 샌프란시스코의 실리콘밸리에 세계적인 첨단 산업 단지 조성

07 북부 아메리카의 주요 공업 지역

공업화 초기에는 유럽과 가깝고 노동력이 풍부한 대서양 연안의 뉴잉글랜드 지역을 중심으로 공업이 발달하였다. 이후 자본과 기술이 축적되어 중화학 공업이 발달하면서 자원이 풍부하고 수운을 이용할 수 있는 시카고, 디트로이트 중심의 오대호 연안이 주요 공업 지역으로 성장하였다. 그러나 원료 자원의 해외 의존도 심화, 동아시아 신흥 공업국들의 자동차 공업 발달 등으로 인해 산업 경쟁력이 약화되면서 중화학 공업의 성장이 지체되고 있다. 최근 석유가 풍부하고 쾌적하고 온화한 기후가 나타나는 텍사스주, 애리조나주 등 멕시코만 연안 지역과 캘리포니아주 등의 태평양 연안 지역에서 우주 항공, 전자 기기, 생명 공학 등의 첨단 산업이 발달하고 있다. 이들 지역은 따뜻한 날씨 때문에 선벨트 지역으로 불린다.

‖ **바로 알기** ‖ ② 오대호 연안 지역은 제조업이 쇠퇴하면서 러스트벨트로 전락하였다.

08 미국의 첨단 산업 지역

지도에 표시된 지역은 미국 캘리포니아주에 있는 실리콘밸리로, 실리콘 반도체를 제조하는 업체가 많이 모여 있다. 실리콘밸리에는 반도체, 컴퓨터, 정보 통신 기술 산업 등이 발달한 세계적인 첨단 산업 단지가 조성되어 있다. 첨단 산업은 자본 및 연구 개발에 필요한 고급 기술 인력이 필요하고, 관련 업종 간 정보 교류가 활발히

이루어진다. 또한 대학과 연구 시설, 기업의 연계가 중요하며, 중앙 정부나 지방 자치 단체의 정책적 지원이 활발하다.

‖ **바로 알기** ‖ ③ 첨단 산업은 기술력으로 경쟁하기 때문에 단순 노동력보다 고급 기술 인력의 확보가 중요하다.

서술형 문제
158쪽

01 **주제:** 유럽 전통 공업 지역의 입지 변화

(1) 석탄, 철광석 등 주요 자원 매장지

(2) **예시 답안** 오랜 채굴에 따른 석탄 및 철광석의 고갈, 채광 시설의 노후화에 따른 채굴 비용의 상승, 석유·천연가스와 같은 새로운 에너지 자원의 이용 등

채점 기준

상	전통 공업 지역이 쇠퇴한 원인 세 가지를 정확하게 서술한 경우
중	전통 공업 지역이 쇠퇴한 원인을 두 가지만 서술한 경우
하	전통 공업 지역이 쇠퇴한 원인을 한 가지만 서술한 경우

02 **주제:** 미국 공업 지역의 변화

예시 답안 설비의 노후화, 해외 자원 의존도 증가, 산업 구조 변화 등으로 제조업이 침체하기 시작하였고, 동아시아 신흥 공업 국가들이 급성장하면서 북동부 지역의 공업 경쟁력이 약화되었다. 이 과정에서 북동부 중화학 공업 지역은 점차 쇠퇴하였고, 남부 및 남서부의 선벨트를 중심으로 첨단 산업이 성장하였기 때문이다.

채점 기준

상	설비의 노후화, 해외 자원 의존도 증가, 신흥 공업 국가의 성장 등을 언급하고 선벨트 지역으로 공업 중심이 이동해 첨단 산업이 발달하였음을 정확하게 서술한 경우
중	제조업 침체 원인을 한 가지만 서술하고 선벨트 지역으로 공업 지역이 이동하였다고 서술한 경우
하	북동부 지역에서 남서부 지역으로 공업 지역이 이동했다고만 서술한 경우

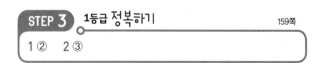

STEP 3 　**1등급 정복하기**
159쪽

1 ②　2 ③

1 유럽의 주요 공업 지역

A는 석탄·철광석 등 자원이 풍부한 원료 자원 산지를 중심으로 발달한 전통 공업 지역이다. B는 영국의 케임브리지 사이언스 파크, 프랑스의 소피아 앙티폴리스 등 첨단 산업이 발달한 지역이다.

C는 원료 수입과 제품 수출에 유리하고 교통이 편리한 지역을 중심으로 발달한 새로운 공업 지역이다. ① A는 주로 탄전이나 철광석 산지를 중심으로 철강 공업 등 중화학 공업이 발달하였다. ③ 영국의 카디프와 미들즈브러, 프랑스의 됭케르크 등은 임해 지역을 중심으로 공업 지역이 형성되어 있다. ④ 첨단 산업은 지식과 정보, 기술의 활용이 중요한 산업이다. ⑤ 공업 지역의 성립 시기는 A-C-B 순서로 오래되었다.

바로 알기 ② B는 첨단 산업 지역으로, 첨단 산업은 기술 집약도가 높아 관련 산업에 기술 파급 효과가 크고 부가 가치가 높은 산업이다. 자원 고갈과 시설 노후화로 쇠퇴하고 있는 지역은 A이다.

완자 정리 노트 유럽의 주요 공업 지역

전통 공업 지역	석탄 산지와 철광석 산지에 원료 지향형 공업 발달
중화학 공업 지역	임해 지역에 새로운 중화학 공업 지역 형성
첨단 산업 지역	전문 기술 인력이 풍부하고 연구소와 대학이 밀집한 지역에 형성

2 북부 아메리카의 공업 지역

(가)는 오대호 연안 공업 지역, 뉴잉글랜드 공업 지역이며, (나)는 태평양 연안 공업 지역, 멕시코만 연안 공업 지역이다. (가)는 원료 산지를 중심으로 중화학 공업이 발달하였으며, (나)는 선벨트를 중심으로 기술 집약적인 첨단 산업이 발달하였다. 첨단 산업은 중화학 공업에 비해 공업 발달 시기가 오래되지 않았으며, 부가 가치가 높은 제품을 생산하기 때문에 운송비의 비중이 높지 않다. 그리고 고도의 지식과 기술이 필요하므로 연구 개발비의 비중이 높다. 따라서 그래프에서 C가 답이 된다.

STEP 1 핵심 개념 확인하기   164쪽

1 (1) ㄷ (2) ㄱ (3) ㄴ   **2** (1) 도심 (2) 도심 재활성화   **3** (1) ⓒ – (2) – ㉠   **4** 유럽 공동체(EC)   **5** (1) 프랑스어 (2) 네덜란드어 (3) 카탈루냐

STEP 2 내신 만점 공략하기   164~167쪽

01 ②	02 ①	03 ③	04 ②	05 ③	06 ④	07 ②
08 ⑤	09 ③	10 ②	11 ②	12 ③		

01 세계 도시의 특징

지도에 표시된 도시들은 국제적인 교통·통신망의 허브 기능을 하고 있는 세계 도시들이다. 세계 도시는 세계 경제, 정치, 문화의 중심지 역할을 수행하며 다양한 분야에서 세계적인 영향력을 갖는다.

바로 알기 ① 다국적 기업의 본사의 수가 많다. ③ 지도에 표시된 유럽과 북부 아메리카의 도시들은 일찍부터 공업이 발달하여 도시가 성장하였다. ④ 지도에 표시된 세계 도시들은 정보 통신, 금융, 첨단 산업 등이 발달해 산업 구조가 고도화되었다. ⑤ 소비자 서비스업보다 생산자 서비스업의 비중이 더 높다.

02 유럽 주요 도시의 특징

'산업 혁명이 시작된 국가의 수도', '세계적인 금융 허브'라는 문구를 통해 런던임을 알 수 있다. 런던은 항공 교통의 중심지이자 금융의 중심지이며, 뉴욕·도쿄 등과 함께 최상위 세계 도시에 속한다.

바로 알기 B는 브뤼셀, C는 파리, D는 마드리드, E는 로마이다.

03 유럽과 북부 아메리카의 도시 경관

자료 분석

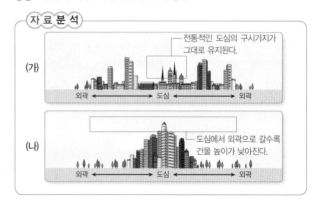

(가)는 프랑스 파리, (나)는 미국 필라델피아의 도시 경관을 보여주는 그림이다. 프랑스 파리는 도시 중심부에 개선문, 노트르담 대성당

등의 역사적인 건축물이 많이 남아 있다. 또한, 도심 외곽 지역에 현대적인 건축물들이 들어서 있는 특징을 보인다. 미국 필라델피아는 전형적인 미국 도시로 도시의 중심부에는 상업 및 업무 기능이 집중되어 있고, 외곽으로 갈수록 접근성과 지대가 낮아진다. 유럽의 도시인 (가)가 북부 아메리카의 도시인 (나)보다 발달 역사가 더 오래되었다.

바로 알기 ③ (나) 도시의 중심부에는 중앙 행정 기관, 대기업 본사, 백화점 등 고급 서비스업 및 상업·업무 기능이 집중되어 있다.

04 미국의 주요 도시 특징

제시문에서 설명하는 도시는 미국의 시카고이다. 시카고는 동부의 제조업 지대와 서부의 농목업 지대를 연결하는 관문의 역할을 담당하며 교통의 요충지로 성장하였다. 접근성이 높은 호수 주변에 중심 업무 지구(CBD)가 형성되었고, 교통망이 확대되면서 점차 시가지가 확대되었다. 시카고는 도시가 도심을 중심으로 동심원 모형으로 성장하는 대표적인 지역이다.

바로 알기 ㄴ. 월가를 중심으로 세계 경제의 중심을 이루고 있는 도시는 뉴욕이다. ㄷ. 중심 업무 지구 주변에는 주로 저급 주택지가 위치하고 고급 주택지는 쾌적한 주거 환경을 찾아 도시 외곽에 주로 형성되었다.

05 도시 내부 구조

도시가 성장할수록 도시의 기능들이 분리되는 현상을 도시 내부 구조의 공간 분화 또는 지역 분화라고 한다. 따라서 ㉠은 공간 분화 또는 지역 분화이다. 도시에서 접근성과 지대가 가장 높은 곳은 도심이며, 중심 업무 지구가 나타난다. 중심 업무 지구 외곽에는 저급 주택 지구와 공업 기능이 섞인 중간 지대가 나타난다. 일부 도시에서는 낙후된 도심을 고급 주택 단지나 상업·문화 시설 등으로 개발하는 도심 재활성화 현상이 나타나기도 한다.

바로 알기 ③ 도심은 업무용 고층 빌딩이 밀집되어 있고 상주인구가 적기 때문에 인구 공동화 현상이 나타난다.

06 북부 아메리카의 도시 내부 구조

제시된 자료는 뉴욕의 시가지를 나타낸 지도이다. 뉴욕의 도시 내부는 상업 지구와 업무 지구, 주거 지구 등으로 기능의 분화가 뚜렷하게 나타나며, 특히 도시 중심에는 월가를 중심으로 금융 기관, 증권 거래소 등이 발달하고 있다. 뉴욕은 다양하고 많은 이민자들이 모여 사는 도시로 이들 이민자들은 민족별로 모여 거주지를 형성하여 민족별 거주지 분리 현상이 나타난다.

바로 알기 ㄹ. 런던, 파리와 같은 유럽의 도시에 대한 설명이다.

07 유럽 연합의 발달 과정

① 유럽 석탄 철강 공동체(ECSC)의 가입국은 벨기에, 네덜란드, 룩셈부르크, 프랑스, 이탈리아, 독일이다. 제2차 세계 대전에서 큰 피해를 입었던 이들 국가들은 경제 발전을 위해 전쟁의 위기와 긴장 극복이 중요하였다. ③ 유럽 연합(EU)은 단순한 경제적 통합만으로는 해결할 수 없는 환경 문제, 지역 문제, 사회 문제 등을 해결

하기 위해 정치적 통합까지 추구하며, 유럽 연합 국기와 국가를 만들었다. ④ 유럽 연합(EU) 시민들은 국경을 넘을 때 입국 심사가 필요 없기 때문에 역내 다른 국가로의 이동이 용이해졌다. ⑤ 근래 유럽 연합(EU)에 가입한 국가들은 서부 유럽 국가에 비해 인건비가 저렴하다. 또한, 이 지역에서 생산된 공산품을 유럽 연합 내 다른 서부 유럽 국가에 수출할 때 관세 조건이 유리하여 외국인의 투자가 증가하였다.

바로 알기 ② 유로화를 단일 통화로 사용하는 국가를 유로존이라고 하는데, 유럽 연합 가입의 전제 조건은 아니다. 유럽 연합 국가들 중 덴마크, 스웨덴 등은 유로화를 사용하지 않고 있다.

08 유럽 연합과 북아메리카 자유 무역 협정

지도에 표시된 (가)는 유럽 연합, (나)는 북아메리카 자유 무역 협정이다. 유럽 연합은 경제 및 정치 공동체로, 단일 화폐를 사용하고 역내 노동력, 자본, 상품, 서비스 등의 이동을 자유롭게 하였다. 북아메리카 자유 무역 협정은 미국, 캐나다, 멕시코 간 자유 무역과 경제 통합을 목적으로 관세와 무역 장벽을 폐지하였다. 협력체 결성 역사는 유럽 연합이 북아메리카 자유 무역 협정보다 오래되었다.

바로 알기 ⑤ 경제 및 정치적 통합은 유럽 연합에만 해당된다.

09 북아메리카 자유 무역 협정

도표에서 무역액이 가장 많은 A는 미국, 그 다음으로 많은 B는 캐나다, C는 멕시코이다. 북아메리카 자유 무역 협정 시행 이후에 미국, 캐나다, 멕시코 간 역내 무역액은 꾸준히 증가하고 있다. ㄴ. 캐나다의 미국, 멕시코와의 무역액은 수치가 증가한 것으로 보아 무역 규모가 커졌음을 알 수 있다. ㄷ. 멕시코는 대미 무역 수지 흑자폭(646-488)이 세 국가 중 가장 크게 증가하였음을 알 수 있다.

바로 알기 ㄱ. 미국은 멕시코, 캐나다와의 무역액이 2015년에 증가하였으나 두 국가로부터의 수입액이 수출액보다 더 많아 무역 적자폭이 증가하였음을 알 수 있다.

10 유럽의 분리 독립운동

A는 벨기에의 플랑드르 지역으로 네덜란드어를 사용하며, 남부의 프랑스어를 사용하는 왈로니아 지역과의 갈등으로 분리 독립의 목소리가 높다. B는 이탈리아의 파다니아 지역이다. 이 지역은 제조업이 발달하여 소득 수준이 높아 남부 지역과의 경제적 차이로 분리 독립을 주장하고 있다.

11 유럽의 분리 독립운동

(가)는 영국의 스코틀랜드(A)에 대한 설명이다. 잉글랜드는 앵글로색슨족이 대부분이지만 스코틀랜드는 켈트족 다수이며, 게일어를 사용하고 있다. 이러한 독자적인 민족과 종교로 인해 이 지역은 분리 독립의 요구가 높다. (나)는 에스파냐의 카탈루냐(D) 지역에 대한 설명이다. 카탈루냐 지역 역시 주류인 에스파냐와 다른 문화 정체성을 갖고 있어 분리 독립을 요구하고 있다. 이 지역에는 카탈루냐인들이 살고 있으며, 카탈루냐어를 사용한다.

┃ 바로 알기 ┃ B는 벨기에의 플랑드르 지역, C는 에스파냐의 바스크 지역, E는 이탈리아의 파다니아 지역이다.

12 분리 독립운동과 화합

제시된 지도에서 A는 북아일랜드, B는 에스파냐의 카탈루냐, C는 스위스, D는 이탈리아의 파다니아 E는 캐나다의 퀘벡주이다. 다섯 개의 지역 중 유일하게 분리 독립운동이 벌어지지 않는 지역은 스위스이다. 스위스는 독일어, 프랑스어, 이탈리아어, 로망슈어 등 4개의 공용어와 방언이 사용되고 있지만 지방 자치제가 발달해 있어 갈등을 찾아보기 어렵다. 연방 국가인 스위스는 국방, 외교 등 일부를 제외하고는 지방 자치권을 최대로 인정하고 있다.

서술형 문제

167쪽

01 주제: 메갈로폴리스의 특징

(1) 메갈로폴리스

(2) **예시 답안** 거대 도시들이 주변 지역까지 도시 기능이 확장되면서 대도시권이 형성되며, 여러 개의 거대 도시가 연결된 메갈로폴리스가 형성된다.

채점 기준

상	도시 기능의 확장, 대도시권, 도시 연결 등의 용어를 사용해 정확하게 서술한 경우
하	여러 개의 도시가 연결되었다고만 간단히 서술한 경우

02 주제: 런던의 도시 내부 구조의 특징

예시 답안 런던은 도시화의 역사가 오래되어 과거에 만들어진 건축물이 도심의 핵심 지역에 있으며, 시가지의 범위가 좁고 토지 이용이 집약적이다.

채점 기준

상	도시화의 역사, 시가지의 범위, 토지 이용의 집약도 측면에서 모두 서술한 경우
중	도시화의 역사, 시가지의 범위, 토지 이용의 집약도 측면 중 두 가지만 서술한 경우
하	도시화의 역사, 시가지의 범위, 토지 이용의 집약도 측면 중 한 가지만 서술한 경우

STEP 3 1등급 정복하기

168~169쪽

1 ③   2 ⑤   3 ④   4 ⑤

1 유럽과 북아메리카 주요 도시의 특징

(가)는 '센강을 중심으로 역사적 건축물과 미술품이 많아 세계의

문화와 예술의 중심지로 불린다'라는 부분에서 프랑스 파리(B)임을 유추할 수 있다. (나)는 '오대호와 미시시피강을 연결하는 거점 도시'라는 부분에서 미국 시카고(C)임을 유추할 수 있다.

┃ 바로 알기 ┃ A는 항공 교통의 중심지이자 금융의 중심지인 영국 런던, D는 세계 경제의 중심지이자 정치적 중심지이기도 한 미국 뉴욕이다.

2 선진국과 개발 도상국의 도시화

대도시 낙후 지역이 재개발된 이후에 고소득층 인구와 중산층을 중심으로 도심부로 다시 유입하는 재도시화는 선진국의 도시에서 주로 볼 수 있는 현상이다. 따라서 ㉠은 선진국이다. 도시 기반 시설에 비해 지나치게 많은 인구가 도시로 집중되어 발생하는 과도 시화 현상은 개발 도상국의 도시에서 주로 볼 수 있는 현상이다. 따라서 ㉡은 개발 도상국이다. 생산자 서비스업은 기업의 본사가 입지한 선진국에서 발달해 있으므로 선진국에서 높게 나타나고, 도시 기반 시설의 공급 정도는 산업이 일찍부터 발달한 선진국에서 높게 나타나고, 1인당 국내 총생산도 인구 수 대비 국내 총생산 규모가 큰 선진국에서 높게 나타난다. 따라서 그래프에서 E가 답이 된다.

3 북아메리카 자유 무역 협정의 회원국별 특징

(가)는 역외 국가로의 수출이 67.1%로 가장 많고, 1인당 국내 총생산이 가장 높으므로 미국이다. (나)는 (다)에 비해 1인당 국내 총생산이 훨씬 높으므로 (나)가 캐나다, (다)가 멕시코이다. ㄴ. (가)는 (나)로의 수출 비중이 18.9%, (다)로의 수출 비중이 14%이다. 따라서 (가)는 (나)로의 수출액 비중보다 (다)로의 수출액 비중이 더 적다. ㄹ. (나)와 (다)는 (가)에 대한 수출액 비중이 각각 74.5%, 77.6%으로 매우 높다. 이는 미국에 대한 수출 의존도가 높다는 것을 의미한다.

┃ 바로 알기 ┃ ㄱ. 미국은 회원국 중 역외 국가에 대한 수출 비중이 가장 높다. 역내 국가에 대한 수출 비중이 가장 높은 국가는 역외 국가에 대한 수출 비중이 가장 낮은 멕시코이다. ㄷ. 미국과 캐나다는 앵글로아메리카에 속하고, 멕시코는 라틴 아메리카에 속한다.

4 세계의 분쟁 지역

벨기에는 북부의 네덜란드어를 사용하는 지역과 남부의 프랑스어를 사용하는 지역 간 갈등이 발생하고 있다. 또한 플랑드르 지역에는 부가 가치가 높은 산업이 발달한 반면, 왈로니아 지역은 농업과 광산업 중심이어서 두 지역 간 경제적 격차가 커져 갈등이 심화되고 있다. 지도에서 캐나다의 퀘벡주(E)는 영어를 사용하는 다른 지역과 달리 프랑스어를 사용하면서 프랑스 문화를 유지하고 있으며, 분리 독립을 주장하고 있다.

┃ 바로 알기 ┃ ① A는 북아일랜드 지역으로 개신교와 가톨릭교의 갈등이 발생하고 있다. ② B는 카스피해로 석유와 천연가스를 두고 인접 국가들끼리 갈등이 발생하고 있다. ③ C는 팔레스타인 지역으로 유대교와 이슬람교 간의 갈등이 발생하고 있다. ④ D는 난사 군도로 중국, 타이완, 필리핀, 브루나이, 말레이시아, 베트남 간 영유권 분쟁이 벌어지고 있다.

대단원 실력 굳히기
172~175쪽

01 ②	02 ⑤	03 ③	04 ④	05 ③	06 ②	07 ①
08 ④	09 ④	10 ①	11 ⑤	12 ③	13 ④	14 ③
15 ③	16 ③					

01 유럽의 주요 공업 지역

지도의 공업 지역 중에서 과거 석탄 산지였던 지역은 B이다. 이 지역은 독일의 루르 공업 지역으로, 과거 유럽의 중심 공업 지역이었으나 석유와 철광석 등 해외 자원 의존도가 높아지면서 북해 연안 지역으로 공업의 이전이 이루어졌다.

┃ 바로 알기 ┃ ① A는 스웨덴의 시스타 사이언스 시티 지역으로, 첨단 산업이 발달하였다. ③ C는 에스파냐의 빌바오이며, 철광석 산지로 철강 공업이 발달한 지역으로 신흥 공업 지역이다. ④ D는 프랑스의 소피아 앙티폴리스로 첨단 산업이 발달하였다. ⑤ E는 제3이탈리아로, 패션·의류 산업이 발달하였다.

02 유럽의 공업 지역

지도에서 A는 원료 산지를 중심으로 한 전통적인 공업 지역, B는 최근 발전이 두드러지고 있는 첨단 기술 산업 지역이다. 그래프에서 ㉠은 전통적인 공업 지역에서 높은 항목이다. ㉡은 첨단 기술 산업이 발달한 신흥 공업 지역에서 높은 항목이다. 전통적인 공업 지역은 첨단 기술 산업 지역에 비해 상대적으로 공업 지역 형성 시기가 이르고, 총운송비에서 원료 운송비가 차지하는 비중이 높다. 반면 첨단 기술 산업 지역은 전통적인 공업 지역에 비해 상대적으로 주요 생산품의 부가 가치가 높게 나타난다.

03 미국의 공업 지역 변화

제2차 세계 대전 이후 동아시아 신흥 공업국의 성장으로 미국의 공업 지역이 북동부 지역에서 남서부의 선벨트(sun belt) 지역으로 이동하기 시작하였다. 선벨트는 노스캐롤라이나 주에서 남부 캘리포니아에 이르는 북위 37° 이남의 지역을 말한다. 이 지역은 온난하고 쾌적한 기후, 풍부한 석유 자원, 값싼 노동력, 넓은 공업 용지, 각종 세금 혜택 등 유리한 조건을 갖추고 있어서 많은 기업들이 이곳으로 이동하고 있다.

┃ 바로 알기 ┃ ③ 석탄 자원이 아니라 주변의 석유 자원이 기업 활동에 유리한 원인으로 작용하고 있다.

04 미국의 주요 공업 지역

미국의 주요 공업 지역은 (가) 태평양 연안 지역, (나) 멕시코 만 연안 지역, (다) 오대호 연안 및 대서양 연안 지역이다. ① 태평양 연안 공업 지역은 샌프란시스코의 실리콘밸리를 중심으로 세계적 규모의 첨단 산업 단지가 조성되었다. ② 멕시코만 연안의 휴스턴에는 미국 항공 우주국(NASA)이 있으며, 텍사스주 일대는 풍부한 석유를 바탕으로 석유 화학 공업이 발달하고 있다. ③ 러스트벨트는 미국 제조업의 중심지였으나 제조업의 쇠퇴로 쇠락한 미국 북동부 지역의 공장 지대를 말한다. 최근 이 지역에서는 기존 산업과 연관된 신산업 및 지식 산업을 육성하고 있다. ⑤ 오대호 연안 및 대서양 연안 공업 지역은 전통적으로 중화학 공업이 발달한 지역이고, 태평양 연안 공업 지역은 첨단 산업이 발달한 지역이므로 공업의 발달 역사는 (다)가 (가)보다 오래되었다.

┃ 바로 알기 ┃ ④ 미국에서 자동차 공업은 멕시코 만 연안의 공업 지역보다 오대호 연안 및 대서양 연안 공업 지역에서 더 발달해 있어 (다)가 (나)보다 자동차 공업의 집중도가 높다.

05 유럽과 북아메리카의 주요 공업 지역

A는 네덜란드의 로테르담 공업 지역, B는 독일의 루르 공업 지역, C는 미국의 태평양 연안 공업 지역, D는 오대호 연안 및 대서양 연안 공업 지역이다. ㄴ. B는 석탄, 철광석 산지를 중심으로 형성된 공업 지역으로, C에 비해 대기 오염 물질 배출량이 많다. ㄷ. C는 미국의 태평양 연안 공업 지역으로 북동부 지역에 비해 공업 지역의 형성 시기가 늦다. 미국의 공업 지역은 북동부 중화학 공업 지역에서 남서부의 선벨트 지역으로 공업 지역이 이동하고 있다.

┃ 바로 알기 ┃ ㄱ. B는 A에 비해 풍부한 지하자원을 바탕으로 성장하였다. ㄹ. 연구 개발비의 비중이 큰 산업은 첨단 산업이다. C는 D에 비해 첨단 산업이 발달하였다.

06 선진국의 도시 내부 구조 이론

선진국의 도시 내부 구조를 설명하는 모델로 동심원 모델, 선형 모델, 다핵심 모델, 도시 권역 모델 등이 있다. (가)는 동심원 모델로, 도시 내부에서 외곽으로 갈수록 중심 업무 지구, 점이 지대, 주택 지대가 원형으로 분화되어 나타난다. (나)는 선형 모델로, 도심에서 도시 주변으로 방사상으로 뻗어 나가는 교통로나 하천을 따라 사회 계층별 주거지가 부채꼴로 분화되어 나타난다.

┃ 바로 알기 ┃ 을. 여러 개의 핵을 중심으로 도시의 토지 이용이 나타나는 것은 다핵심 모델이다. 병. 교통의 발달과 대도시권의 형성에 따라 변화한 선진국의 도시 내부 구조는 선형 모델보다는 도시 권역 모델로 설명하기에 적합하다.

07 세계 도시

생산자 서비스업은 다국적 대기업들이 밀집해 있는 최상위 세계 도시가 하위 세계 도시보다 더 많이 발달해 있다. 그리고 다국적 기업의 본사 수는 최상위 세계 도시가 하위 세계 도시보다 더 많다. 뉴욕, 런던, 도쿄와 같은 최상위 세계 도시는 공간적으로 멀리 떨어져 있으나 하위 세계 도시는 수가 많기 때문에 최상위 세계 도시에 비해서는 가깝게 분포하고 있다. 따라서 가장 인접한 동일 계층 세계 도시와의 거리는 최상위 세계 도시가 하위 세계 도시보다 멀다. 따라서 그림에서 A가 답이 된다.

08 도시 내부 구조

(가)는 런던의 내부 구조, (나)는 뉴욕의 내부 구조를 나타낸 것이다.

런던 도심에는 다국적 기업의 본사, 금융 기관, 문화 시설 등이 입지해 있어 토지를 집약적으로 이용한다. 뉴욕은 최근 교외화가 활발히 진행되면서 상업 기능, 주거 기능 등이 외곽 지역으로 확산되고 있으며, 이민자의 비율이 높아 민족별 거주지 분리 현상이 나타난다.

‖ 바로 알기 ‖ ④ 뉴욕은 런던보다 도로의 평균 폭이 넓다. 런던은 역사가 오래된 유럽의 도시로 과거에 만들어진 건축물이 있고, 건물들 사이로 오래 전에 만들어진 좁은 도로가 있다.

09 뉴욕 맨해튼의 인구 변화
제시된 그래프에서 (가) 시기에 뉴욕 맨해튼 인구가 감소한 이유는 지하철 등 대중교통 수단이 발달하면서 도심의 인구가 외곽으로 빠져나가는 교외화 현상이 나타났기 때문이다. 1990년대 이후에는 도심 재활성화 등으로 인구가 유입되어 다시 증가 추세를 보이고 있다.

10 유럽 여러 국가의 특징
(가)는 산업 혁명의 중심지였으며 카나리워프와 연관 있는 국가이므로 영국(A)이다. 런던은 금융 회사들의 진출이 급증하면서 기존 중심지 외에 카나리워프라는 새로운 금융 중심 지구를 개발하였다. (나)는 주요 기구의 본부가 있고, 최근 남북 간의 언어와 경제적 격차로 갈등을 겪고 있는 국가이므로 벨기에(B)이다.

‖ 바로 알기 ‖ C는 에스파냐, D는 이탈리아, E는 그리스이다.

11 유럽의 도시 특성
유럽의 도시는 역사가 오래되어 중세 시대에 형성된 내부 구조가 현대 도시에도 남아 있는 경우가 많다. 그리고 전통적인 도심의 구시가지가 유지되면서 도시 외곽에 새로운 중심지가 만들어지는 경우가 많다. 이에 비해 북부 아메리카는 상대적으로 도시 형성의 역사가 오래되지 않아 지역에 따른 토지 이용의 차이가 비교적 명확하게 나타난다. 유럽의 도시는 도심과 주변 건물의 높이 차가 작고 도심에 역사적인 건축물이 많다.

‖ 바로 알기 ‖ ⑤ 교통이 편리한 교외 지역에 오피스 빌딩, 쇼핑 센터 등이 건설된 교외 도시는 북부 아메리카에 해당되는 내용이다.

12 유럽 연합 가입국
지도에서 A는 독일, 프랑스, 이탈리아 등 1995년까지 가입한 유럽 연합의 기존 회원국이고, B는 폴란드, 루마니아, 불가리아 등 2004년 이후 신규 가입한 국가들이다. C는 노르웨이, 스위스 등 유럽 연합에 가입하지 않은 국가들이다. ③ 기존 회원국은 신규 회원국보다 유럽 연합에 가입한 시기가 이르다.

‖ 바로 알기 ‖ ① 유럽 연합의 기존 회원국들 중에서도 영국, 덴마크, 스웨덴은 유로화가 아닌 자국 화폐를 사용하고 있다. ② 유럽 연합 가입국에만 해당되는 내용이다. ④ 노동력의 이동은 주로 임금 수준이 낮은 신규 가입국에서 임금 수준이 높은 기존 회원국으로 이루어진다. ⑤ 1인당 지역 내 총생산액은 주로 소득 수준이 높은 국가들로 구성된 A국가들에 비해 B국가들의 1인당 지역 내 총생산액이 더 적다.

13 유럽 연합과 북아메리카 자유 무역 협정
(가)는 북아메리카 자유 무역 협정(NAFTA), (나)는 유럽 연합(EU)을 나타낸 것이다. ㄱ. 북아메리카 자유 무역 협정의 체결로 미국, 캐나다, 멕시코 간 관세와 투자 장벽이 철폐되었다. ㄷ, ㄹ. 유럽 연합은 북아메리카 자유 무역 협정보다 지역 경제 협력체의 결성 역사가 길며, 자본·노동력·서비스 등의 자유로운 이동을 보장하고 있다.

‖ 바로 알기 ‖ ㄴ. 유럽 연합의 일부 회원국들은 자국의 화폐를 사용한다.

14 유럽의 분리 운동 지역
지도에 표시된 지역들은 영국의 북아일랜드와 스코틀랜드, 에스파냐의 바스크 지역과 카탈루냐 지역, 벨기에, 구 유고슬라비아의 지역들(보스니아 헤르체고비나, 마케도니아)이다. 이들 지역은 모두 종교나 민족 등 문화의 차이로 인한 분리 독립운동이 나타나고 있다.

‖ 바로 알기 ‖ ① 유럽의 첨단 산업 발달 지역은 영국 남동부, 이탈리아 북동부, 프랑스 남부 등지이다. ② 주변 지역과 기능적으로 연결된 대도시권을 형성하는 것을 메갈로폴리스라 하는데 영국 런던~리버풀 지역, 라인강 하류의 암스테르담~브뤼셀~쾰른 지역 등이 있다. ④ 유럽에서 상류와 하류 국가 간 갈등이 발생하고 있는 지역은 라인강 유역이다. ⑤ 석탄은 영국의 랭커셔 요크셔 지방, 독일의 루르 지방 등이며, 철광석 산지는 프랑스의 로렌 지방 등이다.

15 북부 아메리카 각 지역의 특징
(가) 지역은 캐나다의 퀘벡주, (나) 지역은 미국의 캘리포니아주이다. 태평양 연안에 위치한 캘리포니아 주는 퀘벡주보다 아시아인의 거주 인구 비율이 높고, 유럽인에 의해 개척된 시기가 늦다. 퀘벡주는 캐나다 안의 프랑스라고 불릴 정도로 프랑스어를 사용하는 인구의 비중이 높다. 따라서 캘리포니아주는 퀘벡주보다 프랑스어 사용 인구 비율이 낮다. 그래프에서 C가 답이 된다.

16 유럽의 분쟁 지역
지도에 표시된 (가)는 영국의 북아일랜드, (나)는 벨기에, (다)는 에스파냐의 바스크, (라)는 에스파냐의 카탈루냐, (마)는 이탈리아의 파다니아이다. (가)는 영국과 북아일랜드 사람들의 종교 갈등, 즉 개신교도와 가톨릭교도 간의 갈등이 분쟁의 주요 원인이다. (나)는 벨기에로 플랑드르와 왈로니아의 서로 다른 언어를 사용하는 주민들 간의 갈등이 있다. (라)는 독자적인 언어와 문화를 가진 카탈루냐의 분리 독립운동이 나타나는 곳이며, (마)는 이탈리아 북부와 남부의 경제적 격차에 따른 갈등이 나타나는 곳이다.

‖ 바로 알기 ‖ ③ (다)의 에스파냐 바스크는 서로 다른 민족 간의 분리 독립에 따른 갈등이 있는 곳이다.

VII. 사하라 이남 아프리카와 중·남부 아메리카

01~02 도시 구조의 특징과 도시 문제 ~ 지역 분쟁과 저개발 문제

STEP 1 핵심 개념 확인하기
182쪽

1 ㉠ 에스파냐어 ㉡ 가톨릭교 2 (1) – ㉠ (2) – ㉡ (3) – ㉢ 3 (1)
이슬람교 (2) 아프리카 연합(AU) (3) 종주 도시화 (4) 광장 4 (1) ㄴ
(2) ㄹ (3) ㄱ (4) ㄷ

STEP 2 내신 만점 공략하기
182~185쪽

01 ③ 02 ⑤ 03 ① 04 ② 05 ② 06 ③ 07 ③
08 ④ 09 ④ 10 ③ 11 ② 12 ③

01 중·남부 아메리카의 언어

중·남부 아메리카는 과거 유럽의 식민 지배를 받았던 영향으로 대부분의 국가에 유럽의 언어가 전파되었다. 그 중에서도 남부 유럽의 에스파냐와 포르투갈의 지배를 받아 서쪽의 대부분 지역에서는 에스파냐어를 사용하고, 동쪽의 브라질에서는 포르투갈어를 사용한다. 따라서 A는 에스파냐어, B는 포르투갈어이다.

02 중·남부 아메리카의 민족(인종)과 문화

라틴계 유럽인은 중·남부 아메리카를 식민 지배하면서 부족한 노동력을 보충하기 위해 아프리카에서 많은 노예를 이주시켰다. 이러한 과정을 거치면서 원주민, 유럽인, 아프리카계 간의 혼혈이 이루어졌으며, 다양성이 공존하는 중·남부 아메리카 특유의 문화가 형성되었다. 제시된 지도를 보면 국가별로 민족(인종) 구성이 다양하게 나타나는데, 이중 원주민(인디오)은 멕시코 일부 지역과 안데스 산지에서 거주 비중이 높게 나타난다.

바로 알기 갑. 아프리카계는 유럽계 백인이 중·남부 아메리카에 진출한 이후 노예 무역을 통해 유입되었다. 을. ㉠은 혼혈 인종이다. 중·남부 아메리카에서 경제적으로 최상위 계층을 이루고 있는 인종은 유럽계 백인이다.

03 중·남부 아메리카의 도시 내부 구조

제시된 그림은 중·남부 아메리카의 도시 내부 구조를 나타낸 것이다. 중·남부 아메리카는 선진국에 비해 도시 내부 구조가 뚜렷하게 분화되지 않았으며 도심에 고급 주택 지구가 분포하고 외곽에 불량 주택 지구가 분포하는 등 주거 환경의 양극화가 나타나고 있다. 또한 도심에 불량 주택 지구가 분포하는 북부 아메리카의 도시

구조와 달리, 중·남부 아메리카는 도시 외곽에 저급 주택지와 빈민층이 거주하는 슬럼이 나타난다.

바로 알기 ㄷ. 중·남부 아메리카는 상하수도, 도로와 같은 도시 기반 시설이 잘 갖추어져 있지 않아 삶의 질이 비교적 낮다. ㄹ. 도심 재활성화 사업이 추진되고 있는 곳은 주로 북아메리카, 유럽 등에 위치한 선진국의 도시들이다. 일찍이 산업화가 이루어진 선진국에서는 낙후된 도심을 새로운 상업 공간으로 바꾸려는 도시 재개발 사업이 활발히 이루어지고 있다.

완자 정리 노트 선진국과 개발 도상국의 도시 내부 구조

선진국	개발 도상국
•동심원 구조	•역전된 동심원 구조
•뚜렷한 지역 분화	•불완전한 지역 분화
•도시 외곽에 고급 주택 지구 분포	•도시 외곽에 저급 주택 지구 분포

04 중·남부 아메리카의 도시 성장과 도시 내부 구조

중·남부 아메리카의 도시는 식민 도시를 토대로 발전한 형태가 많다. 식민지 시대에는 광장을 중심으로 고급·중급·저급 주택지가 동심원 형태로 나타났으며, 독립 이후에는 교통로를 따라 상업 지구가 형성되면서 시가지가 확대되었다. 이후 급격한 도시화에 따른 이촌 향도로 도시가 확장되고 외곽 지역에는 빈민촌이 형성되었다. 오늘날에는 도시 중심부에 유럽계 백인이 거주하는 고급 주택 지구가 있으며, 외곽으로 갈수록 원주민이나 아프리카계가 거주하는 저급 주택 지구가 분포한다. 이처럼 중·남부 아메리카 도시에서는 경제적·민족(인종)적 차이에 따라 거주지의 분리가 나타난다.

바로 알기 ② 선진국이 산업 혁명 이후 200년이 넘는 기간에 걸쳐 서서히 도시화가 진행된 것과 달리 중·남부 아메리카는 20세기 중반 이후 급속하게 도시화가 진행되었다.

05 중·남부 아메리카의 도시화

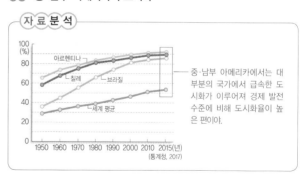

자료 분석

중·남부 아메리카에서는 대부분의 국가에서 급속한 도시화가 이루어져 경제 발전 수준에 비해 도시화율이 높은 편이야.

ㄱ. 브라질은 1950년 이후 급속한 도시화를 거치면서 도시 기반 시설에 비해 지나치게 많은 인구가 도시에 집중하는 과도시화 현상이 나타나고 있다. ㄷ. 2015년 기준 도시 인구 비율이 가장 높은 국가는 도시화율이 약 90%인 아르헨티나이다.

바로 알기 ㄴ. 1950년 칠레의 도시화율은 약 60%로 촌락 인구보다 도시 인구가 많았다. ㄹ. 세 국가의 도시화율이 세계 평균보다 높은 이유는 경제 성장 과정에서 상대적으로 소외된 농촌 지역 주민들이 일자리를 찾아 계속해서 도시로 이주하였기 때문이다.

06 중·남부 아메리카 주요 국가의 도시 구조

(가)는 볼리비아(B)에 대한 설명이다. 안데스 산지에 위치한 수도 라파스는 고소득층을 이루는 백인이 분지 바닥에 조성된 도시 중심부의 고급 주택 지구에 거주하며, 저소득층을 이루는 원주민은 해발 고도가 높은 도시 외곽 지역에 거주한다. (나)는 브라질(C)이다. 포르투갈의 식민 지배를 받은 브라질에는 해안을 중심으로 성장한 도시가 많은데, 도심부에는 중심 업무 지구와 고급 주택 지구가 형성되며, 급경사의 산지 기슭이나 외곽 지역에는 불량 주택 지구인 파벨라가 분포하고 있다.

┃ **바로 알기** ┃ A는 멕시코, D는 아르헨티나이다.

07 중·남부 아메리카의 도시 문제

제시된 자료를 보면 멕시코, 콜롬비아, 아르헨티나 모두 1위 도시의 인구가 2위 도시 인구의 2배 이상 되는 종주 도시화 현상이 나타나고 있다. 중·남부 아메리카는 급속한 도시화를 거치는 동안 수위 도시와 같은 소수의 대도시에 인구와 기능이 과도하게 집중되면서 기반 시설 및 일자리 부족, 불량 주택 지구 확대, 범죄 발생 증가, 교통 혼잡, 환경 오염 등 각종 도시 문제가 발생하였다.

┃ **바로 알기** ┃ ③ 도시 내 일자리가 부족하므로 법의 규제나 보호를 받지 못하고 열악한 노동 환경에서 저임금으로 일하는 비공식 부문의 경제 활동 인구가 증가하였다.

08 아프리카의 국경선 설정

19세기 후반 아프리카 식민지화가 격렬해지면서 유럽 열강은 베를린 회의를 열어 아프리카 분할 협상을 진행하였다. 이 과정에서 아프리카의 민족과 문화 등을 고려하지 않은 채 자신들의 이해관계에 따라 일방적으로 국경선을 설정하였고, 이는 독립 이후 부족 간, 국가 간 갈등 및 내전의 원인이 되었다.

┃ **바로 알기** ┃ ㄱ. 아프리카에 직선으로 된 국경선이 많은 이유는 유럽 열강들의 이익에 따라 인위적으로 설정되었기 때문이다. ㄷ. 베를린 회의에는 유럽 각국 대표와 미국 대표가 참석하였으나, 아프리카 국가 대표는 단 한 명도 참석하지 못하였다.

09 아프리카의 종교 분포

A는 북부 아프리카 및 서남아시아 지역과 인접한 소말리아, 수단 등의 지역에 주로 분포하므로 이슬람교이다. 이슬람교 신자들은 하루에 다섯 번씩 성지인 메카를 향해 예배를 드린다.(ㄷ) B는 유럽인의 식민지 개척 과정에서 아프리카 남부 지역으로 널리 전파된 크리스트교이다.(ㄴ)

┃ **바로 알기** ┃ ㄱ. 다양한 신을 믿는 힌두교에 대한 설명이다. ㄹ. 아프리카에서 자연적으로 발생한 토속 신앙은 외래 종교의 전파로 인해 비중이 작아지기는 했지만, 부족의 일상생활에 여전히 많은 영향을 미치고 있다.

10 남북으로 분리된 수단

수단에서는 북부의 이슬람교를 믿는 아랍인들과 남부의 크리스트교와 토속 신앙을 믿는 원주민들 간의 계속된 갈등으로 내전이 발

생하였으며, 2011년 남수단이 분리·독립하였다. 따라서 (가) 수단에 비해 (나) 남수단은 국제 연합(UN)의 가입 시기가 늦고, 크리스트교 신자 수 비중이 높으며 아랍어 사용 인구 비중은 낮다.

완자 정리 노트   수단과 남수단의 비교

구분	수단	남수단
종교	이슬람교	크리스트교와 토속 신앙
인종	아랍계	아프리카계
언어	아랍어	영어와 각 부족 언어
자원	석유 수출에 필요한 송유관과 항구 보유	구 수단 전체 석유 매장량의 70% 이상 보유

11 사하라 이남 아프리카의 주요 분쟁 지역

(가)는 북부의 이슬람교를 믿는 민족과 남부의 크리스트교를 믿는 민족 간의 종교 분쟁이 발생하고 있는 나이지리아로 지도의 A에 해당한다. 나이지리아는 남부와 북부의 경제적 격차로 분쟁이 더욱 심화되고 있다. (나)는 인종 차별 정책인 아파르트헤이트를 시행하여 국제적으로 큰 비난을 받았던 남아프리카 공화국으로 지도의 D에 해당한다.

┃ **바로 알기** ┃ B는 남수단. C는 르완다이다.

12 사하라 이남 아프리카의 저개발 현황

인간 개발 지수는 유엔 개발 계획(UNDP)에서 평균 수명과 교육 수준, 국민 소득 등을 기준으로 국가별 국민의 삶의 질을 평가한 지표로, 경제 발달 수준이 높은 지역일수록 높게 나타나는 경향이 있다. (나)는 아프리카 지역으로 (가)의 북아메리카 지역에 비해 경제 발달 수준이 낮으므로 빈곤 인구 비율과 영유아 사망률이 높다.

┃ **바로 알기** ┃ ㄱ. 기대 수명은 의료 기술이 발달한 (가)가 (나)보다 높다. ㄹ. 1인당 국내 총생산은 경제 발달 수준이 높은 (가)가 (나)보다 높다.

서술형 문제

185쪽

01 주제: 중·남부 아메리카의 도시화

예시 답안 중·남부 아메리카는 도시화가 급속도로 진행되어 도시화율이 급격히 상승하였으며, 오늘날 도시화율이 80% 이상으로 높게 나타난다. 이와 같이 도시에 많은 인구가 집중하면서 각종 기반 시설 부족, 일자리 부족, 불량 주택 지구 형성, 범죄 증가, 교통 혼잡, 환경 오염 심화와 같은 문제가 나타나고 있다.

채점 기준

상	도시화의 특징과 도시 문제 한 가지를 정확하게 서술한 경우
중	도시화의 특징과 도시 문제 중 한 가지만 정확하게 서술한 경우
하	도시화율이 높다고만 서술한 경우

02 주제: 사하라 이남 아프리카의 저개발 문제

(1) 공업(제조업) 제품

(2) **예시 답안** 아프리카는 원유, 농산물, 광물 등 1차 생산품을 수출하고 부가 가치가 큰 공업 제품을 수입하는 산업 구조가 나타난다. 이러한 산업 구조는 무역을 통해 얻는 이익이 작으며, 국가 경제 상황이 국제 원유 및 농산물 시장의 영향을 크게 받는다는 문제점이 있다.

채점 기준

상	아프리카 무역 구조의 특징과 문제점을 모두 정확하게 서술한 경우
중	아프리카 무역 구조의 특징과 문제점을 썼으나 서술이 미흡한 경우
하	아프리카 무역 구조의 특징과 문제점 중 한 가지만 서술한 경우

STEP 3 1등급 정복하기   186~187쪽

1 ④   2 ④   3 ⑤   4 ②

1 중·남부 아메리카의 인종(민족) 분포와 특성

자료 분석

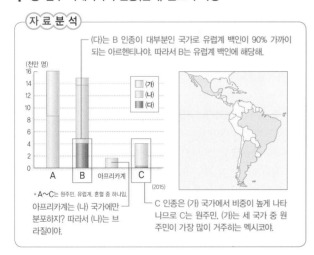

(다)는 B 인종이 대부분인 국가로 유럽계 백인이 90% 가까이 되는 아르헨티나야. 따라서 B는 유럽계 백인에 해당해.

아프리카계는 (나) 국가에만 분포하지? 따라서 (나)는 브라질이야.

C 인종은 (가) 국가에서 비중이 높게 나타나므로 C는 원주민. (가)는 세 국가 중 원주민이 가장 많이 거주하는 멕시코야.

* A~C는 원주민, 유럽계, 혼혈 중 하나임.

지도에 표시된 세 국가는 멕시코, 브라질, 아르헨티나이다. 멕시코는 혼혈과 원주민 위주로 구성되어 있으며, 브라질은 유럽계 백인, 혼혈, 아프리카계 순으로 인구 비중이 높다. 아르헨티나는 대부분 유럽계 백인으로 구성되어 있다. 이에 따라 제시된 그래프를 조합해 보면 (가)는 멕시코, (나)는 브라질, (다)는 아르헨티나, A는 혼혈, B는 유럽계, C는 원주민임을 알 수 있다. ㄴ. 과거 에스파냐의 지배를 받은 멕시코는 에스파냐어, 포르투갈의 지배를 받은 브라질은 포르투갈어를 공용어로 사용한다. ㄹ. 원주민(C)은 유럽계 백인(B)보다 중·남부 아메리카에서의 거주 역사가 길다.

▌바로 알기▐ ㄱ. 유럽계 인구의 비중은 (다) 아르헨티나가 가장 높지만 인구가 가장 많은 국가는 (나) 브라질이다. ㄷ. 브라질은 멕시코보다 전체 인구에서 혼혈이 차지하는 비중이 낮다. 브라질의 혼혈 인구 비중은 약 40%, 멕시코의 혼혈 인구 비중은 약 60%이다.

2 미국과 브라질의 도시 내부 구조

㉠은 미국 오대호 연안에 위치한 대도시인 시카고, ㉡은 2016년 하계 올림픽 개최 도시인 브라질의 리우데자네이루이다. ① 시카고는 도시가 성장하면서 사회 계층별로 주거지가 동심원 형태로 분화하는 동심원 모형의 대표적인 사례 지역이다. ② 남부 유럽의 식민 지배를 받은 중·남부 아메리카는 도시 경관에 식민 지배의 영향이 남아 있다. ③ 선진국의 대도시인 시카고는 개발 도상국의 대도시인 리우데자네이루보다 세계 도시 체계에서 계층이 높다. ⑤ 중·남부 아메리카의 도시는 식민 도시를 토대로 발전한 형태가 많으며, 선진국의 도시에 비해 도시 내부의 지역 분화가 불완전하다.

▌바로 알기▐ ④ 비공식 부문의 종사자 비율은 개발 도상국의 대도시인 리우데자네이루가 선진국의 대도시인 시카고보다 높게 나타난다. 비공식 부문은 공식 경제 부문과 달리 국가의 공식적인 통계에 잡히지 않고 국민 총생산 통계에도 포함되지 않는 경제 활동 부문을 말한다.

3 수단 내전

수단 북부는 이슬람교를 믿는 아랍계 주민이 주로 거주하고, 남부는 크리스트교와 토속 신앙을 믿는 아프리카계 주민이 주로 거주한다. 영국은 이러한 차이를 무시하고 수단을 하나의 국가로 식민 통치한 후 독립을 인정하였고, 이로 인해 남부와 북부 지역 간 갈등이 발생하였다. ㄴ. 남수단에서 생산한 석유 자원을 수출하기 위해서는 수단의 송유관과 포트수단 항을 이용해야 하므로 수단 정부와 협력이 필요하다. ㄷ. 수단 – 남수단 분쟁은 민족·종교적 차이 이외에 석유 자원을 둘러싼 이권 확보 등 다양한 원인이 결합되어 발생한 것이다. ㄹ. 수단을 포함한 아프리카 여러 지역의 분쟁의 가장 큰 원인은 식민 지배 과정에서 민족(인종)의 분포를 고려하지 않은 상태로 국경이 설정되었기 때문이다.

▌바로 알기▐ ㄱ. 아프리카계 원주민이 다수인 수단 남부 지역은 주로 크리스트교와 토속 신앙을 믿는다.

4 사하라 이남 아프리카의 저개발 문제

제시된 그래프를 보면 사하라 이남 아프리카는 세계 평균에 비해 농업의 부가 가치는 높고 서비스업의 부가 가치가 낮은 편이며, 제조업이나 서비스업보다는 상대적으로 부가 가치가 낮은 농업에 종사하는 사람들이 많다. 이를 통해 사하라 이남 아프리카는 경제 발달 수준이 낮음을 알 수 있다. 세계 평균과 비교해 사하라 이남 아프리카 지역은 1차 산업 의존도가 높으며 1인당 국내 총생산이 적다. 도시화율은 농업 종사자 비율이 50%가 넘는 사하라 이남 아프리카가 세계 평균보다 낮을 것이다.

03 자원 개발을 둘러싼 과제

STEP 1 핵심 개념 확인하기 190쪽

1 (1) ㄱ (2) ㄷ (3) ㄴ (4) ㄹ 2 (1) 코퍼 벨트 (2) 열대림 3 (1) 브라질 (2) 보츠와나 (3) 콩고 민주 공화국 (4) 나이지리아 4 ㉠ 카카오 ㉡ 다국적 기업 ㉢ 공정 무역

STEP 2 내신 만점 공략하기 190~192쪽

01 ⑤ 02 ① 03 ⑤ 04 ③ 05 ③ 06 ② 07 ②
08 ④

---

01 중·남부 아메리카의 자원 분포 및 개발

제시된 국가는 철광석의 수출이 많으며, 콩류와 고기류와 같은 농축산물이 수출에서 차지하는 비중이 높으므로 브라질이다. 브라질은 안정육괴가 넓게 분포해 철광석의 매장량과 수출량이 많으며 농목업이 발달해 커피, 콩, 고기류의 수출량 역시 많다. 브라질에는 세계 최대의 열대림이 분포하는데, 최근 개발로 인한 생태계 파괴, 토양 침식 등 환경 문제가 나타나고 있다.

▌바로 알기▐ ㄱ. 중·남부 아메리카에서 천연가스가 많이 매장되어 있는 국가는 볼리비아, 페루, 베네수엘라 볼리바르 등이다. ㄴ. 브라질은 포르투갈의 식민 지배 영향으로 포르투갈어를 사용한다.

02 사하라 이남 아프리카의 자원 분포

그래프와 같은 분포 비중을 보이는 자원은 석유이다. 석유는 서남아시아에 가장 많이 매장되어 있다. 아프리카 국가 중에서는 리비아의 매장량이 가장 많으며 다음으로는 나이지리아의 매장량이 많다. 기니만 연안의 나이지리아는 세계적인 산유국으로 수출의 90% 이상을 석유가 차지할 정도로 생산량이 많다. 따라서 A는 석유, B는 나이지리아이다.

▌바로 알기▐ 남아프리카 공화국은 석탄 생산량이 가장 많으며 콩고 민주 공화국은 구리와 코발트, 콜탄 등이 풍부하다.

03 사하라 이남 아프리카 주요 국가의 특징

사하라 이남 아프리카에서 국내 총생산이 가장 많은 국가는 경제 규모가 가장 큰 남아프리카 공화국이다. 남아프리카 공화국은 아프리카에서 석탄 생산량이 가장 많으며 금, 다이아몬드, 망간, 크롬 등의 자원도 풍부하여 광물 자원 수출을 통해 경제가 크게 성장하였다.

▌바로 알기▐ 케냐는 동아프리카 지구대를 따라 수많은 단층호가 발달하여 수자원이 풍부하며, 교통수단의 발달에 힘입어 화훼 산업이 발달하고 있다.

04 사하라 이남 아프리카의 자원 개발 특징

사하라 이남 아프리카는 석유와 석탄, 금, 다이아몬드, 구리, 코발트 등의 자원이 풍부하지만 자원 개발에 필요한 기술과 자본이 부족하기 때문에 중국을 비롯한 일본, 러시아, 미국, 인도 등이 막대한 자금력을 동원하여 사하라 이남 아프리카의 자원을 확보하기 위해 경쟁을 벌이고 있다. 이들 국가들은 산업 인프라를 제공하고 각종 개발 기금을 지원하면서 해당 국가에서 자원 채굴권을 확보하고 있다.

▌바로 알기▐ ③ 제시문과 같은 형태의 자원 개발은 선진국의 다국적 기업에게 자원 채굴권을 넘기는 것으로, 천연자원에 대한 주권을 찾으려는 노력으로 볼 수 없다.

05 사하라 이남 아프리카의 자원 개발로 인한 문제점

을. 사하라 이남 아프리카는 기호 작물을 값싸게 수출하는 대신에 밀, 옥수수와 같은 식량 작물을 선진국으로부터 수입하고 있다. 병. 선진국과의 불공정한 무역 구조를 해결하기 위해서는 개발 도상국의 주민이 생산하는 제품을 소비자가 정당한 가격을 지불하고 구매함으로써 생산자에게 정당한 노동의 대가가 돌아가도록 하는 공정 무역 방식이 필요하다.

▌바로 알기▐ 갑. 플랜테이션 농장은 다국적 기업이 주로 소유하며, 계약 재배나 직접 경영을 통해 기호 작물을 싼 값에 산 뒤 값비싼 제품으로 가공하여 판매하는 방식으로 많은 이윤을 남긴다. 정. 다국적 기업의 카카오 수출량이 확대되면 다국적 기업에게 돌아가는 이윤이 더욱 커지게 되므로 소득 분배의 불평등이 심화된다.

06 중·남부 아메리카의 자원 개발로 인한 문제점

브라질의 아마존 열대림은 국제 사회의 관심에도 불구하고 계속해서 면적이 줄어들고 있다. 브라질은 광산 개발과 목재 확보를 위해 숲을 제거해 왔으며, 최근에는 세계적으로 육류 소비가 증가하자 열대림을 베어 내고 가축을 키우는 목장으로 만들고, 콩과 같은 사료 작물을 재배하는 농경지로도 바꾸고 있다. 이로 인해 아마존강에 서식하는 동식물이 멸종 위기에 처해 있으며 생물 종의 다양성이 감소하고 있다. 또한 토양의 침식이 증가하고 농약이나 살충제로 인해 토양과 물이 오염되는 문제가 나타나고 있다.

완자 정리 노트 열대림 파괴

발생 원인	과도한 벌목, 농경지 및 목장 확대, 자원 개발, 도로 건설 등
발생 지역	아마존강 유역의 셀바스, 아프리카 중부 지역, 인도네시아 등
영향	지구 대기로의 산소 공급 감소, 지구 자정 능력 약화, 삼림 자원 감소, 동식물의 서식지 파괴와 이로 인한 생물 종의 다양성 감소, 토양 및 물 오염, 토양 황폐화 등

07 사하라 이남 아프리카의 자원 개발과 산업 구조

사하라 이남 아프리카 국가들은 대부분 자원 개발에 필요한 자본과 기술이 부족해 부가 가치가 낮은 원석이나 원유를 수출하고 있다.

나이지리아 역시 기술이 부족해 원유를 정제하는 정유 산업이 크게 발달하지 않아 오히려 석유 제품을 수입하고 있다. 나이지리아는 사하라 이남 아프리카에서 석유 수출이 가장 많지만 부정부패가 만연하여 자원 개발의 이익이 소수의 집단에게 집중되면서 국민 대부분은 유전 개발의 혜택을 거의 받지 못하고 있다.

08 자원의 정의로운 분배를 위한 노력

중·남부 아메리카는 대부분의 국가에서 선진국에 본사를 둔 다국적 기업이 자원을 개발하는 경우가 많으며, 이윤의 대부분을 다국적 기업이 가져간다. 이에 따라 볼리비아를 비롯한 일부 국가에서는 자원 개발로 발생한 이윤이 해외로 유출되는 것을 막고 자국의 이익을 극대화하기 위해 정부가 나서서 외국 자본과 공동 개발을 추진하거나 자원을 국유화 하는 등의 노력을 기울이고 있다.

서술형 문제

192쪽

01 주제: 중·남부 아메리카의 자원 개발과 산업 구조

(1) 칠레

(2) **예시 답안** 칠레는 특정 자원(구리)에 대한 의존도가 높아 자원의 국제 가격이 하락할 경우 국내 총생산이 감소하는 등 국가 재정 및 경제 상황의 변동이 커지는 문제가 나타나고 있다.

채점 기준

상	특정 자원에 대한 의존도가 높다는 내용과 국제 가격 변동에 따른 문제점을 정확하게 서술한 경우
중	특정 자원에 대한 의존도가 높다는 내용을 서술하지 않고 국제 가격 변동에 따른 문제점만 서술한 경우
하	특정 자원에 대한 의존도가 높다고만 서술한 경우

02 주제: 사하라 이남 아프리카의 자원 개발로 인한 문제점

(1) 화석

(2) **예시 답안** 바이오 에너지 원료 작물 재배지의 증가로 아프리카의 농민들이 경작할 땅을 잃어 삶터에서 쫓겨나고 있으며, 식량 작물의 생산량도 감소하여 식량 부족 문제를 겪을 수 있다. 또한 바이오 에너지 원료 작물 재배지를 확보하는 과정에서 고유의 식생이 파괴되어 환경 문제가 나타나고 있다.

채점 기준

상	바이오 에너지 원료 작물 재배 확대에 따른 문제점 두 가지를 정확하게 서술한 경우
하	바이오 에너지 원료 작물 재배 확대에 따른 문제점을 한 가지만 정확하게 서술한 경우

STEP 3 1등급 정복하기   193쪽

1 ②   2 ⑤

1 중·남부 아메리카의 자원 분포 및 수출 구조

(가)는 총 수출에서 천연가스가 차지하는 비중이 높으므로 볼리비아이다. (나)는 총 수출의 80% 이상을 원유가 차지하고 있으므로 세계에서 석유 매장량이 가장 많은 베네수엘라 볼리바르이다. (다)는 수출에서 철광석이 차지하는 비중이 높고 콩류, 고기류와 같은 농축산물의 비중이 높으므로 농목업이 발달한 브라질이다. 지도의 A는 베네수엘라 볼리바르, B는 볼리비아, C는 브라질이다.

2 중·남부 아메리카와 사하라 이남 아프리카의 환경 문제

(가)는 아프리카 사막 주변의 스텝 기후 지역과 사바나 기후 지역에서 주로 발생하고 있으므로 사막화 현상이다. (나)는 아마존 열대림 지대에서 주로 발생하고 있으므로 열대림 파괴 현상이다. ㄱ. (가) 사막화의 사례 지역으로 대표적인 곳은 사하라 사막 남부의 사헬 지대를 들 수 있다. ㄷ. 사막화와 열대림 파괴는 모두 과도한 농경과 목축에 따른 경작지 확대가 원인이 되어 발생한다. ㄹ. (가) 사막화가 발생하면 토양의 염류화 현상이 나타나게 되며 (나) 열대림이 파괴되면 토양을 <u>보존해 주는 식생의 감소로 토양 침식이 심</u>화된다. └ 물의 증발로 염류가 토양에 집적하는 현상으로 증발량이 강수량보다 많은 건조·반건조 지대에서 잘 나타나.

┃바로 알기┃ ㄴ. 사막화는 사막 주변과 초원 지역의 토양이 황폐화되어 점차 사막으로 변하는 현상이다. 사막 주변 및 초원 지역보다 열대림에 더 다양한 생물이 서식하고 있으므로 (나) 열대림 파괴 문제가 (가) 사막화보다 생물 종 다양성 감소에 큰 영향을 준다.

01 중·남부 아메리카의 인종 및 종교 분포

중·남부 아메리카 대부분 지역은 16세기부터 에스파냐와 포르투갈의 식민 지배를 받아 라틴계 유럽 문화의 영향을 받았다. ① 브라질은 포르투갈어를 사용하며 대부분 지역에서는 에스파냐어를 사용한다. ② 유럽계 백인은 온대 기후가 나타나는 우루과이와 아르헨티나, 브라질 남부에 주로 거주한다. 특히 아르헨티나는 백인의 비중이 약 97%에 달한다. ④ 유럽인들은 플랜테이션에 필요한 노동력을 충당하기 위해 노예 무역을 통해 아프리카의 흑인을 중·남부 아메리카로 강제 이주시켰다. ⑤ 원주민은 과거 고산 지역을 중심으로 마야·잉카·아스테카 문명 등 찬란한 고대 문명을 발달시켰다.

| 바로 알기 | ③ 백인뿐만 아니라 대부분의 인구가 유럽인들이 전파한 가톨릭교를 믿는다.

02 중·남부 아메리카의 도시 내부 구조

왼쪽은 동남아시아의 도시 내부 구조, 오른쪽은 중·남부 아메리카의 도시 내부 구조를 나타낸 것이다. 동남아시아는 식민 지배의 영향으로 항구를 중심으로 도시가 성장하였다. 항구 주변에 상업 및 행정 기능이 집중되어 있으며, 교외 지역에는 고소득층 주거 지구와 불량 지구가 혼재되어 나타난다. 중·남부 아메리카는 식민지 시대의 도시 계획에 따라 도시 중심에 광장이 있으며 광장 주변에 상업 지구와 핵심 기능이 모여 있다. 동남아시아와 달리 도시 중심부에 고급 주택 지구가 있으며, 중심에서 멀어질수록 저급 주택 지구가 나타난다. 따라서 동남아시아와 중·남부 아메리카의 도시 내부 구조에는 과거 식민 통치를 목적으로 한 공간 구조가 남아 있다는 공통점이 있다.

03 라파스의 도시 내부 구조

안데스 산지에 있는 볼리비아의 수도 라파스는 해발 고도가 높은 곳에 위치한 고산 도시이다. 비교적 해발 고도가 낮은 도시 중심에 광장이 위치해 있고, 교통로를 따라 상업 지구가 형성되면서 해발 고도가 높은 외곽 능선 지역으로 도시가 확대되었다. 제시된 지도에서 A는 원주민, B는 유럽계 백인으로, 고소득층을 이루는 백인은 주로 분지 바닥에 조성된 도시 중심부의 고급 주택 지구에 거주하며, 저소득층을 이루는 원주민은 해발 고도가 높은 도시 외곽 지역에 거주한다.

| 바로 알기 | 을. 고급 주택지는 해발 고도가 낮은 도시 중심부에 분포한다. 병. 원주민(A)은 유럽계 백인(B)보다 이 지역에 거주한 역사가 길다.

04 중·남부 아메리카의 도시 내부 구조와 도시화

선진국이 산업 혁명 이후 200년이 넘는 기간에 걸쳐 서서히 도시화가 진행된 것과 달리 중·남부 아메리카는 20세기 중반 이후 급속하게 도시화가 진행되었다. 중·남부 아메리카는 대규모 이촌 향도의 영향으로 도시 인구가 빠르게 증가하였으며 농촌을 떠나 도시로 모여든 사람들은 도시 내부로 들어가지 못하고 도시 외곽에 거주지를 형성하였다.

05 중·남부 아메리카의 도시화 과정

ㄱ. 종주 도시화는 1위 도시의 인구가 2위 도시 인구의 2배 이상인 현상으로, 제시된 국가에서는 모두 종주 도시화 현상이 나타나고 있다. ㄷ. 한 국가에서 인구 규모가 가장 큰 도시를 수위 도시라고 하는데 쿠바는 1순위 도시의 인구가 전체 인구에서 차지하는 비중이 19.2%로 가장 낮다.

| 바로 알기 | ㄴ. 우루과이는 1순위 도시 인구가 전국 인구에서 차지하는 비중이 39.2%이고 아르헨티나는 31%이지만, 2017년 기준 아르헨티나의 총인구는 우루과이의 총인구보다 10배 이상 많다. 따라서 우루과이는 아르헨티나보다 1순위 도시의 인구가 적다. ㄹ. 우루과이는 전국 대비 1순위 도시 인구 비중이 39.2%, 2순위 도시 인구 비중이 3.1%로 제시된 국가 중 전국 대비 1순위 도시 인구 비중과 2순위 도시 인구 비중의 차이가 가장 크다.

06 리우데자네이루의 도시 구조와 도시 문제

포르투갈의 식민 지배를 받은 브라질은 해안을 중심으로 성장한 도시가 많다. 리우데자네이루에서는 대서양 전망권이 확보되는 서쪽 해안의 도심에 고급 주택 지구가 형성되었으며, 급경사의 산지가 분포하는 남쪽 교외 지역에는 저급 주택 지구가 형성되었다. 불량 주택 지구인 파벨라는 산기슭이나 저습지처럼 주거에 불리한 지역에 형성되는데, 도시 중심부의 고급 주택 지구보다 사회적 혜택이 부족하여 세금을 내지 않고 경제 활동을 하는 비공식 부문 종사자가 많으며, 범죄나 환경 오염 등의 도시 문제도 심각하다.

| 바로 알기 | ① 브라질의 쿠리치바에 대한 설명이다. 쿠리치바는 교통 체계를 개선하고 다양한 친환경 정책을 실시하여 생태 도시의 모범 사례가 되고 있다.

07 사하라 이남 아프리카의 종교 분포

사하라 이남 아프리카에는 다양한 종교가 나타난다. 크리스트교는 유럽인의 식민지 개척 과정에서 아프리카 남부로 넓게 전파되었다. 그 결과 아프리카에서 자연적으로 발생한 토속 신앙의 비중은 감소하였으며 크리스트교가 주요 종교로 자리 잡았다. 서남아시아 지역과 인접한 소말리아, 수단 등지에서는 이슬람교를 주로 신봉하여 이슬람교는 아프리카에서 크리스트교 다음으로 비중이 높다. 따라서 A는 크리스트교, B는 이슬람교, C는 토속 신앙이다.

08 사하라 이남 아프리카의 주요 분쟁 지역

지도의 (가)는 수단, (나)는 남수단이다. 수단에서는 북부의 이슬람교를 믿는 아랍인들과 남부의 크리스트교와 토속 신앙을 믿는 원주민들 간의 내전이 발생하여 2011년 남수단이 수단으로부터 독립하였다. 그러나 최근에도 유전, 송유관과 정유 시설을 둘러싸고 수단과 남수단의 갈등이 계속되고 있다.

바로 알기 ⓒ 수단의 북부 지역과 남부 지역 간의 종교 갈등으로 (나) 남수단이 (가) 수단으로부터 2011년 독립하였다.

09 사하라 이남 아프리카의 주요 분쟁 지역
「호텔 르완다」는 르완다 내전을 다룬 영화이다. 르완다는 벨기에로부터 독립한 이후 권력을 유지하려는 소수의 투치족과 이에 대항하는 다수의 후투족 간에 내전이 발생하였다. 지도의 D가 르완다에 해당한다.

바로 알기 A는 나이지리아, B는 남수단, C는 콩고 민주 공화국, E는 남아프리카 공화국이다.

10 사하라 이남 아프리카의 저개발 문제
인간 개발 지수는 유엔 개발 계획(UNDP)에서 평균 수명과 교육 수준, 국민 소득 등을 기준으로 국가별 국민의 삶의 질을 평가한 지표로, 1에 가까울수록 삶의 질이 높다. 지도에 표시된 지역은 사하라 이남 아프리카로, 이 지역의 국가들은 대부분 불리한 기후와 지형, 계속되는 정치적 불안정, 낮은 교육 수준 등으로 경제 성장이 미약한 상황이며, 열악한 의료 환경으로 인해 질병 발생률과 영유아 사망률이 높고 기대 수명이 매우 낮다. 이에 따라 이 지역은 인간 개발 지수가 매우 낮게 나타난다.

바로 알기 ④ 사하라 이남 아프리카 지역은 천연 자원이 풍부하며, 세계에서 인구 증가율이 가장 높은 지역으로 노동력도 풍부하다.

11 중·남부 아메리카의 자원 개발과 산업 구조
중·남부 아메리카 대부분의 국가는 에스파냐의 식민 지배를 받아 에스파냐어를 사용하며 브라질은 포르투갈의 식민 지배를 받아 포르투갈어를 사용한다. 따라서 에스파냐어를 공용어로 쓰지 않는 (가)는 브라질(C)이다. 에스파냐어를 공용어로 쓰며 중·남부 아메리카에서 원유 수출량이 가장 많은 국가인 (다)는 베네수엘라 볼리바르(A)이다. 따라서 (나)는 볼리비아(B)이다.

12 사하라 이남 아프리카의 자원 개발과 산업 구조
아프리카에서 경제 규모가 가장 큰 남아프리카 공화국은 아프리카에서 석탄 생산량이 가장 많으며 금, 다이아몬드, 망간, 크롬 등의 자원도 풍부하다. 백인의 비중이 높은 남아프리카 공화국은 과거에 아프리카계 인종 차별 정책인 '아파르트헤이트'를 시행하여 국제적으로 큰 비난을 받기도 하였다.

바로 알기 ① 콜탄 광산 개발로 고릴라의 서식지가 파괴되고 있는 국가는 콩고 민주 공화국이다. ② 사하라 이남 아프리카에서 석유 수출량이 가장 많은 국가는 나이지리아이다. ④ 북부의 이슬람교도와 남부의 크리스트교도 간의 갈등이 발생하고 있는 국가는 수단과 나이지리아이다. ⑤ 최근 화훼 농업이 급속히 성장하고 있는 국가는 케냐이다.

13 사하라 이남 아프리카의 자원 개발로 인한 문제점
앙골라는 석유 수출을 통한 높은 경제 성장률에도 불구하고 민간 경제와 사회 전반의 생활 수준이 나아지지 않고 있다. 이는 정부의 부정부패와 일부 엘리트 특권층의 이권 나눠 먹기로 빈익빈 부익부 현상이 심화되고 있기 때문이다. 또한 개발에 필요한 기술과 자본이 부족하여 선진국의 다국적 기업에 의해 자원 개발이 이루어지면서 개발에 따라 발생한 많은 이윤이 해외로 유출되고 있다.

바로 알기 ㄷ. 앙골라는 자원 개발로 얻은 부의 대부분이 소수의 특권층에게 집중되고 있다. ㄹ. 정부가 외국 자본과 합작하여 만든 회사를 통해 자원을 개발하면 자원 개발에 따른 이윤의 해외 유출이 감소하면서 국민의 생활 개선이 이루어질 수 있으나 앙골라는 이러한 노력이 크게 이루어지지 않고 있다.

14 사하라 이남 아프리카의 자원 개발로 인한 문제점
최근 화석 연료 사용을 줄이려는 선진국들은 아프리카에서 농지를 확보하여 자국에서 사용될 바이오 에너지의 원료가 되는 작물을 대규모로 생산하고 있다. 이로 인해 농민들은 경작할 땅을 잃고 있으며 식량 작물 재배지의 면적이 감소하고 있다. 또한 바이오 에너지의 원료 작물을 재배할 땅을 확보하는 과정에서 고유의 식생이 파괴되는 환경 문제가 나타나고 있다. 따라서 식량 작물 수입량은 증가하고, 생물 종 다양성은 감소한다(A).

15 자원 개발에 따른 환경 문제
ㄴ. 유전이 많이 분포하는 중·남부 아메리카와 사하라 이남 아프리카는 원유를 수송하는 과정에서 유조선이 전복되거나 석유 시추 시설이 폭파하는 사고로 석유가 유출되어 해양 오염이 발생하고 있다. ㄷ. (가)에 들어갈 환경 문제는 열대림 파괴이다. 열대림이 사라지면서 생태계가 파괴되어 생물 종의 다양성이 감소하고 있으며 대기 중의 이산화 탄소를 흡수하는 식생의 감소로 온실가스의 배출량이 증가하고 있다.

바로 알기 ㄱ. 몬트리올 의정서는 오존층 파괴를 해결하기 위한 국제 협약이다. ㄹ. 브라질의 아마존 분지에는 세계 최대의 열대림인 '셀바스'가 분포하는데 각종 개발로 열대림이 파괴되어 주민 생활에 많은 피해를 준다.

16 중·남부 아메리카 주요 국가의 특징
① 멕시코(A)는 세계 최대의 은 생산국으로, 수도인 멕시코시티는 고대 아스테카 문명의 발상지이다. ② 베네수엘라 볼리바르(B)는 세계에서 석유 매장량이 가장 많으며 석유와 천연가스의 생산량이 많다. ③ 브라질(C)은 주요 도시의 외곽 산등성이에 빈민층이 주로 거주하는 불량 주택 지구인 파벨라가 들어서 있다. ④ 칠레(D)는 세계 최대의 구리 생산국으로 국내 총생산의 20%, 수출액의 60%를 구리가 차지하고 있다.

바로 알기 ⑤ 중·남부 아메리카에서 인구가 가장 많은 국가는 브라질이며, 유럽계 백인의 비중이 가장 높은 국가는 우루과이이다.

VIII. 공존과 평화의 세계

01 경제 세계화와 경제 블록의 형성

STEP 1 핵심 개념 확인하기   204쪽

1 ㉠ 세계 무역 기구 ㉡ 다국적 2 (1) ○ (2) × (3) ○ 3 (1) 경제 블록 (2) 관세 4 (1) – ㉢ (2) – ㉣ (3) – ㉡ (4) – ㉠

STEP 2 내신 만점 공략하기   204~206쪽

01 ⑤   02 ⑤   03 ③   04 ④   05 ④   06 ②   07 ④
08 ③

01 경제의 세계화

ㄷ. 다국적 기업은 노동, 기술, 경영 등 생산 요소를 고려하여 기업의 관리, 연구, 생산 기능을 분리 배치함으로써 시장을 확대하고 이윤을 극대화하고자 하는데, 이를 공간적 분업이라고 한다. ㄹ. 경제 세계화로 다국적 기업의 활동 범위는 전 세계로 확대되었다. 다국적 기업은 모국에 본사를 두고 국외 여러 지역에 지사와 생산 공장을 둔다. 생산 공장은 인건비가 저렴한 개발 도상국에 입지하는 경우가 많다.

▎바로 알기▎ ㄱ. 교통과 통신이 발달하고 국가 간의 인적·물적 교류가 활발해지면서 전 세계는 경제적으로 상호 의존성이 커지고 국가의 경계를 넘어 하나로 통합되어 가는 경제 세계화가 나타나고 있다. 이를 뒷받침하기 위해 세계 무역 기구(WTO)를 비롯한 국제기구가 설립되었다. ㄴ. 지리적으로 인접하여 상호 의존도가 높은 국가 간에 체결되는 것은 자유 무역 협정(FTA)이 대표적이다.

02 세계 무역 기구의 특징

세계 무역 기구는 높은 관세 부과 등으로 발생하는 국제 무역 분쟁을 조정하고, 각국에 관세 인하를 요구하는 등 법적 권한과 구속력을 행사하여 세계 무역 질서를 유지하고자 하는 국제기구이다. 세계 무역 기구의 설립으로 국가 간 경제적 상호 의존성은 강화되었다.

▎바로 알기▎ ⑤ 세계 무역 기구는 공산품에 국한되었던 국가 간 무역 분야를 서비스, 농산물 등으로 확대하는 데 필요한 제도를 보완하기 위해 만들어진 국제기구이다.

03 경제 블록의 통합의 유형

경제 블록은 통합의 정도에 따라 크게 자유 무역 협정(FTA), 관세 동맹, 공동 시장, 완전 경제 통합으로 분류된다. 자유 무역 협정(FTA)에서 완전 경제 통합으로 가면서 지역 경제 통합의 정도가 높

아진다. 완전 경제 통합은 경제 통합뿐만 아라 초국가적 기구를 설치 및 운영하는 단계로 유럽 연합이 이에 해당한다. ㉡은 완전 경제 통합보다 한 단계 낮은 단계로 역내 관세 철폐, 역외 공동 관세, 역내 생산 요소의 자유로운 이동이 가능한 단계로 공동 시장이다. ㉠은 역내 관세 철폐와 역외 공동 관세를 부과하는 관세 동맹이며, ㉢은 역내 관세 철폐만을 목적으로 하는 자유 무역 협정이다.

완자 정리 노트 지역 경제 통합의 유형

자유 무역 협정	역내 관세 철폐 예 북아메리카 자유 무역 협정
관세 동맹	역외국 공동 관세 부과 예 남아메리카 공동 시장
공동 시장	역내 생산 요소의 자유로운 이동 보장 예 유럽 경제 공동체
완전 경제 통합	초국가적 기구 설치·운영 예 유럽 연합

04 세계의 주요 경제 블록

(가)는 유럽 연합, (나)는 동남아시아 국가 연합, (다)는 북아메리카 자유 무역 협정이다. 유럽 연합은 단일 시장과 단일 통화를 통한 유럽의 경제 발전을 도모하기 위해 출범하였고, 정치·경제적 분야에서 공동 정책을 추진한다. 동남아시아 국가 연합은 역내 관세 철폐, 자본 및 노동력의 자유로운 이동 등을 추진한다. 북아메리카 자유 무역 협정은 미국, 캐나다, 멕시코 3국이 관세와 무역 장벽을 없애고 자유 무역을 추진하기 위해 체결되었다.

▎바로 알기▎ ④ (다)는 북아메리카 자유 무역 협정으로 경제 블록의 통합 단계 중 가장 낮은 단계로 역내 관세 철폐를 추구한다. 역외 공동 관세를 부과하는 통합 유형은 2단계인 관세 동맹에 해당한다.

05 경제 블록의 긍정적 영향

남아메리카 공동 시장이 출범함으로써 회원국 사이에 관세 및 무역 장벽이 철폐되어 자본과 자원의 효율적 분배가 이루어질 수 있으며, 급변하는 세계 무역 상황에 따라 회원국 간 공동 대응이 가능해져 국제적 영향력이 커질 수 있다.

▎바로 알기▎ ㄷ. 남아메리카 공동 시장의 회원국이 늘어나면 회원국들은 규모의 경제를 통해 제조업의 생산비를 절감할 수 있다.

06 경제 세계화의 영향

ㄱ. 경제 세계화에 따라 자유 무역의 확대로 국가 간 빈부 격차가 커지기도 한다. 국가 간 무역에서 선진국은 주로 고부가 가치의 첨단 산업과 금융 서비스 등 생산자 서비스를 담당하고 개발 도상국은 주로 값싼 노동력이 필요한 제조업과 농업 부문을 담당하면서 이들 국가 간의 경제적 격차가 더욱 커지고 있다. ㄷ. 경제 세계화에 따른 자유 무역 확대로 교역량이 증가하면서 세계 국내 총생산액은 증가하였다고 볼 수 있다.

▎바로 알기▎ ㄴ. (나)에서 세계 국내 총생산액 성장률 변화는 대체로 세계 교역량 증가율 변화와 비례하는 양상을 보인다. ㄹ. 부국과 빈국의 소득 격차는 1976년에는 52배였으나, 2016년 111배로 약 두 배 정도 증가하였다.

07 지역주의

동남아시아 국가 연합과 유럽 연합은 지역주의의 심화로 나타난 경제 블록이다. 지역주의는 지리적으로 인접하여 경제적 상호 의존 관계가 긴밀한 국가들이 경제 블록을 형성하는 형태로 나타나고 있으며, 이는 세계화에 따른 경제 환경의 변화에 적응하고 더 큰 경쟁력을 갖추기 위한 각국의 노력 중 하나이다.

바로 알기 ㄱ. 경제 블록은 경제력이 비슷한 국가가 아닌 지리적으로 인접하여 경제적으로 상호 의존도가 높은 국가들이 모여 형성한다. ㄷ. 보호 무역주의는 자국의 산업을 보호하기 위해 다양한 무역 장벽을 만들어 외국 상품의 수입을 제한하는 것으로, 회원국 간 자유 무역을 추구하는 지역주의와는 관련이 없다.

08 자유 무역 협정 체결에 따른 영향

(가)는 북아메리카 자유 무역 협정으로 발생하는 긍정적 영향, (나)는 부정적 영향에 대한 설명이다. 북아메리카 자유 무역 협정 체결 이후 멕시코는 미국, 캐나다와의 교역 확대에 따른 고용 창출로 산업 구조의 고도화를 이룰 수 있을 것이다. 그러나 농업 분야에서 자본력과 기술을 갖춘 미국과 경쟁해야 하기 때문에 경쟁력을 갖지 못한 멕시코는 자국의 산업을 보호하고 육성할 기회를 잃을 수도 있다.

바로 알기 ③ (나)는 멕시코가 미국과의 경쟁에서 불리한 농업에서 쇠퇴하면서 자국의 산업이 쇠퇴할 수도 있음을 보여준다.

서술형 문제

206쪽

01 주제: 세계 주요 경제 블록

(1) (가) – 유럽 연합(EU), (나) – 동남아시아 국가 연합(ASEAN)

예시 답안 유럽 연합과 동남아시아 국가 연합은 회원국 간 관세를 인하하고 무역 장벽을 철폐함으로써 자유 무역을 추구하는 경제 블록이다. 그러나 유럽 연합은 동남아시아 국가 연합과 달리 공동의 정치·경제·사회·정책을 수행하고 단일 통화를 사용할 뿐만 아니라 입법·사법의 독자적인 법령 체계 및 자치 행정 기능을 갖추고 있다는 차이점이 있다.

채점 기준

상	유럽 연합과 동남아시아 국가 연합의 공통점과 차이점을 모두 정확하게 설명한 경우
중	유럽 연합과 동남아시아 국가 연합의 공통점을 옳게 서술하였으나, 차이점에 대한 서술이 미흡한 경우
하	유럽 연합과 동남아시아 국가 연합의 공통점과 차이점 중 한 가지만 서술한 경우

02 주제: 경제 블록의 형성

(1) 지역주의

(2) **예시 답안** 경제 블록의 확대를 통해 경제 블록 내 국가들의 자원이 효율적으로 배분되고, 회원국 간 투자가 활성화될 수 있다. 또한 안정적인 시장이 확보되면 고용이 증가하고 실업은 감소하여 국가의 경제가 성장할 수 있다. 그러나 경제 블록이 영향력이 큰 선진국을 중심으로 운영되면 개발 도상국은 선진국에 대한 경제적 의존도가 높아지고 경제적 자립성이 낮아지게 된다. 또한 선진국의 기업보다 경쟁력이 부족한 개발 도상국의 산업이 위축되어 해당 산업과 관련된 기업의 생산량이 감소하고 고용이 축소될 수 있다.

채점 기준

상	경제 블록에 의해 발생할 긍정적, 부정적 영향을 모두 바르게 서술한 경우
중	경제 블록에 의해 발생할 긍정적, 부정적 영향 중 한 가지는 바르게 서술했으며 나머지 한 가지를 부정확하게 서술한 경우
하	경제 블록에 의해 발생한 긍정적, 부정적 영향 중 한 가지만 바르게 서술한 경우

STEP 3 1등급 정복하기

207쪽

1 ①   2 ②

1 세계의 주요 경제 블록

지도에 표시된 경제 블록은 유럽 연합, 동남아시아 국가 연합, 북아메리카 자유 무역 협정이다. (가)는 무역액이 가장 높은 것으로 볼 때 유럽 연합(EU), (다)는 무역액이 가장 적은 것으로 볼 때 동남아시아 국가 연합(ASEAN)이다. (나)는 북아메리카 자유 무역 협정(NAFTA)이다. 유럽 연합은 수출액이 수입액보다 많아 무역 수지가 흑자이며, 북아메리카 자유 무역 협정은 수입액이 수출액보다 많아 무역 수지가 적자이다. 또한 전체 무역액은 유럽 연합이 약 107천억 달러, 북아메리카 자유 무역 협정이 약 57천억 달러로 유럽 연합이 세계 무역에서 차지하는 비중이 높다.

바로 알기 ㄷ. 동남아시아 국가 연합은 회원국이 10개국, 유럽 연합은 회원국이 28개국이다. ㄹ. 경제 통합의 정도가 가장 높은 것은 유럽 연합이다.

2 유럽 연합과 동남아시아 국가 연합

동남아시아 국가 간의 기술 및 자본 교류와 공동 자원 개발을 추진하고 있는 ㉠은 동남아시아 국가 연합(ASEAN)이다. 마스트리흐트 조약에 의해 결성된 경제 블록으로 최근 영국이 탈퇴하기로 결정한 ㉡은 유럽 연합(EU)이다. 동남아시아 국가 연합에 비해 유럽 연합은 회원국 수가 많고, 정치·경제적 통합 수준이 높으며, 경제가 발달한 선진국이 많은 유럽 연합이 동남아시아 국가 연합보다 역내 총생산도 많다. 따라서 그림에서 B가 답이 된다.

STEP 1 핵심 개념 확인하기   212쪽

1 ⊙ 화석 연료 ⓒ 지구 온난화   2 (1) ㄱ (2) ㄹ (3) ㄴ (4) ㄷ   3 (1)
− ⓒ (2) − ⊙ (3) − ⓒ   4 (1) 그린피스 (2) 안전 보장 이사회

STEP 2 내신 만점 공략하기   212~215쪽

| 01 ④ | 02 ① | 03 ③ | 04 ⑤ | 05 ④ | 06 ⑤ | 07 ③ |
| 08 ③ | 09 ③ | 10 ② | 11 ① | 12 ③ | | |

01 지구 온난화

산업이 발달하고 인구가 증가하면서 화석 연료 사용 급증으로 인해 이산화 탄소, 메테인 등 온실가스 배출량이 크게 증가하였다. 이로 인한 지구 평균 기온 상승으로 가뭄과 홍수, 폭염, 한파와 같은 기상 재해가 점차 늘어나고 있다.

┃바로 알기┃ ① 난대성 식물의 재배 북한계는 북상할 것이다. ② 고산 지대의 만년설이 녹아 해수면 상승으로 해안 저지대에서 침수 피해가 발생할 것이다. ③ 난류성 어족의 어획량이 증가할 것이다. ⑤ 일부 동식물이 멸종 위기에 처하며, 해충으로 인한 질병 발생이 늘어날 것이다.

02 오존층 파괴와 열대림 파괴

(가)는 오존층 파괴, (나)는 열대림 파괴에 대한 내용이다. 오존층이 파괴되면 자외선 투과량이 증가하면서 피부암, 백내장과 같은 질병의 발병률이 증가한다. 열대림은 농경지 확대를 위한 벌목 등으로 파괴되고 있다. 숲은 온실가스를 흡수하고 산소를 배출하는 역할을 하는데, 삼림이 파괴되면 대기 중 온실가스의 농도가 높아진다.

┃바로 알기┃ ① 염화플루오린화탄소의 사용량 증가로 오존층이 파괴되고 있다.

03 파머의 가뭄 지수

자료 분석

└─ 사막 지역이나 인구 밀집 지역, 열대림 파괴가 나타나는 지역은 가뭄의 정도가 심화될 것으로 예상돼.

파머의 가뭄 지수는 세계의 가뭄 현상을 수치화하여 나타낸 지표로, 이를 통해 2090~2099년에는 세계의 가뭄 정도가 매우 심각해질 것임을 예상할 수 있다. 특히 사막 지역과 인구 밀집 지역, 열대림 파괴가 많은 아마존강 유역의 가뭄 피해가 심하며, 세계 곳곳에서 물 부족이 장기화되고 식량 생산량 급감으로 기아, 난민 등이 증가할 것으로 예상된다.

┃바로 알기┃ ㄱ. 북반구 고위도로 갈수록 수치가 커지면서 다습하므로 가뭄의 정도는 완화되고 있다고 볼 수 있다. ㄹ. 가뭄 지수가 클수록 습윤한 지역, 가뭄 지수가 작을수록 건조한 지역이다.

04 해양 쓰레기

해류에 의해서도 오염 물질이 이동하는데 해양으로 유입된 쓰레기는 플라스틱이나 비닐로 구성되어 있어 환경을 파괴하므로 이에 대한 대책이 필요하다. ⑤ 해류의 흐름을 이용해 쓰레기를 한 곳에 모으는 시설물을 설치하면 배를 타고 쓰레기를 수집하는 방법보다 저렴한 비용이 든다.

┃바로 알기┃ ① 미세 플라스틱 사용량을 줄여 나가야 한다. ② 미세 먼지, 황사와 관련 있는 내용이다. ③ 지구 온난화, 미세 먼지와 관련 있는 내용이다. ④ 특정 국가만의 문제가 아니라 지구적 차원의 문제로 볼 수 있다.

05 사막화의 특징

지도를 통해 아프리카 사하라 사막 이남의 사헬 지대, 중국 서부 내륙 지역 및 오스트레일리아 내륙 지역과 같이 사막 주변의 건조 기후 지역과 스텝 지역에서 피해가 심한 것을 알 수 있다. 따라서 지도는 사막화의 피해 지역을 나타낸 것이다. 사막화는 지속되는 가뭄, 과도한 방목 등으로 인해 발생한다.

┃바로 알기┃ ㄱ. 호수 산성화 및 건물 부식 등의 피해를 유발하는 환경 문제는 산성비이다. ㄷ. 람사르 협약은 습지 보호를 위해 체결된 국제 협약이다.

06 산성비 피해 지역의 특징

지도를 보면 서부 유럽의 공업 지역 및 북아메리카 동부 지역에서 피해 정도가 심하게 나타나는 것으로 볼 때 A는 산성비이다. 서부 유럽에서 발생한 오염 물질이 편서풍을 타고 북유럽까지 날아가 산성비를 내려 토양의 산성화로 농작물 수확량이 감소하는 등의 피해가 발생하였다. 국제 사회는 1979년 산성비 문제를 해결하기 위해 국경을 넘어 이동하는 대기 오염 물질을 통제하는 제네바 협약을 체결하였다. 따라서 이와 관련된 탐구 주제는 원인 물질 배출 지역과 피해 지역이 달라 발생하는 국가 간 갈등이다.

┃바로 알기┃ ① 인구 증가와 과도한 농경에 따른 환경 문제는 사막화 문제와 관련 있다. ② 파리 협정은 2015년 지구 온난화 문제를 해결하기 위해 체결한 국제 협약이다. ③ 산성비는 중위도 편서풍의 영향에 의해 주변 지역으로 이동해 국가 간 문제를 유발한다. ④ 해수면 상승에 따른 해안 저지대의 피해는 지구 온난화로 발생하는 문제이다.

07 생태 발자국

인구 증가와 산업 발달로 생산과 소비가 증가함에 따라 지구의 생태 발자국 수치는 빠르게 증가하고 있다. 오른쪽 그래프를 보면 소

득 수준이 높은 지역일수록 1인당 생태 발자국 수치가 높게 나타난다. 북아메리카는 1인당 생태 발자국 수치가 가장 높지만 인구수가 많은 아시아·태평양 지역이 생태 발자국 총량은 북아메리카보다 많다. 지구의 지속 가능한 발전을 위해서는 에너지를 절약하고 일상생활 속에서 절약하는 습관을 길러야 한다.

∥ 바로 알기 ∥ ㄱ. 생태 발자국은 사람이 사는 동안 사용하는 모든 자원을 생산·처리하기 위해 드는 비용을 토지의 면적으로 나타낸 것이다. ㄹ. 지속 가능한 발전을 위해서는 생태 발자국 수치가 생태적 수용력보다 같거나 낮아야 한다.

08 세계의 분쟁 지역

(가)는 티베트족의 분리 독립운동, (나)는 쿠르드족의 분리 독립운동으로 두 사례 모두 소수 민족이 분리 독립하려는 지역에서 발생하는 분쟁에 해당된다. 중화인민공화국이 티베트 지역을 강제 합병한 이후 이 지역에서는 해마다 크고 작은 시위가 발생하고 있다. 쿠르드족은 독립 투쟁을 벌이고 있지만 인근 국가와의 이해관계가 얽혀 있어 갈등이 계속되고 있다.

09 종교 갈등 지역

A는 팔레스타인 지역으로 이슬람교를 믿는 지역이었으나 제2차 세계 대전 이후 이곳에 유대교를 믿는 이스라엘이 건국되어 기존에 살고 있던 팔레스타인 주민들을 내보내면서 갈등이 시작되었다. 이는 도표의 ⓒ에 해당한다. B는 카슈미르 지역으로 영국으로부터 독립할 당시 이슬람교도가 많아 파키스탄에 귀속될 예정이었으나, 힌두교도가 많은 인도에 속하게 되면서 이슬람교를 믿는 파키스탄과 힌두교를 믿는 인도 간의 갈등이 발생하고 있다. 이는 도표의 ㉠에 해당한다.

10 세계의 분쟁 지역

지도의 A는 북아일랜드 지역, B는 카스피해 지역, C는 티베트족의 분리 독립운동 지역, D는 센카쿠 열도, E는 쿠릴 열도 지역이다. 카스피해 지역에는 자원이 풍부하게 매장되어 있어 이 지역의 자원 확보를 위해 러시아, 아제르바이잔, 이란, 투르크메니스탄, 카자흐스탄 간에 분쟁이 발생하고 있다.

∥ 바로 알기 ∥ ① 북아일랜드는 개신교와 가톨릭교 간의 갈등 지역이다. ③ C는 티베트족의 중국으로부터의 분리 독립운동이 발생하는 지역이다. ④ 센카쿠 열도는 섬의 영유권을 둘러싸고 일본, 중국, 타이완 간에 갈등이 발생하는 지역이다. ⑤ 쿠릴 열도는 러시아와 일본의 영토 분쟁 지역이다. 분쟁 당사국 수가 가장 많은 지역은 A~E 중 B 지역이다.

11 국제기구

분쟁 당사국 간 지역 간 평화적 협상이 어려운 분쟁은 국제 사회의 중재와 조정이 필요한 경우가 생기기도 한다. 유엔 난민 기구는 분쟁 지역의 난민들을 보호하고 돕기 위해 설립되었으며, 국경 없는 의사회는 분쟁 지역에서 의료 활동을 하기 위해 설립되었다.

∥ 바로 알기 ∥ ㄷ. 그린피스는 환경 문제의 심각성을 알리기 위해 활동한다.

ㄹ. 분쟁 지역의 무력 충돌을 감시하고 주민을 보호하는 국제기구는 국제 연합 평화 유지군이다.

12 분쟁 해결과 세계 평화를 위한 국제 사회의 노력

지구촌은 세계 평화를 위한 초국가적 협의체인 국제 연합(UN)을 창설하고, 산하에 안전 보장 이사회, 국제 사법 재판소, 평화 유지군, 유엔 난민 기구 등을 두어 사법 분쟁, 무력 분쟁 및 갈등, 난민 문제에 적극적으로 대응하고 있다. 또한 개인이나 민간 단체들은 그린피스, 국경 없는 의사회, 국제 사면 위원회 등의 비정부 기구(NGO)를 조직하여 다양한 지구촌 문제를 해결하기 위해 세계 곳곳에서 지속적인 활동을 펼치고 있다. 세계 평화와 정의를 위해서는 국제적 차원의 노력도 필요하지만, 세계 시민의 자세를 가지고 국제 사회의 개선과 발전을 위해 고민하고 행동으로 실천하는 개인적 차원의 노력도 매우 중요하다.

∥ 바로 알기 ∥ 병. 국가 간 법적 분쟁을 해결하기 위한 국제기구는 국제 사법 재판소이다.

서술형 문제

215쪽

01 주제: 지구 온난화의 발생과 영향

(1) 지구 온난화

(2) **예시 답안** 극지방과 고산 지역의 빙하가 녹아 해수면이 상승하면서 해안 저지대는 침수된다. 기상 이변이 발생하여 가뭄, 홍수, 한파, 폭설 등의 자연재해가 증가한다. 동식물의 서식 환경이 변화하여 멸종 위기에 처하거나 해충의 개체 수가 증가한다. 등

채점 기준

상	지구 온난화에 따른 현상 세 가지를 모두 서술한 경우
중	지구 온난화에 따른 현상을 두 가지만 서술한 경우
하	지구 온난화에 따른 현상을 한 가지만 서술한 경우

02 주제: 난민 문제

(1) 난민

(2) **예시 답안** 세계 여러 국가는 영역, 자원, 민족 등의 차이로 인한 갈등과 분쟁이 계속되고 있다. 이로 인해 전쟁과 내전이 잦은 국가의 국민들은 살던 곳을 떠나 강제 이동할 수밖에 없는 난민의 처지에 놓이게 되었다.

채점 기준

상	세 가지 용어를 모두 사용해 서술한 경우
중	세 가지 중 두 가지 용어를 사용해 서술한 경우
하	세 가지 중 한 가지 용어만 사용해 서술한 경우

1 지구 온난화

자료는 지구 온난화로 인한 순록의 개체 수 감소를 주제로 한 조사 내용이다. 지구 온난화는 지구 연평균 기온이 상승하는 현상으로 이로 인해 영구 동토층이 해빙되어 영구 동토층의 분포 면적이 감소한다. 또한 북극권의 해빙으로 인해 북극 항로의 항해 가능 일수가 증가하며, 해발 고도가 높은 지역에서도 열대림이 분포할 수 있게 되므로 열대림 분포의 고도 한계는 상승한다. 따라서 그림의 A가 답이 된다.

2 산성비와 사막화 문제

(가)는 영국, 프랑스, 독일의 공업 지역으로부터 배출된 오염 물질이 편서풍을 타고 동유럽과 북유럽으로 이동하면서 피해를 주고 있는 산성비 문제를 보여주고 있다. (나)는 아랄해의 축소를 통해 사막화 문제를 보여주고 있다. 산성비는 호수를 산성화하여 식물과 호수 생태계에 악영향을 미친다. 아랄해는 수량이 90% 이상 줄어들고, 평균 수심이 200m 이상 얕아졌다. 이는 호수로 유입되는 강의 물줄기를 돌려 주변 농경지의 관개용수로 과도하게 사용하였기 때문이다. 이로 인해 수량이 줄어 든 아랄해는 염분 농도가 증가해 토양 염류화가 진행되었다.

바로 알기 ② 몬트리올 의정서는 오존층 파괴 방지를 위한 국제 협약이다.

3 물 분쟁 지역

세계 4대 고대 문명 발상지는 나일강, 황허강, 인더스강, 티그리스·유프라테스강 유역이며, 그 중 상류의 고원 지대에서 물이 흘러 내려오고 22개의 댐을 건설하려는 아나톨리아 프로젝트가 추진되는 하천은 티그리스·유프라테스강(B)이다. 튀르키예와 시리아, 이라크를 흐르는 이 강의 하류는 페르시아만 지역으로 원유가 풍부하여 원유 자원을 무기화할 경우 상류에 위치한 튀르키예는 물을 무기화하겠다고 선언하기도 하였다.

바로 알기 A는 나일강, C는 메콩강, D는 미시시피강, E는 아마존강이다.

4 세계의 주요 분쟁 지역

(가)는 팔레스타인 분쟁 지역으로, 제2차 세계 대전 이후 이슬람교를 믿는 팔레스타인 지역에 유대교를 믿는 이스라엘이 건국되면서 이에 반발하는 팔레스타인 민족과 유대 민족 간에 갈등이 발생하였다. (나)는 카스피해 분쟁 지역으로, 석유와 천연가스가 대규모로 매장된 카스피해의 영유권을 둘러싸고 주변국들이 갈등을 빚고 있다. (다)는 카슈미르 지역으로, 주민 대다수가 이슬람교도이지만 인도로 영토가 귀속되면서 인도와 파키스탄 간 갈등이 시작되었다. 따라서 올바른 답사 경로는 B이다.

01 세계 무역 기구의 특징

㉠에 들어갈 국제기구는 세계 무역 기구(WTO)이다. 세계 무역 기구(WTO)는 자유로운 교역이 이루어질 수 있도록 관세 및 비관세 철폐를 추진한다. 또한 국가 간 높은 관세 부과로 발생하는 국제 무역 분쟁을 조정하고, 각국에 관세 인하를 요구하는 등 법적 권한과 구속력을 행사하여 세계 무역 질서를 유지한다.

바로 알기 ㄱ, ㄷ. 세계 무역 기구(WTO)는 농산물, 공산품뿐만 아니라 서비스 분야에서도 자유로운 교역을 추구한다.

02 경제 블록의 특징과 영향

경제 블록은 넓은 시장 확보와 자본과 노동력의 자유로운 이동 등을 목적으로 한다. 따라서 활발한 교역을 통해 자원이 효율적으로 배분되고, 회원국 간 투자가 활성화될 수 있다. 그러나 개발 도상국의 선진국에 대한 경제적 의존도가 높아져 개발 도상국의 경제적 자립성이 낮아질 수 있다.

바로 알기 ⑤ 선진국은 첨단 산업과 금융 서비스 등을 담당하고, 개발 도상국은 제조업과 농업 부문을 담당하면서 국가 간 경제적 격차가 커질 수 있다.

03 다국적 기업

경제 세계화의 확대에 따라 세계를 무대로 하여 판매 및 생산 활동을 하는 다국적 기업이 성장하고 있다. 다국적 기업은 공간적 분업을 통해 시장을 확대하고 이윤을 극대화하고자 하는데, 공간적 분업은 연구, 관리, 생산, 판매 등의 기능이 공간적으로 분리되는 현상을 말한다. 다국적 기업은 모국에 본사를 두고 국외 여러 지역에 분산된 지사와 생산 공장을 관리한다.

바로 알기 ④ 생산 공장은 인건비가 저렴한 개발 도상국이나 현지 시장 공략을 위해 선진국에 입지하는 경우가 많다.

04 세계의 주요 경제 블록

지도에서 A는 유럽 지역 국가들이 회원국인 유럽 연합이며, B는 미국, 캐나다, 멕시코가 회원국인 북아메리카 자유 무역 협정, C는 남아메리카 공동 시장이다. (가) 영국의 유럽 연합 탈퇴를 의미하는 브렉시트는 유럽 연합(A)과 관련이 있다. (나) 브라질과 우루과이가 회원국이며, 역내 관세 장벽 철폐와 역외 공동 관세 부과를 실시하는 지역 경제 협력체는 남아메리카 공동 시장(C)이다. (다) 캐나다, 미국, 멕시코 3개국이 광범위한 자유 무역을 추진하기 위해 결성한 지역 경제 협력체는 북아메리카 자유 무역 협정(B)이다.

05 경제 통합 단계

지도의 A는 유럽 연합, C는 북아메리카 자유 무역 협정이다. 그림에서 (가)는 자유 무역 협정 수준의 경제 협력, (나)는 관세 동맹, (다)는 공동 시장, (라)는 완전 경제 통합 단계이다. 유럽 연합은 역내 관세 철폐는 물론 역외 공동 관세를 부과하고, 자본과 노동력 등 역내 생산 요소의 자유 이동을 보장하며, 역내 공동 경제 정책 수행 및 초국가적 유럽 연합 본부 및 입법부, 사법부까지 설치되어 있다. 따라서 A는 (라)에 해당된다. 그리고 북아메리카 자유 무역 협정은 역내 관세 철폐를 위한 경제 협력 기구로 미국의 자본과 기술, 캐나다의 자원, 멕시코의 노동력이 결합되어 회원국들의 경제 발전을 추구하고 있다. 따라서 C는 (가)에 해당된다.

06 세계의 주요 경제 블록

지도의 A는 유럽 연합, B는 동남아시아 국가 연합, C는 북아메리카 자유 무역 협정, D는 남미 공동 시장이다. 유럽 연합은 정치·경제·사회 분야에서 공동 정책을 추진하고 있는 경제 블록으로, 경제 연합에 해당한다. 따라서 자유 무역 협정(FTA)에 해당되는 동남아시아 국가 연합과 북아메리카 자유 무역 협정보다 유럽 연합이 경제적인 통합의 수준이 높다.

┃ **바로 알기** ┃ ① 유럽 연합은 회원국 간 상품·자본·노동력의 움직임이 자유롭다. ② 동남아시아 국가 연합은 단일 통화를 사용하지 않는다. 유로화를 사용하는 유럽 연합 내에서도 덴마크, 스웨덴 등의 일부 회원국들은 유로화를 사용하지 않는다. ③ 관세 동맹에 대한 설명으로 북아메리카 자유 무역 협정에 해당되지 않는다. ⑤ 동남아시아 국가 연합 회원국들은 산업 구조가 서로 비슷하여 회원국 간의 경제적 상호 보완성이 가장 약한 편이다.

07 환경 문제의 특징

(가)는 산성비 피해가 발생하는 지역을 나타낸 것이고, (나)는 이산화 탄소와 같은 온실가스의 증가로 인해 지구 평균 기온이 상승하는 지구 온난화를 나타낸 것이다. 도표에서 A는 염화플루오린화탄소의 배출 증가로 나타나는 오존층 파괴, B는 이산화 탄소 배출 증가로 나타나는 지구 온난화, C는 질소산화물과 황산화물이 비에 섞여 내리는 산성비, D는 과도한 방목 및 경작으로 발생하는 사막화이다. 따라서 (가)는 C, (나)는 B에 해당된다.

08 지구적 환경 문제

지도의 A는 석유와 천연가스가 풍부한 카스피해로, 석유 자원 개발로 수질 오염이 심화되고 있다. B는 아랄해로, 관개 농업으로 인해 호수가 점차 축소되고 있다. D는 중국의 베이징 부근 지역으로, 공업이 발달해 미세 먼지 농도가 높다. E는 인도네시아의 보르네오 섬으로, 벌목과 농경지 확대로 열대림 파괴 문제가 심각하다.

┃ **바로 알기** ┃ ③ C는 몽골과 중국 국경 사막으로, 대기 오염 물질의 이동으로 인한 산성비 피해는 거의 없다.

09 지구적 환경 문제

사막화의 주요 원인으로는 경작지 확대, 과도한 방목과 삼림 훼손,

기후 변화에 따른 장기간의 가뭄 등이 있다. 사막화가 진행되면 토양이 황폐화되어 물과 식량이 부족해지고, 생태계 균형이 파괴되기도 한다. 따라서 국제 연합에서는 사막화 진행 국가에 대한 재정적·기술적 지원을 위해 사막화 방지 협약을 체결하였다. 오존층은 자외선으로부터 지표 생물을 보호하는 역할을 하는데, 냉장고나 에어컨의 냉매제로 쓰이는 염화플루오린화탄소의 사용이 증가하면서 오존층 파괴가 심화되고 있다. 오존층의 두께가 얇아지면 지표면에 도달하는 자외선 양이 증가하여 피부암, 백내장 등의 질환 발생률이 증가한다. 따라서 국제 사회는 몬트리올 의정서를 채택하여 오존층 파괴 물질의 생산과 사용을 규제하고 있다.

10 세계의 생태 발자국

생태 발자국은 재생 가능한 자원을 생산하고 폐기물을 흡수하는 데 필요한 토지와 바다의 면적을 계산한 것으로 글로벌 헥타르(gha)로 표시한다. 지속 가능한 발전을 위해서는 생태 발자국이 생태적 수용력과 같거나 그보다 작아야 한다. 그러나 인구 증가와 산업 발달로 생산과 소비가 증가함에 따라 지구의 생태 발자국은 빠르게 커지고 있다. 지도를 보면 유럽, 동부 아시아, 북아메리카 등에 위치한 경제 발전 수준이 높은 국가들은 자원 소비량이 많아 생태 발자국이 생태 수용력을 초과함을 알 수 있다.

┃ **바로 알기** ┃ ㄱ. 적도 부근의 열대림이 풍부한 말레이시아와 인도네시아의 경우 생태 발자국이 생태 수용력을 초과하였다. 그 이유는 과도한 열대림 벌목 때문이다. ㄷ. 자원 절약 노력을 통해 생태 발자국을 줄일 수 있다.

11 사막화 발생 지역과 열대림 파괴 지역

제시된 지도는 사막화가 발생하는 지역(A)과 열대림 파괴 지역(B)을 나타낸 것이다. 사막화는 전 세계 스텝 기후 지역에서 빠르게 진행 중이며, 열대 우림 지역에서는 열대림 벌목, 경지 확대, 자원 개발 등으로 인한 열대림 파괴가 가속화되고 있다. 열대림은 대기 중의 이산화 탄소를 흡수하는 역할을 하는데, 열대림 파괴로 인해 이산화 탄소 흡수량이 감소해 지구 온난화를 심화시키는 원인이 되기도 한다.

┃ **바로 알기** ┃ ㄴ. 파리 협정은 지구 온난화를 해결하기 위한 국제 사회의 노력으로 2015년 체결되었다. 사막화를 해결하기 위해 국제 사회는 1994년 사막화 방지 협약을 체결하였다.

12 국제 환경 협약

파리 협정은 선진국과 개발 도상국 모두 온실가스 감축 의무에 동참하도록 한 협약이며, 교토 의정서는 선진국 38개국의 온실가스 감축을 촉구한 협약이다. 몬트리올 의정서는 오존층 파괴 물질의 배출을 억제하여 오존층을 보호함으로써 지구 생태계 피해를 방지하기 위해 체결되었다.

┃ **바로 알기** ┃ ㉢ 람사르 협약은 생태적·사회적·경제적·문화적으로 커다란 가치를 지니고 있는 습지를 보존하기 위해 체결된 협약이다. ㉣ 제네바 협약은 산성비 문제 해결을 위해 체결된 협약이다. 유해 폐기물의 국가 간 이동 및 처리 규제에 관한 협약은 바젤 협약이다.

협약	내용
람사르 협약(1971)	습지의 보호와 지속 가능한 이용을 목적으로 함
제네바 협약(1979)	산성비 문제를 해결하기 위해 국경을 넘어 이동하는 대기 오염 물질의 통제를 목적으로 함
몬트리올 의정서 (1987)	오존층 보호를 위해 염화플루오린화탄소(CFCs)의 사용을 규제함
바젤 협약(1989)	유해 폐기물의 국가 간 이동을 규제함
사막화 방지 협약 (1994)	심각한 사막화를 겪고 있는 개발 도상국을 재정적·기술적으로 지원하는 것을 목적으로 함
교토 의정서(1997)	미국, 유럽 국가 등 선진 38개국의 온실가스 감축 목표를 구체적으로 제시함
파리 협정(2015)	선진국과 개발 도상국 모두 온실가스 감축을 포함한 포괄적인 대응에 동참을 규정함

13 세계의 분쟁 지역

A는 티그리스·유프라테스강 유역으로, 상류의 튀르키예와 하류의 이라크 간 물 자원을 둘러싼 갈등이 벌어지는 곳이다. B는 카슈미르 지역으로, 이 지역에서는 이슬람교를 믿는 파키스탄과 힌두교를 믿는 인도 간 분쟁이 지속되고 있다.

▎바로 알기 ▎ C는 난사(스프래틀리) 군도로, 베트남, 중국, 말레이시아, 필리핀, 타이완, 브루나이 등 6개국 간 영유권 분쟁이 발생하고 있다. D는 캐나다의 퀘벡주로 프랑스어를 사용하는 주민들의 분리 독립 움직임이 지속되고 있다.

14 세계의 분쟁 지역

지도의 A는 쿠르드족의 독립운동 지역, B는 난사 군도, C는 센카쿠 열도, D는 쿠릴 열도 지역이다. ① 쿠르드족은 제1차 세계 대전 이후 튀르키예, 이란, 이라크, 시리아 등에 흩어져 살고 있는데, 독립 요구와 관련해 주변국들과 갈등이 발생하고 있다. ② 난사 군도는 석유 및 천연가스 등 지하자원이 풍부하고 해상 물류 교통의 중심지로서 중요성이 큰 곳이다. 베트남, 중국, 말레이시아, 필리핀, 타이완, 브루나이 등 6개국이 각자의 영유권을 주장하면서 분쟁이 발생하고 있다. ③ 센카쿠 열도 주변은 석유, 천연가스 등이 많이 매장되어 있는데, 섬의 영유권을 둘러싸고 일본, 중국, 타이완 간의 갈등이 발생하고 있다. 센카쿠 열도는 현재 일본이 실효적으로 지배하고 있다. ④ 쿠릴 열도는 일본과 러시아 간의 영유권 분쟁이 발생하고 있는 지역이다. 쿠릴 열도(D)는 분쟁 당사국 수가 2개국, 난사 군도(B)는 분쟁 당사국 수가 6개국이다.

▎바로 알기 ▎ ⑤ 난사 군도(B)와 센카쿠 열도(C)는 중국이 분쟁 당사국에 포함되어 있으나, 쿠릴 열도(D)는 중국이 포함되어 있지 않다.

15 세계 평화와 정의를 위한 비정부 기구의 노력

재난 지역에서 구호 활동을 펼치는 국경 없는 의사회와 '지구촌 전등 끄기' 행사를 진행하는 세계 자연 보호 기금은 모두 개인이나 민간 단체를 중심으로 조직된 비정부 기구(NGO)이다. 이들 단체는 다양한 지구촌 문제를 해결하기 위해 세계 여러 곳에서 지속적인 활동을 펼치고 있다.

16 국제 난민의 이해

난민은 인종, 종교 또는 정치적·사상적 차이로 인한 박해와 전쟁, 테러, 극도의 빈곤 및 자연재해 등을 피해 외국이나 다른 지역으로 탈출하는 사람들을 의미한다. 오늘날 전 세계 인구의 약 1% 정도가 난민에 해당되며, 그들의 안전과 기본적 인권 보장을 위해 국제 사회는 유엔 난민 기구(UNHCR)를 만들어 난민 문제에 대처하고 있다. 독일, 영국, 미국 등 선진국에서는 많은 난민을 수용하고 있는데, 이를 둘러싸고 국가 간이나 국가 내 주민들 간 갈등이 발생하고 있다. 이러한 난민 문제를 해결하기 위해서는 우리 모두 지구촌 공동체에 속해 살아가고 있다는 세계 시민으로서의 자세가 필요하다.

▎바로 알기 ▎ ㄷ. 난민들은 먼 거리를 이동할 경제적 여유가 없는 경우가 많기 때문에 대부분 인접한 국가로 이동한다.

논술형 문제 풀이

주제 01 동양의 세계 지도와 세계관

논술 SOLUTION

(가)는 중국 명나라 시대에 만들어진 세계 지도로, 중국을 중심에 두고, 한반도와 인도, 유럽, 서남아시아, 아프리카 등을 주변에 표현한 지도이다.

(나)는 조선 초에 만들어진 세계 지도로, 이 지도를 통해 우리 조상들의 세계 인식 범위와 중화사상의 영향을 받았음을 알 수 있다.

●POINT● (가)와 (나) 두 지도를 통해 공통적으로 당시 지도 제작에 큰 영향을 미친 중화사상의 영향을 확인할 수 있다. 그러나 (나)에 한반도가 상당히 크게 그려져 있는 것을 파악하고 그 이유와 목적에 대해 생각해 본 후 논술한다.

1. 예시 답안 대명혼일도와 혼일강리역대국도지도 모두 중국이 비정상적으로 크게 그려져 있다. 이는 당시에 중국을 세계의 중심이라고 생각하는 중화사상이 반영되어 있기 때문이다.

2. 예시 답안 혼일강리역대국도지도는 조선 초기에 필요한 국가 경영 자료를 확보하는 목적 이외에도 조선 왕조의 정당성을 세계에 알리기 위해 국가 주도로 제작된 지도이다. 지리적 인식 범위는 조선, 일본, 중국뿐만 아니라 아라비아반도, 인도, 아프리카, 유럽까지 표현되어 있다. 또한 중화사상이 반영되어 있기는 하지만 조선을 상대적으로 크고 자세하게 표현한 점에서 우리 국토를 주체적으로 인식하였음을 알 수 있다.

주제 02 기후 변화가 자연환경과 인간 생활에 미치는 영향

논술 SOLUTION

(가)는 전 지구 연평균 기온 변화와 전 지구 평균 온실 기체 농도 변화를 나타낸 것이다.

(나)는 지구의 평균 기온 상승으로 기후 변화가 발생하면서 생태계가 파괴되고, 자연재해가 증가하고 있음을 설명하고 있다.

●POINT● 제시된 지구 연평균 기온 변화의 원인과 이로 인한 문제점을 참고하여 이러한 변화에 대응하기 위한 개인, 정부, 국제 사회의 노력에 대해 논술한다.

1. 예시 답안 전 지구 연평균 기온의 상승은 전 지구 평균 온실 기체 농도의 상승과 변화의 경향이 동일한 것을 알 수 있다. 이는 전 지구 평균 온실 기체 농도의 상승으로 인해 온실 효과가 커졌고, 이로 인해 전 지구 연평균 기온도 상승하였기 때문이다. 전 지구 평균 온실 기체 농도가 상승한 이유는 인구 증가와 산업화, 도시화 등으로 인해 화석 연료의 소비량이 급증하였고, 화석 연료를 연소시키는 과정에서 온실 기체 배출량이 증가하였기 때문이다.

2. 예시 답안 지구의 평균 기온 상승으로 인한 기후 변화에 대응하기 위해서는 온실 기체의 배출량을 줄여야 한다. 이를 위해 개인은 에너지 자원을 절약하고, 식생활에서 로컬 푸드의 소비 비중을 늘려 식재료의 장거리 운반 과정에서 배출되는 온실 기체의 양을 줄이려는 노력 등을 해야 한다. 정부는 화석 연료 중심의 에너지 정책보다는 이를 대체할 신·재생 에너지의 비중을 높이기 위한 에너지 정책을 실시해야 한다. 또한 국제 사회는 파리 협정과 같은 국제 협약을 체결하여 국가 간의 유기적인 협력을 통해 온실 기체 배출량을 감축하기 위한 장기적인 계획 및 실천을 위한 노력해야 한다.

주제 03 세계의 인구 문제와 해결 방안

논술 SOLUTION

(가)는 출생률과 사망률이 낮게 나타나므로 경제 발전 수준이 높은 선진국에 해당함을 알 수 있다. 독일의 출생률과 사망률 변화를 나타낸 그래프이다.

(나)는 출생률이 높으며, 사망률은 최근 감소하고 있다. 출생률이 사망률에 비해 높아 인구의 자연 증가율이 높은 국가이므로 개발 도상국에 해당함을 알 수 있다. 니제르의 출생률과 사망률 변화를 나타낸 그래프이다.

●POINT● 국가의 경제적 수준에 따른 인구 구조의 특징과 그로 인해 발생하는 인구 문제를 파악하고 해결 방안에 대해 논술한다.

1. 예시 답안 (가) 국가는 출생률과 사망률이 낮으므로 유소년층에 비해 상대적으로 청장년층과 노년층의 인구 비중이 높게 나타나는

B와 같은 종형의 인구 구조를 보일 것이다. 반면, (나) 국가는 출생률과 사망률이 높으므로 상대적으로 유소년층의 인구 비중이 높게 나타나고, 평균 수명이 상대적으로 짧아 노년층의 인구 비중이 낮게 나타나는 A와 같은 피라미드형 인구 구조를 보일 것이다.

2. [예시 답안] (가) 국가에서는 출산율 감소에 따른 경제 활동 인구의 감소, 고령 인구의 비중 증가에 따른 인구 고령화 등의 문제가 발생할 수 있다. 이러한 인구 문제를 해결하기 위한 대책으로는 출산과 보육에 따른 비용을 국가가 책임지는 각종 출산 장려 정책의 마련과 고령 인구의 안정적 생활을 위한 각종 사회 보장 제도의 정비 등이 필요하다. (나) 국가에서는 사망률은 빠르게 감소하는 반면에, 출생률은 완만하게 감소함으로써 폭발적인 인구 증가 현상이 나타날 수 있다. 이와 같은 인구 과잉으로 인해 식량 및 자원 부족, 기아와 빈곤 등의 문제가 나타날 수 있다. 이러한 문제를 해결하기 위해서는 산아 제한과 같은 적극적인 인구 성장 억제 정책을 추진하는 동시에 인구 부양력을 높이기 위한 경제 성장과 식량 증산 정책 등을 함께 실시해야 한다.

국은 제철 공업을 비롯한 각종 공업이 발달해 있으나 자원이 부족하여 오스트레일리아로부터 각종 자원을 수입하고 있다. 특히 일본, 대한민국과 같은 몬순 아시아 국가는 유럽, 미국에 비해 오스트레일리아와 거리가 가까워 운송비 측면에서도 유리하다.

2. [예시 답안] 중국은 의류, 섬유 직물과 같은 경공업뿐만 아니라 기계류, 금속 제품, 정밀 기계와 같은 각종 중화학 공업 역시 발달하면서 각종 공업 제품의 수출이 총 수출에서 차지하는 비중이 높다. 일본은 높은 기술력을 바탕으로 기계류, 자동차, 정밀 기계, 철강, 화학 약품과 같은 각종 중화학 공업 및 첨단 제품의 수출 비중이 높다. 반면 오스트레일리아는 각종 지하자원은 풍부하지만 제조업이 발달해 있지 않아 제조업의 원료가 되는 석탄, 철광석 등의 지하자원을 수출하고 공산품 및 제조업 제품은 수입에 의존하고 있다. 이는 오스트레일리아는 인구가 적어 공업에 필요한 노동력이 부족하고 임금 수준이 높으며 적은 인구로 인해 국내 시장이 발달하지 않아 제조업이 크게 발달해 있지 않기 때문이다.

주제 04 ⟩ 몬순 아시아와 오세아니아 주요 국가의 산업 구조

논술 SOLUTION

(가)는 오스트레일리아의 주요 무역 상대국이 영국, 미국, 영국 연방 국가들에서 중국, 일본, 대한민국 등 몬순 아시아로 변화하였다는 내용이다.

(나)에 제시된 중국, 일본의 수출 구조와 오스트레일리아의 수출 구조를 비교하면 오스트레일리아는 철광석, 석탄 등 지하자원의 수출이 총 수출에서 차지하는 비중이 높음을 알 수 있다.

●**POINT**● 오스트레일리아의 무역 상대국이 변화한 이유를 몬순 아시아와 오스트레일리아 국가들 간의 장점과 관련하여 논술한다. 그리고 오스트레일리아의 수출 구조를 제조업이 발달하지 못한 측면에서 논술한다.

1. [예시 답안] 오스트레일리아는 과거 영국의 식민 지배를 받았으며 영국 연방에 속하여 문화적·정치적인 이유로 영국을 비롯한 유럽 국가들이나 미국과의 교역 비중이 높았다. 그러나 영국을 비롯한 유럽 국가들과 미국과의 거리가 멀어 각종 자원을 수출하는 데 있어 운송비 측면에서 불리하였다. 최근 몬순 아시아의 일본, 대한민

주제 05 ⟩ 건조 아시아와 북부 아프리카의 사막화

논술 SOLUTION

(가)는 수단 여러 지역의 가축 적정 사육 두수와 실제 사육 두수가 제시되어 있다. 지도에 보면 대부분 지역에서 적정 사육 두수를 초과해 가축이 사육되고 있음을 알 수 있다. 또한 우물, 웅덩이, 와디 주변에 유목민이 거주하고 있음을 알 수 있다.

(나)를 통해 사헬 지대 지역 주민들의 식품 및 영양 상태 위험도가 높으며 이러한 식량 부족 문제로 난민이 발생하고 있음을 알 수 있다. 또한, 식수원에 접근할 수 있는 농촌과 도시 인구 비율이 모두 낮음을 알 수 있다.

●**POINT**● 지도에 제시된 자료를 토대로 지나친 농목업으로 사막화가 나타났음을 서술하고 사헬 지대에서 나타나는 문제점을 식량 부족, 난민 발생 등의 측면에서 논술한다.

1. [예시 답안] 사막 주변과 초원 지역의 토양이 황폐되어 점차 사막으로 변하는 사막화는 기후 변화에 따른 장기간의 가뭄이 원인이 되기도 하지만 지나친 인간 활동이 주요 원인이다. 사하라 사막 이남에 위치한 사헬 지대는 인구 증가에 따른 거주 공간 및 경작지 확대, 과도한 목축과 땔감 확보를 위한 산림 훼손 등으로 사막화가 급속하게 진행되고 있다.

2. 예시 답안 사헬 지대에서는 토양의 양분 및 수분 감소로 토양이 황폐화되어 곡물 재배 가능 지역이 줄어들게 된다. 이로 인해 식량이 부족해지면서 식품 및 영양 상태 위험도가 증가하고 있다. 또한 사막화의 영향으로 각종 용수가 부족해지면서 식수원 접근도가 낮아지고 있다. 이렇게 식량과 물이 부족해짐에 따라 식량 및 수자원 확보를 둘러싸고 인접 국가나 부족 간 갈등이 발생하면서 난민이 증가하고 있으며 삶의 터전을 잃은 사람들은 환경 난민이 되기도 한다.

 주제 06 북부 아메리카 공업 지역의 변화

SOLUTION

러스트벨트는 미국 북동부의 전통 공업 지역으로, 제조업이 쇠퇴한 공업 지대를 말하며, 디트로이트는 러스트벨트에 속하는 지역이다.

⬇

디트로이트와 같은 전통 공업 지역은 1960년대 이후 기반 시설의 노후화, 제조업 쇠퇴로 인한 인구 감소, 지역 경제 침체 등의 문제를 겪었다.

●POINT● 최근 유럽과 북부 아메리카의 전통 공업 지역들이 산업 구조 전환을 시도해 고부가 가치 산업 등에 투자하였다. 이로 인해 일자리가 창출되어 지역 경제가 활성화되었으며, 전통 공업 도시가 문화 도시나 신기술이 발달한 산업 도시 등으로 변화하였다.

1. 예시 답안 러스트벨트의 '러스트(rust)'는 녹슬다라는 의미이다. 러스트벨트는 미국 제조업의 중심지였으나 제조업의 쇠퇴로 쇠락한 미국 북동부의 공장 지대를 말한다.

2. 예시 답안 디트로이트는 미국 제조업의 중심지였으나 1970년대 이후 높은 인건비, 설비의 노후화, 해외 자원 의존도 증가, 산업 구조 변화 등의 영향으로 침체하기 시작하였다.

매연으로 가득했던 미국의 피츠버그는 대기 오염이 심한 도시였다. 기반 시설의 노후화, 값싼 외국산 철강 수입으로 제조업이 쇠퇴하면서 높은 실업률을 보였던 피츠버그는 정부와 시민들의 노력으로 이제는 살기 좋은 도시로 손꼽히고 있다. 시내를 가로지르는 오하이오강은 한때 산업 폐기물로 넘쳐났지만, 이제는 낚시를 할 수 있을 정도로 깨끗해졌다. 피츠버그는 지역 경제 활성화를 위한 자구책을 마련하였으며, 오늘날 피츠버그의 주력 산업은 철강 산업이 아니라 의료, 생물 공학, 교육, 로봇 공학, 금융 서비스 산업 등으로 변모하였다.

주제 07 중·남부 아메리카와 사하라 이남 아프리카의 저개발 문제

SOLUTION

(가)는 바나나 수출 상위 7개국과 수입 상위 7개국을 나타낸 표로, 바나나를 수입하는 국가는 주로 경제가 발달한 선진국, 바나나를 수출하는 국가는 주로 적도 주변에 위치한 중·남부 아메리카와 같은 개발 도상국임을 알 수 있다.

(나)를 통해 사하라 이남 아프리카에 위치한 국가들은 카카오의 수출액은 높으나 이 지역 농민들이 카카오 생산을 통해 얻는 이익은 크지 않음을 알 수 있다.

(다)를 통해 선진국의 다국적 기업에 의해 이루어지는 플랜테이션 농업은 개발 도상국의 현지 농민이나 노동자에게 큰 이윤이 돌아가지 못하고 있음을 알 수 있다.

●POINT● 선진국의 다국적 기업에 의해 이루어지는 플랜테이션 농업의 문제점을 서술하고 이를 해결하기 위한 방안인 공정 무역이 개발 도상국의 생산자에게 어떤 혜택을 줄지에 대해 논술한다.

1. 예시 답안 바나나를 주로 수입하는 국가는 유럽의 국가들과 미국, 일본과 같은 경제가 발달한 선진국이다. 반면 바나나를 주로 수출하는 국가는 중·남부 아메리카, 동남아시아와 같은 적도 주변의 열대 기후 지역에 위치한 개발 도상국이다. 플랜테이션은 유럽 열강이 식민지 정책의 하나로 열대 및 아열대 기후 지역에서 수출을 목적으로 하여 상품 작물(기호 작물)을 대규모 농장에서 재배하면서 비롯되었다. 플랜테이션은 개발 도상국 원주민의 값싼 노동력을 바탕으로 상품 작물을 단일 경작으로 주로 생산하며 재배 작물의 종류는 원주민의 식량이 아닌, 유럽 국가들의 경제적 이익을 극대화하는 목적에서 결정된다.

2. 예시 답안 플랜테이션 농업은 수입의 대부분이 선진국의 다국적 기업에게 돌아가고, 개발 도상국과 같은 생산지의 노동자에게는 지나치게 낮은 임금이 지급되는 문제가 발생하고 있다. 이에 최근 국제적으로 개발 도상국의 생산자에게 발생하는 구조적인 빈곤 문제를 해결하기 위해 공정 무역 운동이 활성화되고 있다. 공정 무역이 확대되면 생산자는 생산한 작물에 대한 공정한 가격을 받아 임금이 높아지면서 삶이 개선될 수 있다. 또한 생산자들에게 경영 능력을 키우고 새로운 시장을 개척할 수 있는 기회 등을 제공해 준다. 이밖에도 공정 무역은 생산자들을 위한 안전하고 건강한 노동 환경을 제공해 주며, 아동의 노동 참여를 금지하여 어린이들이 교육을 받을 수 있도록 돕는다.

주제 08 난민 발생과 수용에 대한 입장

논술 SOLUTION

(가)는 주요 국가별 난민 수에 대한 지도이다. 지도를 통해 난민이 주로 발생하는 국가들이 시리아, 이라크, 아프가니스탄 등 내전이 발생하는 국가들임을 알 수 있다.

⬇

(나)는 적극적으로 난민을 수용하려는 태도를 보이고 있는 독일 정부의 입장을 나타낸 것이며, (다)는 난민 수용에 소극적인 태도를 보이고 있는 영국 정부의 입장을 나타낸 것이다.

● **POINT** ● (가) 지도를 통해 난민이 주로 발생하는 지역의 분포 특징과 국가의 정치적 상황을 통해 난민이 발생되는 이유를 파악할 수 있다. (나)와 (다) 글을 통해 난민 수용에 긍정적인 태도를 보이는 국가와 부정적인 태도를 보이는 국가의 입장을 통해 난민 유입에 따른 장점과 단점을 생각해 본 후 서술한다.

1. 예시 답안 난민이 주로 발생하는 지역은 시리아, 예멘과 같은 서남아시아, 아프가니스탄, 파키스탄 같은 남부 아시아 및 수단, 남수단, 나이지리아 같은 아프리카 지역이다. 이들 지역은 국가 간 전쟁 및 국가 내 내전이 발생하는 지역들이다.

2. 예시 답안 난민의 경우 대부분 젊은 층이기 때문에 이들을 받아들일 경우 유입 국가의 젊은 노동력을 확보할 수 있으며, 독일처럼 고령화가 심각한 국가에서는 국가의 노동력 부족 문제에 도움을 주기도 한다. 그러나 유입국과 다른 문화적 배경을 가진 난민의 경우 난민 수용국 주민들과 문화적 차이로 인한 갈등 및 인종 차별로 인한 갈등이 발생할 수 있다. 또한 복지 시스템이 잘 갖춰진 국가의 경우 복지 수혜자인 난민 수의 증가로 난민 유입국의 복지 비용이 증가해 경제적 부담이 증가할 수도 있다.